101 PROJETS POUR VOTRE ORDINATEUR

101 PROJETS
POUR VOTRE
ORDINATEUR

Sélection
Reader's Digest

• MONTRÉAL •

101 projets pour votre ordinateur
est une réalisation de Sélection du Reader's Digest.
Cet ouvrage, ainsi que le CDRom qui l'accompagne, est l'adaptation canadienne
en langue française de PRACTICAL PROJECTS FOR YOUR PC réalisé par Slowcat Ltd pour
Computeractive (VNU Business Media Europe Ltd) et Reader's Digest Association, Londres
© 2006 The Reader's Digest Association Limited,
11 Westferry Circus, Canary Wharf, London E14 4HE

et de PROJETS PRATIQUES POUR VOTRE ORDINATEUR
© 2007 Sélection du Reader's Digest, SA,
5 à 7, avenue Louis-Pasteur, 92220 Bagneux

Équipe de Sélection du Reader's Digest (Canada) SRI

Vice-présidence Livres : Robert Goyette
Rédaction : Agnès Saint-Laurent
Direction artistique : Andrée Payette
Graphisme : Cécile Germain
Lecture-correction : Madeleine Arsenault
Retouche photo : Michel Gagnon
Consultation logiciels : Nadine Ménard
Fabrication : Gordon Howlett

Édition canadienne
© 2008, Sélection du Reader's Digest (Canada), SRI,
1100, boulevard René-Lévesque Ouest, Montréal (Québec) H3B 5H5

ISBN 978-0-88850-953-6

Pour obtenir notre catalogue ou des renseignements sur d'autres produits de Sélection
du Reader's Digest (24 heures sur 24), composez le 1 800 465 0780

www.selection.ca

Imprimé en Chine

08 09 10 11 / 5 4 3 2 1

Sommaire

LES BASES

6 Comment utiliser ce livre

8 Comment installer votre PC

10 Guide d'achat de matériel

12 Guide d'achat de logiciels

14 Découverte d'Internet et de la messagerie électronique

RETOUCHE D'IMAGE

20 Restauration d'images
Restaurer une vieille photo

26 Comme par magie
Effacer des objets d'une image

32 Travailler dans les bulles
Créer une bande dessinée

40 Maquillage numérique
Retoucher un visage

46 Tous ensemble
Portrait de famille virtuel

52 Juste pour rire
Modifier des lieux et des visages

56 Travailler sur de grands espaces
Créer un panorama

62 Autour du monde
Créer un itinéraire de vacances

68 Morceau par morceau
Créer un casse-tête

74 Réaliser un chef-d'œuvre
Transformer une photo numérique
en œuvre d'art

CRÉATION D'OBJETS

84 Voyez grand
Créer une affiche

90 Belles lettres
Créer des supports de correspondance

98 Certificats et diplômes
Créer un diplôme d'honneur

104 Dites-le avec style
Créer ses cartes de vœux

112 Mémoire d'une vie
Créer un album-souvenir

120 Emballage maison
Papier cadeau

126 Boîte cadeau
Boîtes décorées

132 Un calendrier à votre image
Calendrier illustré

138 Faites la Une
Créer un journal

146 Aménagements intérieurs
Aménager sa cuisine

154 Jeu de cartes
Jeu des 7 familles

160 Drôles de masques !
Créer un masque

162 Invitations et menus
Trousse d'invitation

168 Jeu de mots
Imagier pour apprendre

174 Le jeu des générations
Arbre généalogique illustré

180 Il était une fois
Créer un livre de contes

188 Sincèrement vôtre...
Créer une police de caractères

194 Meilleurs vœux
Automatiser ses courriers

200 Fier de votre t-shirt
Imprimer un t-shirt

SON ET VIDÉO

208 Laboratoire vidéo à domicile
Créer un film

216 Dépoussiérez vos vinyles
Numériser de vieux enregistrements

222 Des histoires en images
Récit-photo électronique

228 Chanter avec son PC
Karaoké sur mesure

232 En musique
Composer des morceaux de musique

238 Des compilations sur mesure
Créer une compilation musicale sur CD

242 Présentation multimédia
Un diaporama à partager

248 Action !
Menu interactif de DVD

INTERNET

256 Votre page d'accueil sur le Web
Votre page d'accueil

264 Donnez vie à votre site
Animation sur le Web

266 Une galerie internationale
Votre album photo en ligne

272 Mon journal sur Internet
Créer un blogue

278 Réunissez-vous
Animer un groupe en ligne

284 Un faire-part par courriel
Concevoir un faire-part par courriel

286 Bonjour le monde
Produire un balado

292 Pour le boulot
CV en ligne

296 Face à face
Vidéoconférence

L'ESSENTIEL

300 Tableaux et graphiques dans Excel

302 Diaporama PowerPoint

304 Faire de belles photos

308 Introduction aux logiciels
de retouche d'images

310 Couleurs et résolution

312 Imprimantes et impression

314 Tirer profit des calques et des styles

316 Filtres photo et effets spéciaux

318 Guide des outils de peinture

320 Photomontage et pochoirs

322 Créer avec un numériseur

324 Organiser ses images numériques

326 Polices de caractères

328 Mise en page avec Microsoft Word

330 Son et image avec
le Lecteur Windows Media

332 Enregistrement et création musicale

334 Glossaire
Technologies et termes utiles

346 Index   352 Remerciements

SOMMAIRE

Comment utiliser ce livre
Aperçu des principaux chapitres de l'ouvrage

Ce livre tire le meilleur profit de votre ordinateur en mettant en scène des projets qui intéresseront toute la famille. Vous découvrirez ici les chapitres qui le composent, mis en évidence par des couleurs qui vous permettront de les retrouver rapidement.

Le chapitre LES BASES présente les éléments essentiels qu'il convient de connaître pour installer votre PC et vous connecter à Internet. Dans le chapitre RETOUCHE D'IMAGE, vous apprendrez à améliorer et à transformer vos photos. CRÉATION D'OBJETS exploite les programmes Microsoft Office (Word, Excel et PowerPoint). SON ET VIDÉO utilise les fonctionnalités multimédias de votre PC. Le chapitre INTERNET vous ouvre l'accès aux ressources du Web et vous apprend à communiquer. Quant à L'ESSENTIEL, il aborde des notions fondamentales et vous aide à passer maître dans l'exploitation de vos logiciels. Lorsque vous rencontrerez, au fil de votre lecture, des termes ou des technologies qui vous échappent, reportez-vous au GLOSSAIRE, page 334.

Ce dont vous aurez besoin

Vous devrez disposer d'un PC Windows XP, d'un moniteur, d'une souris et d'un clavier. Certains projets réclament également l'usage d'une imprimante.

LES BASES

Installation du PC et connexion à Internet. Conseils sur le matériel et les logiciels.

CRÉATION D'OBJETS

Tous les projets que vous pouvez créer avec l'aide de la suite Microsoft Office : Word, Excel et PowerPoint.

INTERNET

Création d'un site Web, envoi de courriels, vidéo-conférence et création d'une radio Internet à large diffusion.

RETOUCHE D'IMAGE

Transformez vos photos et créez des chefs-d'œuvre avec l'aide d'un éditeur graphique.

SON ET VIDÉO

Création de projets multi-médias, de la numérisation de vos vieux vinyles à la création de films numériques.

L'ESSENTIEL

Optimisez l'utilisation de vos logiciels et apprenez des techniques de professionnels.

Une liste des outils nécessaires est présentée au début de chaque projet. Les projets graphiques sont mis en œuvre avec Adobe Photoshop Elements. Les projets relatifs à la mise en page de documents ou à la conception de pages Web utilisent les applications Microsoft Office (voir page 12).

Ces programmes ont été sélectionnés car ils occupent une position dominante sur le marché. Si votre PC est équipé d'outils différents, les procédures exposées ici sont généralement identiques, à quelques exceptions près, quelle que soit l'application.

Comment sont organisés les projets ?

Après une brève introduction, chaque projet est présenté de gauche à droite, étape par étape, du premier au dernier clic de souris. À chaque

étape, des copies d'écran montrent ce que vous devez voir sur votre écran à ce stade de l'explication. Les encadrés traitent d'informations, d'un point de détail particulier ou de processus et d'actions associés aux projets

Déplacez votre sélection

18 Effectuez un double-clic pour terminer. La sélection est entourée d'une ligne en pointillés. Activez l'outil **Déplacement** en appuyant sur **V**. Glissez la sélection sur le fond de carte. Redimensionnez-la pour l'accorder avec le fond. Appuyez sur **M** pour activer l'outil **Rectangle de sélection**. Choisissez l'**Ellipse**, réglez le **Contour progressif** sur **0** et le **Mode** sur **Normal**.

auxquels ils se réfèrent.

Les boutons, menus ou liens sur lesquels vous devez cliquer apparaissent en gras. Les textes devant être saisis sont présentés en rouge. Les raccourcis clavier sont également en gras. Par exemple, le raccourci **Ctrl+S** signifie que vous

devez maintenir la touche **Ctrl** enfoncée tout en appuyant sur la touche **S**.

Cliquer sur les bonnes boîtes

Les projets de cet ouvrage emploient fréquemment les menus, barres d'outils, boutons et boîtes de dialogue de Windows et des autres programmes utilisés. La construction des menus étant commune aux programmes Microsoft (Word, Excel, PowerPoint, Movie Maker et Internet Explorer), vous n'éprouverez aucune difficulté à vous y retrouver.

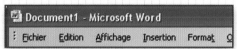

Les titres des menus principaux sont alignés en haut de l'écran. En cliquant sur l'un d'eux, vous déroulerez son contenu, faisant apparaître des commandes. Le menu **Fichier**, par exemple, contient des commandes qui permettent de sauvegarder un document, d'en ouvrir un que vous aviez préalablement enregistré ou de créer un nouveau document vierge.

La plupart des programmes disposent de **barres d'outils** qui apparaissent dans la fenêtre de travail. Elles peuvent être « flottantes ». Elles contiennent les mêmes fonctions que les commandes mais sont activées d'un simple clic de souris, accélérant ainsi la mise en œuvre de la fonction correspondante.

La partie droite de l'écran présente un volet de tâches. C'est ici que vous sélectionnez des options relatives aux actions que vous êtes en train de mener. Dans Word, sélectionnez **Nouveau** depuis le menu **Fichier**. Le volet affiche alors une liste de

types de documents que vous pouvez créer, et des liens vous permettant de télécharger des modèles « prêts à l'emploi » depuis le site de Microsoft.

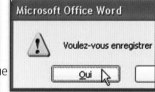

Lorsque votre PC attend de vous que vous preniez une décision ou que vous ajoutiez des informations, il fait apparaître ce que l'on appelle une **boîte de dialogue**.

Cliquer et glisser

La sélection des menus, le choix d'une option, le dessin ou le déplacement d'un objet sont effectués à l'aide de la souris. Le bouton gauche est employé pour la plupart des actions, tandis qu'un clic sur le bouton droit induit l'apparition d'un menu contenant des commandes en accord avec ce que vous êtes en train de faire.

Lorsque vous souhaitez dessiner, couper, déplacer ou redimensionner un objet, cliquez sur le bouton gauche de la souris, maintenez-le enfoncé puis déplacez la souris.

Un double-clic (deux clics successifs) a souvent le même effet qu'un clic simple suivi d'un clic sur un bouton **OK**. Il permet, par exemple, de sélectionner un document à ouvrir.

Comment installer votre PC
Connectez les éléments de votre PC pour démarrer

Il est essentiel que vous vous assuriez que les éléments qui constituent votre PC sont bien connectés. De nos jours, les périphériques de type imprimantes, disques durs externes et numériseurs (scanners) se connectent au PC par l'entremise d'une prise standard appelée USB (*Universal Serial Bus*). Les souris et clavier, les haut-parleurs et casque, l'alimentation générale et le câble réseau emploient d'autres types de connecteurs. Les prises sont généralement clairement identifiées par un code de couleur. Il est cependant recommandé de vous référer au manuel d'utilisation pour vous assurer que vous ne commettez pas d'impair.

Vérifiez que l'alimentation est coupée, puis connectez le clavier, la souris, le moniteur et les autres périphériques. Allumez l'ordinateur. Au bout de quelques instants, Windows est chargé et vous êtes prêt à utiliser votre PC.

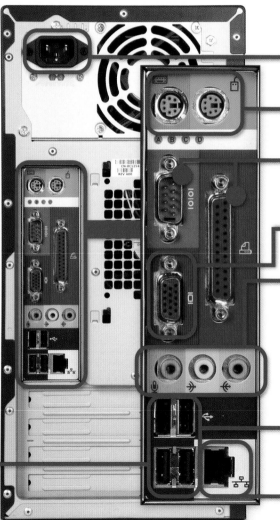

Lecteur de CD/DVD (**1**) et interrupteur (**2**).

Prise d'alimentation électrique. Débranchez toujours le câble d'alimentation si vous devez ouvrir le PC.

Prises du clavier (lilas) et souris (vert). Ils sont parfois connectés aux ports USB ou fonctionnent sans fil (voir page 10).

Ports Série et Parallèle (imprimante). Bien que présents sur tous les PC, ils sont de moins en moins utilisés. On leur préfère aujourd'hui les ports USB.

Prise moniteur. Certains écrans plats emploient une connexion différente appelée DVI (*Digital Visual Interface*).

Entrée et sortie son. La prise rose permet de brancher un micro ; les prises verte et bleue servent à la connexion de l'entrée et de la sortie son. Les haut-parleurs doivent être reliés à la prise verte. Connectez l'entrée de la chaîne hi-fi à la prise bleue. Le PC présenté ici dispose également d'une prise casque située à l'avant de la machine à côté des ports USB.

Ports USB. Dans cet exemple, quatre prises sont disposées à l'arrière de la machine, et deux à l'avant. Ces dernières sont plus facilement accessibles.

Prise réseau (RJ-45). Elle permet de relier votre ordinateur aux autres PC de la maison.

Acheter un nouveau PC

Les prix des PC sont plus bas que jamais, à tel point qu'il est plus économique de remplacer un vieux PC que de chercher à le mettre à jour. Avant d'aquérir un nouvel ordinateur, il est important de savoir ce qu'il contient.

Le processeur est au cœur de la machine. C'est lui qui est chargé des calculs. La vitesse à laquelle il fonctionne est mesurée en MHz (mégahertz) ou en GHz (gigahertz). Plus cette valeur est élevée, plus rapide est le PC.

Autre paramètre fondamental : la mémoire vive ou RAM (mesurée en Mo ou mégaoctets). C'est ici que sont stockées et gérées les données lorsque le PC est allumé. Plus la RAM est importante, mieux votre PC pourra traiter les fichiers volumineux et plus le nombre de logiciels pouvant fonctionner en même temps sera important. De nos jours, un minimum de 512 Mo est nécessaire.

Le disque dur est l'endroit où tous les fichiers sont stockés. Contrairement à la mémoire RAM, le disque dur conserve les informations une fois le PC éteint. La capacité des disques durs est mesurée en gigaoctets ou Go. Un PC de nouvelle génération dispose généralement d'au moins 100 Go.

Un moniteur est généralement vendu avec l'ordinateur. Assurez-vous qu'il s'agit d'un écran plat et non d'un écran à tube cathodique, aujourd'hui largement dépassé.

Ordinateurs portables

Le portable peut remplacer efficacement le PC de bureau. Son prix est légèrement supérieur mais il vous permet de travailler n'importe où grâce à sa batterie qui le rend autonome.

Agencement de votre espace

En général, on installe un PC à la maison non par souci esthétique mais par nécessité, et l'espace qu'il occupe n'est généralement pas mûrement réfléchi. Or, si vous ne créez pas un bon environnement de travail, les conséquences sont parfois plus préjudiciables qu'on ne l'imagine. Fatigue générale et plus particulièrement visuelle, maux de tête et douleurs lombaires sont les conséquences communes de cette situation. Vous allez apprendre ici à installer votre PC pour avoir du plaisir à vous en servir.

Votre chaise est sans nul doute l'élément central de cette installation. N'hésitez pas à investir dans un mobilier professionnel spécialement adapté qui supportera parfaitement votre dos et notamment la base de votre colonne vertébrale. Vos pieds devront rester bien à plat. Veillez à vous tenir bien droit et à conserver les cuisses parallèles au sol. Changez de position régulièrement. Lorsque vous êtes assis, l'angle formé par vos cuisses et vos mollets doit être d'au moins 90°. Ne glissez pas vos jambes sous votre chaise et souvenez-vous que si vous bloquez l'arrière de vos genoux contre l'assise de la chaise, vous risquez de gêner votre circulation sanguine.

Le clavier doit être à la même hauteur que vos bras de sorte que vos poignets soient relâchés et souples. Vous trouverez sous le clavier deux petites languettes qui vous permettent de le surélever. Essayez cette position pour voir si elle vous convient davantage.

Si votre table de travail est trop haute, vous pouvez installer une tablette pour poser le clavier. Vérifiez qu'il y aura suffisamment d'espace pour déplacer la souris.

Disposez le moniteur bien en face de vous. S'il est de côté, vos cervicales seront mises à rude épreuve. Marquez une distance d'un bras si vous employez un moniteur de 15 ou 17 pouces et une distance légèrement supérieure s'il s'agit d'un 19 pouces.

Inclinez le moniteur de manière à former un angle perpendiculaire entre l'écran et votre regard. Éloignez-le des fenêtres ou d'une source de lumière intense afin de réduire sa réflexion.

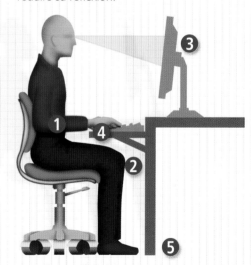

1 *Placez les bras au niveau du plan de travail, coudes ouverts et dégagés du buste.*
2 *Vos genoux doivent être souples et relâchés.*
3 *Avec un moniteur de 15 ou 17 pouces, vos yeux doivent être au niveau du haut de l'écran. Avec un 19 pouces, ils doivent être quelques centimètres plus bas.*
4 *Pensez à l'espace pour le clavier et la souris.*
5 *Vos pieds doivent être posés bien à plat.*

Choisir un appareil numérique

La résolution (quantité de pixels contenus dans une image) est un paramètre important. Cela dit, même les modèles économiques présentent une résolution tout à fait suffisante. Ce qui fait fondamentalement la différence reste la qualité de l'optique et la simplicité d'utilisation du matériel. Les compacts sont d'un usage enfantin. La plupart disposent d'un zoom, d'un grand écran d'affichage et d'une fonction de capture vidéo.

Viennent ensuite des paramètres qui octroient une plus grande liberté face à la prise de vue (voir page 304). Certains offrent des zooms plus élevés (jusqu'à une valeur x12 en zoom optique) et des résolutions d'image qui dépassent les 7 millions de pixels.

Matériels haut de gamme, les Reflex fonctionnent comme les appareils classiques et offrent une liberté totale de prise de vue. Vous pouvez en changer les objectifs. Ils sont d'ailleurs souvent vendus « boîtier nu ». Pour faire une bonne affaire, le mieux reste encore de chercher des modèles qui ont déjà quelques mois.

Comme dans l'informatique, les prix chutent à une vitesse vertigineuse.

Acheter des accessoires
Quelques périphériques indispensables

La fonction première des périphériques est d'étendre et d'améliorer les fonctionnalités de votre PC. Le moniteur, le clavier et la souris sont les trois périphériques essentiels de votre ordinateur. D'autres sont également très intéressants : l'imprimante couleur, le numériseur, l'appareil photo ou la caméra numériques en font partie. Grâce aux ports USB de votre PC, vous pouvez le relier à n'importe quel périphérique.

Claviers et souris

Si vous n'êtes pas satisfait de votre clavier, remplacez-le par un modèle de meilleure qualité… Ce n'est pas le choix qui manque ! Choisissez un clavier équipé de touches supplémentaires programmables ou bien un modèle sans fil qui réduira l'encombrement de votre bureau.

Si vous voulez remplacer votre souris, là encore le choix est vaste. Elle devra comporter au moins deux boutons séparés par une mollette de défilement qui permet de naviguer sur le Web. Préférez une souris optique à une souris équipée d'une bille, qui nécessite un nettoyage régulier. Les souris sans fil, également bien pratiques, sont parfois vendues avec le clavier du même type.

Moniteurs

Préférez un écran plat à un écran à tube cathodique. Choisissez-le aussi grand que possible et optez pour la plus forte résolution (voir page 311). La taille d'un écran se mesure dans sa diagonale. Choisissez plutôt un 17 ou 19 pouces avec une résolution d'au moins 1 280 par 1 024 (nombre de pixels horizontaux par nombre de pixels verticaux).

Imprimantes

Il existe deux catégories d'imprimantes : à jet d'encre et laser. Ces dernières utilisent des cartouches d'encre sèche que l'on appelle *toner*. Les laser sont propres, rapides et simples à utiliser. Même si les imprimantes laser couleur sont plus onéreuses à l'achat que celles à jet d'encre, elles sont cependant plus économiques à utiliser.

Les imprimantes à jet d'encre sont plus lentes, leur tiroir de stockage du papier est de moindre contenance, et remplacer les cartouches d'encre coûte cher. Elles offrent cependant davantage de possibilités d'impression : papier, carton, transfert pour tee-shirt, par exemple. Elles permettent d'imprimer des photos sur un papier adapté à cet usage. Vous ferez des économies en comparant les prix des cartouches d'un site Web à l'autre. Il existe des systèmes qui permettent de remplir d'encre une cartouche utilisée, mais les constructeurs déconseillent cette méthode.

Appareils photo numériques

L'appareil photo numérique constitue la solution la plus simple pour illustrer vos projets. Il enregistre les images sur des cartes mémoire (voir page 306). Lorsqu'une carte est pleine, vous en transférez le contenu sur votre ordinateur et pouvez la réutiliser immédiatement.

Numériseurs couleur

Pour copier sur votre PC un document imprimé, vous devez employer un numériseur, ou

scanner (voir page 322). Disposez l'original face retournée sur la surface vitrée. Un capteur lumineux balaie le document, renvoyant une chaîne de points colorés vers le PC, qui les rassemble pour former une image.

Les numériseurs sont peu onéreux et leur coût d'utilisation est nul.

Enregistrer de la vidéo

La caméra vidéo est le meilleur moyen d'enregistrer de la vidéo haute résolution sur un PC (voir page 208). Vous pouvez aussi opter pour un matériel moins onéreux qui vous permettra d'enregistrer des petits clips vidéo – c'est le cas des caméras bon marché ou de certains téléphones mobiles. La webcam constitue une autre solution. Les webcams sont très économiques et vous devrez en employer une si vous souhaitez communiquer en vidéoconférence sur Internet (voir page 296). Elles offrent également un moyen simple et rapide de capturer des vidéos (voir aussi page 16).

Connecter tous ces périphériques

Les ports USB (*Universal Serial Bus*) permettent la connexion de tous les périphériques de stockage ou d'acquisition. Si tous ceux de votre PC sont occupés, achetez un multiplicateur de ports USB (*hub*), qui augmente le nombre de ports USB, à l'instar d'une prise multiple électrique.

Où acheter ?

Pour obtenir les meilleurs prix, le mieux est de naviguer sur les comparateurs de prix (par exemple http://www.infoprix.ca ou http://www.meilleursprix.ca) qui permettent de dénicher les meilleures offres du marché. Vous en trouverez d'autres en utilisant les moteurs de recherche, Google par exemple.

PC de poche et cellulaires

Les PC qui tiennent dans la poche et les téléphones portables permettent d'enregistrer des sons ou d'écouter de la musique. Ils permettent aussi d'envoyer des courriels ou de surfer sur le Web. La plupart disposent d'une caméra intégrée. Si vous décidez de changer de téléphone portable, faites en sorte d'opter pour un modèle qui fonctionne avec Microsoft Windows Mobile. Cette version de Windows est très proche de celle installée sur votre PC.

L'option Apple

Les Mac construits par Apple constituent une alternative à Windows. Certains considèrent qu'ils sont plus simples à utiliser et font plus appel à l'intuition. Les Mac font exactement la même chose que les PC et peuvent partager des documents avec ces derniers. Vous devrez cependant acheter des programmes propres aux Mac et spécialement conçus pour le système d'exploitation Apple, Mac OSX. La dernière génération de Mac

peut fonctionner aussi bien sous OSX que sous Windows. Tous les projets de cet ouvrage sont conçus pour un PC Windows.

Installer des programmes

Les logiciels achetés dans le commerce sont livrés sur CD-ROM. Insérez le disque dans votre lecteur pour faire apparaître un menu d'options d'installation. Cliquez sur **OK** et suivez les instructions. L'installation d'un logiciel téléchargé est différente. Vous disposez d'un fichier sur lequel il vous suffit de double-cliquer pour démarrer la procédure.

Supprimer des programmes

Une fois un logiciel installé, vous disposez d'un raccourci pour l'activer. Celui-ci se trouve dans le menu **Démarrer** à l'intérieur d'un dossier qui porte le nom du logiciel. Ce dossier contient aussi un programme de désinstallation. Cliquez sur ce dernier afin de supprimer le logiciel de votre disque. Vous pouvez aussi cliquer sur le menu **Démarrer**, puis sur **Panneau de configuration**. Effectuez un double-clic sur l'icône **Ajouter ou supprimer des programmes**. Windows affiche alors la liste des programmes installés. À droite de chaque entrée, vous pouvez lire l'espace occupé par le logiciel, au-dessous duquel est disposé un bouton **Modifier/Supprimer**. Cliquez dessus pour supprimer le logiciel.

Employez l'une de ces deux méthodes plutôt que de supprimer manuellement les fichiers de votre disque dur. Vous risqueriez de perturber Windows.

Les logiciels de base
Voici les programmes dont vous aurez besoin

Traitement de texte

Un traitement de texte ne se contente plus de produire des documents texte. Microsoft Word peut vérifier l'orthographe et la grammaire, indexer un livre et corriger vos fautes de frappe instantanément. Il dispose d'outils de dessin et produit des pages Web (voir page 256). Il fonctionne en interaction avec les autres programmes de la suite Office, Excel et PowerPoint notamment. Vous obtiendrez des informations sur Office et pourrez télécharger des modèles de documents, depuis le site http://office.microsoft.com/fr-ca (voir page 328).

Éditeur graphique

Vous pouvez modifier et améliorer vos photos mais aussi créer des images de toutes pièces en employant un éditeur graphique. Pour certains projets de ce livre, vous emploierez Adobe Photoshop Elements (www.adobe.ca), une version allégée du célèbre logiciel professionnel. Avant d'acquérir un éditeur graphique, vérifiez qu'il n'a pas été livré avec votre appareil photo ou votre numériseur (référez-vous à la section « Introduction aux logiciels de retouche d'image », page 308).

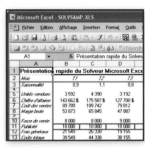

Tableur

Vous pouvez organiser et manipuler des chiffres ou d'autres types de données grâce à un tableur. Celui-ci calculera les totaux et statistiques, vous permettra de créer des graphiques représentant les données de votre table et mettra à jour automatiquement les informations si vous changez un paramètre. Microsoft Excel est le tableur le plus connu. Il est employé dans cet ouvrage (voir page 300).

Présentation multimédia

Microsoft PowerPoint est le programme de présentation assistée par ordinateur le plus connu au monde. Il associe des images,

des clips vidéo, des textes, des graphiques, des tables et des schémas, le tout accompagné de musique et d'effets sonores. L'objectif est ici de créer des présentations multimédias. Vous pourrez imprimer le résultat ou le diffuser sur votre écran. PowerPoint permet de présenter des projets personnels ou éducatifs (voir « Création de diaporamas PowerPoint », page 302).

Mise en pages

Les livres, les magazines et les journaux sont conçus à l'aide d'outils de mise en pages. Les professionnels emploient QuarkXPress et Adobe InDesign. Dans le cadre familial, la PAO (publication assistée par ordinateur) peut se faire à l'aide d'un bon logiciel de traitement de texte, Microsoft Word par exemple. On peut aussi lui préférer un logiciel de PAO bon marché (voir page 328).

Édition vidéo

Si vous souhaitez manipuler des fichiers vidéo, il est essentiel de disposer d'un logiciel adapté. Que vous capturiez des petits clips vidéo à l'aide de votre téléphone ou que vous transfériez vos productions vidéo depuis votre caméra vers votre PC, ce type de logiciel s'impose. Les professionnels emploient Adobe Premiere. Il en existe une version « allégée », Premiere

Elements. Windows dispose de son côté d'un outil intégré, baptisé Movie Maker, un éditeur vidéo basique mais bien pratique.

Enregistrement sonore

Windows est livré avec un logiciel qui permet d'enregistrer de petits clips. Si vous souhaitez enregistrer et éditer des séquences sonores ou des musiques pour accompagner vos projets, vous devrez employer un outil plus puissant, tel qu'Audacity, http://audacity.sourceforge.net (voir « Produire un balado », page 286). Il existe enfin des logiciels employés par les professionnels de la musique, Cubase par exemple (voir page 332).

Logiciel antivirus

Tous les PC connectés à Internet doivent être protégés des virus. Un logiciel antivirus, à l'instar de Norton AntiVirus, www.symantec.com/fr/ca, est régulièrement mis à jour pour optimiser son niveau de défense. Norton Internet Security est une variante de Norton AntiVirus. Il s'en différencie par l'ajout d'un logiciel « pare-feu », système qui administre toutes les données entrant et sortant de votre PC.

Logiciels gratuits

Vous trouverez sur le Web des solutions de remplacement gratuites aux logiciels payants. Assurez-vous simplement que vous les téléchargez depuis des sites de confiance, tels que www.megagiciel.com ou www.zdnet.fr.

Sauvegarder et charger des fichiers

Pour charger un document, cliquez sur **Ouvrir** dans le menu **Fichier**. Cherchez le document concerné et cliquez sur **Ouvrir**.

Pour enregistrer un document (ceci s'applique à la plupart des programmes), sélectionnez **Enregistrer** depuis le menu **Fichier**. Déplacez-vous à l'endroit où vous souhaitez sauvegarder le document, saisissez son nom et choisissez son format. Cliquez ensuite sur **Enregistrer.**

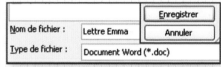

Par défaut, Microsoft Word enregistre ses documents avec l'extension .DOC. Il peut aussi vous proposer d'autres formats tels que .RTF (format texte enrichi), celui-ci pouvant être lu par n'importe quel éditeur de texte. C'est également le cas du format .TXT, à ceci près que ce dernier ne conserve aucun enrichissement (ni gras, ni italique, ni couleur, ni police de caractères particuliers).

Excel enregistre ses fichiers avec l'extension .XLS mais propose des formats supportés par les autres tableurs. Les éditeurs graphiques peuvent enregistrer et ouvrir différents types d'images. Le format de fichier Photoshop, .PSD, est un standard pour les images faites de plusieurs calques (voir page 314). Pour des images employées sur le Web, on fait appel, en général, au format JPEG (.JPG). Référez-vous à la page 311, « Paramètres de taille », pour en savoir plus.

Les avantages du haut débit

Avant que n'apparaisse le haut débit, la connexion à Internet s'opérait avec un modem (un périphérique qui convertit les données numériques émanant du PC dans un format adéquat au transport sur la ligne téléphonique). La plupart des PC disposent encore d'un modem interne mais sa lenteur et l'occupation de la ligne téléphonique lorsqu'il est actif le rendent tout à fait obsolète.

Le haut débit constitue la nouvelle norme de connexion à Internet. Il permet d'envoyer et de recevoir des données à une vitesse dix fois supérieure. Vous pouvez ainsi télécharger des vidéos, écouter la radio et même regarder des émissions de télévision en ligne. Vous paierez un abonnement fixe pour accéder au haut débit, sans coûts ultérieurs.

Il existe deux moyens principaux pour se connecter à Internet : le câble et l'ADSL (*Asymetric Digital Subscriber Line*). Le premier emploie un modem relié au système de TV câblée. Il implique que vous disposiez chez vous de la télé par câble. L'ADSL utilise votre ligne téléphonique tout en vous laissant la possibilité de passer et de recevoir des appels. Les fournisseurs d'accès Internet (FAI) sont très nombreux et rivalisent d'offres alléchantes.

Une fois votre PC connecté, il le reste sans que vous soyez obligé d'appeler votre FAI chaque fois que vous souhaitez utiliser Internet. Vous pourrez ainsi écouter toute la journée une radio Internet ou vérifier l'arrivée de nouveaux messages toutes les cinq minutes si tel est votre souhait.

Être connecté

Ou comment Internet vous ouvre les portes du monde

Connectez votre PC à Internet et vous accéderez à une mine d'informations, consulterez vos comptes bancaires, téléchargerez des programmes ou des fichiers musicaux, enverrez et recevrez des messages n'importe où dans le monde. Vous pourrez même utiliser Internet pour téléphoner gratuitement ou converser avec d'autres personnes en vidéoconférence (voir page 296). En dépensant une dizaine de dollars par mois, vous pourrez rester en ligne autant de temps que vous le souhaitez.

Pour afficher une page Web, il vous suffit de saisir son adresse dans le navigateur (voir encadré page 15). Si vous recherchez des sites particuliers, vous pourrez employer un « moteur de recherche » à l'instar de Google, www.google.ca.

Internet est composé de millions d'ordinateurs interconnectés, répartis dans le monde entier.

Ce réseau n'appartient à personne et n'est régulé par aucune instance. La censure n'existe donc pas et, de ce fait, certains contenus peuvent choquer. Pour éviter qu'un enfant ne se promène sur des sites inadaptés à son âge, il existe des outils de contrôle parental.

Vous pouvez vous aussi apporter votre contribution à l'édifice Internet en développant votre propre site. Vous emploierez pour cela un logiciel comme Microsoft Word (voir page 256) ou un logiciel dédié à ce projet tel que Microsoft FrontPage. Vous pouvez aussi rédiger votre journal intime en l'agrémentant de photos et le diffuser sur le Web (voir page 272). Vous pouvez également enregistrer votre propre radio et la diffuser sur le Net (voir page 286).

⦿ Vitesses et limites

La vitesse à laquelle votre connexion vous permet de télécharger des données est mesurée en Mo/s (Mégaoctets par seconde). Elle peut varier de 1 Mo/s à 8 ou plus. La plupart des fournisseurs d'accès proposent des formules différentes. Certains limitent la quantité de données pouvant être téléchargée chaque mois, d'autres vous offrent un accès illimité. Si vous pensez télécharger des quantités importantes de données, préférez cette dernière solution, elle vous évitera des surprises à la fin du mois. Comparez les différentes solutions et renseignez-vous sur la fiabilité des fournisseurs d'accès avant d'opter pour une solution spécifique.

⦿ Connexion sans fil

Si vous disposez de plusieurs PC chez vous, vous pouvez partager l'accès à Internet en employant un modem/routeur sans fil (WiFi). Chaque PC doit être équipé d'une carte WiFi généralement connectée à un port USB (voir page 8). La plupart des PC portables sont équipés d'un dispositif WiFi.

Ce réseau WiFi permet ainsi à chaque PC de se connecter à Internet comme s'il était physiquement relié au modem. Il permet également de transférer des données d'un PC à l'autre, de partager des périphériques tels que l'imprimante ou le numériseur, reliés à l'un des PC.

Comment explorer le Web ?

Pour afficher des pages Web, vous devez disposer d'un navigateur Web, tel que Microsoft Internet Explorer, www.microsoft.com/canada/fr/windows/default .mspx ou Opera, www.opera.com. Saisissez-y une adresse Internet (URL) pour que les images et tous les composants de la page apparaissent sur votre PC. Les navigateurs disposent de fonctions permettant de lire vos courriels, de télécharger des fichiers et de configurer les paramètres de sécurité afin de bloquer des contenus que vous jugez illicites ou gênants (fenêtres publicitaires).

Ressources en ligne

Vous trouverez sur le Web des polices (fontes), des cliparts ou des photos, des modèles de documents ou des sons. Pour les trouver, utilisez un moteur de recherche. Vous pouvez aussi vous rendre sur l'un des sites suivants :

● Dafont, www.dafont.com/fr, met à votre disposition des polices de caractères organisées par thèmes. La plupart sont gratuites.

● Google est également un moteur de recherche de photos d'utilisation gratuite, http://images.google.ca (voir ci-dessous).

● Rendez-vous sur www.freeaudioclips.com pour obtenir gratuitement des sons que vous utiliserez dans vos présentations.

● Si vous recherchez des animations qui mettront en valeur vos compositions, rendez-vous à l'adresse www.123gifs.biz (voir page 264).

● Le site de Microsoft regorge de cliparts gratuits, http://office.microsoft.com/clipart.

● Si vous manquez d'idées ou de temps, rendez-vous sur www.lettrenet.ca pour télécharger des modèles de cartes de vœux et de lettres.

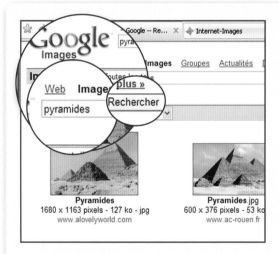

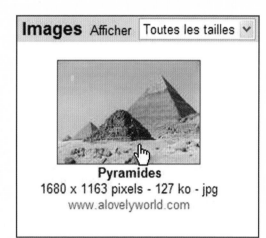

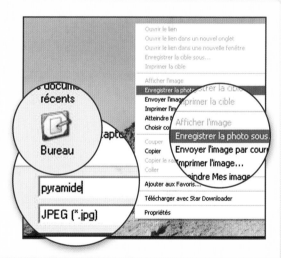

Trouvez une photo sur le Web

1 Si vous avez besoin d'une photo pour illustrer un projet, des pyramides par exemple, saisissez http://images.google.ca dans le navigateur et appuyez sur la touche **Entrée**. La fenêtre qui apparaît ressemble à celle du moteur classique. Saisissez pyramides dans la zone de recherche et cliquez sur le bouton **Rechercher**. La première page de résultats apparaît et présente des vignettes.

Choisissez l'image appropriée

2 Sous chaque vignette sont inscrites des informations relatives à la source de l'image, sa taille et son lien d'origine. Assurez-vous que l'image que vous choisissez est suffisamment grande (voir page 311). D'une manière générale, vous pourrez employer n'importe quelle image dès l'instant où vous n'en faites pas un usage commercial. Cliquez sur la vignette de votre choix.

Téléchargez le fichier image

3 Cliquez sur l'image et, depuis le menu contextuel, choisissez **Enregistrer la photo sous**. La boîte de dialogue **Enregistrer l'image** apparaît. Choisissez le dossier dans lequel vous souhaitez enregistrer le fichier, ou cliquez sur le bouton **Bureau** pour l'enregistrer à cet endroit (vous pourrez ensuite le déplacer). Cliquez sur **Enregistrer**. Répétez cette procédure pour chaque image.

Halte aux virus sur Internet

L'installation d'un antivirus sur votre PC est essentielle (voir page 13). Assurez-vous que celui-ci dispose de la liste la plus à jour qui soit, sans quoi votre PC ne sera pas protégé contre les virus les plus récents.

Si vous recevez un courriel suspect ou dont l'expéditeur vous est inconnu, supprimez-le. N'ouvrez jamais les pièces attachées à ce type de message, elles peuvent être infectées et endommager votre disque dur ou permettre l'accès de votre PC à des pirates.

Lorsque vous téléchargez des fichiers depuis le Web, faites-le sur des sites connus. Certains programmes « gratuits » contiennent des « spywares » (logiciels espions) qui suivent vos faits et gestes et envoient ces informations vers des sociétés mal intentionnées. Évitez tout ce qui semble trop beau pour être vrai ! Les sites illégaux proposent des logiciels gratuits ou des musiques à télécharger qui pourraient infecter votre PC avant même que vous n'ayez téléchargé quoi que ce soit.

Windows XP contient un « pare-feu » qui bloque l'accès à vos fichiers depuis l'extérieur. Pour l'activer ou le désactiver, cliquez sur **Démarrer**, puis sur **Panneau de configuration**. Faites un double-clic sur **Pare-feu Windows** puis sur **Activé** (recommandé) ou **Désactivé**.

Rendez-vous sur le site de Symantec pour en savoir plus sur les virus et procéder à une vérification en ligne de votre PC (www.symantec.com/fr/ca).

Soyez joignable par courriel
Envoyez et recevez des messages gratuitement, en toute simplicité

Un courriel, ou courrier électronique, se rédige comme un courrier habituel, mais plutôt que de l'imprimer et de le glisser dans une enveloppe, vous l'expédiez à l'adresse électronique de votre correspondant. Un clic sur le bouton **Envoyer** suffit à le transférer sur Internet. Lorsque le destinataire vérifiera ses messages, le vôtre sera prêt à être lu. L'ensemble du processus prend quelques minutes.

L'envoi est gratuit dès l'instant où vous êtes connecté à Internet. Lorsque vous souscrivez un abonnement Internet, votre fournisseur vous offre une adresse électronique. Certains sites, tels que Yahoo, http://qc.yahoo.com, et Canoë, http://www.canoe.com/reference/canoe_courriel_index.html, proposent également des adresses gratuites. Il vous suffit de connaître l'adresse de quelqu'un pour lui envoyer des messages. Vous pouvez également leur associer des images ou des sons (les photos de vos dernières vacances, par exemple).

Logiciel de messagerie

Outlook Express est le logiciel de messagerie le plus répandu. Il est livré avec Windows XP. Connectez-vous à Internet puis cliquez sur le bouton **Envoyer/Recevoir** d'Outlook Express pour vérifier la présence de nouveaux messages et expédier tous les messages que vous venez de rédiger et qui attendaient d'être envoyés.

Eudora, www.eudora.com, Thunderbird, www.mozilla.com, et Outlook (une version plus évoluée d'Outlook Express proposée dans certaines versions de Microsoft Office) constituent d'autres logiciels de messagerie.

⊙ Choisir une webcam

Une webcam est une petite caméra peu onéreuse que vous fixez sur votre écran et qui vous permet de discuter « de visu » avec un correspondant. Les modèles basiques offrent une résolution de capture de 320 x 240 pixels. Cette valeur est bien basse comparée à celle d'une caméra vidéo mais largement suffisante en vidéoconférence. Vous pouvez choisir un modèle un peu plus perfectionné qui vous permettra de prendre des photos, de zoomer ou d'affiner la prise de vue.

⊙ Obtenir un Windows Live ID

Pour accéder à certains sites, il vous faudra un passeport. Windows Live ID de Microsoft est gratuit. Il vous confère un identifiant sécurisé reconnu par des centaines de sites, tels que Hotmail et eBay. Pour obtenir votre passeport, rendez-vous sur www.passport.net et cliquez sur **Inscription**, situé à gauche de la page. Si vous disposez déjà d'une adresse électronique, cliquez sur **Oui, je souhaite utiliser mon adresse de messagerie actuelle**. Cliquez sur **Continuer** et suivez les instructions. Vous emploierez ce passeport chaque fois que vous verrez le logo **.NET Passport** ou **Windows Live ID** sur un site.

Tous les programmes vous permettent d'organiser vos messages. Vous pouvez, par exemple, enregistrer vos messages professionnels dans un dossier et vos messages personnels dans un autre.

Messagerie Web

La plupart des fournisseurs d'accès vous permettent de lire vos messages depuis le Web. Vous devez pour cela vous rendre sur une page spécifique, indiquer votre adresse et votre mot de passe. Cette messagerie Web vous autorise même à classer vos messages par dossiers. L'avantage de cette solution est qu'elle vous permet de consulter vos messages depuis n'importe quel endroit de la planète.

Outlook Express, comme d'autres, vous permet de collecter les messages issus des systèmes de messagerie Web. Vous pouvez donc vous servir d'Outlook Express à la maison, et de la messagerie Web lorsque vous êtes à l'extérieur, en vacances par exemple.

> **● Créez une adresse fictive**
>
> Créez une adresse de courriel gratuite (voir ci-dessous) pour l'employer sur les sites Web que vous visitez rarement et qui réclament une inscription. Conservez votre adresse permanente pour vos amis et vos collègues, pour vos comptes bancaires en ligne et pour toute autre correspondance officielle. Par ce biais, si votre adresse fictive tombe entre les mains de sociétés marketing peu scupuleuses, les polluposteurs, votre véritable messagerie ne sera pas envahie par des messages polluants.

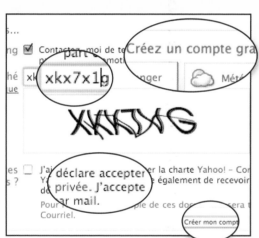

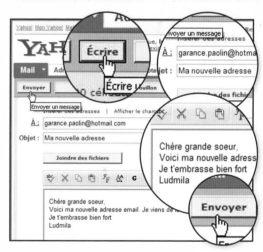

Créez une adresse Yahoo! gratuite

1 Saisissez http://qc.yahoo.com dans le navigateur et appuyez sur **Entrée**. Cliquez sur le bouton **Créez un compte gratuit** à droite dans la page. Page suivante, cliquez sur **Créer mon compte**. Un formulaire apparaît – remplissez les informations et choisissez un identifiant Yahoo! et un mot de passe. Saisissez le code que vous lisez à l'écran puis cliquez sur le bouton **J'accepte** situé plus bas.

Lisez votre premier courriel

2 Vient ensuite un écran de confirmation présentant votre identifiant et votre adresse. Cliquez sur **Continuer vers Yahoo! Courriel**. Si l'on vous propose de tester une nouvelle version, cliquez sur **Non, plus tard !** La fenêtre principale de Yahoo! Courriel apparaît. Cliquez sur **Boîte de réception** – vous avez reçu un nouveau message. Cliquez sur son nom pour en lire le contenu.

Envoyez votre premier courriel

3 Cliquez sur **Écrire**. Un courriel vierge apparaît. Saisissez l'adresse du destinataire et quelques mots dans la zone **Objet**. Saisissez le corps du message puis cliquez sur **Envoyer**. La confirmation de l'envoi s'affiche. Vous pourrez désormais envoyer et lire vos messages en vous connectant à http://qc.yahoo.com, en cliquant sur **Courriel**, en vous identifiant et en cliquant sur **Continuer**.

Retouche d'image

Ces projets à partager en famille ou entre amis vous aideront à optimiser l'utilisation de votre logiciel de retouche d'image et à transformer votre appareil numérique en un véritable outil de création.

Restauration d'images
Donnez un coup de jeune à vos vieilles photographies

Rien de plus logique à l'ère du numérique que de ressortir les vieux albums de photos de famille et de les numériser sur votre PC pour mieux les conserver. Mais dans quel état sont-elles ? Grâce à votre logiciel de retouche d'image, vous les restaurerez sans difficulté, comme vous le constaterez dans les projets proposés dans ce chapitre. Inutile de vous acharner sur les détails, ils donneront ce caractère d'authenticité qui fait le charme des vieilles photographies.

CE QU'IL VOUS FAUT : Photoshop Elements ● Un numériseur ● De vieilles photographies
VOIR AUSSI : Créer avec un numériseur, page 322 ● Photomontage et pochoirs, page 320

⬤ Restauration rapide

La pâleur des vieilles photos est le premier signe de leur dégradation. Photoshop Elements propose de nombreuses fonctions automatiques de restauration dans le menu **Accentuation**.

Commencez par le **Contraste automatique**, qui restitue un niveau de brillance et de contraste optimal. Si l'image a été numérisée, veillez à

Numérisez votre photographie

1 Suivez les procédures habituelles de numérisation (référez-vous à la page 322). Choisissez l'image que vous souhaitez restaurer. Une résolution de **600 dpi** permet de conserver les détails pour une impression grand format. Choisissez **Importation** dans le menu **Fichier** pour numériser votre photo. Sélectionnez votre numériseur et scannez l'image.

supprimer le bord blanc créé par le support de numérisation. Ces tons contrastés risquent de perturber l'efficacité du contraste automatique. Vous pouvez sélectionner une partie de l'image à l'aide du **Rectangle de sélection** et appliquer le **Contraste automatique** sur cette zone. Pour éviter une démarcation trop franche entre la zone sélectionnée et les bords, augmentez la valeur du **Contour progressif** à **12 px** avant de sélectionner la zone.

Niveaux automatiques, situé dans le menu **Accentuation**, uniformise les couleurs et rehausse le contraste. Ainsi, la photo semble plus proche de ce qu'elle devait être à l'origine (image de droite). Mais l'utilisation de cette fonction accentue également les défauts tels que les taches d'humidité, que vous devrez éliminer en employant la méthode proposée ici.

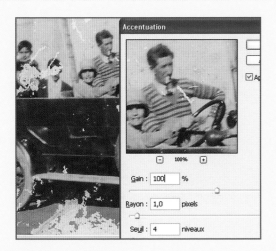

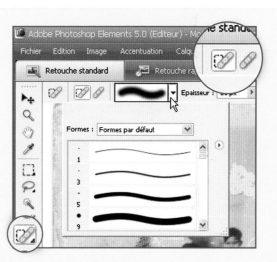

Pour une image plus nette

2 Les vieilles photographies sont souvent floues. Vous ne pourrez pas corriger ce défaut mais vous pourrez l'estomper. Choisissez **Accentuation** dans le menu du même nom. Réglez le **Gain** à 100 % laissez le **Rayon** à 1 et passez le **Seuil** à 4. La petite fenêtre de visualisation permet de constater la différence résultant de l'opération. Le grain de l'image paraît légèrement plus gros.

Allez dans le détail

3 Glissez le curseur du **Rayon** sur 2 et évaluez le résultat. Augmentez le **Rayon** jusqu'à ce qu'un détail de l'image s'avère véritablement plus net. Le réglage se situe habituellement entre **1** et **6**. Les défauts sont cependant eux aussi accentués, ce qui limite l'utilisation de cette fonction dans la mesure où vous ne souhaitez pas altérer une photo déjà abîmée par le temps.

Rectifiez les défauts

4 Cliquez sur **OK**. Pour retoucher les « marques du temps », activez le **Correcteur de tons directs** en cliquant sur le bouton en forme de pansement, situé dans la barre d'outils à gauche. Puis, dans la barre d'options, assurez-vous que la première des deux icônes est bien sélectionnée. Cliquez sur la flèche de la liste déroulante afin de faire apparaître les formes de pinceaux disponibles.

Formats et qualité des fichiers

Lorsque vous enregistrez une image numérisée, choisissez le format TIFF pour un résultat optimal. Le format JPEG est le plus répandu. Il sacrifie cependant la qualité au profit de la taille du fichier (voir page 311). En optant pour une qualité élevée lorsque vous enregistrez au format JPEG, la différence n'est pas sensible. Chaque fois que vous enregistrez une même image, vous dégradez progressivement sa qualité et accentuez ses défauts. Le format TIFF, quant à lui, vous assure une qualité inaltérable. Les fichiers TIFF proposent une option de compression lors de l'enregistrement, la compression LZW ; même si elle reste moins puissante que celle du JPEG, cette compression dégrade moins l'image et allège considérablement son poids.

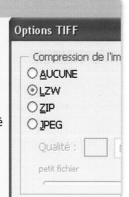

Restez aligné en dupliquant

Cochez toujours l'option **Aligné** lors d'une duplication (étape 9). Après avoir choisi une zone échantillon et commencé à peindre, vous pouvez arrêter quand vous voulez. Lorsque vous reprenez, même si vous ne cliquez pas exactement là où vous en étiez resté, la copie se poursuit. Sans l'option **Aligné**, vous devriez reprendre au début l'opération. Elle constitue donc un gain de temps non négligeable.

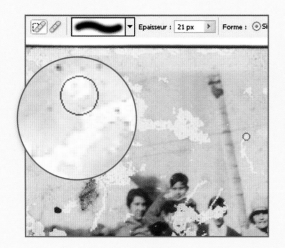

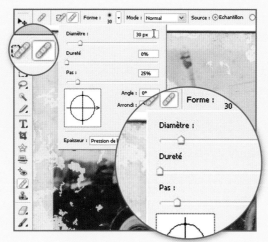

Commencez à peindre

5 Sélectionnez le pinceau nommé **Arrondi flou 21 pixels**. Le pointeur prend alors la forme d'un cercle. Cliquez maintenant sur l'une des taches de la photo, maintenez le bouton de la souris appuyé et peignez la tache. Assurez-vous que vous la recouvrez complètement, en dépassant légèrement les contours. Vous pouvez faire un zoom sur une zone pour effectuer un travail plus précis.

Poursuivez le nettoyage

6 Relâchez le bouton de la souris : la tache a disparu. S'il reste des défauts, peignez-les de la même façon. Pour des zones plus grandes ou plus complexes, cliquez sur la deuxième icône **Correcteur** dans la barre d'options afin d'activer le **Sélecteur de formes**. Choisissez un **Diamètre** de 30 px (pixels) et conservez les autres options comme sur l'image ci-dessus.

Supprimez les défauts

7 Déterminez le défaut que vous souhaitez éliminer et trouvez une zone saine similaire à ce que vous attendez de la restauration. Si possible, évitez de choisir une zone contiguë au défaut, de façon à ce que la copie soit discrète. Pour sélectionner la zone échantillon (voir page 321), maintenez la touche **Alt** enfoncée (le pointeur se transforme en cible) et cliquez sur la zone.

Éliminez les craquelures

N'espérez pas corriger de gros défauts avec le filtre **Antipoussière** (étape 16). En étendant le **Rayon** au-delà de quelques pixels, vous risquez de rendre l'image confuse. Préférez plutôt le **Tampon de duplication** (étape 9). Déterminez votre zone échantillon aux alentours de la craquelure et vous verrez que vous pouvez déjà la corriger en grande partie. Prenez une zone échantillon différente pour chaque défaut à réparer.

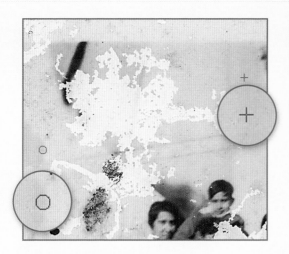

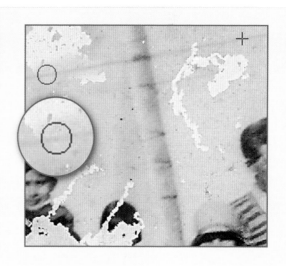

Recouvrez les défauts

8 Relâchez la touche **Alt** et cliquez sur une autre zone abîmée. Par exemple, si vous avez cliqué en haut à gauche de la zone saine que vous souhaitez recopier, cliquez en haut à gauche de la zone endommagée. Maintenez le bouton de la souris appuyé et recouvrez le défaut. La zone saine est ainsi dupliquée. Une fois le bouton de la souris relâché, le ton s'harmonise automatiquement.

Dupliquez un échantillon

9 Pour restaurer un détail en particulier, utilisez le **Tampon de duplication** et assurez-vous que le premier bouton est sélectionné. Choisissez un gros pinceau arrondi flou. Sélectionnez le **Mode Normal**, **100 % d'Opacité** et cochez **Aligné**. Maintenez la touche **Alt** enfoncée et choisissez une zone échantillon similaire. Pour restaurer la ligne du télégraphe sur la gauche, nous avons choisi son prolongement à droite.

Clonez un détail

10 Relâchez le bouton de la souris et cliquez exactement où vous souhaitez copier la zone qui vous intéresse. L'échantillon était ici la ligne du télégraphe et nous cliquons à l'endroit où la ligne doit être restaurée. Comme précédemment, déplacez le curseur pour cloner le détail. Utilisez cette méthode de clonage pour remplacer tous les détails effacés de l'image.

● Exploitez le zoom

Ce que vous voyez à l'écran n'est qu'une représentation approximative de l'image sur laquelle vous travaillez, à moins que le zoom soit réglé sur **100 %** dans la barre d'état sous l'image. Pour afficher l'image en entier, réglez le zoom sur **50 %**, **25 %**, ou moins. Lorsque vous travaillez sur un détail, faites-le toujours au moins à **100 %** de façon à être le plus près possible de la réalité. Vous risquez sinon de laisser passer de petits défauts. **Ctrl+0** adapte l'image à la taille de la fenêtre et **Alt+Ctrl+0** règle le zoom à **100 %**.

● Sous la couche de noir

Il arrive parfois qu'une photographie soit véritablement endommagée et qu'il n'existe pas de zone à dupliquer. Il est alors préférable de cloner une zone sombre relativement informe. Pour corriger cette photo, nous avons employé cette astuce et récupéré des zones sombres à l'avant et à l'arrière du véhicule. L'effet est garanti !

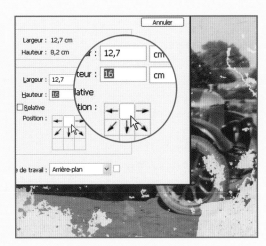

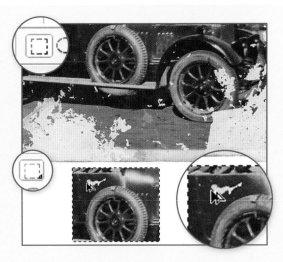

Retrouvez les visages

11 Les dégâts se sont étendus jusqu'aux visages des personnages. Le visage au centre est dans le même angle que celui de gauche. Prenez donc ce dernier comme zone échantillon et peignez simplement sur la zone du visage à restaurer. Le visage de droite peut être cloné à partir de celui du haut. Les airs de famille permettent de camoufler le tout.

Agrandissez l'espace de travail

12 Le morceau de roue abîmée peut être cloné à partir de la roue de secours. Pour la zone échantillon, sélectionnez le morceau d'image qui vous intéresse et copiez-le. Choisissez ensuite **Redimensionner** dans le menu **Image**, puis **Taille de la zone de travail**. Doublez la **Hauteur** et cliquez sur la **Case centrale** de la première ligne du quadrillage.

Dupliquez un morceau de la photo

13 Choisissez l'outil **Rectangle de sélection** dans la barre d'outils. Rapprochez-vous de la zone que vous souhaitez cloner. Une ligne en pointillé scintillante apparaît lorsque vous relâchez le bouton de la souris. En appuyant sur les touches **Alt** et **Ctrl**, le pointeur se transforme en double flèche ; déplacez la sélection vers le bas. Dans le menu **Image**, choisissez **Rotation** puis **Symétrie axe vertical**.

◯ Noir et blanc en couleur

Même si la photographie est en noir et blanc, numérisez-la et traitez-la comme si elle était en couleur. Les teintes d'origine sont ainsi conservées et la restauration n'en sera que plus authentique. Une image en « niveaux de gris » paraît plus plate qu'une image numérisée en couleur. Choisissez bien les couleurs avec votre logiciel de numérisation car les tons perdus par le niveau de gris ne pourront plus être restitués.

Choisissez ce dont vous avez besoin

14 Appuyez sur **Ctrl+D** pour désélectionner. Sélectionnez le **Tampon de duplication** et maintenez la touche **Alt** appuyée en cliquant sur le coin inférieur de la roue copiée. Commencez à peindre le bas de la roue avant. Ne clonez que les parties dont vous avez besoin. Redéfinissez la zone de travail telle qu'elle était avant l'étape 12 dans le menu **Image, Redimensionner**.

Corrigez les derniers défauts

15 Utilisez en combinaison les méthodes proposées dans cet exercice pour effacer les autres défauts de l'image. Il restera toujours des zones présentant de la poussière ou des petits impacts. Choisissez l'outil **Lasso** dans la barre d'outils à gauche (ou appuyez sur **L**) et sélectionnez la première des trois icônes dans la barre d'options. Dessinez la zone à corriger.

Mission accomplie !

16 Dans le menu **Filtre**, choisissez **Bruit, Antipoussière**. Dans la fenêtre qui s'ouvre, saisissez 0 de **Seuil** et augmentez le **Rayon** jusqu'à disparition des points. Ensuite augmentez progressivement le **Seuil** de façon à faire ressortir les points pour préserver les détails autant que possible. Cliquez sur **OK**. Enregistrez l'image en TIFF (voir Formats et qualité des fichiers, page 22).

Comme par magie
Effacez des éléments gênants avec Photoshop Elements

Une photo ne peut pas mentir mais parfois on aimerait faire disparaître des défauts majeurs dans la composition. C'est le cas de notre photo, dans laquelle la cathédrale est étouffée par des éléments parasites. Si vous êtes impuissant lors de la prise de vue, vous ne l'êtes plus devant votre PC. Aidé par Photoshop Elements, vous allez faire des miracles !

CE QU'IL VOUS FAUT : Photoshop Elements
VOIR AUSSI : Restaurer une vieille photo, page 20 ● Modifier des lieux et des visages, page 52

○ Tout peut changer

L'outil **Tampon de duplication** est la solution de retouche par excellence (voir page 321). Pour réussir un clonage – sur une même image ou sur une image différente –, il vous faut trouver le fond que vous pouvez « repiquer ». Lorsque vous ne trouvez pas de fond convenable, la solution consiste à coller un objet qui cachera le défaut sans modifier la composition. Le principe reste le même qu'il s'agisse d'un paysage, d'éléments à corriger sur un visage ou d'un groupe d'éléments.

Choisissez ce que vous voulez effacer

1 Démarrez Photoshop Elements. Dans la fenêtre d'accueil, cliquez sur **Retoucher et corriger les photos**. Sélectionnez votre image en cliquant sur **Ouvrir** dans le menu **Fichier**. Commencez par identifier les éléments que vous souhaitez éliminer. Dans cette photo, le désordre du premier plan gêne la scène principale, deux poteaux coupent le fleuve et des points noirs piquent le ciel.

Ajouter et soustraire

Lorsque vous commettez une erreur de sélection avec le **Lasso** ou le **Rectangle de sélection**, vous n'êtes pas obligé de refaire toute l'opération. Maintenez appuyée la touche **Maj** et dessinez une zone qui s'ajoutera à la précédente ou bien appuyez sur la touche **Alt** pour éliminer une zone gênante. Pensez à bien appuyer sur la bonne touche avant de cliquer.

Pinceau magique

Pour supprimer des points ou des petites taches sur une photo, utilisez un pinceau comme cela vous est expliqué en page 21, de l'étape 4 à l'étape 6. Lorsque vous avez sélectionné l'outil et choisi une taille de pinceau, cliquez sur le point en question pour le faire disparaître. L'arrière-plan est automatiquement restitué. Lorsqu'il s'agit de petits points, cette solution est plus rapide que celle proposée par la fonction **Antipoussière** du menu **Filtre**.

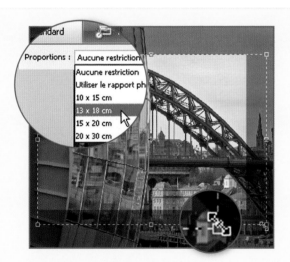

Paramétrez le recadrage

2 Pour conserver uniquement ce qui vous intéresse dans une image, le plus simple est de la recadrer. Sélectionnez l'outil **Recadrage** en appuyant sur la touche **C**. Dans la barre d'options, cliquez sur la liste déroulante **Proportions** et choisissez un format (voir « Préparation avant impression », page 29). Cliquez et tracez la zone que vous souhaitez conserver.

Une belle composition

3 La forme de la zone est définie mais pas encore sa taille. Si vous souhaitez modifier les proportions de votre image, cliquez sur l'icône en forme de double flèche dans la barre d'options afin de permuter la largeur et la hauteur. Déplacez la zone qui vous intéresse et tirez sur les angles pour redimensionner l'image. Éliminez ce qui vous gêne – ici, les blocs gris –, sans altérer la composition.

Faites un zoom sur les défauts

4 Effectuez un double-clic dans l'image (ou cliquez sur le symbole vert) pour la recadrer. Examinez-la attentivement et cherchez les petits défauts. Vous constatez la présence de points dans le ciel. Faites un zoom sur cette zone en appuyant sur la touche **Z**. Cliquez ensuite sur les autres zones à examiner. Pour revenir en arrière, appuyez sur la touche **Alt** et cliquez.

● Résolution et outil de recadrage

Lorsque vous employez l'outil **Recadrage**, si vous choisissez une **Proportion** standard (13 x 18 cm, par exemple) et que vous optez pour une résolution de 300 pixels/pouce, l'image sera recadrée et redimensionnée. La photo modifiée est convertie dans une nouvelle résolution en lui ajoutant ou en lui enlevant des pixels (voir page 311). Ce processus ne peut être redéfini ultérieurement sans altération de l'image. Dans cet exercice, vous recadrez sans changer la résolution (étape 2). Ainsi, dans la zone que vous conservez, les pixels ne sont pas modifiés et la qualité n'est donc pas affectée. Pour éviter les bords blancs inégaux, veillez à respecter les proportions entre le format de la feuille sur laquelle vous imprimez et celui de l'image imprimée.

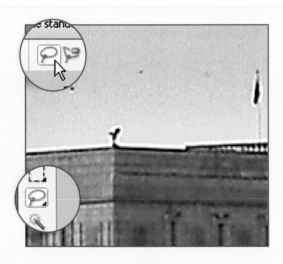

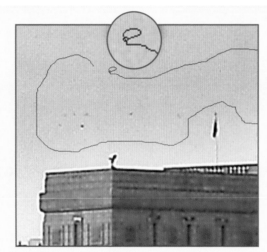

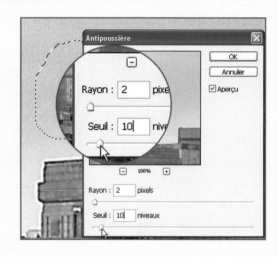

Effacez les défauts

5 En s'approchant, on constate que l'une des taches est en fait une caméra et l'autre un drapeau. En revanche, les oiseaux dans le ciel sont gênants et doivent être supprimés. Sélectionnez une zone proche des points. Cliquez sur l'icône du **Lasso** depuis la barre d'outils. Dans la barre d'options, cliquez sur la première icône du groupe de trois lassos – il s'agit du lasso basique.

Entourez la zone

6 Cliquez et dessinez une forme indéfinie autour des points à éliminer. Faites attention à ne pas inclure par inadvertance un détail important. Une fois la forme refermée, vous pouvez relâcher le bouton de la souris. Une ligne scintillante dessine la zone que vous avez sélectionnée. Choisissez à présent **Bruit** puis **Antipoussière** à partir du menu **Filtre**.

Faites disparaître les taches

7 Dans la fenêtre **Antipoussière**, déplacez le curseur de **Seuil** sur 0 et réglez le **Rayon** à 0. Augmentez progressivement le **Rayon** à 1 et regardez le résultat. Agrandissez-le jusqu'à ce que les points disparaissent. Augmentez ensuite le **Seuil** pour restituer le grain de la photographie comme sur le reste de l'image. Augmentez autant que possible les niveaux sans faire apparaître les taches.

Loin des bords

Lorsque vous retouchez avec le tampon de duplication (voir étape 11), il peut arriver que vous ne puissiez plus copier la zone que vous avez sélectionnée, ce qui vous oblige à interrompre votre retouche. En effet, chaque fois que vous copiez une zone qui dépasse de votre image, vous recopiez les bords de l'image et n'avez donc plus de matière à dupliquer. Annulez votre dernier travail de retouche (appuyez sur **Ctrl+Z**) et choisissez une zone échantillon plus éloignée du bord de l'image avant de recommencer.

Préparation avant impression

Vous pouvez imprimer n'importe quelle forme sur une page de format lettre et la découper ensuite. Si vous souhaitez utiliser du papier prédécoupé ou avoir recours à un développement professionnel, il est préférable que votre image respecte la taille du papier d'impression. Les procédés de développement en laboratoire prévoient un format plus grand qui est ensuite recadré. Ainsi, lorsque vous modifiez une image, il est important de définir ses dimensions en fonction du format du papier sur lequel elle sera imprimée.

Effacez des éléments très visibles

8 Cliquez sur **OK**. Effectuez un zoom arrière. Recherchez maintenant les éléments plus grands qui gênent l'arrière-plan. Dans notre exemple, les engins industriels en bas du pont brouillent l'image. Pour les éliminer, recouvrez-les d'eau. Mais avant cela, vous devrez protéger les éléments à proximité, comme le côté du bâtiment.

Protégez une zone

9 Utilisez l'outil **Zoom** pour grossir la zone concernée et sélectionnez l'outil **Lasso** (appuyez sur **L**). Dans la barre d'options, assurez-vous que la fonction **Lissage** est cochée. Comme le bâtiment est anguleux, choisissez la dernière icône du groupe de trois (le **Lasso polygonal**). Cliquez au bas du bâtiment et relâchez le bouton de la souris. Déplacez le curseur pour tracer une ligne droite.

Inversez la sélection

10 Suivez les contours du bâtiment et cliquez à nouveau. Continuez le long de la zone à protéger puis traversez-la à l'horizontale avant de revenir vers le bas. Double-cliquez pour terminer. Comme vous souhaitez tout sélectionner, sauf cette zone, choisissez **Intervertir** dans le menu **Sélection**. Les bords scintillants entourent toute l'image à l'exception de la zone protégée.

Comment remplir une zone

Il arrive parfois que vous ne puissiez pas dupliquer une zone par manque d'échantillon dans l'image. Dans l'exemple ci-contre, imaginez que vous souhaitiez effacer les lettres de la bannière pour ajouter votre propre message. Vous ne disposez malheureusement d'aucune bannière vide à dupliquer.

Employez le **Lasso polygonal** (voir étape 9, page 29) pour dessiner la bannière, entre les lettres et les bords. Avant de commencer, entrez **3** comme valeur de **Contour progressif**. Une fois la sélection effectuée, appuyez sur **I** afin d'activer la **Pipette**. Maintenez la touche **Alt** enfoncée, cliquez sur la bannière pour récupérer la **Couleur d'arrière-plan** qui s'affiche dans le carré au bas de la barre d'outils. Appuyez sur la touche **Suppr** afin de remplir la zone avec cette couleur. Ajoutez ensuite du bruit en cliquant sur le menu **Filtre** puis sur **Bruit** et **Ajout de bruit**.

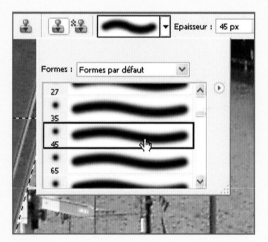

Sélectionnez une zone échantillon

11 Activez le **Tampon de duplication** depuis la barre d'outils ou appuyez sur **S**. Dans la barre d'options, assurez-vous que la première icône est sélectionnée (**Tampon de duplication**). Cochez **Aligné**. Maintenez la touche **Alt** enfoncée et sélectionnez votre zone échantillon. Puis cliquez sur la partie droite du fleuve, que vous allez maintenant recopier dans l'image.

Choisissez un pinceau

12 Cliquez sur le petit triangle pour dérouler la liste des formes de pinceaux. Assurez-vous que **Formes par défaut** est sélectionné dans le menu déroulant et choisissez un pinceau doux (aux contours diffus), assez large pour peindre rapidement la zone – l'**Arrondi flou 45 pixels**, par exemple. Le pointeur de la souris prend la forme d'un cercle de la taille du pinceau choisi.

Effacez les éléments gênants

13 Cliquez et glissez le pinceau sur les éléments gênants pour les faire disparaître. Référez-vous aux encadrés situés aux pages 29 et 31 si vous rencontrez des problèmes particuliers. Si besoin est, choisissez une autre zone échantillon et poursuivez votre duplication sur toutes les zones concernées. Servez-vous du **Zoom**, mais vérifiez toujours votre travail en mode **100 %**.

Choix de l'échantillon

Lorsque vous choisissez votre zone échantillon (étape 11), assurez-vous que vous disposez de suffisamment de matière pour couvrir votre zone. Vous aurez parfois des difficultés à trouver une zone intéressante. Dans ce cas, commencez par couvrir une petite surface et choisissez une autre zone échantillon afin de poursuivre l'opération. Évitez de « piocher » n'importe où, vous risquez en effet d'endommager l'image.

Tout doux

Pour un rendu plus naturel, essayez de travailler avec une **Opacité** de pinceau de 50 % ou moins. Ainsi, votre retouche sera plus légère. N'hésitez pas à utiliser un gros pinceau, surtout si votre retouche se situe loin de votre sujet principal. Ici, la zone échantillon a été choisie sur la ligne d'horizon au loin à droite, et ce, avant de travailler sur la partie gauche.

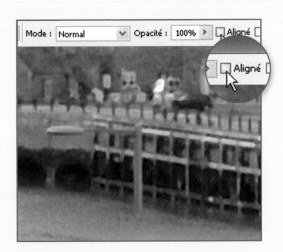

Travail sur des éléments complexes

14 Si le premier plan est plus complexe (c'est le cas ici avec les poteaux), le travail de retouche doit être minutieux. Appuyez sur les touches **Ctrl+D** pour annuler la sélection et faites un zoom sur la zone. Sélectionnez le **Tampon de duplication** et choisissez un petit pinceau doux dans la barre d'options. Décochez la case **Aligné**. Recherchez une zone échantillon.

Sélectionnez avec justesse

15 Dans cet exemple, le poteau électrique parasite l'image. Maintenez la touche **Alt** enfoncée et choisissez une zone échantillon clairement identifiable ; ici un croisement de poteaux. Relâchez la touche **Alt**. Cliquez sur une zone équivalente à celle que vous allez éliminer (un autre croisement de poteaux) et déplacez le pinceau pour substituer les croisement de poteaux.

Peignez d'un trait de pinceau

16 Si votre sélection n'est pas parfaite, annulez-la en appuyant sur **Ctrl+Z** et réessayez. La case **Aligné** étant décochée, le clonage commence à partir de la zone échantillon originale, et ce, à chaque fois que vous cliquez. Peignez autant que possible d'un seul trait. Lorsque l'arrière-plan change, modifiez votre zone échantillon. Effacez les autres éléments en procédant de même.

Boom ! Bing ! Paf ! La bande dessinée constitue pour toutes les générations de grands moments de lecture et de plaisir. Et si vous vous amusiez à créer votre bande dessinée personnalisée, en racontant vos propres histoires et en y intégrant les membres de votre famille ! Grâce à un éditeur graphique tel que Photoshop Elements, vous transformerez facilement vos photos en dessins que vous incorporerez ensuite dans des planches. Il ne vous restera plus qu'à créer un scénario, à écrire les dialogues et à dessiner des bulles pour les insérer. La première opération consiste à imaginer une histoire et à récupérer des images pour l'illustrer. Plus simplement, vous pouvez raconter vos dernières vacances en adoptant le format bande dessinée. Comme vous le verrez, ce ne sont pas les sujets qui manquent. Le résulat est surprenant de réalisme.

IL VOUS FAUT : Photoshop Elements ● Des photos numériques
VOIR AUSSI : Restaurer une vieille photo, page 20 ● Polices de caractères, page 326

La bonne unité de mesure

Lorsque vous saisissez des dimensions dans Photoshop Elements, travaillez en pouces ou en centimètres (in pour pouces ou cm pour centimètres). Toutes les conversions sont effectuées automatiquement. Cet exercice est proposé sur un format lettre avec des mesures en centimètres. Si vous disposez d'une imprimante tabloïd extra, il peut s'adapter à un format plus grand (pour une affiche).

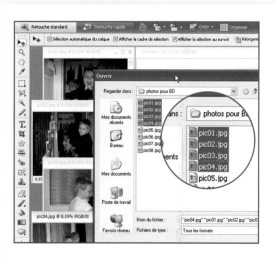

Ouvrez une page blanche

1 Créons une BD à partir de quatre photographies. Démarrez Photoshop Elements et choisissez **Retoucher et corriger les photos**. Cliquez sur **Fichier**, **Nouveau** puis **Fichier vide**. Choisissez le format lettre dans la liste **Paramètre prédéfini**. Cliquez sur **OK**. Dans le menu **Fichier**, choisissez **Ouvrir**, recherchez vos images et maintenez la touche **Ctrl** enfoncée pour sélectionner les quatre photos. Cliquez sur **Ouvrir**.

Recadrez votre première photo

2 Cliquez sur la première photo dans la **Corbeille des photos** au bas de l'écran. Appuyez sur la touche **C** pour activer l'**Outil Recadrage**. Dans la barre d'options, réglez la **Largeur** sur **9 cm** et la **Hauteur** sur **13 cm**. Définissez une **Résolution** de **300 pixels/pouce**. Cliquez maintenant sur l'angle gauche de la photo et dessinez la zone que vous souhaitez conserver.

Ajoutez une photo dans la page

3 Effectuez un double-clic à l'intérieur de la photo lorsque la sélection vous convient. L'image est recadrée en fonction des paramètres définis préalablement. Sélectionnez l'outil **Déplacement** en haut de la boîte à outils (ou appuyez sur la touche **V**). Cliquez sur l'image que vous venez de recadrer et glissez-la sur la page blanche actuellement disposée dans la **Corbeille des photos**.

Planifiez votre BD

Planifiez votre bande dessinée avant de commencer. Prenez un crayon et dessinez un scénario-maquette de façon à définir le contenu visuel dans chaque cadre. Ensuite, trouvez vos personnages et prenez-les en photo avec un appareil numérique. Définissez des paramètres de qualité suffisamment élevés. Prenez les personnages de près de façon à être certain d'obtenir une image correcte même après l'avoir recadrée. Gardez les scènes les plus simples en vous assurant que le jeu des « comédiens » soit bien conforme au scénario.

Une couleur d'arrière-plan

La BD que nous créons ici possède un arrière-plan blanc, ce qui permet une impression sur la plupart des imprimantes. Si votre imprimante ne conserve pas les marges blanches, il est préférable d'employer une couleur en arrière-plan. Après avoir créé votre document vierge (étape 1), cliquez sur **Remplir le calque** dans le menu **Edition**. Choisissez les options de **Fusion**: **Normal**, **100 %**. Déterminez une couleur dans **Remplir** et cliquez sur **OK**.

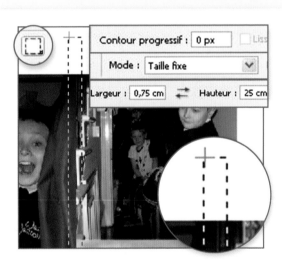

Placez vos photos

4 Disposez la première image dans l'angle supérieur gauche de la page, en laissant une marge. Cliquez sur la deuxième image et sélectionnez l'outil **Recadrage** (appuyez sur **C**). Spécifiez 9 cm de **Largeur** et de **Hauteur**. Recadrez l'image comme vous l'avez appris et déplacez-la à côté de l'image précédente en employant l'outil **Déplacement**. Placez les deux photos bord à bord.

Ajoutez les autres photos

5 Cliquez sur la troisième image et utilisez l'outil **Recadrage**. Ne changez pas les dimensions précédentes. Employez l'outil **Déplacement** pour l'ajouter à la composition, dans l'angle inférieur droit. Procédez de même pour la dernière photo, mais cette fois définissez des dimensions de 9 x 13 cm. Les photographies placées, vous obtenez un rectangle.

Divisez vos cadres

6 Appuyez sur **M** pour activer le **Rectangle de sélection**. Dans la barre d'options, saisissez 0 px dans **Contour progressif**. Choisissez **Taille fixe** dans l'option **Mode**. Entrez 0,75 cm de **Largeur** et 25 cm de **Hauteur**. Cliquez ensuite n'importe où sur la page et dessinez un rectangle quelconque. Puis posez-le sur la ligne d'intersection verticale des images en le laissant dépasser quelque peu.

Lignes droites et courbes

Les outils **Texte** et **Forme** permettent de créer des éléments «vectoriels» qui peuvent être modifiés à volonté sans altérer leur qualité. Si vous essayez d'appliquer un réglage, un filtre ou un effet à ces éléments, une fenêtre vous invitera à «simplifier» l'objet. Si vous acceptez l'opération, vous ne serez plus en mesure de modifier l'objet sans le déformer. Si tel n'est pas votre souhait, cliquez sur **Annuler**.

Gestion de la mémoire

Photoshop Elements exploite la mémoire vive (RAM) et le disque dur de votre PC. Si vous manquez d'espace libre, une fenêtre d'alerte apparaîtra vous indiquant que l'opération ne peut être menée, faute de mémoire disponible. Essayez alors de fermer des images dans le menu **Fenêtre** ou de quitter d'autres applications Windows ouvertes. Pour récupérer des ressources mémoire, choisissez **Effacer** dans le menu **Édition**, puis **Tout**. Si cela ne suffit pas, c'est que votre disque est saturé. L'**Aide** de Windows pourra vous assister dans l'opération de nettoyage du disque. Dans la mesure du possible, n'attendez pas ce type d'alerte pour vous occuper des ressources de votre PC.

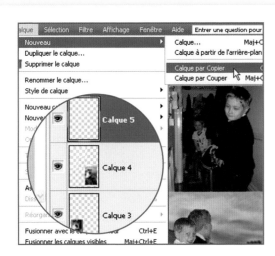

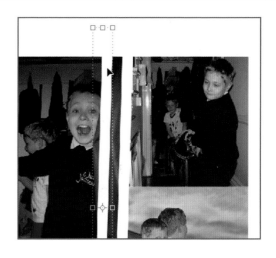

Gérez les calques

7 La palette **Calque** à droite présente cinq calques : quatre contenant les images et celui de l'**Arrière-plan**. Cliquez sur ce dernier pour le sélectionner. Choisissez **Nouveau** dans le menu **Calque**, puis **Calque par copier**. Un nouveau calque apparaît dans la palette, intitulé **Calque 5**. Cliquez dessus et déplacez-le en haut de la liste, au-dessus de **Calque 4**.

Inclinez la barre

8 Le nouveau calque contient une copie de la sélection du calque d'**Arrière-plan**, réalisée à l'étape 6. Vous obtenez une barre blanche. Choisissez **Transformation** dans le menu **Image**, puis **Inclinaison**. Des poignées apparaissent autour de la barre. Placez le pointeur entre les deux poignées du haut. Cliquez et déplacez le pointeur légèrement sur la droite. La barre blanche s'incline.

Dupliquez la barre

9 Ne l'inclinez pas trop car la forme doit continuer à couvrir le bord des images sur toute la hauteur. Pour vous en assurer, cliquez dans la forme et déplacez-la légèrement sur la gauche. Cliquez sur le bouton vert de validation. Maintenez la touche **Alt** enfoncée, cliquez sur la barre blanche et déplacez-la sur le côté. Vous obtenez une copie sur un nouveau calque, nommé **Calque 5 copie**.

Jargon de BD

Les dessinateurs de bandes dessinées possèdent leur propre jargon. Les images d'une page sont placées dans des « cadres ». Les gens sont des « personnages ». Le « lettrage » correspond au texte. Les formes contenant les dialogues sont des « bulles », en forme de nuage lorsqu'il s'agit de pensées. Autant d'expressions définissant un style éditorial à part entière qui occupe une place privilégiée dans le cœur de tous les lecteurs.

Organisez les calques

Si vous prenez l'habitude de travailler avec de nombreux calques, mieux vaut connaître quelques astuces d'organisation. Pour sélectionner un morceau de texte ou de dessin qui se trouve sur un calque et le déplacer, appuyez sur **V**, ce qui a pour effet d'activer l'outil **Déplacement**. Dans la barre d'options, assurez-vous que **Sélection automatique du calque** est coché. Cliquez sur l'élément à déplacer. Pour en déplacer plusieurs à la fois, maintenez la touche **Maj** enfoncée. Pour faire passer un élément devant un autre, appuyez sur **Ctrl+[** ou faites glisser son nom vers le haut, dans la palette **Calque**.

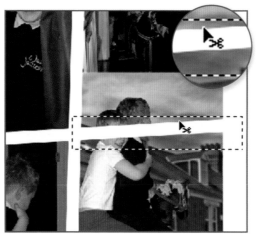

Effectuez une rotation

10 Placez le pointeur de la souris à côté de la barre blanche. Une flèche courbée apparaît. Cliquez et faites tourner la barre sur elle-même jusqu'à afficher **85,0** comme angle de rotation dans la barre d'options. Déplacez la barre blanche de façon à ce qu'elle couvre la zone horizontale qui sépare les images de gauche. Validez et appuyez sur **M** pour obtenir l'outil **Rectangle de sélection**.

Coupez la barre en deux

11 Dans la barre d'options, revenez au **Mode Normal**. Cliquez et dessinez un rectangle à droite de la barre que vous venez de créer, en commençant à l'intersection des deux barres. Maintenez enfoncée la touche **Ctrl**. Le pointeur se transforme en ciseaux. Cliquez dans le rectangle et déplacez-le de façon à ce qu'il couvre les bords entre les deux images à droite.

Insérez un texte

12 Une fois la barre correctement placée, appuyez sur **Ctrl+D**, puis sur **T** pour activer l'outil **Texte**. Dans la barre d'options, choisissez une police. Réglez le **Corps** à **18 pt**. Appuyez sur **D** pour définir les couleurs par défaut (noir sur blanc). Cliquez à gauche dans le premier cadre et saisissez quelques mots. Appuyez sur **Entrée** pour placer le curseur à la ligne.

● Des polices pour les bandes dessinées

Malgré son nom, la police Windows « Comic Sans » n'a qu'un lointain rapport avec l'écriture manuscrite propre aux BD. Vous obtiendrez des polices plus adaptées et libres d'utilisation sur des sites comme www.dafont.com ou http://1000fonts.com. Choisissez-en une qui s'adapte au format PC True Type (TTF). Lorsque vous cliquez pour la télécharger, une fenêtre d'alerte apparaît. Cliquez sur **Enregistrer** et choisissez un dossier pour la stocker. À partir du **Poste de travail** sur le **Bureau**, ouvrez ce dossier et effectuez un double-clic sur le fichier pour le décompresser. Il ne vous reste plus qu'à l'installer dans Windows afin de l'employer dans vos compositions.

Ajoutez un cadre pour le texte

13 Validez l'opération dans la barre d'options pour finir. Appuyez sur **U** afin d'activer l'outil **Forme personnalisée**. Dans la barre d'options, cliquez sur le **Rectangle**. Cliquez sur la liste déroulante **Couleur** et choisissez **Jaune pastel**. Dessinez un rectangle un peu plus grand que votre texte. Appuyez sur **Ctrl+[** afin de passer le rectangle derrière le calque de texte.

Améliorez votre image

14 Appuyez sur **V** pour employer l'outil **Déplacement**. Dans la barre d'options, cochez **Sélection automatique du calque** et **Afficher le cadre de sélection**. Utilisez les poignées du rectangle pour le redimensionner. Validez l'opération et cliquez sur le texte pour le repositionner si besoin est. Appuyez à présent sur la touche **U** afin de travailler avec l'outil **Rectangle**.

Dessinez une bulle

15 Dans la barre d'options, sélectionnez l'outil **Forme personnalisée** (la dernière icône). Cliquez sur la liste **Forme**. Choisissez **Conversation 1** puis cliquez sur la flèche à droite afin de sélectionner **Bulles**. Choisissez-en une et optez pour une autre couleur. Dessinez une bulle sur votre première image. Appuyez sur **D** afin d'employer les couleurs par défaut, puis passez en mode **Texte** pour ajouter un dialogue.

Ressources en ligne

Si vous souhaitez enrichir vos BD, rendez-vous sur le Web. La plupart des didacticiels exploitent Photoshop dans sa version professionnelle, mais sachez que les techniques sont quasiment identiques avec Photoshop Elements. Par exemple, le site du designer québécois Éric Clamiot (http://www.ericlamiot.org) propose un tutoriel sur la création de BD. Il y a aussi le portail de la BD québécoise au www.bdquebec.qc.ca.

Astuces pour le texte

Lorsque vous créez les textes de votre BD, n'oubliez pas les principes typographiques de base. Utilisez les boutons de la barre d'options pour aligner le texte, habituellement à gauche pour les légendes et centré pour les bulles. À proximité de ces boutons, vous trouverez les réglages de l'interlignage. Utilisez-les pour ajuster les espaces verticaux entre les lignes. Dans le cadre d'une BD, l'interlignage peut être très proche du corps de caractère employé.

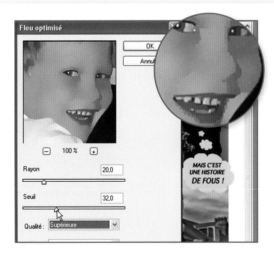

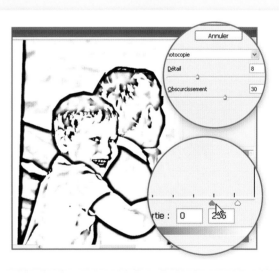

Ajoutez d'autres bulles

16 Répétez les étapes 12 à 15 pour ajouter des bulles et des dialogues. Lorsque vous avez terminé, jetez un œil à la palette des **Calques**. Les calques contenant du texte sont identifiés par la lettre T. Remontez tous ces calques en tête de liste. Cliquez ensuite sur le premier calque qui n'est pas un calque texte, appuyez sur la touche **Maj** et cliquez sur **Arrière-plan**. Les calques sont ainsi sélectionnés.

Appliquez un effet spécial

17 Dans le menu **Calque**, choisissez **Fusionner les calques**. Dans le menu **Filtre**, choisissez **Flou**, **Flou optimisé**. Réglez le **Rayon** sur 20, le **Seuil** sur 32 et choisissez **Qualité Supérieure**. Validez. Choisissez **Dupliquer le calque** dans le menu **Calque**. Saisissez Contours et validez. Dans la palette des **Calques**, sélectionnez le mode **Produit** à la place du mode **Normal**.

Dessinez des contours noirs

18 Appuyez sur D pour activer les couleurs par défaut. Depuis le menu **Filtre**, choisissez **Esquisse**, **Photocopie**. Spécifiez la valeur 8 dans **Détail** et 30 dans **Obscurcissement**. Cliquez sur **OK** et appuyez sur **Ctrl+L** pour ouvrir la fenêtre des niveaux. Cochez **Aperçu**. Déplacez le curseur blanc vers la gauche jusqu'à ce que les lignes les plus claires aient disparu. Cliquez sur **OK**.

● Truquez une photographie

Toutes vos images peuvent être truquées. Dans notre exemple, nous avons placé les enfants derrière un fond présentant des toits pour donner l'impression qu'ils volent. Les effets dans les bandes dessinées n'ont pas besoin d'être parfaits, les contours étant épais (étapes 17 à 20).

Appuyez sur **L** pour travailler avec le **Lasso**. Dans la barre d'options, choisissez le **Lasso polygonal**. Cliquez en bas à gauche d'une zone et dessinez une ligne droite. Poursuivez ainsi votre détourage et effectuez un double-clic pour terminer.

Appuyez sur **Ctrl+J** pour copier cette zone dans un nouveau calque. Ouvrez la photo des toits, activez l'outil **Déplacement** et placez cette photo sur l'autre. Appuyez sur **Ctrl+[** pour placer les toits derrière les enfants. Effectuez un double-clic pour terminer puis choisissez **Aplatir l'image** dans le menu **Calque**.

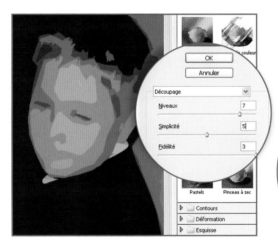

Ajoutez des touches de couleur

19 Sélectionnez le calque **Arrière-plan**. Choisissez **Artistiques**, puis **Découpage** depuis le menu **Filtre**. Réglez les **Niveaux** sur 7 et la **Fidélité** sur 3. Ajustez la **Simplicité** sur la valeur 5, par exemple. Validez. Dans la palette des **Calques**, effectuez un clic droit sur le calque **Arrière-plan** et choisissez **Dupliquer le calque**. Nommez-le Points. Cliquez sur **OK** pour valider l'opération.

Utilisez des effets en demi-teintes

20 Dans le menu **Filtre**, choisissez **Réglages**, **Égaliser**. Dans la palette **Calque**, optez pour le mode **Lumière crue**. Revenez au menu **Filtre**, choisissez **Esquisse**, **Trame de demi-teintes**. Réglez la **Taille** sur 3, le **Contraste** sur 25 et choisissez **Point** dans la liste **Types**. Validez. Vous obtenez un effet de grossissement des points. Cliquez sur le premier calque dans la palette.

Terminez par le titre

21 Sélectionnez l'outil **Texte**. Cliquez en haut à gauche de la page et saisissez le titre. Déterminez la police et le corps. Sélectionnez **Effets spéciaux** dans la palette **Illustrations et effets**. Optez pour **Styles de calque** et **Complexe** depuis les listes déroulantes. Choisissez l'effet qui vous plaît. Cliquez sur **Appliquer**. Votre première BD est terminée et le moins que l'on puisse dire, c'est qu'elle a du style !

Maquillage numérique

À quoi allez-vous ressembler après un maquillage virtuel ?

Les photos ne sont pas toujours flatteuses : teint blafard, nez brillant… autant de détails disgracieux. Heureusement, toutes ces imperfections peuvent facilement être corrigées avec un logiciel de retouche d'image. En quelques minutes, vous devenez aussi parfait qu'un mannequin de revue. Vous pouvez même vous amuser à tester une coiffure différente ou une autre couleur d'yeux, votre portrait et Photoshop Elements suffisent !

CE QU'IL VOUS FAUT : Photoshop Elements ● Des portraits
VOIR AUSSI : Jeu des 7 familles, page 154

Autoportrait

Voici quelques conseils pour vous prendre en photo. Choisissez un endroit où la lumière est vive mais pas trop forte et assurez-vous que votre visage n'est pas dans l'ombre. Si possible, placez-vous derrière un fond blanc uni. Positionnez l'appareil de façon à cadrer uniquement votre visage. Utilisez un pied ou placez l'appareil sur un support stable. Activez la minuterie et placez-vous devant l'objectif.

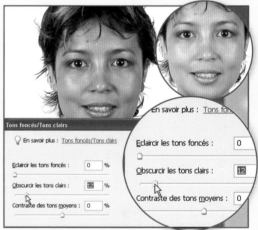

Rehaussez votre teint

1 Démarrez Photoshop Elements. Depuis l'écran de bienvenue, choisissez **Retoucher et corriger les photos**. Appuyez sur **Ctrl+O** et effectuez un double-clic sur votre photo dans la fenêtre **Ouvrir**. Si votre image est un peu pâle, choisissez **Régler l'éclairage** puis **Tons foncés/Tons clairs** dans le menu **Accentuation**. Réglez **Eclaircir les tons foncés** sur 0 et obscurcissez les tons clairs. Cliquez sur **OK**.

● Lumière de star

Depuis les premières heures du cinéma, trois « trucs » sont utilisés pour donner un effet star à un visage : scintillements de lumière, mise au point douce et surexposition. Vous pouvez employer ces astuces avec Photoshop Elements, par le biais de la fonction **Lueur diffuse**, sous **Déformation** dans le menu **Filtre**. Réglez la **Granularité** sur 2 et ajustez les autres curseurs. Plus l'**Intensité** sera élevée et la **Clarté** faible, meilleur sera l'effet.

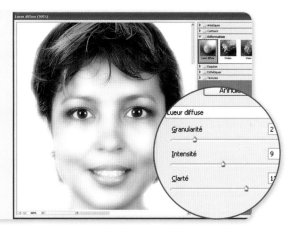

● Personne n'est parfait

Même si cet exercice vous incite à maquiller tous les portraits qui vous passeront entre les mains, ne soyez pas excessif. Personne ne peut se targuer d'avoir un visage parfait et les corrections morphologiques peuvent s'avérer désastreuses. Un simple rehaussement des tons, la suppression de quelques taches ou l'éclaircissement du blanc des yeux suffisent à améliorer l'esthétique d'un visage sans altérer son réalisme.

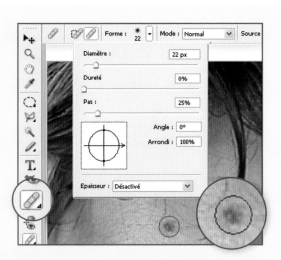

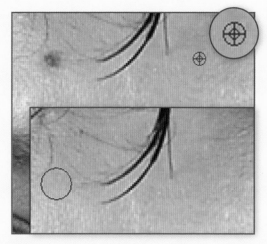

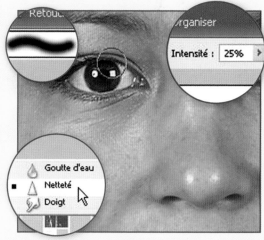

Préparez le pinceau de nettoyage

2 Cliquez et maintenez la pression sur l'icône **Correcteur** (en forme de pansement) dans la barre d'outils, et choisissez l'**Outil Correcteur**. Dans la barre d'options, cliquez sur l'icône **Correcteur (J)** puis sur la flèche à droite de **Forme**. Réglez la **Dureté** sur 0 %, le **Pas** sur 25 % et l'**Arrondi** sur 100 %. Le **Diamètre** du pinceau doit être légèrement plus gros que la tache à effacer.

Effacez les taches et les défauts

3 Depuis la barre d'options, vérifiez que vous êtes en **Mode Normal** et que la **Source** est un **Échantillon**. Cochez **Aligné**. Maintenez la touche **Alt** enfoncée et cliquez sur une zone présentant un ton identique à celui situé près de la tache à effacer. Relâchez la touche **Alt** puis recouvrez la tache. Corrigez ainsi tous les défauts en sélectionnant toujours une zone échantillon judicieuse.

Aiguisez le regard

4 Les yeux doivent être clairs et lumineux. Cliquez sur le deuxième bouton au bas de la barre d'outils et choisissez l'outil **Netteté**. Optez pour une forme douce. Réglez son **Epaisseur** sur **40 px** et son **Intensité** sur **25 %**. Peignez les yeux afin de les éclaircir et d'aiguiser le regard. Soyez très minutieux dans ce travail et évitez notamment de passer sur les rides.

● Perruque virtuelle

Vous êtes un peu « dégarni » ? Ouvrez une photo dans Photoshop Elements et appuyez sur **M** pour travailler avec l'outil **Rectangle de sélection**. Dans la barre d'options, cliquez sur l'**Ellipse**. Cliquez et dessinez un ovale au-dessus de la tête. Maintenez la touche **Alt** appuyée et dessinez un autre ovale qui cachera le visage. Choisissez **Contour progressif** dans le menu **Sélection** et saisissez **12**. Cliquez sur **OK**. Copiez cette zone dans un nouveau calque en appuyant sur **Ctrl+J**. Choisissez **Rendu** puis **Fibres** (1) dans le menu **Filtre**. Réglez la **Variance** sur **16** et l'**Intensité** sur **12**. Cliquez sur **OK**. Vous avez maintenant des cheveux mais trop raides. Dans le menu **Filtre**, choisissez **Déformation**, **Onde** (2). Réglez les **Générateurs** sur **20**, **Longueur d'onde** sur **40 Mini** et **80 Maxi** et l'**Amplitude** sur **1 Mini** et **4 Maxi**, **Echelle** sur **100 % Horiz** et **Vert**. Cliquez sur **OK**.

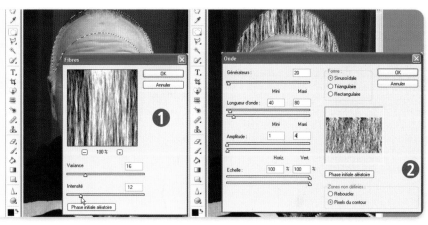

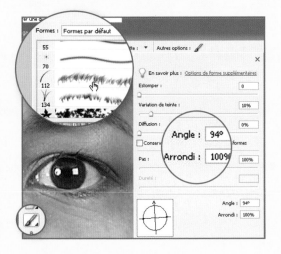

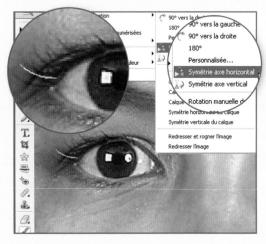

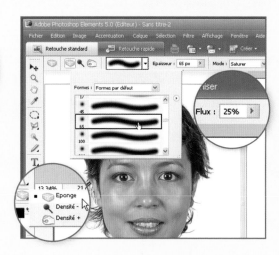

Choisissez un pinceau pour les cils

5 Choisissez **Pinceau** dans la barre d'outils. Dans la barre d'options, déroulez la liste des formes et choisissez **Brins d'herbe**. Réduisez l'**Épaisseur** à **22 px**. Cliquez sur **Autres options**. Réglez le **Pas** sur **100 %**, **Estomper** sur **0** et **Variation de teinte** sur **10 %**, **Diffusion** sur **0 %** et l'**Angle** sur **94 °** Appuyez sur la touche **Entrée** puis sur **D** pour passer la couleur en noir.

Peignez des cils longs et épais

6 Cliquez sur le coin extérieur de l'œil à gauche et tout en appuyant sur le bouton de la souris, ajoutez des cils. Réglez l'**Épaisseur** et l'**Angle** si besoin est. Ceux que nous ajoutons ici sont horizontaux. Cliquez et continuez à en dessiner d'autres. N'ajoutez des cils qu'au coin de l'œil. Pour travailler l'autre œil, choisissez **Rotation** puis **Symétrie axe horizontal** dans le menu **Image**.

Amplifiez les reflets dans les cheveux

7 Une fois la photo retournée, vous pouvez travailler les cils de l'autre œil. Retournez de nouveau l'image. Nous allons maintenant accentuer les reflets dans les cheveux. Cliquez sur la dernière icône de la barre d'outils et choisissez l'**Éponge**. Dans la barre d'options, sélectionnez le **Mode Saturer** et réglez le **Flux** sur **25 %**. Choisissez un pinceau doux et une **Épaisseur** suffisamment importante.

● Sélection par couleur

Lorsque vous employez **Remplacement de couleur** (étape 16), cochez l'option **Sélection**. En maintenant la touche **Maj** enfoncée, cliquez sur la photo. Les zones dont la couleur est identique à celle de la sélection sont affichées en blanc. Ajustez la **Tolérance**. Vous pouvez également utiliser le **Lasso polygonal** pour sélectionner précisément les éléments dont la couleur est à modifier. Revenez ensuite à la fonction **Remplacement de couleur** et procédez à la substitution.

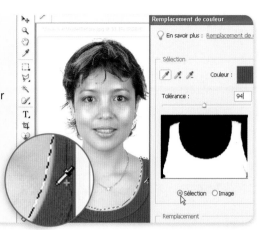

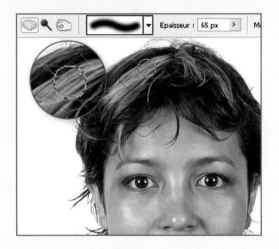

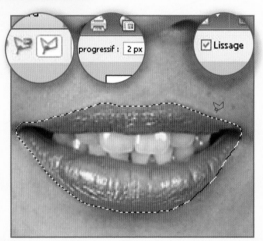

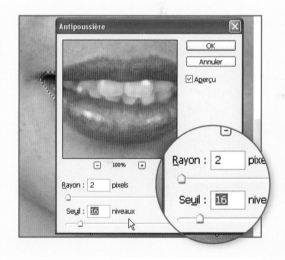

Accentuez des reflets existants

8 En cliquant et déplaçant la souris, passez sur les reflets déjà existants afin de les accentuer. Revenez plusieurs fois sur le même reflet pour l'amplifier davantage. Utilisez l'**Éponge** pour améliorer les couleurs en d'autres endroits du visage (maquillage autour des yeux ou sur le rouge à lèvres). Passez au **Mode Désaturer** pour effacer des couleurs gênantes (veines dans les yeux, par exemple).

Créez des lèvres charnues

9 Cliquez sur le bouton **Lasso** dans la barre d'outils et dans la barre d'options, choisissez **Lasso polygonal**. Réglez également le **Contour progressif** sur 2 px et cochez **Lissage**. Cliquez sur le coin de la bouche, relâchez le bouton de la souris et dessinez une ligne droite. Cliquez ainsi tout autour de la bouche pour tracer le contour. Finissez en cliquant sur le point de départ.

Réduisez les rides

10 La bouche étant sélectionnée, choisissez **Bruit** dans le menu **Filtre** puis **Antipoussière**. Placez les deux curseurs sur **1** puis augmentez le **Rayon** jusqu'à ce que les rides disparaissent des lèvres. Augmentez maintenant le **Seuil** jusqu'à **16** pour faire réapparaître les détails et conserver une bouche naturelle. Cliquez sur **OK**. Appuyez sur **Ctrl+D** pour annuler la sélection.

● Changez votre coupe de cheveux

Si vous avez envie de changer de coiffure, il vous suffit de trouver une photographie de la coupe qui vous plaît et une de vous prise sous le même angle de vue. Ouvrez les deux images et appuyez sur **V** pour travailler avec l'outil **Déplacement** et déplacez la photo retenue sur la vôtre (1). Dans la palette des **Calques**, passez du **Mode Normal** au **Mode Lumière tamisée** afin de voir au travers de votre visage (2). Utilisez les poignées de redimensionnement pour retrouver l'image de départ (3) en alignant bien les yeux et la bouche. Repassez en **Mode Normal**. Appuyez sur **E** pour activer la **Gomme**. Dans la barre d'options, cliquez sur la première des icônes à gauche (**Gomme**). Cliquez sur la liste des formes de pinceau et choisissez une taille moyenne, claire et dont les angles sont doux. Peignez délicatement à l'intérieur de la coiffure (4) pour faire apparaître votre portrait.

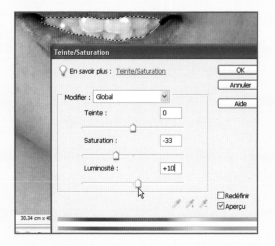
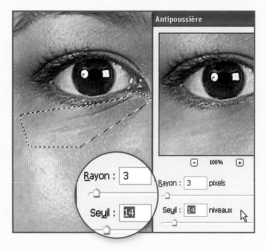
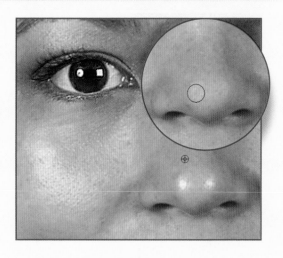

Blanchissez les dents

11 Utilisez à nouveau le Lasso polygonal (étape 9) et dessinez autour des dents. Choisissez **Régler la couleur** dans le menu **Accentuation**, puis **Teinte/Saturation**. Dans la boîte de dialogue, réduisez la **Saturation** entre **-33** et **-50**, afin d'effacer le jaune. Augmentez la **Luminosité** sur certaines zones. Ne blanchissez pas trop les dents, vous perdriez en réalisme. Cliquez sur **OK**.

Effacez les ridules autour des yeux

12 Sélectionnez le Lasso polygonal et dessinez la zone maquillée sous les yeux et autour de la bouche par exemple. Choisissez **Antipoussière** comme à l'étape 10, depuis le menu **Filtre**, **Bruit**. Déplacez les deux curseurs sur **0** et augmentez délicatement le **Rayon** afin d'estomper les ridules. Augmentez ensuite le **Seuil** pour conserver une texture de peau naturelle.

Maîtrisez la brillance de la peau

13 Appuyez sur **Ctrl+D** pour tout désélectionner. Certains reflets peuvent rendre la peau brillante. Pour les réduire, appuyez sur **J** afin de travailler avec le **Correcteur** et utilisez-le comme à l'étape 3. Choisissez une zone échantillon plus terne et peignez sur la zone brillante à estomper. N'essayez pas de couvrir une trop grande zone en une seule fois, préférez de petites touches répétées.

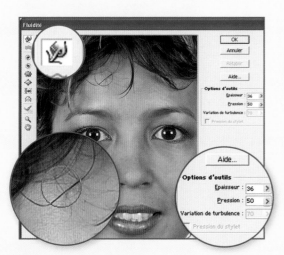

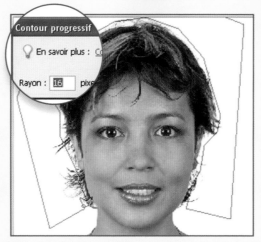

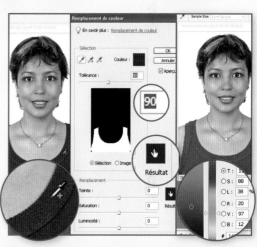

Nettoyez le front

14 Des brins de cheveux apparaissent en désordre sur le front. Vous pouvez les effacer en sélectionnant **Déformation** puis **Fluidité** dans le menu **Filtre** (voir étape 9, page 157). Cliquez sur l'outil **Déformation** en haut de la barre d'outils dans la fenêtre. Ajustez l'**Épaisseur** du pinceau au diamètre de la pupille. Cliquez sur les cheveux et glissez-les pour les contraindre à se déformer.

Supprimez les mèches rebelles

15 Appuyez sur **L** pour travailler avec le **Lasso polygonal** et dessinez une forme autour du visage, à la frontière des cheveux que vous souhaitez éliminer. Refermez la forme par le haut. Une fois la sélection complète, choisissez **Contour progressif** dans le menu **Sélection** et saisissez 16. Cliquez sur **OK**. Appuyez sur la touche **Suppr** pour effacer le reste des cheveux.

Changez les vêtements

16 Dans le menu **Accentuation**, choisissez **Régler la couleur** puis **Remplacement de couleur**. Déplacez le pointeur sur la photo et, tout en appuyant sur **Maj**, cliquez sur les éléments à modifier, ici le tee-shirt. Ajustez la **Tolérance** pour que la zone concernée apparaisse en blanc et le reste de l'image en noir. Cliquez sur la couleur dans **Résultat** et choisissez celle qui vous intéresse. Cliquez sur **OK**.

Tous ensemble
Rassemblez les générations dans une photographie intemporelle

Il est rare de pouvoir réunir toute la famille au même moment au même endroit pour prendre une belle photo souvenir. Et puis, il y a toujours ceux que nous aurions voulu voir sur la photo, mais qui ne sont plus là. Heureusement, l'ère du numérique fait des miracles. Grâce à votre PC, vous pourrez maintenant rassembler tous ceux que vous aimez, des plus jeunes aux lointains disparus, tous au cœur d'une seule et unique image qui ravira des générations entières.

IL VOUS FAUT : Photoshop Elements ● Quelques photos
VOIR AUSSI : Restaurer une vieille photo, page 20 ● Transformer une photo, page 74

● Cherchez des photos de famille

Pour créer une belle photo, demandez à vos proches de rechercher dans les vieux albums. S'ils possèdent un PC, ils peuvent les numériser et vous les envoyer. Sinon, demandez-leur de vous les transmettre en format papier et numérisez-les en haute résolution, 600 dpi minimum (voir « Optez pour la meilleure résolution », page 323). La plupart des vieilles photographies possèdent des détails qui ne sont pas forcément visibles au premier coup d'œil et vous constaterez des défauts que vous devrez corriger avant de les intégrer à votre composition.

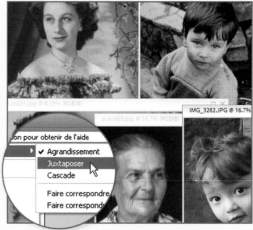

Choisissez vos photos

1 Démarrez Photoshop Elements et, à partir de l'écran d'accueil, cliquez sur **Retoucher et corriger les photos**. Ouvrez toutes vos images en cliquant sur **Ouvrir** dans le menu **Fichier**. Commencez par effectuer un tri et fermez celles qui présentent trop de défauts ou qui ne vous intéressent pas. Pour afficher toutes les images côte à côte, sélectionnez **Images** dans le menu **Fenêtre**, puis **Juxtaposer**.

● Imprimez en grand

La dimension standard d'une imprimante est 21,5 x 27,9 cm. Les laboratoires de développement numérique proposent des formats plus grands, et vous aurez peut-être envie d'en profiter. Pour créer une image de 30 x 40 cm, modifiez manuellement la **Largeur** et la **Hauteur** dans la boîte de dialogue **Nouveau** (voir étape 3 de cet exercice). Optez pour une résolution de **100 pixels/pouce**.

● Qualité d'image et résolution

Vos photographies proviennent probablement de sources variées, d'un appareil numérique, de photographies numérisées et envoyées par courriel ou de photos numérisées par vos soins. Essayez de travailler avec des images dont la résolution est de 600 dpi ou plus. Les variations de tons et de teintes risquent de rendre l'assemblage des images disgracieux, mais vous pouvez les modifier au préalable, voir « Restauration d'images », page 20.

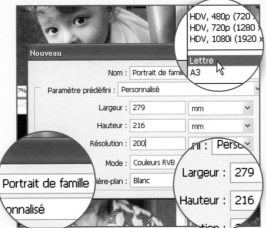

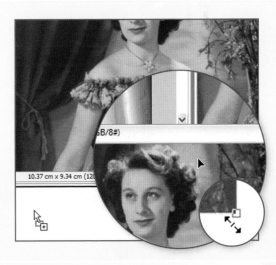

Créez votre album de portraits

2 Appuyez sur **Z** pour activer le **Zoom**. Cliquez pour sélectionner une photo, puis cliquez pour vous rapprocher ou maintenez la touche **Alt** pour reculer. Utilisez les barres de défilement pour visualiser la partie de l'image qui vous intéresse. Effectuez cette opération pour chaque image. Réfléchissez à la façon dont vous allez agencer votre composition. La photo en haut à droite va nous servir d'arrière-plan.

Créez un document vierge

3 Depuis le menu **Fichier**, choisissez **Nouveau** puis **Fichier vide**. Dans la fenêtre **Nouveau**, nommez le fichier Portrait de famille. Dans la liste **Paramètre prédéfini**, choisissez votre format : notre photo d'arrière-plan est plus large que haute, vous allez donc inverser la **Hauteur** et la **Largeur**. Saisissez 279 dans **Largeur** et 216 dans **Hauteur**. L'unité est ici le millimètre (mm). Cliquez sur **OK**.

Placez votre photo d'arrière-plan

4 Maintenez enfoncée la touche **Ctrl** et appuyez sur **+** pour agrandir votre fenêtre. Appuyez sur **V** pour travailler avec l'outil **Déplacement** et cliquez sur la photo d'arrière-plan. Déplacez-la en haut à gauche. Redimensionnez-la à l'aide des poignées de redimensionnement, en maintenant la touche **Maj** enfoncée afin de conserver les proportions. Lorsque vous avez terminé, appuyez sur **Entrée** pour confirmer.

● Anomalies

Les vieilles photographies doivent être numérisées avec soin. Il peut arriver que l'image soit décalée par rapport au format du papier. Il suffit alors d'appuyer sur la touche **P** pour activer l'outil **Redressement**. Cliquez ensuite sur les **Options de la zone de travail** et choisissez **Détourer l'arrière-plan**. Cliquez et glissez le curseur afin de déterminer manuellement l'horizontalité de l'image.

Effectuez un détourage rapide

5 Cliquez sur une des photographies. Appuyez sur la touche **L** pour travailler avec le **Lasso**. Dans la barre d'options, cliquez sur l'icône du **Lasso polygonal**. Réglez le **Contour progressif** sur **0** et cochez **Lissage**. Cliquez à l'extérieur de la partie de l'image que vous souhaitez découper et relâchez le bouton de la souris. Continuez à cliquer en suivant les contours de la zone à détourer.

Déplacez l'image détourée

6 Continuez ainsi jusqu'à atteindre le point de départ de votre sélection. Elle est alors entourée d'un contour scintillant. Appuyez sur **V** pour activer l'outil **Déplacement**. Cliquez dans la sélection et amenez-la sur la photo finale. Ne la modifiez pas pour l'instant. Choisissez une autre image à partir du menu **Fenêtre**. Appuyez sur **L** pour retrouver le **Lasso polygonal** et détourez l'image.

Réglez la lumière et le contraste

7 Des photographies prises dans des conditions variées affichent nécessairement des différences de lumière et de contraste. Pour les réduire, employez la fonction **Niveaux**, appuyez pour cela sur **Ctrl+Alt+L** et modifiez les valeurs. Si l'amélioration n'est pas évidente, appuyez sur **Ctrl+Z** pour annuler l'opération. Ajoutez toutes les photos dans la composition.

◐ Palette des calques

Pour être sûr de travailler sur la bonne partie de l'image, vérifiez le calque sélectionné. Pour cacher un calque, cliquez sur l'icône en forme d'œil à côté de son nom. Pour tous les cacher, à l'exception du calque sur lequel vous travaillez, cliquez sur son œil en maintenant la touche **Alt** enfoncée. Souvenez-vous que les actions sont appliquées uniquement au calque actif et donc sélectionné dans la palette.

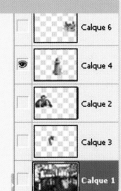

◐ Agitez votre baguette

Si l'arrière-plan est clair, découpez-le avec la **Baguette magique**. Appuyez sur **W** pour l'activer. Dans la barre d'options, cochez **Lissage** et **Pixels contigus**. Décochez **Echantillonner tous les calques** et réglez la **Tolérance** à **16**. Cliquez dans la zone que vous souhaitez effacer. Si le résultat est un amas de petits points, doublez la **Tolérance** et réessayez. Si vous êtes satisfait par la sélection, appuyez sur la touche **Suppr** afin d'effacer la zone concernée par l'opération.

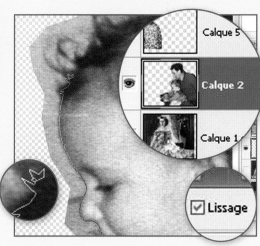

Triez vos sélections

8 La fenêtre **Portrait de famille** active, toutes vos sélections apparaissent dans la palette des **Calques**. Appuyez sur **V** pour activer l'outil **Déplacement** et assurez-vous que les options **Sélection automatique du calque** et **Afficher le cadre de sélection** sont cochées. Pour passer un calque au premier ou à l'arrière-plan, déplacez son nom dans la liste respectivement vers le haut ou vers le bas.

Composez votre portrait de famille

9 Placez les portraits plus grands au premier plan et les autres derrière pour respecter la perspective. Recadrez une sélection en maintenant la touche **Maj** enfoncée et en employant les poignées de redimensionnement. Lorsque vous êtes satisfait, appuyez sur **Entrée** pour confirmer. N'agrandissez pas trop les images et ne les dupliquez pas plusieurs fois, vous conserverez ainsi le réalisme de l'ambiance.

Détourez avec précision

10 Lorsque la composition vous convient, isolez chaque calque en cliquant sur son œil tout en maintenant la touche **Alt** enfoncée. Redécoupez vos sélections à l'aide du **Lasso polygonal**, qui offre davantage de précision. Sélectionnez-le dans la barre des options, réglez le **Contour progressif** sur **1** et cochez **Lissage**. Dessinez un contour précis en traçant des tronçons de lignes plus courts.

⬤ Détourez des sélections complexes

Les cheveux frisés sont difficiles à détourer, même pour des professionnels. Voici un « truc » bien pratique. Utilisez la **Baguette magique**, mais décochez la case **Pixels contigus**. Ainsi, chaque clic sélectionnera tous les points de même couleur. En ajustant la **Tolérance**, essayez de capturer tout ou une partie de l'arrière-plan derrière les cheveux. Vous capturerez inévitablement des éléments parasites, comme les dents ou les yeux. Utilisez alors le **Lasso** en maintenant la touche **Alt** enfoncée pour désélectionner ces éléments gênants. Réglez le **Contour progressif** sur **3**. Appuyez sur **Suppr** plusieurs fois pour supprimer le halo derrière les cheveux. Vous pouvez également employer le **Sélecteur magique** ou l'**Extracteur magique** du menu **Image**. Simples d'emploi, ils s'adaptent à toutes les situations.

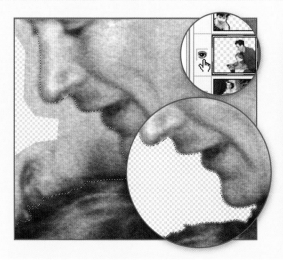

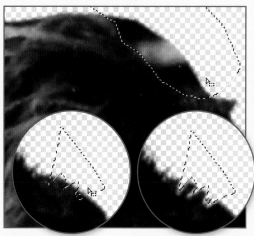

Enlevez les ombres portées

11 Restez juste à l'extérieur des contours de chaque personne à détourer. Une fois la sélection terminée, appuyez sur **Maj+Ctrl+I** pour **Intervertir la sélection** ; ainsi, tout ce qui est à l'extérieur de la zone à conserver est sélectionné. Appuyez sur **Suppr** pour l'effacer et sur **Ctrl+D** pour la désélectionner. Dans la palette des **Calques**, cliquez sur l'œil en appuyant sur **Alt**. Les calques réapparaissent.

Précisez les détails de votre sélection

12 Répétez l'opération pour toutes les sélections de votre image. Vérifiez les contours de chaque image et ne laissez aucun élément de l'arrière-plan. Servez-vous du **Lasso polygonal** (appuyez sur **L**) pour affiner les bords de la sélection et supprimer ce qui gêne. Découpez les coiffures en simulant la forme des boucles, dessinez pour cela des sélection en forme de V.

Vérification de dernière minute

13 Pour vérifier chacune des sélections, utilisez l'outil de **Déplacement** (appuyez sur **V** pour l'activer) et procédez aux derniers calages. Vérifiez tous les détails. Ici, la dame au centre est bien placée mais sa robe passe devant le jouet du bébé. Cliquez sur son calque dans la palette et utilisez la **Gomme** (appuyez sur **E** pour l'activer) afin d'enlever les éléments gênants.

● Des ombres douces pour lier et séparer

En ajoutant des ombres portées derrière chaque personnage, vous créez une impression de profondeur entre les différents plans et les éléments de votre composition sont ainsi plus harmonieux. Dans la palette des **Calques**, sélectionnez le calque qui vous intéresse. Dans la palette **Illustrations et effets**, choisissez **Styles de calque** et **Ombres portées**. Cliquez sur le bouton **Contour flou**. L'ombre apparaît sur l'image et, dans la palette à côté du nom du calque, vous voyez une petite icône indiquant que le style a bien été appliqué. Double-cliquez sur l'icône. Dans la boîte **Paramètres de style**, ajustez l'**Angle d'éclairage** et la **Distance** jusqu'à obtenir l'effet souhaité.

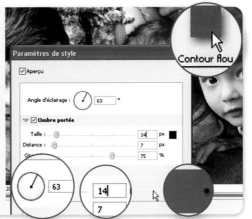

● Partagez votre travail

Choisissez **Enregistrer** dans le menu **Fichier** et sauvegardez votre travail au format Photoshop (.PSD), de façon à l'exploiter plus tard. Pour envoyer votre photographie par messagerie, sélectionnez **Enregistrer sous** dans le menu **Fichier** et optez pour le format JPEG. Cliquez sur **Enregistrer** et ajustez les paramètres de qualité. Vous pouvez également imprimer votre image ou l'envoyer à un service de développement.

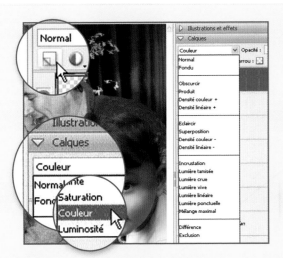

Ajoutez un soupçon de couleur

14 La plupart des photos sont ici en noir et blanc. L'ajout de quelques nuances colorées peut permettre d'égayer votre composition. Commencez par créer un nouveau calque pour les teintes. Cliquez sur le premier calque dans la palette, puis cliquez sur le bouton **Créer un calque**. Choisissez **Couleur** dans la liste déroulante de la palette des **Calques**.

Choisissez une couleur naturelle

15 Comme vous appliquez une couleur délavée, inutile d'être très précis. Appuyez sur **B** pour travailler avec le **Pinceau**. Dans les **Formes prédéfinies**, choisissez un gros pinceau doux. Réglez l'**Opacité** sur **40 %** et cliquez sur l'option **Aérographe**. Nous avons ici sélectionné une couleur « peau » pour les visages et nous l'avons appliquée en maintenant la touche **Alt** enfoncée.

Peignez les visages et les mains

16 Travaillez en nuance la couleur de la peau des personnages. Pensez également à colorer les yeux pour intensifier le regard. Cliquez sur la **Couleur de premier plan** dans le coin à gauche et sélectionnez une couleur forte et brillante. Cliquez sur OK. Sélectionnez un **Pinceau** de la taille de l'iris des yeux et peignez-les. Il ne vous reste plus qu'à enregistrer votre travail.

Juste pour rire

Un logiciel de retouche peut avoir des applications très originales

En récupérant des images de différentes sources, vous créerez facilement des compositions hors du commun. Il suffit d'un peu d'imagination ! Grâce aux fonctions avancées des calques, vous pourrez ajuster, retailler, transformer toutes les couleurs de chaque élément de votre composition de façon indépendante pour créer une composition originale. Le photomontage, comme celui présenté ici, est un exemple parfait de réalisation amusante qui plaira à toute la famille.

IL VOUS FAUT : Photoshop Elements ● Une photo d'astronaute (voir Images de l'espace, page 53)

VOIR AUSSI : Photomontage et pochoirs, page 320 ● Tirer profit des calques et des styles, page 314

● Qualité d'image

La qualité finale de votre création dépend de celle des images exploitées. Pour les visages, préférez les photos en gros plan ; sinon, le visage risque d'être mal restitué. Les images peuvent être de taille et de résolution différentes. Lorsque vous téléchargez des images depuis le Web, optez pour celles qui présentent la meilleure résolution.

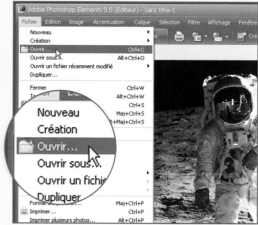

Ouvrez les deux images

1 Démarrez Photoshop Elements et cliquez sur **Retoucher et corriger les photos.** Dans la fenêtre **Ouvrir**, choisissez l'image de l'astronaute de la NASA (voir « Images de l'espace », page suivante) et cliquez sur **Ouvrir.** Vous avez également besoin du portrait de la dame. Cliquez sur **Ouvrir** dans le menu **Fichier.** Cette fois, choisissez le portrait et ouvrez-le de la même manière.

Images de l'espace

La NASA, l'agence de l'espace américaine, propose une collection de photographies retraçant l'épopée spatiale jusqu'à nos jours. La plupart sont libres de droits. L'adresse est www.nasa.gov/multimedia/imagegallery. Cherchez l'image qui vous intéresse. Celle que nous utilisons ici se trouve à cette adresse : http://grin.hq.nasa.gov/IMAGES/SMALL/GPN-2001-000013.jpg.

Le bon choix

Choisissez judicieusement votre photo lorsque vous créez un photomontage. Il est, par exemple, important que le visage de l'astronaute téléchargé soit dans l'ombre, de façon à laisser la place au portrait ajouté. Assurez-vous que l'angle de prise de vue est à peu près le même sur les deux images. Si les visages regardent dans des directions opposées, sélectionnez l'un d'eux et choisissez **Rotation** puis **Symétrie axe horizontal** dans **Image**.

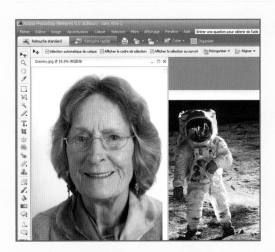

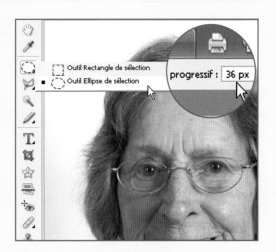

Placez vos images côte à côte

2 Comme tous les programmes Windows, Photoshop Elements permet d'afficher les images dans plusieurs fenêtres en vis-à-vis. Choisissez **Agrandissement** pour afficher l'image en entier. Vous pouvez changer facilement de mode d'affichage grâce à la fonction **Images** du menu **Fenêtre**. Placez donc votre portrait par-dessus la fenêtre contenant la photographie de l'astronaute.

Choisissez le bon outil de sélection

3 Cliquez sur le bouton **Rectangle de sélection** dans la barre d'outils et maintenez le bouton de la souris appuyé afin d'ouvrir le menu déroulant correspondant. Choisissez ensuite **Ellipse de sélection**. Cet outil est parfaitement adapté au détourage d'un visage. Augmentez le **Contour progressif** à 36 pour que le détourage dépasse légèrement du visage.

Créez votre sélection

4 Cliquez en haut à gauche du visage, maintenez le bouton de la souris appuyé et tracez un ovale. Ajustez-le au visage. Pendant l'opération, vous pouvez modifier la position de l'ovale en appuyant sur la barre d'espacement. Une fois que l'ovale est à la bonne dimension et qu'il est bien placé, relâchez le bouton de la souris. La sélection est signifiée par un contour scintillant.

⬤ Plus une trace

Pour combiner deux images, vous devez vous assurer que le grain, la lumière et le contraste sont similaires. Une fois votre image transformée, effectuez un zoom à **200 %**. Maintenez pour cela la touche **Ctrl** enfoncée et appuyez sur la touche **+** jusqu'à ce que la barre d'état indique 200 %. Comparez le visage copié avec son environnement et vous remarquerez que votre image possède une texture douce alors que la deuxième photo est plus granuleuse. Sélectionnez le calque du visage dans la palette des **Calques**, et choisissez **Bruit** et **Ajout de bruit** dans le menu **Filtre**. Dans la boîte **Ajout de bruit**, réglez la **Quantité** sur **3 %**, la **Répartition** sur **Gaussienne** et cochez **Monochromatique**. Cliquez sur **OK**. Le visage apparaît alors plus granuleux, mais le grain lui-même est trop fort. Choisissez donc **Flou** à deux reprises dans le menu **Filtre**. Si nécessaire, annulez (**Ctrl+Z**) et modifiez le grain.

Déplacez le visage

5 Activez l'outil **Déplacement**. Un cadre s'affiche autour de la sélection. Si vous ne le voyez pas, cochez **Afficher le cadre de sélection** dans la barre d'options. Cliquez et maintenez le bouton de la souris appuyé. Déplacez le pointeur sur l'image de l'astronaute. Lorsque le visage est placé au-dessus de l'image de l'astronaute, relâchez le bouton de la souris.

Redimensionnez le visage

6 Le visage est trop grand. Cliquez sur une des poignées de redimensionnement et modifiez les dimensions de l'image. Maintenez la touche **Maj** enfoncée lors de l'opération de façon à conserver les proportions. Pour déplacer le visage, cliquez dans la sélection flottante. Positionnez le visage dans le casque. Vérifiez la position des bras pour caler le visage correctement.

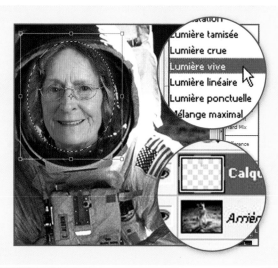

Changez de mode de détourage

7 En bas à droite dans la palette des **Calques**, vous constatez que le visage est disposé sur le **Calque 2**, alors que le calque d'arrière-plan contient la photo de l'astronaute. Le **Calque 2** est en mode **Normal**. Cliquez sur la liste déroulante des modes et optez pour **Lumière vive**. L'image de l'astronaute se laisse subtilement deviner sous le visage de la grand-mère.

La technique de l'ombre

Découper un visage pour le placer dans un casque d'astronaute est plutôt facile puisque vous n'avez pas les contours du visage à gérer. Il est plus délicat de découper un visage et de le placer dans une image en pleine lumière. Quand vous mettez en place ce type de projet, essayez de trouver des images dont l'arrière-plan est sombre ou dans l'ombre. Votre tâche en sera allégée.

Dernières finitions

Si vous n'êtes pas vraiment convaincu par le résultat de votre maquillage, procédez à quelques finitions. Dans la palette des **Calques**, sélectionnez le calque contenant le visage. Réduisez l'**Opacité** à **70 %** pour donner un aspect plus réaliste au visage à l'intérieur du casque.

Si la couleur du visage ne vous semble pas correcte, modifiez légèrement la teinte dans la boîte **Teinte/saturation**.

Enregistrement

Lorsque vous ajoutez des calques à une image, choisissez **Enregistrer** dans le menu **Fichier** pour sauvegarder votre travail au format **Photoshop**. Pour enregistrer une image à envoyer par courriel, choisissez **Enregistrer sous** dans le menu **Fichier**. Sélectionnez alors le **Format JPEG**. Cette version est bien plus légère que la précédente mais vous ne disposerez plus des calques de travail.

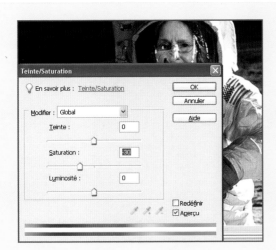

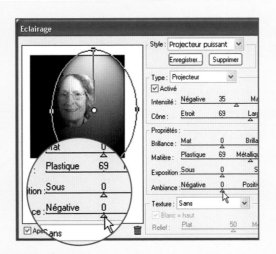

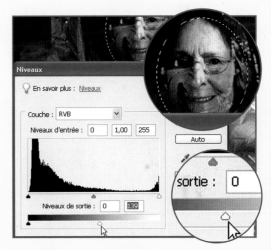

Ajustez l'apparence du visage

8 Le visage semble bien placé derrière la visière du casque, les reflets et les ombres apparaissant bien devant le visage. Mais les couleurs du visage semblent encore trop fortes. Pour les corriger, choisissez **Régler la couleur** puis Teinte/saturation dans le menu **Accentuation** (Ctrl+U). Dans la fenêtre qui s'ouvre, déplacez le curseur de **Saturation** sur -30 et cliquez sur **OK**.

Réglez les lumières

9 Le visage doit avoir les mêmes lumières crues que le reste. À partir du menu **Filtre**, choisissez **Rendu** puis **Eclairage**. En haut de la boîte **Eclairage**, cliquez sur le menu **Style** et sélectionnez **Projecteur puissant**. Regardez la prévisualisation, déplacez la lumière si nécessaire en faisant glisser le point central de l'ovale. Réduisez l'**Ambiance** à **0**, ce qui empêche les reflets. Cliquez sur **OK**.

Réduisez les reflets excessifs

10 Réduisez enfin les reflets gênants sur le visage. Cliquez donc sur l'**Arrière-plan** dans la palette des **Calques**. À l'aide de l'**Ellipse de sélection**, dessinez autour du visage. À partir du menu **Accentuation**, choisissez **Régler l'éclairage**, puis **Niveaux**. Déplacez vers la gauche le curseur blanc du **Niveau de sortie**, afin d'assombrir les zones lumineuses. Cliquez sur **OK**.

Travailler sur de grands espaces
Mélangez différentes images pour créer une vue panoramique

Un panoramique est une photographie réalisée avec un objectif grand angle. Les appareils ordinaires possèdent un champ de vision proche de 50°. Or les photographies panoramiques atteignent un angle compris entre 180 et 360°, offrant ainsi une vue globale du paysage. Inutile cependant de posséder un appareil photo de ce type pour réaliser des panoramiques. Grâce à Photoshop Elements, vous pouvez assembler des images pour parvenir au même résultat.

IL VOUS FAUT : Photoshop Elements ● Un appareil photo numérique
VOIR AUSSI : Prendre de belles photos, page 304 ● Effacez des éléments gênants, page 26

Prendre de belles photos, page 304 ● Effacez des éléments gênants, page 26

● Exposition manuelle

La plupart des appareils calculent automatiquement l'exposition (ouverture et vitesse) lors de chaque prise de vue (voir page 304). Dans un panorama, les conditions de lumière varient en fonction de l'endroit où vous visez, ce qui peut entraîner des différences sensibles entre deux images. Le logiciel peut compenser, mais, si vous possédez un appareil « débrayable », conservez la même ouverture et la même vitesse pour toutes les photos de façon à garder la même exposition sur tout le panoramique.

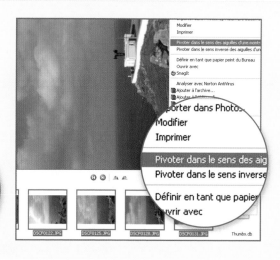

Transférez les photos sur votre PC

1 Prenez une série de photos, chacune représentant un tiers de l'image globale. Un pied n'est pas nécessaire, mais essayez de conserver la même position lorsque vous effectuez un tour de 360°. Effectuez plusieurs séries d'images pour parer aux erreurs de prise de vue. Transférez vos images sur votre PC (référez-vous au manuel de votre appareil photo pour connaître la méthode).

Créez un dossier spécifique

2 Dans l'Explorateur Windows, créez un nouveau dossier, nommez-le Panorama et copiez-y vos images. Ouvrez le dossier. À partir du menu **Affichage**, sélectionnez **Miniatures** pour afficher vos images sous forme de vignettes. Si cette option n'est pas dans la liste, sélectionnez **Affichage**, **Personnaliser ce dossier**. Sous l'onglet **Personnaliser**, choisissez **Images** dans le menu déroulant et cliquez sur **OK**.

Disposez les images dans le bon sens

3 Si vous avez pris des photos en mode portrait (avec l'appareil sur le côté), vous devrez les faire pivoter. Cliquez sur la première vignette, et sélectionnez toutes les autres en maintenant la touche **Ctrl** appuyée. Effectuez un clic droit sur cette sélection et choisissez **Pivoter dans le sens des aiguilles d'une montre**, ou dans le sens inverse en fonction du sens de rotation à appliquer.

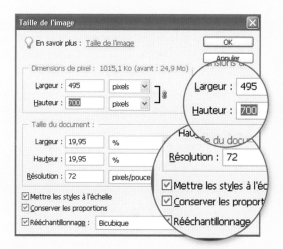

Redimensionnez la première image

4 Démarrez Photoshop Elements. Depuis l'écran de bienvenue, choisissez **Retoucher et corriger les photos**. Cliquez sur **Ouvrir** dans le menu **Fichier**. Ouvrez la première image. Dans le menu **Image**, sélectionnez **Redimensionner** puis **Taille de l'image**. Cochez les cases **Rééchantillonnage** et **Conserver les proportions**. Saisissez une **Hauteur** de **700** pixels, la largeur sera ajustée automatiquement. Cliquez sur **OK**.

Redimensionnez le reste

5 De la même façon, redimensionnez les autres images. En considérant que vous avez six images à exploiter et qu'elles représentent à peu près un tiers chacune de l'image finale, celle-ci présentera une dimension de 2 000 x 700 pixels. Imprimez l'image au format lettre avec une résolution de 200 dpi. Si vous utilisez davantage d'images, vous pouvez travailler dans une résolution plus élevée.

Commencez l'assemblage

6 Dans le menu **Fichier**, sélectionnez **Nouveau**, **Panorama** puis **Photomerge**. Les images redimensionnées apparaissent dans la liste des **Fichiers source**. Pour retirer des éléments de cette liste, sélectionnez-les et appuyez sur le bouton **Supprimer**. Cliquez ensuite sur **OK**. Le logiciel va maintenant combiner les images et les importer automatiquement dans la photo panoramique.

Utilisez des repères visuels

Au moment de prendre la première photographie, repérez un élément significatif du décor, un arbre ou un poteau par exemple, positionné au premier tiers ou premier quart du bord droit du viseur de l'appareil. Pivotez ensuite sur la droite de façon à caler votre repère au même endroit dans le viseur mais cette fois sur le bord gauche. Changez de référence pour l'image suivante. Essayez de tourner autour d'un axe qui passe à travers l'appareil. Vos images seront ainsi plus faciles à assembler.

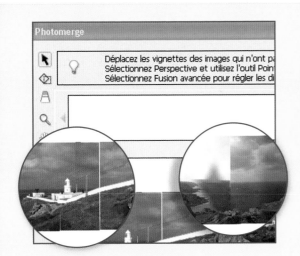

Visualisez les images importées

7 La fenêtre de Photomerge affiche les images importées en les présentant dans un ordre logique. Si une image est mal placée, vous pourrez la redisposer manuellement. Les images qui n'ont pas été importées automatiquement par Photomerge dans le panoramique seront affichées sous forme de vignettes dans la zone **Vignettes** située dans la partie supérieure de l'écran.

Vérifiez l'ordre de la composition

8 Pour ajouter d'autres images dans votre composition, déplacez-les de la zone **Vignettes** dans la zone de travail. Vous pouvez également déplacer une image de la zone de travail vers la zone **Vignettes** et la substituer par une autre. Utilisez le **Navigateur** situé à droite de la fenêtre Photomerge pour zoomer sur des sections de l'image ou contrôler l'enchaînement du panoramique.

Assemblez à la main

9 Pour assembler deux images, déplacez la première sur la seconde et calez-les en superposant les détails. Photomerge affiche en semi-transparence l'image que vous déplacez, de manière à visualiser les détails de l'image en dessous. Cochez la case **Aligner sur l'image** à droite. Inutile de fixer une position définitive, Photomerge se chargera de trouver le meilleur calage.

Corrigez l'angle

10 Si vous n'êtes pas parvenu à conserver une même ligne d'horizon lors de la prise de vue, et si vous ne parvenez pas à caler les détails de la composition, sélectionnez l'outil **Rotation** dans la barre d'outils. Le pointeur de la souris se transforme en flèche à deux têtes. Positionnez-le sur le bord de l'image et effectuez une rotation dans la direction appropriée. Cliquez sur **OK**.

Définissez la jonction des photos

11 Assemblez ainsi toutes les images en étant très attentif aux calages des photos bord à bord. Il peut arriver que le logiciel décide de placer une image selon un calage qui ne vous plaise pas. Dans ce cas, décochez la case **Aligner sur l'image** et positionnez l'image manuellement. D'une manière générale, vous pourrez ainsi affiner chaque calage.

Ajoutez la perspective

12 Pour déformer le panoramique et lui conférer un caractère plus réaliste, cochez la case **Perspective** sous **Paramètres**. Le logiciel calcule et applique une distorsion en perspective. Le point de fuite est calculé à partir du centre de l'image panoramique. Pour modifier ce point de référence, cliquez sur l'outil **Point de fuite** dans la boîte à outils et choisissez le point qui vous intéresse.

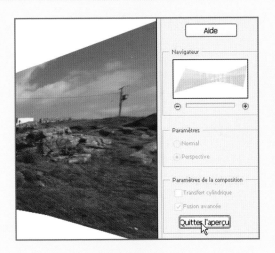

Nivelez les différences d'exposition

13 Les différences de lumière entre les photos peuvent être atténuées grâce aux Paramètres de la composition. Cochez la case Fusion avancée et cliquez sur Quitter l'aperçu pour revenir à la fenêtre Photomerge. Ne cliquez pas sur le bouton **Annuler**, sans quoi vous retourneriez dans Photoshop Elements en perdant le fruit de votre travail.

Réduisez les distorsions

14 D'une perspective peut résulter une forme de « nœud papillon », serrée au milieu et élargie aux bords, rendant l'image difficile à découper. Pour réduire cet effet, cochez la case **Transfert cylindrique** et prévisualisez l'image à nouveau. Cette option peut également avoir un effet déformant, comme ici la mer sur les bords gauche. Cochez la case **Normal** pour annuler l'effet de **Perspective**.

Appliquez les modifications

15 Procédez à une dernière vérification et cliquez sur le bouton OK, en haut à droite. Le logiciel applique ainsi les modifications demandées par Photomerge et crée un nouveau fichier pour le panoramique. Les photos utilisées dans la composition ne sont pas affectées et vous pourrez donc les réutiliser pour créer d'autres panoramiques selon d'autres critères.

Impression de pro

Nombre de services de développement en ligne proposent des tirages au format panoramique. Rendez-vous sur le Web pour connaître les meilleures solutions du moment. Pour fournir un fichier à l'impression, créez un nouveau fichier dans Photoshop Elements et collez trois panoramiques les uns au-dessous des autres, vous optimiserez ainsi le prix que vous aurez à payer pour ce service.

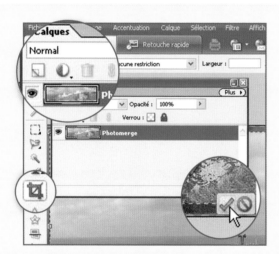

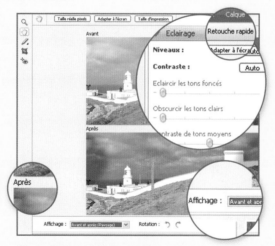

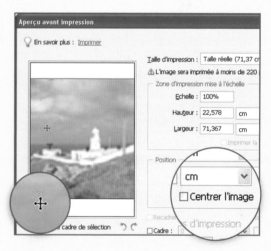

Enregistrez le panoramique

16 Le logiciel crée le panoramique sur un même calque nommé **Photomerge**. Sélectionnez **Enregistrer** dans le menu **Fichier** et sauvegardez l'image au format Photoshop (.PSD). Sélectionnez ensuite l'outil **Recadrage** dans la barre d'outils. Recadrez le panoramique afin de supprimer les bords de l'image. Confirmez l'opération en cliquant sur la coche verte en bas à droite.

Réglez les derniers détails

17 Cliquez sur l'onglet **Retouche rapide**. Dans la fenêtre de prévisualistion, choisissez **Avant et Après (Paysage)**. Dans la zone à droite, effectuez les derniers réglages en cliquant sur les boutons **Auto** sous **Eclairage**, **Couleur** et **Netteté**. Constatez l'effet des modifications sur votre image dans la zone **Après**. Appuyez sur **Ctrl+S** pour enregistrer l'image modifiée.

Imprimez en plusieurs parties

18 Dans le menu **Fichier**, choisissez **Imprimer**. Dans la zone **Aperçu avant impression**, cochez **Centrer image**. Cliquez et déplacez l'image jusqu'à voir l'extrême gauche du panoramique. Cliquez sur **Imprimer**. Répétez le processus, en glissant les différentes sections du panoramique. Imprimez chacune d'elles et assemblez les impressions pour composer le panoramique.

Autour du monde

Créez une affiche en souvenir de vos voyages

Si vous voyagez souvent ou si vous recevez des cartes postales des quatre coins de la planète, pourquoi ne pas réunir ces images dans une affiche ? Retracez les plus beaux sites de votre parcours et marquez les grandes étapes de votre voyage par des photos de moments inoubliables. Vous allez apprendre ici à trouver une carte, à créer votre itinéraire et à disposer les photos pour obtenir une composition unique et spectaculaire.

IL VOUS FAUT : Photoshop Elements ● Des photos de vos vacances
VOIR AUSSI : Créer une affiche, page 84

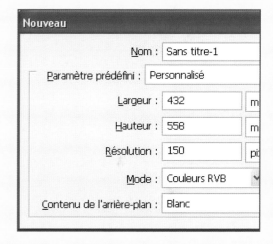

Droits de reproduction des cartes

La plupart des cartes, celles des atlas et celles que vous trouvez sur le Web, sont protégées par des droits de reproduction. Il est donc illégal de les reproduire sans autorisation. Même si vous avez acheté une carte, vous n'êtes pas pour autant autorisé à la numériser et à l'imprimer. Vous pouvez demander l'autorisation mais vous devrez vous acquitter d'un coût parfois très élevé. Il est donc recommandé de travailler avec des cartes libres de droit (encadré « Où trouver des cartes ? », p. 63).

Commencez votre affiche

1 Démarrez Photoshop Elements et cliquez sur le bouton **Retoucher et corriger les photos** dans l'écran de bienvenue. Cliquez sur **Fichier, Nouveau**. Dans la boîte de dialogue **Nouveau**, sélectionnez **432** pour la largeur et **558** pour la hauteur. Il s'agit des dimensions d'une affiche, représentant quatre feuilles de format lettre assemblées. Saisissez **150 pixels/pouce** comme **Résolution** et cliquez sur **OK**.

● Où trouver des cartes ?

La carte des États-Unis exploitée dans notre projet est disponible auprès de la Bibliothèque en ligne de l'université du Texas sur www.lib.utexas.edu/maps. Le site propose d'ailleurs d'autres cartes du monde, en JPEG ou en PDF simples à ouvrir dans Photoshop Elements. Rendez-vous également à cette adresse http://geotourweb.com. Il s'agit d'un site portail qui mène vers des cartes à télécharger. Un moteur de recherche vous aide à trouver la carte qui vous intéresse.

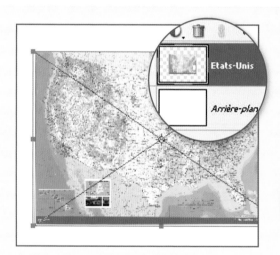

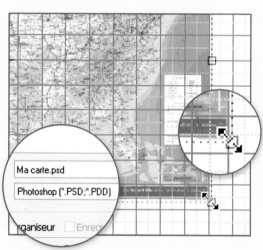

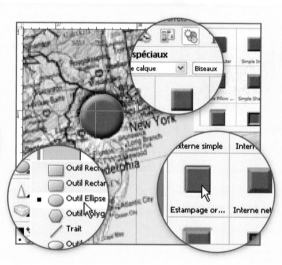

Trouvez et placez la carte

2 L'affiche sera au format **Paysage**; sélectionnez donc **Rotation** dans le menu **Image** puis choisissez soit **90° vers la gauche**, soit **90° vers la droite**. Téléchargez la carte (voir « Où trouver des cartes ? », ci-dessus). Sélectionnez ensuite **Importer** dans le menu **Fichier** pour ajouter la carte en arrière-plan. Localisez le fichier de la carte et cliquez sur le bouton **Importer**.

Réglez les dimensions de la carte

3 Redimensionnez la carte pour qu'elle rentre dans votre page. Maintenez la touche **Maj** enfoncée et utilisez les poignées jusqu'à ce qu'elle se place correctement au centre de la page. Laissez un bord tout autour puis appuyez sur **Entrée**. Affichez les **Règles** et la **Grille** à partir du menu **Affichage** et centrez la carte. Enregistrez le fichier au format **Photoshop** (.PSD).

Repérez les étapes du voyage

4 Créez des marqueurs afin de localiser les endroits qui vous intéressent sur la carte. Sélectionnez l'outil **Ellipse** depuis la barre d'outils et choisissez une couleur dans la barre d'options. Cliquez sur la carte et, tout en maintenant la touche **Maj** enfoncée, tracez un cercle sur le premier site. Déroulez le menu **Effets spéciaux** et sélectionnez **Biseaux**, puis **Estampage oreiller simple**.

Des cartes à thème

Le Web recèle quantité de cartes organisées en fonction d'une thématique précise. Certaines présentent des données démographiques et migratoires, d'autres apportent des renseignements politiques, d'autres encore montrent les échanges économiques dans le monde au cours des siècles passés. Servez-vous de ces cartes pour illustrer des exposés ou des documents qui ont trait à la généalogie de votre famille, par exemple. Vous pouvez vous rendre sur www.atlas-historique.net pour télécharger des cartes du monde d'une autre époque ou sur www.atlas.nrcan.gc.ca pour télécharger des cartes des provinces et territoires canadiens.

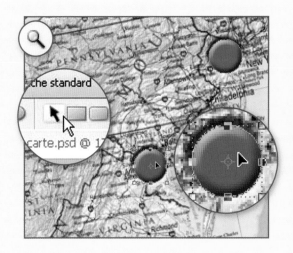

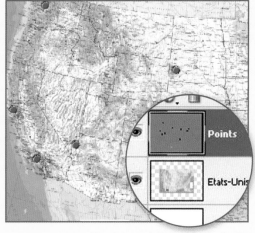

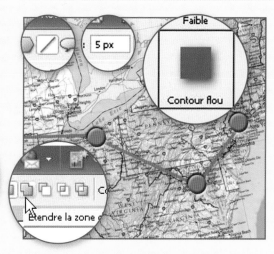

Copiez le marqueur

5 Utilisez l'outil **Zoom** pour localiser la seconde étape de l'itinéraire. Sélectionnez à nouveau l'outil **Ellipse** et choisissez l'outil **Sélection de forme** dans la barre d'options. Maintenez la touche **Alt** enfoncée et déplacez votre marqueur vers le nouveau site. En appuyant sur la touche **Alt**, le marqueur est automatiquement copié, ce qui vous évite de le copier et de le coller manuellement.

Marquez toutes les étapes

6 Continuez à créer de nouveaux marqueurs comme à l'étape précédente pour tracer votre itinéraire. Utilisez l'outil **Sélection de forme** et la touche **Alt** pour conserver tous les marqueurs sur le même calque. Si vous utilisez l'outil **Déplacement**, un nouveau calque sera créé pour chaque marqueur, ce qui vous compliquera la tâche pour plus tard. Double-cliquez sur calque **Forme 1** et renommez-le Points.

Joignez les points d'itinéraire

7 Sélectionnez l'outil **Trait** dans la barre d'options. Réglez l'**Epaisseur** sur **5 px**. Cliquez et tracez une ligne entre les deux premiers points. Dans la palette **Effets spéciaux**, sélectionnez **Styles de calque**, **Ombres portées** puis **Contour flou**. Dans la barre d'options, cliquez sur le bouton **Etendre la zone de la forme** et reliez tous les marqueurs. Renommez le calque Lignes et placez-le sous le calque **Points**.

Tracez la route

Il existe des sites qui permettent de définir l'itinéraire d'un parcours en voiture. Par exemple, le site www.inforoutiere.qc.ca présente des cartes imprimables qui sont des extraits par région touristique de la carte routière officielle du Québec. Et il est possible de télécharger gratuitement des cartes et des brochures touristiques sur les sites de plusieurs provinces canadiennes et états américains.

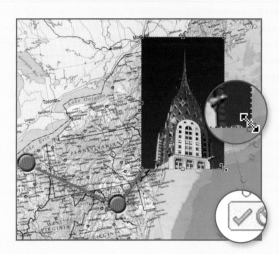

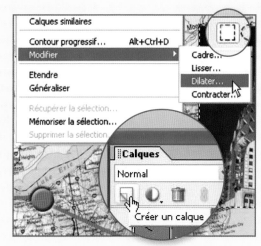

Placez vos photos

8 Il est temps à présent d'insérer vos images. Sélectionnez Importer dans le menu Fichier, localisez la première image et cliquez sur le bouton Importer pour l'ajouter sur un nouveau calque. Vous devrez probablement redimensionner les images. Maintenez la touche Maj enfoncée lorsque vous utilisez les poignées de redimensionnement afin de conserver les proportions. Validez l'opération.

Créez un cadre blanc

9 Pour ajouter un bord blanc à votre image, sélectionnez l'outil Rectangle. Dessinez un rectangle autour de l'image. Dans le menu Sélection, choisissez Modifier, Dilater puis saisissez une valeur de 15 px. Cliquez sur OK. Créez un nouveau calque pour le cadre en cliquant sur le bouton Créer un calque depuis la palette des calques. Renommez-le Cadre et appuyez sur Entrée.

Affinez le cadre

10 Remplissez la sélection avec du blanc en appuyant sur D (active les couleurs par défaut). Appuyez ensuite sur Ctrl+Suppr pour remplir la sélection avec la couleur d'arrière-plan. Ne vous inquiétez pas si votre photo semble être remplacée par un rectangle blanc, elle est simplement passée en arrière-plan. Déplacez le calque Cadre sous le calque de la photo.

Cartes du monde et images satellite

Google Earth (http://earth.google.com) est un programme gratuit qui propose des cartes et des vues en haute définition ainsi que des photos satellite couvrant toute la surface de la Terre. Vous devrez disposer d'une connexion haut débit, les images étant affichées en temps réel depuis Internet. Les images et les cartes présentent également les routes, le relief, des informations touristiques et même le réseau aérien des grandes villes.

L'animation de Google Earth est stupéfiante. Vous aurez la sensation de faire le tour du monde sans bouger de votre fauteuil. Vous découvrirez des vues exceptionnelles des plus belles merveilles du monde et vous vous amuserez à retrouver votre maison sur la carte satellite ! Certains sites remarquables profitent d'une vue en 3D à couper le souffle.

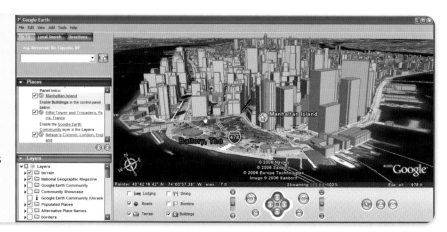

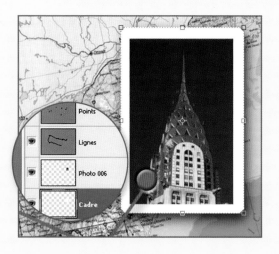

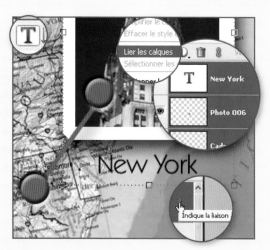

Ajoutez une ombre portée

11 Appuyez sur **Ctrl+D** pour revenir à votre sélection. Pour ajouter une ombre portée au cadre, sélectionnez le calque **Cadre**, puis à partir de la palette **Effets spéciaux**, choisissez **Ombre portée** et **Contour flou**. L'image semble à présent posée naturellement sur la carte. Pour faire apparaître les tracés et les marqueurs, déplacez leur calque au-dessus de celui de l'image.

Légendez la carte

12 Pour ajouter une légende à votre photo, sélectionnez l'outil **Texte** et créez votre bloc texte. Saisissez le nom du lieu. Choisissez une police simple et lisible, sans sérif, comme la **Kabel**. Positionnez le bloc sur la photo. Appuyez ensuite sur la touche **Maj** et cliquez pour sélectionner le calque de l'image, du cadre et du bloc texte et choisissez **Lier les calques** dans le menu de la palette.

Orientez les photos

13 Vous pouvez maintenant disposer les images sur la carte à l'aide des outils de rotation, de déplacement et de style. Vous pouvez, par exemple, modifier l'inclinaison des photos. Pour cela, sélectionnez l'image et, à l'aide de l'outil **Déplacement**, positionnez le pointeur sur un angle de la photo. Inclinez l'image de quelques degrés. Validez l'opération.

● Numérisez vos souvenirs

Lorsque vous rentrez à la maison après un voyage, ne jetez pas vos tickets de bus, d'avion, vos factures d'hôtel, les timbres, les tickets de musée et autres petits souvenirs. Ils créeront une ambiance graphique intéressante pour vos projets. Voir aussi Numériseur comme outil de création, page 322.

● Solutions d'impression

Votre imprimante risque de ne pas pouvoir sortir votre affiche en une seule fois. Vous devrez donc l'imprimer en plusieurs parties que vous collerez ensuite (voir page 88). Vous pouvez également graver votre fichier sur un CD et l'amener chez un imprimeur en mesure d'imprimer des grands formats. Vous pourrez également l'imprimer sur d'autres supports, une toile, par exemple (voir page 79).

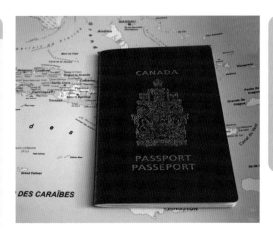

Copiez une photo

14 À l'aide de l'outil **Déplacement**, tout en appuyant sur **Alt,** déplacez le groupe de calques pour le copier plus loin. Pour chaque copie groupée, effectuez un clic droit sur le calque de la photo dans la palette et choisissez **Supprimer le calque**. Importez la nouvelle photo, redimensionnez-la et disposez-la (étapes 8 à 14). Cliquez sur le calque de la légende et saisissez un nouveau nom de lieu.

Ajoutez un gros titre

15 Utilisez l'outil **Texte** pour créer un titre au-dessus de votre affiche. Le texte doit être relativement gros, aux alentours de 100 points, pour avoir de l'impact. Utilisez une couleur forte et brillante ou la même couleur que pour l'itinéraire. Pour un plus grand effet visuel, utilisez l'outil **Déplacement** et ajoutez une ombre portée à partir de la palette **Illustrations et effets** (voir étape 11).

Organisez vos photos

16 Pour éviter que votre carte soit confuse, placez une seule image par lieu. Vous pouvez ajouter une sélection d'images autour de la carte. Placez-les, redimensionnez-les, mettez des ombres portées si nécessaire. Enfin, ajoutez une couleur d'arrière-plan en sélectionnant le calque **Arrière-plan** puis **Remplir le calque** dans le menu **Edition**. Sélectionnez une couleur et cliquez sur **OK**.

Morceau par morceau

Créez un véritable casse-tête à partir de vos photographies préférées

Vous pouvez créer facilement de magnifiques casse-tête à partir de vos propres images, grâce à Photoshop Elements et à quelques logiciels gratuits. Plus le casse-tête contiendra de pièces, plus il sera difficile à réaliser. Il vous suffira pourtant de quelques clics pour le recomposer. Les fichiers créés dans ce projet sont légers et peuvent être expédiés par courriel sans difficulté. Alors n'hésitez pas à partager vos créations !

IL VOUS FAUT : Photoshop Elements ● Kisekae Set System (KiSS – voir encadré, page 69)

○ Choisissez une image

Les images qui proposent des textures et des motifs différents sont plus appropriées. Évitez les grandes zones unies, cela risque d'augmenter la difficulté du casse-tête. Pour les casse-tête destinés aux enfants, trouvez des images à fort contraste et proposant de nombreuses formes. Vous pouvez bien entendu exploiter les créations de vos enfants en transformant leurs dessins en casse-tête.

Commencez avec une photo

1 Démarrez Photoshop Elements. Depuis l'écran d'accueil, choisissez **Retoucher et corriger les photos**. Dans le menu **Fichier**, choisissez **Ouvrir**, retrouvez votre image et cliquez sur **Ouvrir**. Appuyez sur **C** pour activer l'outil **Recadrage**. Réglez la **Largeur** sur 700 px, la **Hauteur** sur 700 px et la **Résolution** sur 72 pixels/pouce. Vous obtenez ainsi un casse-tête carré.

○ Téléchargez des logiciels gratuits

Nous employons ici deux programmes spécifiques : une visionneuse et un convertisseur. Ces logiciels sont en anglais sans que cela pose de problème si vous ne parlez pas la langue. Rendez-vous à l'adresse www.otakuworld.com/kiss. Cliquez sur **KiSS Viewers** puis sur **PC Windows**. Cliquez sur l'icône **Download**. Dans la boîte de dialogue, cliquez sur **Enregistrer**. Vous sauvegarderez ainsi le programme d'installation sur votre disque. Double-cliquez sur **DirectKiSS Installer** puis cliquez sur **Run** et suivez les étapes. Pour le convertisseur, rendez-vous sur www.otakuworld.com/kiss et cliquez sur **KiSS-Making Tools**. Cliquez sur **Tail's TLCK Utilities**. Dans la liste des fichiers, cliquez sur le lien sous **tlckv.exe** afin de télécharger le fichier Zip. Dans la boîte de dialogue, cliquez sur **Enregistrer**. Effectuez un double-clic sur le fichier **TLCK Zip** pour en décompresser le contenu dans le même dossier que le programme précédent.

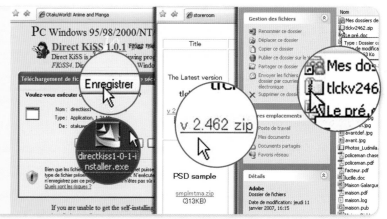

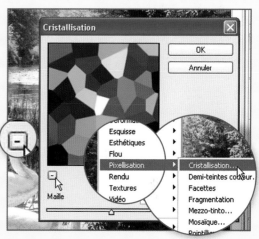

Découpez et recadrez la photo

2 Cliquez en haut à gauche de l'image et dessinez un rectangle de sélection. Ajustez sa dimension en fonction de ce que vous souhaitez voir. Vous ne pouvez plus modifier la forme de l'image mais vous pouvez la repositionner, l'agrandir ou la rétrécir. Une fois satisfait du résultat, double-cliquez pour recadrer l'image. Maintenez la touche **Ctrl** enfoncée et appuyez sur **+** pour zoomer.

Copiez l'image sur un nouveau calque

3 Votre image est composée d'un seul calque, **Arrière-plan**. Effectuez un clic droit sur son nom et choisissez **Dupliquer le calque**. Cliquez sur OK. Le nouveau calque ainsi créé est appelé **Copie Arrière-plan** et reste sélectionné pour que vous puissiez y travailler. Appuyez sur **Ctrl+U** pour les réglages **Teinte/Saturation**, déplacez le curseur de **Saturation** à l'extrême droite et cliquez sur **OK**.

Créez les pièces

4 Dans le menu **Filtre**, choisissez **Pixellisation** puis **Cristallisation**. Cliquez sur le bouton — pour effectuer un zoom arrière afin d'afficher toute l'image dans la prévisualisation. La photo est divisée en morceaux de différentes formes. Ajustez la **Maille** pour modifier le nombre de pièces ; plus la cellule est grande plus le nombre de pièces augmente. Cliquez sur **OK** pour appliquer les modifications.

◕ Corrigez des pièces

Le filtre **Cristallisation** (voir étape 4) crée des pièces de manière aléatoire. Il se peut que certaines zones soient oubliées ou que vous souhaitiez en ajouter davantage. Pour cela, dessinez autour de la section concernée à l'aide de l'outil **Lasso polygonal** (voir page 29, étapes 9 et 10) tout en maintenant la touche **Maj** enfoncée. Ceci a pour effet d'ajouter votre sélection manuelle à la sélection existante. Vous affinez ainsi le casse-tête.

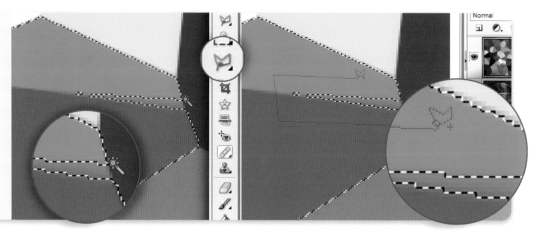

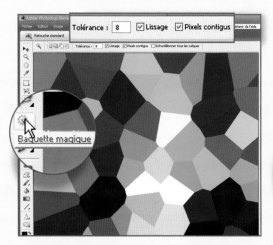

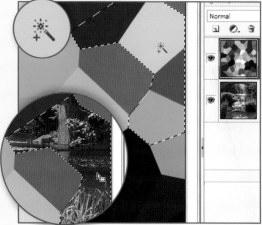

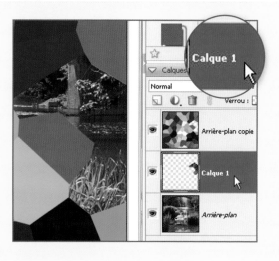

Vérifiez le résultat

5 Les pièces se présentent sous des formes et des tailles différentes. Si vous n'êtes pas satisfait du résultat, appuyez sur **Ctrl+Z** afin d'annuler puis sur **Ctrl+F** pour recommencer une opération de **Cristallisation**. Appuyez sur **W** pour travailler avec la **Baguette magique**. Dans la barre d'options, réglez la **Tolérance** sur 8 et cochez **Lissage** et **Pixels contigus**. Décochez **Echantillonner tous les calques**.

Sélectionnez la première pièce

6 Cliquez sur une pièce colorée pour la sélectionner. Maintenez la touche **Maj** enfoncée et cliquez sur une pièce adjacente. Elle est intégrée à la sélection. Ajoutez trois ou quatre pièces de la même façon. Appuyez sur **Suppr** pour effacer la forme. Ensuite, dans la palette des **Calques**, cliquez sur le calque **Arrière-plan**, qui contient la photo originale. Le calque est alors sélectionné.

Créez une pièce du casse-tête

7 Appuyez sur **Ctrl+J** (Calque par Copier) pour créer un nouveau calque à partir de la sélection. La partie de la photo contenant les pièces que vous avez sélectionnées est ainsi dupliquée (vous constatez que les formes ont disparu dans le calque original). Vous disposez maintenant d'un nouveau calque contenant uniquement la pièce issue de la photo.

Casse-tête à fabriquer en ligne

Il existe plusieurs sites permettant de créer des casse-tête traditionnels. Le site www.yavsoft.com vous permettra de créer vos propres casse-tête à partir des photos de votre choix. Sur le site www.greyolltwit.com, vous pourrez télécharger un logiciel, Jigsaw Maker, qui vous offre la possibilité de créer vos propres casse-tête imprimables.

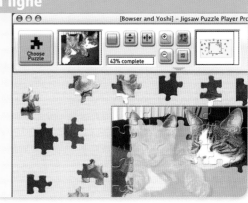

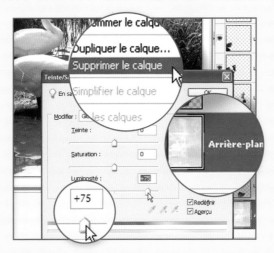

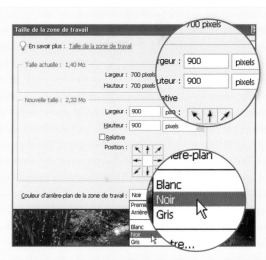

Ajoutez les pièces restantes

8 Répétez l'opération précédente pour créer les autres pièces. Voici un rapide récapitulatif. Dans la palette **Calques**, cliquez sur le calque contenant les formes. Maintenez la touche **Maj** enfoncée et cliquez sur les sections adjacentes à l'aide de la **Baguette magique**. Appuyez sur **Suppr**. Dans la palette des calques, cliquez sur le calque **Arrière-plan**. Appuyez sur **Ctrl+J** pour copier les pièces dans un calque.

Finitions de l'image

9 Effectuez un clic droit sur le calque contenant les pièces et choisissez **Supprimer le calque**. Cliquez sur **OK**. Cliquez sur le calque **Arrière-plan**. Appuyez sur **Ctrl+U** et, dans la boîte **Teinte/Saturation**, cochez **Redéfinir**. Passez la **Luminosité** à 75 et cliquez sur **OK**. Ajoutez de l'espace autour du casse-tête. Choisissez **Redimensionner** puis **Taille de la zone de travail** dans le menu **Image**.

Terminez et enregistrez

10 Réglez les valeurs de **Largeur** et **Hauteur** sur **pixels** et ajoutez **200** à chacune. Ainsi **700 x 700** devient **900 x 900**. Choisissez la couleur **Noir** comme arrière-plan. Cliquez sur **OK**. Depuis le menu **Fichier**, choisissez **Enregistrer sous**. Spécifiez un dossier de rangement. Saisissez un nom de fichier et laissez-le au **Format Photoshop (*.PSD)**. Cliquez sur **Enregistrer**.

Envoyez un message secret

Si vous souhaitez ajouter un peu de fantaisie à votre casse-tête, vous pouvez introduire un calque texte contenant un message. Dans Photoshop Elements, vous pouvez partir de l'image que vous avez découpée ou bien en créer une de toutes pièces. Choisissez la dimension 640 x 480 pixels. Employez l'outil **Texte** et saisissez votre message. Le destinataire de votre casse-tête devra alors le recomposer afin de lire le message qui lui est adressé.

Partagez votre casse-tête

Une fois votre casse-tête sauvegardé au format .LZH (voir étape 16 de ce projet), vous pouvez l'envoyer par courriel. Les destinataires doivent disposer de la visionneuse KiSS. Indiquez-leur les instructions de téléchargement de Direct KiSS. Vous devrez également leur expliquer la manière d'installer le programme et d'ouvrir le fichier que vous leur avez envoyé. Ils pourront eux aussi s'amuser à créer des casse-tête.

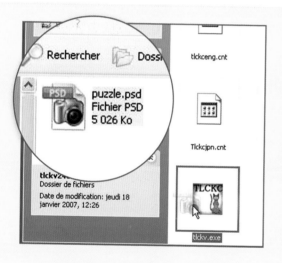

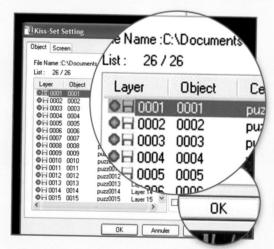

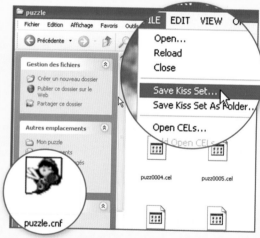

Démarrez la conversion du fichier

11 Effectuez un clic droit sur la **Barre des tâches**. Choisissez **Afficher le Bureau**. Effectuez un double-clic sur **Poste de travail** et recherchez le dossier dans lequel vous avez sauvegardé votre casse-tête au format .PSD. Effectuez à nouveau un double-clic sur **Poste de travail** et ouvrez le dossier de TLCK. Déplacez le fichier .PSD sur l'icône du programme TLCK.

Affichez l'image finalisée

12 Votre casse-tête s'ouvre dans TLCK. La fenêtre de **Kiss-Set Setting** présente tous les calques qui sont maintenant convertis en pièces. Vous pouvez modifier la taille de l'image grâce à l'onglet **Screen**, bien qu'il soit préférable, pour cette première fois, de la conserver telle quelle. Contentez-vous simplement de cliquer sur **OK**. Agrandissez la fenêtre de travail.

Enregistrez le casse-tête

13 Dans le menu **File**, choisissez **Save Kiss Set**. La conversion est achevée. Revenez à présent au dossier contenant le casse-tête au format .PSD. Vous constatez la présence d'un nouveau dossier du même nom. Ouvrez-le et vous verrez alors vos pièces de casse-tête au format .CEL. Vous trouverez également un fichier .CNF qui contient les données de l'assemblage des pièces.

● Casse-tête imprimé

Il est très facile de créer des casse-tête avec lesquels vous pourrez jouer sur votre table de salon. Reprenez ce projet à l'étape 1 en réglant la **Largeur** et la **Hauteur** sur **25,5 cm x 17 cm** et définissez la **Résolution** à **300 pixels/pouce**. Après l'étape 8, sélectionnez tous les calques contenant les pièces dans la palette des **Calques**. Cliquez sur le dernier et maintenez la touche **Maj** enfoncée avant de cliquer sur le premier. Dans la palette **Illustrations et effets**, choisissez **Styles de calque** dans le premier menu et **Biseau** dans le second. Choisissez le style **Estampage oreiller simple** pour ajouter un contour aux pièces. Cliquez sur **Imprimer** dans le menu **Fichier** pour imprimer votre casse-tête et découpez les pièces à l'aide d'une paire de ciseaux. Vous pouvez également envoyer votre travail à un service en ligne : www.custompuzzlecraft.com ou www.jigsaw2order.com, par exemple.

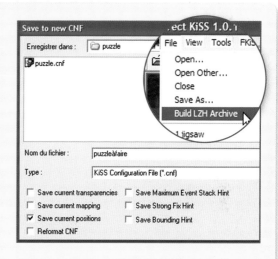

Ouvrez la visionneuse

14 Démarrez la visionneuse de casse-tête. Cliquez pour cela sur le bouton **Démarrer** de la **Barre des tâches** et choisissez **Tous les programmes** puis à deux reprises **Direct KiSS**. Choisissez **Open** dans le menu **File**. Recherchez le fichier **.CNF** dans le dossier du casse-tête. Effectuez un double-clic sur ce dernier pour l'ouvrir. Votre casse-tête apparaît. Commencez à jouer.

Réassemblez les pièces

15 Le jeu serait trop simple si les pièces restaient auprès de leur emplacement d'origine. Mélangez-les et placez-les autour du casse-tête. Pour seul indice, vous disposez de la photo d'origine qui apparaît en filigrane. C'est d'ailleurs le seul élément qui ne peut être déplacé. Vous pouvez maintenant vous amuser à redisposer les pièces pour recomposer l'image.

Sauvegardez le casse-tête

16 À partir du menu **Files**, choisissez **Build LZH Archive**. Cliquez sur **Oui** pour enregistrer au format **.CNF**. Saisissez un nouveau nom comme *cassetêteafaire.cnf*. Cochez **Save current positions**. Cliquez sur **Enregistrer**. Cliquez sur **OK** dans **Additional Files**. Saisissez de nouveau un nom de fichier. Cliquez sur **Enregistrer**. Votre casse-tête est prêt à être envoyé à vos amis.

Réaliser un chef-d'œuvre
Transformez une photo numérique en œuvre d'art

Plus original qu'une photo, un portrait de famille peint constitue un cadeau à l'effet assuré. Inutile de maîtriser le pinceau et la gouache pour le créer, il suffit d'un PC et d'un logiciel de retouche d'image. Vous pouvez commencer par vous exercer avec une photo prise avec votre appareil numérique ou une image que vous aurez numérisée (voir pages 322 à 323 pour plus d'informations). Ce projet propose une méthode efficace afin de transformer une photographie en peinture que vous pourrez ensuite imprimer et encadrer avant de l'offrir. Comme pour tout travail d'artiste, vous apprendrez à préparer votre toile, à choisir vos pinceaux pour un résultat optimal. Il vous faudra employer des filtres qui finiront de conférer à votre œuvre un caractère artistique digne d'une véritable toile.

IL VOUS FAUT : Adobe Photoshop Elements ● Une photo numérique ● Un cadre
VOIR AUSSI : Créer ses cartes de vœux, page 104 ● Restaurer une vieille photo, page 20

○ Trop foncé ? Trop clair ?

Certains effets sont appropriés aux images claires alors que d'autres sont spécifiques aux images plus sombres. Le ton général de votre image est donc déterminant. Il convient dès lors d'ajuster la tonalité de l'image avant même de commencer à travailler. La méthode la plus simple consiste à employer la fonction **Niveaux**, qui se trouve dans le menu **Image** sous **Régler l'éclairage**. Cette fonction permet d'harmoniser les lumières dans l'image de manière optimale.

Choisissez votre photographie

1 Comme vous allez véritablement transformer cette image, elle n'a pas besoin d'être parfaite en termes de lumière et de netteté. Travaillez sur une photo qui met en valeur des visages. Démarrez Photoshop Elements et cliquez sur l'option **Retoucher et corriger les photos**. Choisissez **Ouvrir** dans le menu **Fichier** ou appuyez sur **Ctrl+O** et sélectionnez l'image que vous souhaitez utiliser.

Définissez la taille idéale

2 Vous devrez créer votre peinture dans un format qui vous permettra de l'imprimer facilement. Appuyez sur **C** pour travailler avec l'outil **Recadrage**. Dans la barre d'options, saisissez les valeurs de **Largeur** et de **Hauteur** en **cm**. Réglez la **Résolution** sur **300 pixels/pouce**. Vous pouvez choisir **200** pour un fichier moins lourd et **100** pour une grande affiche (voir page 311).

Découpez et ajustez l'image

3 Cliquez en haut à gauche dans votre image et définissez le nouveau cadrage. La largeur et la hauteur doivent rester dans le ratio préalablement défini. Le fait de recadrer la photo vous permet de mettre en valeur certains détails. Lorsque le recadrage vous convient, effectuez un double-clic sur l'image ou cliquez sur l'icône de confirmation. La photo est maintenant recadrée.

Des natures mortes pour des peintures réalistes

Regardez autour de vous et capturez des images appartenant à votre quotidien, comme le faisaient les grands peintres pour réaliser des natures mortes. La lumière est fondamentale et mieux vaut la rendre théâtrale lors de la prise de vue. Pour un effet vieilli, avec des couleurs passées, essayez le filtre **Aquarelle** sous **Artistiques** dans le menu **Filtre**. Employez également le filtre **Sépia** dans **Réglages**, **Filtre photo** depuis le menu **Filtre**.

Dupliquez votre photographie

4 Plutôt que de travailler sur l'image originale, il est vivement recommandé d'en faire une copie dans un calque distinct. Vous conservez ainsi un moyen de revenir en arrière si le résultat ne vous convient pas. Dans la palette des calques, effectuez un clic droit sur le calque **Arrière-plan** et choisissez **Dupliquer le calque**. Une boîte de dialogue apparaît. Elle vous permet de nommer le nouveau calque.

Nommez le calque dupliqué

5 Donnez au calque un nom qui vous permet de l'identifier aisément. Saisissez Peinture, par exemple, et cliquez sur **OK**. Le calque **Peinture** se place au-dessus du calque **Arrière-plan**. Toutes les opérations s'appliqueront désormais sur le calque Peinture, laissant ainsi intacte la photographie d'origine. Vous constaterez rapidement le bénéfice de cette opération.

Effectuez un zoom

6 Avant de commencer à peindre, effectuez un zoom sur la partie principale de l'image. Appuyez pour cela sur **Z** ou cliquez sur l'outil **Zoom**. Cliquez sur le détail dans l'image (maintenez la touche **Alt** enfoncée pour effectuer un zoom arrière). Appuyez alternativement sur les touches **Ctrl** et **+** ou **Ctrl** et **–** pour redimensionner la fenêtre au moment du zoom. Préférez travailler à **50 %** ou **100 %**.

Travailler sur des paysages

Une belle photographie de paysage est plus simple à travailler avec des effets spéciaux car vous n'avez à vous préoccuper que de l'impression générale. Essayez, par exemple, le filtre **Pointillisme**, que vous trouverez sous **Pixellisation** dans le menu **Filtre**. Ce filtre permet de restituer une technique de peinture développée par le peintre français postimpressionniste Georges Seurat, décomposant l'image en petites touches colorées. Utilisez le plus gros point possible.

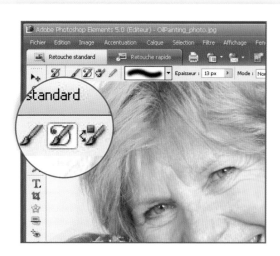

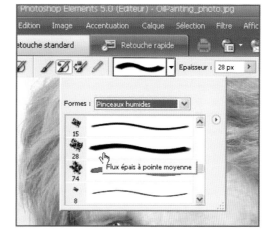

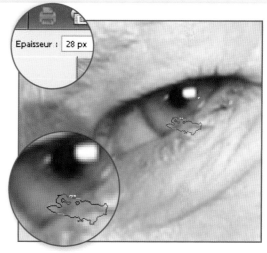

Sélectionnez la Forme impressionniste

7 La **Forme impressionniste** restitue toutes les couleurs de la photographie. Cliquez et restez sur l'icône **Pinceau** dans la boîte à outils et choisissez **Forme impressionniste** dans la liste d'options, ou appuyez plusieurs fois sur **B** jusqu'à ce que l'option soit active. Choisissez la forme et l'épaisseur du pinceau, son mode d'application et son opacité.

Choisissez un type de pinceau

8 Cliquez sur la petite flèche pour faire défiler les types de pinceaux dans la barre d'options. Utilisez la liste déroulante, à partir de **Formes par défaut**, pour régler les différents paramètres. Si vous souhaitez donner la sensation d'une image peinte, essayez **Pinceaux humides**. Sélectionnez maintenant le pinceau de type **Flux épais à pointe moyenne**.

Ajustez la taille du pinceau

9 Vous avez ici besoin d'un pinceau dur, comme pour la peinture à l'huile. Il vous faudra un pinceau plus doux pour les effets aquarelle. Lorsque vous choisissez un pinceau, le pointeur de la souris propose une prévisualisation de son rendu, vous donnant ainsi une indication quant au choix de sa taille. Faites des essais sur l'image et ajustez l'**Epaisseur** du pinceau si nécessaire.

Matériel artistique numérique

Les programmes qui recréent les techniques artistiques sont des logiciels de dessin avancés. Il en existe deux principaux : Corel Painter X, www.corel.ca, reste une application standard pour les professionnels et fournit de véritables outils réalistes tels que les fonctions d'aquarelle. Vous pouvez aussi vous renseigner sur Photo ArtMaster sur le site www.avanquest.com/UK. Digital painting est plus facile à utiliser avec une tablette graphique, notamment lorsqu'il est question de peinture (voir page 319).

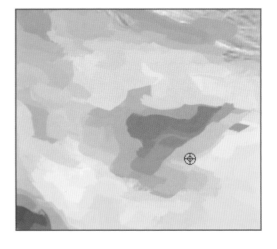

Réglez les options

10 Le pinceau est également contrôlé par le menu **Autres options**, le dernier bouton dans la barre d'options. La fonction **Style** définit les caractéristiques du pinceau, de **Court** à **Long** et de **Etroit** à **Large**. Essayez d'abord **Large moyen**. Augmentez la valeur de **Zone** si vous souhaitez couvrir une surface plus étendue en une seule fois. Laissez la **Tolérance** sur **0**.

Commencez à peindre

11 Cliquez sur le visage et maintenez le bouton de la souris enfoncé tout en peignant. La **Forme impressionniste** prend les couleurs dans la photo et les restitue grâce au pinceau. Commencez par de légères touches, en vous déplaçant lentement avant de relâcher le bouton de la souris. Si vous êtes satisfait du résultat, poursuivez l'application du pinceau sur des zones plus étendues.

Évaluez votre travail

12 Si le visage reste trop détaillé, annulez l'opération en appuyant sur **Ctrl+Z** et réessayez avec une épaisseur de pinceau plus importante. Si le visage est méconnaissable, essayez un pinceau plus petit. Si vous voulez recommencer, utilisez les détails originaux du calque dupliqué. Cliquez pour cela sur le calque **Arrière-plan** et appuyez sur **S** pour activer le **Tampon de duplication**.

● Imprimez vous-même vos œuvres

Utilisez votre imprimante à jet d'encre pour imprimer votre création. Le mode **Photo Couleur** est le plus adapté. Le papier glacé donnera le meilleur rendu d'impression, mais pour imiter vraiment une peinture, vous pouvez employer un papier mat ordinaire ou des papiers spéciaux prévus à cet effet. Les imprimantes à jet d'encre permettent de travailler avec une grande variété de papiers.

● Envoyez à l'impression

N'hésitez pas à faire appel à des imprimeurs professionnels, ils peuvent vous proposer toute une gamme d'options avantageuses. Vous pourrez ainsi agrandir votre travail jusqu'à 50 x 75 cm. Pour des affiches plus grandes, les imprimantes à jet d'encre grand format donnent des résultats surprenants. Certains imprimeurs vous offriront également la possibilité d'imprimer sur une toile que vous pourrez encadrer. Parfois même, certains proposent de créer une marie-louise, un cadre biseauté qui confère à la peinture une finition de premier ordre. C'est une belle idée de cadeau !

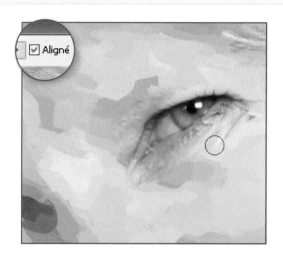

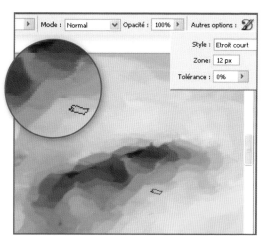

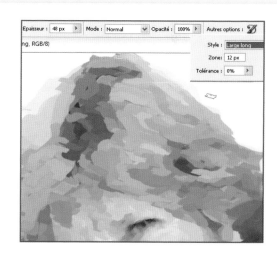

Récupérez les détails perdus

13 Dans la barre d'options, cochez **Aligné**. Décochez **Echantillonner tous les calques**. Conservez les réglages de votre pinceau. Maintenez la touche **Alt** enfoncée, cliquez sur l'image pour définir une zone échantillon, laissez le curseur exactement où il se trouve, passez sur le calque Peinture en appuyant sur **Alt+]**. Relâchez la touche **Alt** et cliquez pour peindre. L'original réapparaît.

Peaufinez les détails

14 Maintenant que vous avez retrouvé les détails de la photo originale, retravaillez avec la **Forme impressionniste** en appuyant sur B. Réduisez l'**Epaisseur** du pinceau et choisissez **Style** puis **Etroit court**. Recommencez à peindre les zones. Notez que si vous avez besoin de restaurer une autre zone, vous pouvez toujours utiliser le **Tampon de duplication** comme vous venez de l'apprendre.

Peignez l'arrière-plan

15 Peignez à présent les zones d'arrière-plan. Pour les cheveux, augmentez l'**Epaisseur** du pinceau de moitié et passez en **Style Large Long**. Les zones telles que les vêtements peuvent même être peintes avec un pinceau plus gros. Si les motifs sont mal restitués, passez en **Mode Couleur** pour préserver les lumières et les ombres, ou en **Luminosité** pour préserver les couleurs.

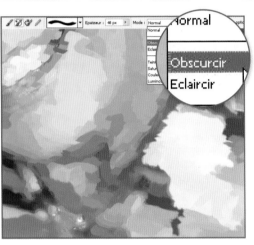

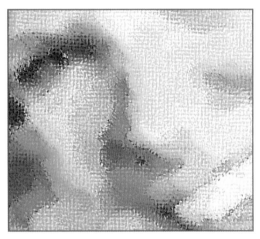

Protégez votre œuvre

Les couleurs pâlissent avec le temps. Mais vous pouvez combattre les signes de vieillissement en choisissant des encres et du papier de qualité. Que vous imprimiez vous-même ou que vous déléguiez cette tâche, servez-vous de papiers « archive ». Ils présentent un PH neutre et s'altèrent moins dans le temps. Si vous employez du papier ordinaire, appliquez un fixateur, disponible chez les marchands de beaux-arts. Quoi qu'il en soit, conservez vos fichiers et vous pourrez toujours les réimprimer.

Finalisez votre travail

16 Continuez à peindre le reste de l'image. Assurez-vous que toutes les parties de la photo sont traitées et que le résultat final correspond à vos attentes. N'hésitez pas à alterner le mode en passant d'**Obscurcir** à **Eclaircir** pour peindre les ombres et les lumières. Ce principe peut également être appliqué en vue de réparer des contours déchirés.

Améliorez les effets de peinture

17 Pour une touche finale réaliste, utilisez les effets **Artistiques** rangés dans le menu **Filtre**. Même s'il paraît inapproprié pour la peinture à l'huile, choisissez **Pastels**. Réduisez la **Longueur** et le **Détail** sur 3, passez la **Texture** sur **Toile** et augmentez l'**Echelle** de sorte que la texture soit bien visible dans la prévisualisation à **100 %**. Réglez le **Relief** sur 20 et la **Lumière** sur **Haut droite**. Cliquez sur **OK**.

Achevez l'œuvre

18 Depuis le menu **Image**, choisissez **Rotation**, 90° vers la droite. L'image pivote. Appliquez à nouveau le filtre **Pastels** en appuyant sur **Ctrl+F** pour répéter l'utilisation du dernier filtre. Cet effet corrige l'impression donnée par les coups de pinceau appliqués dans le même sens. Retournez l'image en sélectionnant **Rotation**, 90° vers la gauche dans le menu **Image**.

Effets pop art

Pourquoi ne pas vous amuser à donner un effet pop art, comme le faisait Andy Warhol avec Marilyn Monroe, en faisant éclater les couleurs ! Utilisez le filtre **Isohélie** (menu **Filtre**, **Réglages**). Vous pouvez également pousser au maximum la lumière et le contraste (menu **Accentuation**, **Régler l'éclairage**, **Luminosité/Contraste**). Vous pouvez enfin choisir la fonction **Tons foncés/Tons clairs** sous **Régler l'éclairage** dans le menu **Accentuation**. Poussez le **Contraste des tons moyens** au maximum, réduisez les autres curseurs sur **0** et validez.

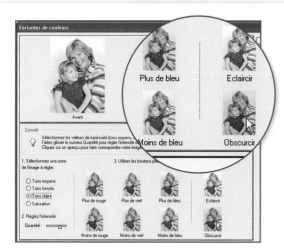

Ajoutez un vernis

19 Vous allez maintenant atténuer les couleurs pour que votre image ressemble vraiment à une peinture à l'huile. Choisissez **Variantes de couleurs** sous **Régler la couleur** dans le menu **Accentuation**. Réglez l'**Intensité** à un peu plus de la moitié. Sélectionnez **Tons clairs** puis cliquez sur **Plus de vert**, **Plus de rouge** et **Obscurcir**. Cliquez sur **OK**. Votre peinture est prête à être imprimée et encadrée.

Transformez une photo en croquis

20 Les filtres **Esquisse** peuvent aisément transformer une photographie en dessin au crayon. Partez d'une photo et découpez-la comme aux étapes 1 à 3. Préparez-la en choisissant **Egaliser** dans **Réglages** depuis le menu **Filtre**. Choisissez ensuite **Esquisse** dans le menu **Filtre** et sélectionnez un effet, ici **Fusain**. Ajustez les curseurs jusqu'à obtenir l'effet escompté.

Créez un effet médaillon

21 Un médaillon est une composition dans laquelle les bords de l'image s'effacent légèrement en s'insérant dans une forme. Appuyez deux fois sur **M** pour activer l'outil **Ellipse de sélection** et réglez le **Contour progressif** sur **50**. Dessinez un ovale autour de votre image. Choisissez **Intervertir** dans le menu **Sélection** et appuyez sur **Suppr**. Recadrez l'image.

Création d'objets

Utilisez votre ordinateur pour concevoir et créer des objets originaux : cadeaux, jeux de cartes, outils d'apprentissage, invitations à des fêtes, t-shirts, agendas, livres d'histoire, affiches et bien plus encore.

Voyez grand

Attirez l'attention en créant vos propres affiches

Il est très facile de créer des affiches avec Photoshop Elements. Vous aurez assurément l'occasion d'en faire profiter votre entourage lors d'événements sportifs, culturels ou professionnels. C'est aussi un bon moyen d'exposer vos photos. Si votre imprimante ne peut pas imprimer un si grand format, il vous suffira de coller plusieurs feuilles ensemble pour réaliser une affiche géante.

IL VOUS FAUT : Photoshop Elements ● Des photos numériques de haute résolution
VOIR AUSSI : Modifier des lieux et des visages, page 52

● Remplissez l'espace

Les images que vous choisissez n'ont pas besoin d'être très grandes pour composer une affiche. Dans notre projet, nous utilisons un effet miroir qui permet de remplir toute la surface de la page. Vous pouvez également disposer plusieurs images côte à côte. Les espaces restant à combler pourront l'être par l'ajout de zones de texte, des messages forts qui dynamiseront votre création.

FOU !
VENEZ NOMBREUX
OBSERVATION DE PAPILLONS
TOUT LE MOIS DE MARS

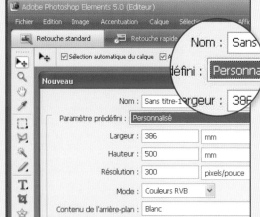

Choisissez les dimensions de l'affiche

1 Démarrez Photoshop Elements et cliquez sur **Retouche standard**. Cliquez sur **Fichier** puis sur **Nouveau, Fichier vide**. Il s'agit maintenant de déterminer les dimensions et la résolution de l'affiche. Saisissez **386 mm** en largeur, **500 mm** en hauteur. Avec 50 cm de hauteur, l'attention de vos interlocuteurs sera acquise et vous pourrez l'imprimer sur un format lettre.

● Texte et typographie

Une affiche n'est pas un livre, vous n'aurez donc pas à suivre des règles strictes de typographie. Vous pouvez, par exemple, utiliser des minuscules et faire appel aux majuscules lorsque vous souhaitez faire ressortir un terme ou une expression. Restez cependant cohérent et n'abusez pas de cette variation de casse, sans quoi vous risqueriez de rendre vos documents confus et difficilement lisibles.

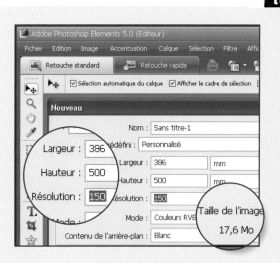

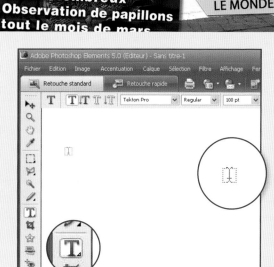

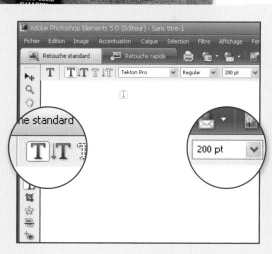

Petit détail sans importance

2 La résolution est définie à **300 pixels/pouce** par défaut, un standard pour une impression de qualité. Comme vous pouvez le constater en bas à droite de la fenêtre, le fichier est très lourd, avec plus de 70 Mo. Vous n'avez cependant pas besoin d'une résolution si élevée, une affiche étant faite pour être vue de loin. Saisissez alors une résolution de **150 pixels/pouce**. Le poids du fichier tombe à 17,6 Mo.

Commencez à écrire

3 Assurez-vous que les deux options sous **Nouveau** sont bien **Couleurs RVB** et **Blanc**. Cliquez sur **OK**. Le document vierge apparaît. Commencez à saisir le texte de l'affiche. Activez pour cela l'outil **Texte** en cliquant sur l'icône en forme de T dans la boîte à outils ou appuyez sur la touche T. Le pointeur de la souris se transforme en curseur de saisie de texte.

Définissez les dimensions du texte

4 Dans la barre d'options, assurez-vous que le premier des quatre boutons, le T plein, est bien sélectionné. Ne vous occupez pas de la police pour l'instant mais plutôt du corps. Cette mesure est en points (pt). Pour un gros titre, essayez **200 pt**. Le menu déroulant ne propose que les petits corps. Effectuez donc un double-clic sur le nombre sélectionné et saisissez **200** à la place.

Lissez le texte

Lorsque vous utilisez l'outil **Texte**, assurez-vous que le bouton **Lissé** de la barre d'options est bien sélectionné, le bord des lettres paraîtra plus lisse. S'il semble encore trop imprécis, vérifiez le niveau de zoom d'affichage. Le lissage est imparfait si le pourcentage affiché n'est pas un multiple de cinq. Pour faire un zoom avant ou arrière, maintenez la touche **Ctrl** enfoncée et appuyez sur + ou –.

Des courbes parfaites

Évitez d'agrandir une image plus d'une fois ou dans des proportions trop importantes, au risque de la dégrader. Le logiciel doit recréer une image pixel par pixel chaque fois que vous la redimensionnez et le processus n'est pas exact. Pour le texte, c'est différent puisqu'il est créé en mode vectoriel (il est composé de lignes et de courbes). Peu importe alors son taux d'agrandissement, le texte sera toujours parfait.

Plus d'impact

5 À droite de la barre d'options, la boîte **Couleur** doit proposer du noir, sinon cliquez sur la flèche pour dérouler le menu des couleurs et cliquez sur **Noir**. Cliquez à gauche dans votre document et commencez à saisir. Inventez un titre pour l'affiche : un mot choc serait le mieux pour retenir l'attention. Ajoutez un point d'exclamation pour accentuer l'impact du titre.

Ajoutez d'autres informations

6 Cliquez sur le bouton à droite de la barre d'options pour valider le texte saisi. Cliquez ensuite plus bas dans le document pour entrer d'autres informations. Avant de le saisir, changez la taille du texte en choisissant **50 pt**. Saisissez le texte de l'affiche. Appuyez sur **Entrée** lorsque vous souhaitez passer à la ligne, car seuls les traitements de texte le font automatiquement.

Insérez l'image

7 Validez l'opération. Dans le menu **Fichier**, choisissez **Ouvrir** et dans la boîte de dialogue **Ouvrir**, sélectionnez l'image à intégrer. Cliquez sur **Ouvrir**. Activez l'outil **Déplacement** en cliquant sur son icône en haut de la barre d'outils ou appuyez sur V. Cliquez sur l'image et, tout en maintenant le bouton de la souris appuyé, déplacez-la sur l'affiche. Relâchez le bouton.

Effets très spéciaux

Photoshop Elements propose des effets applicables aux calques (voir l'étape 14). Vous pouvez les paramétrer à votre convenance. Après avoir appliqué l'effet, choisissez **Styles de calque** puis **Paramètres de style** dans le menu **Calque**. Les options disponibles dépendent du style choisi. Vous pouvez, par exemple, modifier la direction de l'ombre en influant sur l'**Angle d'éclairage** ou bien la **Distance** de l'ombre portée (voir ci-contre).

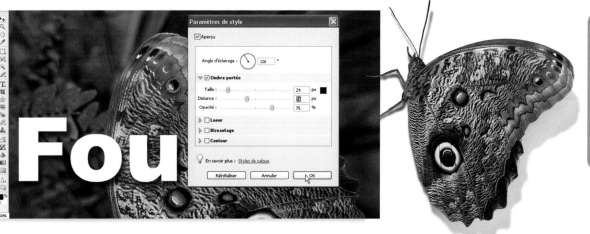

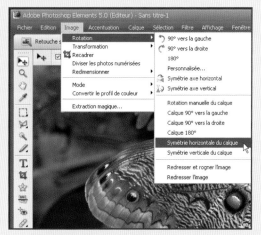

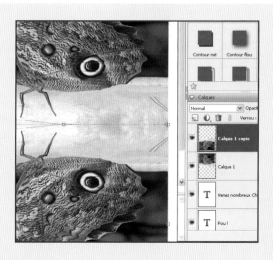

Grande taille

8 Parce que votre affiche est grande, l'image peut paraître petite. Pour l'agrandir, utilisez ses poignées de redimensionnement et maintenez la touche **Maj** enfoncée pour conserver ses proportions. Mais l'agrandissement risque d'altérer la qualité de l'image, soyez donc raisonnable et évitez de l'agrandir de plus de sa moitié. Évitez également de laisser une seule image au milieu de la composition.

Un petit arrangement

9 Il est plus judicieux de composer avec un ensemble d'images. Dans cet exemple, nous avons agrandi le papillon en maintenant la touche **Maj** enfoncée jusqu'à ce qu'il occupe toute la largeur de l'affiche. Choisissez **Rotation** dans le menu **Image**, puis **Calque 90° vers la gauche**. Choisissez ensuite **Symétrie horizontale du calque**. La photo du papillon occupe dès lors des proportions idéales.

Effet de miroir

10 En maintenant la touche **Alt** enfoncée, cliquez sur l'image et glissez la copie, en la disposant sous l'original. Disposez-la en miroir en cliquant sur **Symétrie verticale du calque** sous **Rotation** dans le menu **Image**. Vous disposez maintenant de plusieurs calques : l'Arrière-plan blanc, deux calque de texte, l'image originale sur le Calque 1 et sa copie retournée sur le Calque 1 copie.

Imprimez une affiche sur plusieurs feuilles

En imprimant votre affiche sur plusieurs feuilles de format lettre, vous pouvez choisir sa taille finale. À partir du menu **Fichier**, choisissez **Imprimer**. Dans la zone de prévisualisation, passez la **Taille d'impression** sur **Taille réelle**. Cliquez sur **Format d'impression**. Assurez-vous que le papier est bien en format lettre puis cliquez sur **Imprimer**. Sélectionnez votre imprimante, puis cliquez sur **Propriétés** pour afficher les options d'impression. Recherchez un format approchant la taille de l'affiche. Il ne reste plus qu'à cliquer sur les boutons **OK** dans chaque fenêtre puis sur **Imprimer**.

Si votre imprimante ne propose pas ces fonctions, allez dans l'**Aperçu avant impression** et décochez **Centrer l'image**. Cliquez sur la prévisualisation de votre affiche et déplacez-la vers l'angle supérieur gauche à environ 1,5 cm du bord de la page. Imprimez-la et revenez à la commande **Imprimer** dans le menu **Fichier**. Déplacez-la maintenant à droite. Répétez cette opération pour le bas à gauche et à droite de l'affiche. Après l'impression, reconstituez l'affiche en collant les quatre morceaux ensemble.

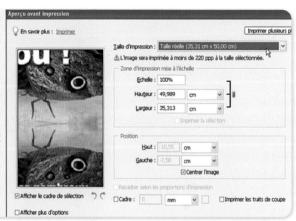

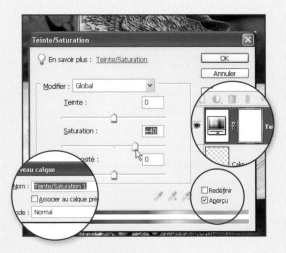

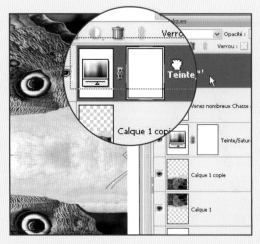

Un jet de couleur

11 Le papillon n'est pas assez vif. Choisissez **Teinte/Saturation** sous **Nouveau calque de réglage** dans le menu **Calque**. Cliquez sur **OK** dans la fenêtre **Nouveau calque**. Dans la fenêtre **Teinte/Saturation**, cochez l'option **Aperçu**. Déplacez le curseur de **Saturation** vers la droite jusqu'à ce que les couleurs soient plus vives. Une valeur de **40** devrait suffire. Cliquez sur **OK**.

Un peu d'ordre

12 Le réglage d'un calque affecte tous ceux qui le suivent dans la palette. Le calque **Teinte/Saturation** est ici au début de la liste de façon à l'appliquer aux deux calques du papillon. Vos calques de texte sont en bas et sont donc invisibles sur l'affiche. Glissez-les, l'un après l'autre, vers le haut de la liste. Le texte est maintenant au premier plan et ne subit pas les paramètres de saturation.

Du style

13 Cliquez sur le calque du titre et appuyez sur **T** pour travailler avec l'outil **Texte**. Modifiez la police et le corps. Choisissez **Cooper Black**, ou une police grasse. Dans la liste **Couleur**, choisissez **Blanc**. Cliquez sur l'outil **Déplacement**. Positionnez le bloc texte. Comme pour les images, maintenez la touche **Maj** enfoncée lorsque vous redimensionnez le bloc. Validez l'opération.

● Sauvegardez l'affiche

Cliquez sur **Fichier**, **Enregistrer** et sauvegardez votre affiche en tant que fichier **Photoshop** pour inclure tous les calques. Ce fichier sera probablement plus lourd que prévu à l'étape 2. Si vous voulez envoyer votre fichier par courriel, enregistrez une copie de l'affiche au format **JPEG**. Cliquez sur **Enregistrer sous** dans le menu **Fichier**. Saisissez **10** dans la zone **Qualité** de la boîte **Options JPEG**. Cliquez sur OK.

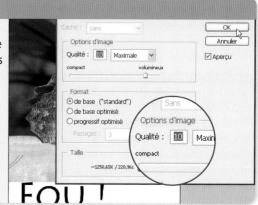

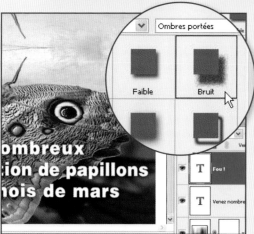

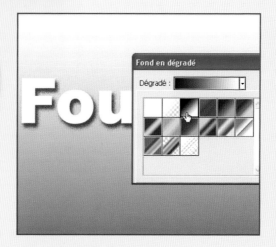

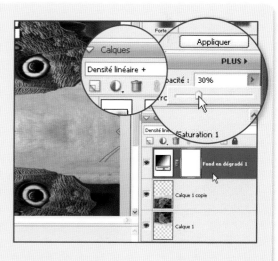

Ajoutez une ombre

14 Pour faire ressortir le texte, ajoutez une ombre portée. Sélectionnez le calque du texte. Ensuite, dans la palette **Illustrations et effets**, choisissez **Styles de calque** dans le premier menu déroulant puis **Ombres portées** dans le second. Cliquez sur **Bruit** pour une ombre floue puis cliquez sur **Appliquer**. Procédez de la même manière pour le second calque de texte.

Faites ressortir le texte

15 Au bas de l'affiche, le texte est encore difficile à lire. Pour l'améliorer, cliquez sur le premier calque du papillon, puis choisissez **Nouveau calque de remplissage** et **Dégradé** à partir du menu **Calque**. Cliquez sur **OK** dans la fenêtre **Nouveau calque**. Dans la fenêtre **Fond en dégradé**, cliquez sur la flèche à gauche du bouton **OK** pour dérouler le menu puis choisissez l'option **Noir, blanc**.

Foncez l'image

16 Cliquez sur **OK** pour créer un calque en dégradé. Pour renforcer la présence du papillon, cliquez sur **Normal** en haut de la palette des **Calques**. Choisissez **Densité linéaire +**. L'effet est toujours trop fort. Cliquez donc sur la flèche à droite d'**Opacité** et réduisez le niveau à **30 %** en déplaçant le curseur. Il ne vous reste plus qu'à enregistrer votre travail (voir encadré ci-dessus).

Belles lettres
Un papier à en-tête et des cartes professionnelles à votre image

Il est très important de donner la meilleure image de soi lorsque l'on souhaite engager une correspondance. Avec Microsoft Word, vous pourrez imaginer et créer un logo et réaliser des en-têtes originaux, des cartes professionnelles ou des cartes de vœux personnalisées. De nombreux modèles et des illustrations vous permettront de donner corps à vos projets. Voici un projet simple qui servira de base à vos créations.

IL VOUS FAUT : Microsoft Word
VOIR AUSSI : Créer un diplôme d'honneur, page 98 ● Polices de caractères, page 326

Optez pour les bonnes polices

La police que vous choisirez pour votre logo en dit long sur votre personnalité et votre sens de l'organisation. Une police anguleuse implique une solide force de travail. Une police élégante avec sérif (voir page 326) induit un caractère discret et élégant. Les polices à angles ronds et courbes suggèrent une personnalité attachante et ouverte. Mais surtout, assurez-vous que votre logo reste lisible et clair pour tous, c'est un gage de communication réussie.

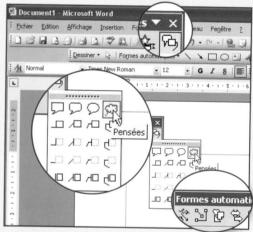

En-têtes – Sélectionnez une forme

1 Démarrez Microsoft Word et appuyez sur **Ctrl+N** pour créer un nouveau document. Configurez la page comme dans les étapes 1 et 2 des pages 98 et 99, mais, dans **Mise en page**, choisissez une orientation en **Portrait**. Dans le menu **Insertion**, choisissez **Image** puis **Formes automatiques**. Cliquez sur **Bulles et légendes** dans la barre d'outils qui est apparue et sélectionnez **Pensées**.

○ Faites appel aux cliparts

Vous n'êtes pas limité aux Formes automatiques de Word (voir étape 1). Cliquez sur le dernier bouton dans la barre des **Formes automatiques** pour visualiser les cliparts proposés par le logiciel. Vous pouvez également rechercher des dessins au format WMF en passant par le Web, comme cela vous est expliqué aux étapes 3 et 4 page 99. Convertissez l'image pour la modifier comme à l'étape 4 de ce projet afin de l'utiliser dans vos documents.

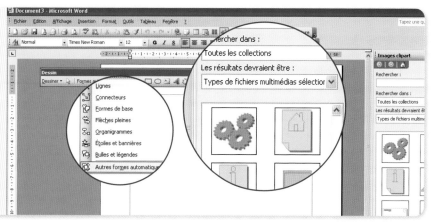

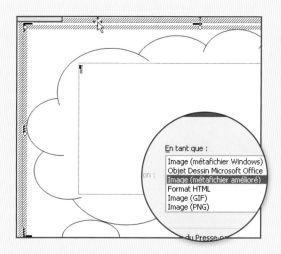

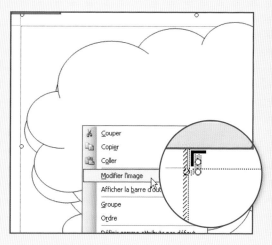

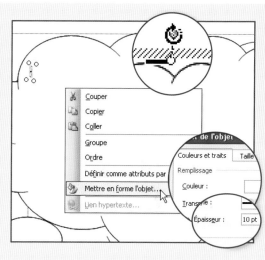

Dessinez et convertissez la forme

2 Cliquez en haut à gauche de votre page et dessinez la forme tout en maintenant la touche **Maj** enfoncée pour ne pas la déformer. Pour la modifier, il convient d'utiliser un logiciel de dessin. Cliquez sur le bord ombré puis appuyez sur **Ctrl+X** (Couper). Dans le menu **Edition**, choisissez **Collage spécial**. Sous **Enregistrer sous**, choisissez **Image (métafichier modifié)**. Cliquez sur OK.

Modifiez le dessin

3 Effectuez un clic droit sur le nuage et choisissez **Modifier l'image**. Cliquez sur **Oui** pour convertir l'image en objet. Un bord hachuré s'ajoute à l'image. Cliquez sur une zone blanche de l'image pour la désélectionner, puis cliquez sur le nuage. La fenêtre que vous voyez en haut à gauche permet de saisir un texte. Vous n'en avez pas besoin. Cliquez dessus et appuyez sur **Suppr**.

Modifiez l'apparence du dessin

4 Cliquez sur le nuage pour afficher les poignées blanches qui l'entourent. Cliquez sur la poignée verte et tournez le nuage vers le haut. Effectuez un clic droit sur le nuage et choisissez **Mettre en forme l'objet**. Cliquez sur l'onglet **Couleurs et traits** et saisissez **10** comme épaisseur de ligne. Cliquez sur OK. Vous obtenez un contour épais. Effectuez à nouveau un clic droit et choisissez **Groupe, Dissocier**.

Le bon outil au bon moment

Word affiche les outils supplémentaires dont vous pourriez avoir besoin. Par exemple, lorsque vous insérez une forme automatique, il affiche la barre d'outils correspondante pour que vous puissiez choisir une forme, ainsi que la barre d'outils **Dessin** pour la modifier. Si vous ne voyez pas la barre d'outils dont vous avez besoin, cliquez sur **Barres d'outils** dans le menu **Affichage** et sélectionnez son nom.

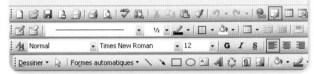

Des lettres professionnelles

Saisissez du faux texte dans votre modèle (étape 17) pour votre correspondance. Saisissez d'abord la date et centrez-la. Appuyez deux fois sur **Entrée** puis saisissez le nom et l'adresse de la personne à qui vous écrivez. Alignez ce texte à gauche. Saisissez la formule d'introduction, le corps de la lettre et finissez par une formule de politesse. Appuyez quatre fois sur **Entrée** pour espacer la signature. Saisissez votre nom.

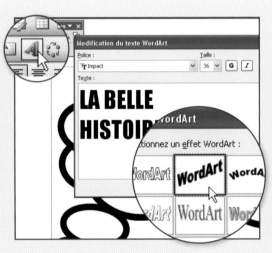

Effacez les formes inutiles

5 Cliquez à l'extérieur de la forme pour la désélectionner, puis cliquez sur la première bulle et rapprochez-la du nuage. Vous la manipulez indépendamment des autres. Chaque forme possède un contour et un contenu blanc. Toutes adoptent les paramètres que vous avez précédemment définis. Lorsque la première bulle est sélectionnée, appuyez sur la touche **Suppr**.

Ajustez les formes

6 Remettez la bulle principale en place, par-dessus le nuage. Saisissez la poignée blanche pour l'agrandir, tout en maintenant la touche **Maj** enfoncée pour ne pas la déformer. Vous pouvez appuyer sur la touche **Alt** en même temps afin de l'ajuster plus rapidement. Cliquez sur la bulle suivante et répétez le processus à partir de l'étape 5. Élargissez-la légèrement. Effacez les dernières bulles.

Ajoutez du texte avec WordArt

7 Pour ajouter du texte, cliquez sur le bouton **Sélectionnez un effet WordArt** dans la barre d'outils **Dessin**. Choisissez le deuxième style, penché et plein. Cliquez sur **OK**. Dans la boîte WordArt, saisissez le nom de votre entreprise et choisissez une police dans la liste déroulante, ici **Impact**. Vérifiez que le texte s'accorde au logo. Procédez aux ajustements nécessaires et cliquez sur **OK**.

◉ Imprimez vous-même

Créer vos en-têtes de lettre signifie que vous finaliserez le travail par vous-même, impression comprise. Utilisez votre en-tête dans toutes vos lettres. Imprimez-le avec votre imprimante à jet d'encre ou laser. Choisissez **Imprimer** dans le menu **Fichier**, puis cliquez sur **Options**. Assurez-vous que les options **Brouillon**, **Codes de champ** et **Balises XML** sont décochées alors que les options **Dessins** et **Couleurs et images d'arrière-plan** sont cochées.

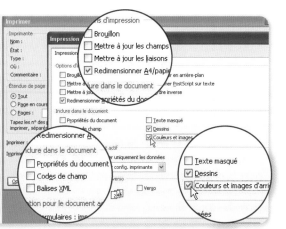

◉ Travaillez avec des modèles

Si vous enregistrez votre en-tête en tant que modèle, vous pourrez le réutiliser très facilement. Pour écrire une lettre, choisissez **Nouveau** dans le menu **Fichier**. Dans le volet qui apparaît à droite, rendez-vous à la section **Modèles** et cliquez sur **Sur mon ordinateur**. Cliquez sur l'onglet **Général** de la boîte de dialogue **Modèles** et choisissez votre en-tête. Cliquez sur **OK**.

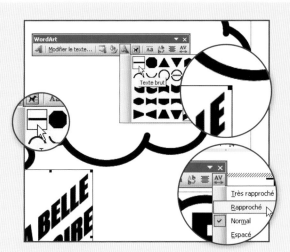

Ajustez le texte

8 Dans la barre d'outils **WordArt**, cliquez sur le bouton **Forme WordArt**. Choisissez la forme **Texte brut**. Le texte est maintenant droit mais étiré. Placez-le dans le nuage. Agrandissez-le à l'aide des poignées. Le texte aura plus d'impact si les lettres sont moins espacées. Dans la barre d'outils WordArt, cliquez sur le bouton **Espacement des caractères WordArt**. Choisissez **Rapproché**.

Convertissez le texte en formes

9 Pour améliorer l'impact du texte, il convient de modifier les lettres une à une. Appuyez sur **Ctrl+X** (Couper), puis cliquez sur **Collage spécial** pour le coller dans un métafichier amélioré. Faites un clic droit dessus, choisissez **Modifier l'image**, et cliquez sur **Oui** pour le transformer en dessin. Dans la barre d'outils **Dessin**, cliquez sur le bouton **Couleur du contour**. Choisissez **Aucun trait**.

Affinez l'espace entre les lettres

10 Faites un clic droit sur le texte et choisissez **Groupe**, **Dissocier**. Chaque lettre peut maintenant être sélectionnée individuellement. Cliquez n'importe où pour les désélectionner. Réglez le **Zoom** sur **200 %**. Rapprochez soigneusement toutes les lettres une à une. Cliquez sur une lettre et appuyez sur les touches de déplacement du clavier tout en maintenant la touche **Ctrl** enfoncée.

Choisissez le bon papier

L'épaisseur (grammage) du papier employé pour l'impression de courriers professionnels oscille habituellement entre 90 g et 120 g (voir l'encadré page 110). Pour une impression originale, employez du papier spécial, texturé et compatible avec votre imprimante. Choisissez une teinte beige clair pour améliorer l'impact du document, en vous assurant que cette teinte s'accordera avec celles de votre logo.

Invitations et menus de mariage

En général, les documents créés pour un mariage sont colorés et flamboyants. Vous composerez votre carton selon la même procédure que celle du logo. Veillez simplement à choisir des motifs appropriés dans la bibliothèque de cliparts de Word (voir l'encadré page 91). Pour un mariage, vous devrez créer un carton d'invitation, des menus pour la réception, une liste de mariage pour les cadeaux et une lettre de remerciement. Recherchez des modèles en ligne (voir page 99, étapes 3 et 4).

Si vous comptez les faire imprimer, vérifiez la compatibilité des programmes. Pour un effet d'impression en relief ou métallique, renseignez-vous auprès de votre imprimeur, qui vous conseillera.

Ajustez la ligne d'espacement

11 Il convient à présent de resserrer les lignes. Cliquez sur toutes les lettres de la première ligne en maintenant la touche **Maj** enfoncée. Utilisez la flèche vers le bas du clavier pour les rapprocher de la deuxième ligne. Maintenez la touche **Ctrl** enfoncée pour un calage plus précis. Effectuez un clic droit et choisissez **Groupe, Grouper**. Déplacez le texte dans le nuage.

Effacer les formes indésirables

12 Si des parties du dessin gênent le texte, il convient de les effacer. Ici, un morceau de nuage empiète sur la lettre E. Cette courbe est une forme indépendante. Cliquez dessus pour la sélectionner et appuyez sur **Suppr**. Une fois le logo achevé, effectuez un zoom arrière pour vérifier votre travail. Il est temps de l'enregistrer en appuyant sur **Ctrl+S** et de nommer votre fichier.

Groupez et colorez votre logo

13 Effectuez un clic droit sur le contour du nuage. Sélectionnez **Groupe, Grouper**. Une fois le nuage sélectionné, cliquez sur le bouton **Couleur du contour** dans la barre d'outils **Dessin** et sélectionnez une couleur. Utilisez la **Couleur de remplissage** pour l'intérieur. Cliquez sur le texte pour le sélectionner et modifiez sa **Couleur de remplissage**. Enfin, sélectionnez le logo en entier.

○ Créez un carton de remerciement

Il occupera le tiers d'une feuille format lettre. Ouvrez un document vierge. Cliquez sur **Fichier**, sélectionnez **Mise en page** et cliquez sur l'onglet **Format du papier**. Saisissez **21,5 cm** de largeur, **9,3 cm** de **Hauteur**. Sous l'onglet **Marges**, définissez des marges de **1,3 cm** et cliquez **OK**. Copiez et collez le logo et votre en-tête. Créez un autre bloc texte à l'aide de l'outil **Texte** de la barre d'outils **Dessin** et saisissez Avec nos compliments. Choisissez un **Corps** de **24 pt**. Rouvrez les paramètres de **Mise en page**, choisissez le format **Lettre** (**1**). Choisissez une **Orientation Portrait**. Laissez la touche **Maj** enfoncée tout en cliquant sur vos textes. Maintenez la touche **Ctrl** enfoncée et copiez-les un peu plus bas (**2**). Conservez la touche **Ctrl** enfoncée et déplacez-les une nouvelle fois, réalisant ainsi une troisième copie. Imprimez la page et découpez-la en trois.

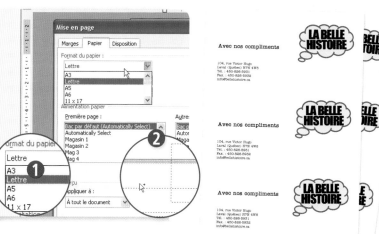

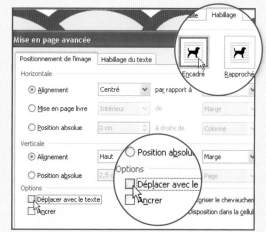

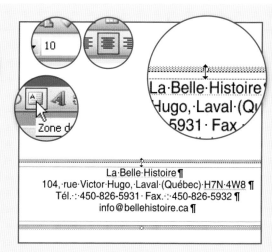

Convertissez le logo en image

14 Votre logo doit pouvoir changer de dimension sans altération. En l'état actuel des choses, si vous modifiez ses dimensions, votre logo sera déformé. Pour éviter cela, appuyez sur **Ctrl+X**, afin de le couper. Choisissez ensuite **Collage spécial** dans le menu **Edition** et transformez-le en **Image (métafichier amélioré)**. Cliquez sur **OK**. Faites un clic droit sur le logo et choisissez **Format de l'image**.

Améliorez l'aspect de l'en-tête

15 Cliquez sur l'onglet **Habillage du texte** et sélectionnez **Encadré**, ce qui aura pour effet de passer le texte sous le logo. Cliquez sur l'onglet **Positionnement de l'image**. Sous **Horizontale**, cochez **Alignement** et sélectionnez **Centré** par rapport à la **Marge**. Sous **Verticale**, cochez **Alignement** par rapport à la **Marge**. Décochez **Déplacer avec le texte**. Cliquez sur **OK**.

Ajoutez un bloc texte

16 Descendez au bas de la page. Dans la barre d'outils **Dessin**, cliquez sur le bouton **Zone de texte**. Cliquez en bas de la marge gauche et dessinez un large bloc texte sur la page. Choisissez une police dans la barre d'outils **Mise en forme**, proche ou complémentaire de celle du logo. Définissez le **Corps** à **10 pt** et cliquez sur le bouton **Au centre**. Saisissez les informations importantes.

⬤ Créez un filigrane

Le choix d'un fond de page coloré peut constituer une valeur ajoutée. À partir du menu **Format**, choisissez **Arrière-plan**. Sélectionnez **Filigrane imprimé** puis cochez **Image en filigrane**. Recherchez l'image que vous souhaitez placer en filigrane et insérez-la. Cliquez sur **Appliquer** pour constater le résultat. Ajustez l'**Echelle** en accord avec vos goûts. Cochez l'option **Estompée** de façon à ce que le texte reste lisible. Word affiche systématiquement les images plus claires qu'elles ne le sont réellement, il est donc possible que vous n'ayez pas besoin de l'option **Estompée**. Effectuez néanmoins des tests d'impression pour ne pas être surpris. Cliquez sur **Fermer** pour terminer.

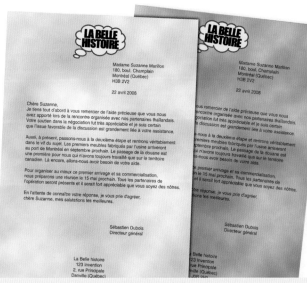

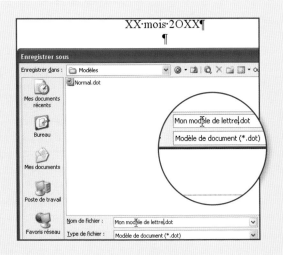

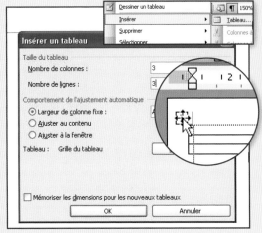

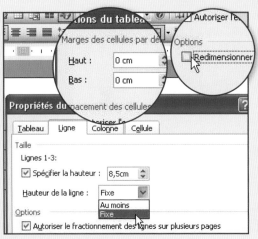

Enregistrez votre modèle

17 Dans la barre d'outils **Dessin**, choisissez **Aucun** comme **Couleur de contour** et **Couleur de remplissage**. Revenez au début de la page et cliquez dans le texte sous le logo. Choisissez une police (voir étape 16) et un corps de **12 pt**. Saisissez votre texte. Choisissez **Enregistrer sous** dans le menu **Fichier** et sélectionnez **Modèle de document (*.dot)**. Nommez-le et cliquez sur **Enregistrer**.

Cartes professionnelles – Préparation

1 Appuyez sur **Ctrl+N** pour créer un nouveau document. Choisissez **Mise en page** dans le menu **Fichier**. Sous l'onglet **Marges**, réglez les marges sur **1,3 cm** et définissez une **Orientation** en **Portrait**. Cliquez sur **OK**. Choisissez **Insérer** puis **Tableau** dans le menu **Tableau**. Déterminez **3** colonnes et **3** lignes. Cliquez sur **OK**. Placez le curseur sur le tableau et cliquez pour le sélectionner.

Définissez la taille des cartes

2 Choisissez **Propriétés du tableau** dans le menu **Tableau**. Sous l'onglet **Tableau**, cliquez sur **Options**. Placez les **Marges** à **0** et décochez la case **Redimensionner automatiquement**. Cliquez sur **OK**. Sous l'onglet **Ligne**, cochez **Spécifier la hauteur** et saisissez **8,5 cm**. Choisissez une **Hauteur de la ligne** **Fixe** et une **Largeur préférée** de colonne de **5,5 cm**. Faites de même pour l'onglet **Cellule**. Cliquez sur **OK**.

● Imprimez et découpez vos cartes

Imprimez vos cartes sur le papier le plus épais autorisé par votre imprimante. Veillez à la fidélité de reproduction des couleurs et des textures. Pour ajouter des repères de coupe, choisissez **Propriétés du tableau** à partir du menu **Tableau**. Sous l'onglet **Tableau**, cliquez sur **Bordure et trame**. Sélectionnez **Toutes** dans la zone **Type** et choisissez le deuxième **Style**. Cliquez sur **OK**. Imprimez votre page et découpez en suivant les lignes à l'aide d'un couteau exacto et d'une règle métallique. Vous pouvez également acheter des feuilles prédécoupées destinées aux cartes professionnelles. Rendez-vous sur www.avery.ca.

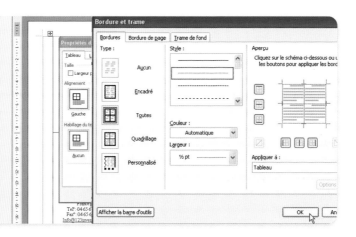

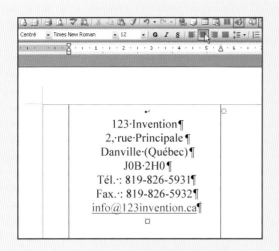

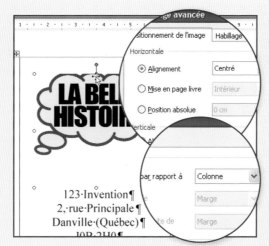

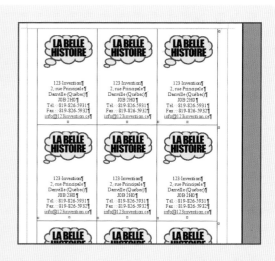

Copiez le texte à partir d'un modèle

3 Ouvrez le modèle de lettre. Sélectionnez vos coordonnées et copiez-les (**Ctrl+C**). Revenez à vos cartes professionnelles et appuyez sur **Ctrl+V** (**Coller**). Veillez à laisser des marges suffisantes sur les côtés. Cliquez au début du texte, maintenez la touche **Maj** enfoncée et appuyez sur **Entrée**. Appuyez ensuite sur la touche de déplacement vers le haut pour vous placer en haut du bloc texte.

Copiez le logo à partir d'un modèle

4 Copiez le logo depuis le modèle et collez-le au-dessus du texte dans les cartes. Faites un clic droit et choisissez **Format de l'image**. Sous **Taille**, définissez une **Largeur** de 4,5 cm. Sous **Habillage**, cliquez sur **Avancé**. Sous **Positionnement de l'image**, **Horizontale**, choisissez un **Alignement Centré** par rapport à **Colonne**. Sous **Verticale**, cliquez sur **Position absolue** et saisissez **1,5 cm**. Cliquez deux fois sur **OK**.

Dupliquez la carte

5 Cliquez au début du texte et appuyez sur **Maj+Entrée** pour déplacer le texte sous le logo. Effectuez un triple clic sur la dernière ligne du texte pour sélectionner le texte en entier. Appuyez sur **Ctrl+C**. Cliquez en haut de la carte suivante et appuyez sur **Ctrl+V**. Répétez l'opération pour les autres cartes. Enregistrez le fichier en choisissant le format Microsoft Word (.doc).

Certificats et diplômes
Créez un diplôme personnalisé

Un certificat personnalisé est un cadeau idéal pour fêter un événement. Pour marquer vraiment les esprits, votre document doit être très réaliste et s'accorder parfaitement à la situation. Voici comment créer un superbe diplôme grâce à Microsoft Word. Le simple fait de choisir une jolie illustration et de créer une belle mise en page vous assure un résultat irréprochable.

IL VOUS FAUT : Microsoft Word ● Une imprimante couleur
VOIR AUSSI : Polices de caractères, page 326 ● Imprimantes et impression, page 312

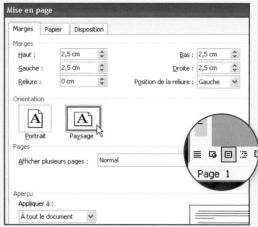

Préparez votre page

1 Démarrez Microsoft Word et ouvrez un nouveau document. Choisissez **Page** dans le menu **Affichage**. Cliquez sur **Mise en page** dans le menu **Fichier**. Assurez-vous que la petite icône **Page** est bien sélectionnée, en bas de l'écran. Dans la boîte de dialogue **Mise en page**, réglez les **Marges** sur 2,5 cm. Cliquez sur **Paysage** pour travailler sur une feuille plus large que haute. Cliquez sur **OK**.

● Cliparts Microsoft gratuits

Word est livré avec une collection de cliparts et de photos. Celle-ci dépend de la version du logiciel dont vous disposez. Vous obtiendrez un choix plus vaste d'illustrations si vous êtes connecté à Internet. Il vous suffit de cliquer sur **Images clipart sur Office Online** dans le volet **Images clipart** (voir étape 3). Vous pourrez ainsi télécharger gratuitement des images à partir du site Web de Microsoft Canada.

● Sélection d'objets

Lorsque vous insérez des éléments dans une composition, comme des images, une bordure et un texte, leur nombre peut rendre difficile la sélection. La meilleure solution consiste à éloigner temporairement l'objet qui vous gêne pour travailler plus facilement avec celui qui se trouve en dessous. Vous pouvez également employer la touche **Tab** pour les sélectionner successivement.

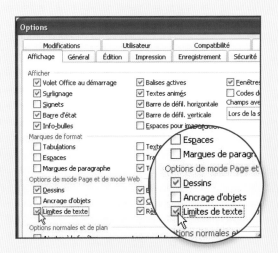

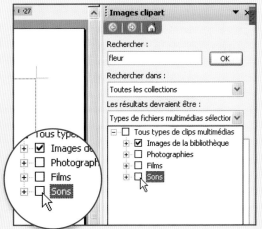

Réglez les marges

2 Dans la barre d'outils **Standard**, déroulez le menu **Zoom** et choisissez **Page entière** pour afficher toute la page à l'écran. Si vous ne voyez pas les marges, signalées par des lignes en pointillé, choisissez **Options** dans le menu **Outils**. Cliquez sur l'onglet **Affichage** et cochez **Limites de texte** dans la zone **Options de mode Page et de mode Web**. Cliquez sur **OK**.

Ajoutez une image

3 Dans le menu **Insertion**, choisissez **Image** puis **Images clipart**. Le volet **Images clipart** apparaît à droite. Dans la zone **Rechercher**, saisissez un mot décrivant le type d'image à trouver, dans notre exemple fleur. Effectuez votre recherche dans **Toutes les collections**. Cliquez sur la liste déroulante **Les résultats devraient être** et décochez toutes les options sauf **Images de la bibliothèque**.

Trouvez la bonne image

4 Cliquez sur **OK** pour lancer la recherche. Les résultats varient en fonction de la configuration de Word. Ces images sont des dessins au format WMF. Vous pouvez les exploiter à volonté dans n'importe quelle taille, sans altération de qualité. Cliquez sur l'image proposée dans notre exemple pour l'intégrer à votre projet. Elle apparaît dans le coin gauche de votre page.

● Ajoutez une bordure

Afin d'éviter d'abîmer les bords de votre certificat et éventuellement de l'encadrer, vous pouvez prévoir une bordure. Si votre imprimante permet d'imprimer sans bord blanc, n'hésitez pas à ajouter une belle texture de fond à la page. Dessinez un rectangle comme à l'étape 13, mais cette fois prévoyez qu'il remplisse toute la page. Choisissez une texture différente de celle prévue pour le fond du certificat (voir étape 14). Placez-la ensuite derrière votre texte comme à l'étape 15, puis dans le menu **Ordre**, choisissez **Mettre en arrière-plan**.

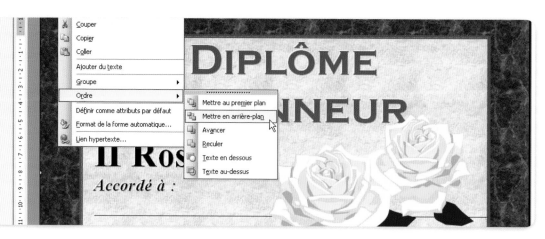

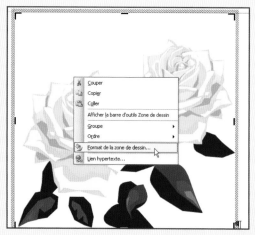

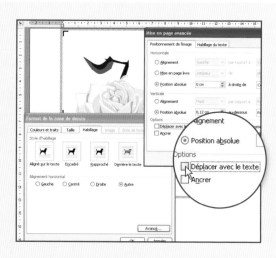

Modifiez l'image

5 Cliquez sur l'image pour la sélectionner. Cliquez sur son coin inférieur droit afin de l'agrandir. Il est préférable d'enlever le fond vert pour créer votre diplôme. Pour le supprimer, effectuez un clic droit sur l'image et choisissez **Modifier l'image**. Un bord ombré indique qu'elle peut être transformée. Cliquez sur le fond vert. Une poignée verte apparaît en haut de l'image.

Supprimez le fond de l'image

6 Appuyez sur **Suppr** pour effacer le fond sans altérer l'image. Cliquez et supprimez tous les éléments que vous souhaitez effacer et qui, selon vous, gênent la lisibilité. Pour revenir sur une suppression accidentelle, appuyez sur **Ctrl+Z**. Lorsque l'image vous convient, effectuez un clic droit dessus et choisissez **Format de la zone de dessin** dans le menu contextuel.

Modifiez les propriétés de l'image

7 Lorsque vous insérez une image dans Word, elle est toujours intégrée dans une position adaptée au texte qui l'environne. Sachant que vous n'avez pas encore de texte, l'image a été placée en haut de la page. Sous l'onglet **Habillage**, cliquez sur **Avancé**. Dans la boîte de dialogue qui s'ouvre, cliquez sur l'onglet **Positionnement de l'image** et décochez **Déplacer avec le texte**. Cliquez sur **OK**.

Barres d'outils Word

Si vous ne voyez pas les barres d'outils qui apparaissent dans les exemples de notre projet, choisissez **Barres d'outils** dans le menu **Affichage** et cochez toutes celles qui vous intéressent. Pour déplacer les barres d'outils, glissez-les en cliquant sur les pointillés à gauche de la barre (1). Cliquez sur le symbole à droite de la barre (2) pour afficher les boutons supplémentaires ou pour l'afficher sur deux lignes.

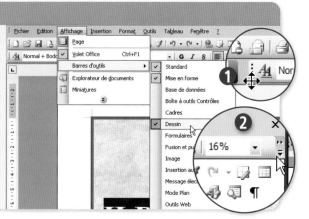

Positionnement précis

Lorsque vous déplacez une image dans Word, elle « bouge » de façon prédéfinie, ce qui vous permet de l'aligner plus facilement sur les autres éléments de la page. Parfois, vous aurez besoin de plus de précision. Maintenez alors la touche **Alt** enfoncée lors du déplacement pour qu'elle se place à l'endroit précis. Vous pouvez également employer les flèches du clavier. Maintenez la touche **Ctrl** enfoncée pour des petits déplacements.

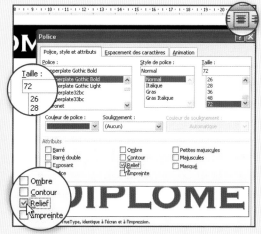

Créez un titre

8 Déplacez l'image en bas à droite de la page en cliquant sur le bord ombré. Cliquez ensuite sur le coin supérieur gauche de la page. Un curseur clignotant indique que vous pouvez saisir votre titre – ici Diplôme d'honneur. Sélectionnez votre texte et, dans la barre d'outils **Mise en forme**, choisissez une police. Nous avons employé la **Copperplate Gothic Bold**, idéale pour les documents officiels et élégants.

Définissez le style et la couleur

9 Dans la barre d'outils, cliquez sur le bouton **Centré** pour placer le titre au milieu de la page. Choisissez un corps de texte qui remplisse bien l'espace. Pour utiliser d'autres options, choisissez **Police** dans le menu **Format**. Spécifiez une couleur dans **Couleur de police** et un effet, comme **Relief**. Cliquez sur **OK**. Placez votre curseur à la fin du texte.

Créez le sous-titre

10 Appuyez sur **Entrée** pour passer le curseur à la ligne. Dans la barre d'outils **Mise en forme**, cliquez sur **Aligné à gauche** afin de caler le texte sur la marge. Saisissez le sous-titre, illustré ici par l'image choisie à cet effet. Sélectionnez-le et définissez les caractéristiques de mise en forme comme vous venez de le faire, mais cette fois en plus petit et en noir. Cliquez sur **OK**.

● Un vrai diplôme du plus bel effet

Si vous souhaitez créer des documents plus conventionnels, voire professionnels, voici quelques méthodes pour réussir vos compositions.

Préparez votre document comme à l'étape 1 mais choisissez **Portrait**. À l'étape 3, saisissez ruban dans **Images clipart Rechercher**. Effectuez les mêmes procédures qu'aux étapes 5 et 6. Vous pouvez modifier les couleurs et supprimer les formes comme aux étapes 13 et 14. Reprenez à l'étape 8 pour ajouter le texte. Pour simuler une calligraphie ancienne, choisissez par exemple la police **Edwardian Script**. À l'étape 14, employez la texture **Parchemin** mais choisissez un **Contour blanc**. Sélectionnez un **Style de trait** fin et continu, cliquez sur le bouton **Style de ligne** dans la barre d'outils **Dessin**, puis choisissez la deuxième option **Point rond**. Résultat garanti !

Placez la suite du texte

11 Appuyez sur **Entrée** à la fin du texte. Dans la barre d'outils **Mise en forme**, choisissez un corps plus petit et changez de style en cliquant sur **Italique** (bouton I). Saisissez Accordé à :. Il vous reste à créer une ligne que le diplômé remplira. Appuyez deux fois sur **Entrée** et remontez à la première ligne. Dans le menu **Format**, choisissez **Bordure et trame**. Une boîte de dialogue s'ouvre.

Créez une ligne

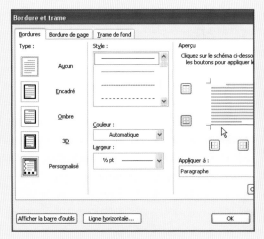

12 Choisissez la première option dans la zone **Style**, sous l'onglet **Bordures**. Laissez la **Largeur** sur ½ **pt**. Dans la zone **Aperçu**, les lignes grises représentent le paragraphe de texte auquel vous souhaitez ajouter une bordure. Cliquez sur la ligne du dessous. Cliquez sur **OK**. Descendez le curseur sur la ligne en dessous et saisissez Signé :. Appuyez deux fois sur **Entrée**.

Ajoutez un arrière-plan

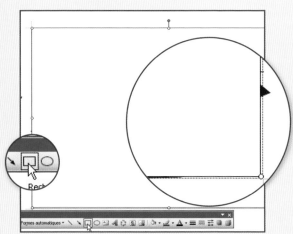

13 Ajoutez une ligne comme vous l'avez précédemment appris. Placez-vous en haut de la page. Dans la barre d'outils **Dessin**, cliquez sur le bouton **Rectangle**. Ignorez le cadre qui s'affiche sur la page. Cliquez maintenant dans le coin gauche formé par les marges sur la page et dessinez un rectangle recouvrant la surface rectangulaire située à l'intérieur des marges.

CRÉATION D'OBJETS

Choisissez une texture

14 Dans la barre d'outils **Dessin**, cliquez
sur le bouton **Couleur du contour** et
choisissez la même couleur que celle du titre.
Cliquez sur le bouton **Style de trait** et choisissez
un trait plein de **6 pt**. Cliquez ensuite sur le bouton
Couleur de remplissage et choisissez **Motifs
et textures**. Cliquez sur l'onglet **Texture**
et choisissez le **Papier lettre**.

Finalisez votre composition

15 Cliquez sur **OK** puis effectuez un clic droit
sur le rectangle. Dans le menu **Ordre**,
choisissez **Texte en dessous**. Cliquez sur l'image.
Faites un clic droit sur le bord ombré et choisissez
Afficher la barre d'outils Zone de dessin. Dans
cette barre, cliquez sur **Mettre le dessin à l'échelle**.
Agrandissez l'image pour qu'elle soit plus présente.
Laissez le dessin déborder légèrement sur le titre.

Dernières finitions

16 N'hésitez pas à bien séparer les lignes de
texte et à aérer votre composition en
ajustant les espaces entre les éléments. Sélectionnez
ensuite tous les textes alignés à gauche et cliquez
sur le petit marqueur situé dans la règle horizontale.
Déplacez-le vers la droite afin d'éloigner le texte de
la marge. Raccourcissez la largeur de page en
déplaçant le marqueur de la droite vers la gauche.

Dites-le avec style

Des cartes de vœux personnalisées pour le plaisir de vos proches

Il existe des cartes de vœux pour toutes les occasions. Celles que vous créerez de vos propres mains seront les plus appréciées. Vous pourrez vous servir de vos photographies préférées, insérer les dessins de vos enfants ou des créations graphiques tout à fait originales.

Il ne vous restera plus qu'à trouver le bon slogan ! Dans ce projet, vous allez réaliser une première carte dans Microsoft Word et une seconde dans Photoshop Elements.

IL VOUS FAUT : Microsoft Word ● Photoshop Elements ● Des photos ● Une imprimante couleur

VOIR AUSSI : Automatiser ses courriers, page 194 ● Créer une affiche, page 84

Le chemin le plus facile

Bon nombre de modèles de cartes de vœux sont proposés par Microsoft Word. Choisissez **Nouveau** dans le menu **Fichier**. Vous trouverez une zone **Modèles** dans le volet **Nouveau document**. Différents modèles sont à votre disposition, et vous en trouverez d'autres encore sur Internet. Saisissez un mot dans la zone **Rechercher en ligne** ou cliquez sur **Modèles sur Office Online** pour trouver votre bonheur.

Avec tous nos vœux

Définissez la dimension de la page

1 Démarrez Microsoft Word et ouvrez un nouveau document. À partir du menu **Fichier**, choisissez **Mise en page**. Sous l'onglet **Papier**, sélectionnez le format lettre. Réglez toutes les **Marges** à une valeur de **1,3 cm** et la **Reliure** sur 0. Choisissez une **Orientation** en fonction de la carte pliée que vous allez réaliser. Le mode **Portrait** convient généralement.

○ Dessins d'enfants

Les enfants apprécient toujours de créer eux-mêmes leurs propres cartes. Il est d'ailleurs plus drôle d'illustrer les cartes d'invitation avec leurs dessins qu'avec des dessins anonymes. Si vous possédez un numériseur, scannez les dessins de vos enfants et insérez leur travail dans les cartes que vous composerez. Vous pouvez également écrire et dessiner à la main pour ensuite numériser votre création.

○ Impression professionnelle

Ce n'est pas parce que vous ne possédez pas d'imprimante que vous ne pouvez créer des documents. Les services d'impression sont pratiques et peu coûteux. Grâce à Photoshop Elements, vous pouvez créer votre carte sur une feuille de format lettre et confier ensuite ce document à un imprimeur. Enregistrez votre travail au format JPEG et copiez-le autant de fois que vous souhaitez en obtenir un exemplaire imprimé. L'imprimeur n'aura qu'à traiter votre requête comme une série de photos issues d'un appareil numérique.

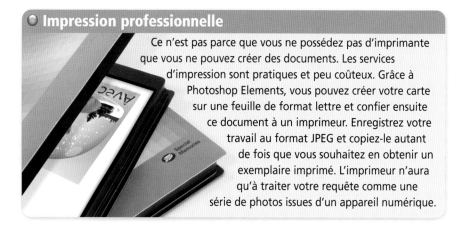

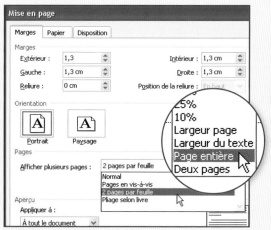

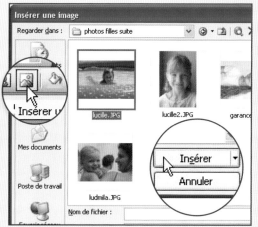

Placez deux pages par feuille

2 Sous l'onglet **Pages**, choisissez **2 pages par feuille**. Cliquez sur **OK**. La première page de votre document apparaît. À partir du menu **Affichage**, choisissez **Page** pour travailler en configuration réelle. Sélectionnez **Barres d'outils** dans le même menu et cliquez sur **Mise en forme** et **Image**. Dans la barre d'outils **Standard**, réglez le **Zoom** sur **Page entière**.

Choisissez une image

3 Dans le menu **Insertion**, choisissez **Image** puis **A partir du fichier**. Vous pouvez aussi cliquer sur l'icône **Insérer une image** située dans la barre d'outils **Image**. Dans la boîte de dialogue qui s'ouvre à l'écran, naviguez à la recherche de l'image qui vous intéresse et sélectionnez-la. Cliquez ensuite sur le bouton **Insérer** afin d'importer l'image dans votre document Word.

Redimensionnez l'image

4 Votre image est automatiquement insérée dans le coin de la page. Les marges sont indiquées par des lignes en pointillés. Si ce n'est pas le cas, choisissez **Options** dans le menu **Outils** et cliquez sur l'onglet **Affichage**. Cochez l'option **Limites de texte** puis cliquez sur **OK**. Agrandissez votre image à l'aide de la poignée de droite, jusqu'à ce qu'elle atteigne la marge opposée.

● Occasions spéciales

Les cartes de vœux ne sont pas réservées aux invitations et anniversaires. Vous créerez aussi des cartes pour annoncer un changement d'adresse, remercier ou féliciter une personne, par exemple. Exploitez les modèles prédéfinis de Photoshop Elements. Servez-vous de ces documents comme d'une base de travail. Il ne vous restera qu'à insérer vos propres illustrations, saisir vos messages et slogans et modifier les couleurs, voire quelques éléments de l'identité graphique du document.

MERCI DE BIEN VOULOIR
CONFIRMER EN APPELANT
PAPA AU 514-333-1111

MISSION : 1-AM-4
MARDI 8 DÉCEMBRE
16H30 — 18H00
SALLE POLYVALENTE
CLASSE DE 2e
ÉQUIPEMENT :
- CHAUSSETTES
- CASQUETTE
ACTION :
S'AMUSER TOUTE
LA JOURNÉE
lucille@fai.ca

Recadrez l'image

5 Si l'image déborde sur la marge du bas, elle sera automatiquement coupée. Si elle dépasse sur la marge de droite, cliquez sur l'icône **Rogner** de la barre d'outils **Image** et déplacez une poignée pour la recadrer. Si une poignée se trouve hors de la page, choisissez **Normal** dans le menu **Affichage** et réduisez la taille de l'image. Revenez au mode **Page**. Le bouton **Réinitialiser l'image** permet de revenir à l'original.

Ajoutez des pages au document

6 Une fois que vous êtes satisfait, appuyez sur la flèche de déplacement vers la gauche du clavier et sélectionnez **Entrée**. Une nouvelle page blanche apparaît au-dessus de celle contenant l'image. Appuyez sur la flèche vers la droite et sur **Entrée** à nouveau. Une troisième page apparaît. Dans le menu **Insertion**, choisissez **Saut**. Cliquez sur **Saut de page** puis sur **OK**. Une quatrième page est créée.

Rédigez vos vœux

7 Dans la boîte à outils **Mise en forme**, choisissez une police qui vous plaît. Ici, nous avons opté pour la **Palatino linotype Italic**. Sélectionnez un corps **36 pt** et cliquez sur le bouton **Centré**. Appuyez sur **Entrée** plusieurs fois de façon à placer le curseur au milieu de la carte et tapez votre message. Gardez les formules « pour » ou « de la part de », vous les écrirez plus tard à la main.

● Paramètres d'impression

Si votre document Word imprimé présente des images de mauvaise qualité, vérifiez les options d'impression. Dans le menu **Fichier**, choisissez **Mise en page** et cliquez sur **Options d'impression** sous l'onglet **Papier**. La boîte de dialogue **Impression** s'ouvre. Sous **Options d'impression**, décochez la case **Brouillon**. Sous **Inclure dans le document**, cochez **Dessins** et **Couleurs et images d'arrière-plan**. Décochez **Codes de champ** et **Balises XML**.

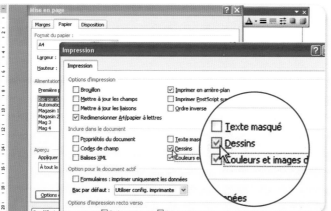

● Question d'enveloppe

Vous achèterez des enveloppes qui correspondent au format de vos cartes. Par exemple, une carte imprimée sur du papier en format lettre devient une carte standard, une fois pliée. L'enveloppe qui convient est donc une enveloppe facile à trouver dans le commerce.

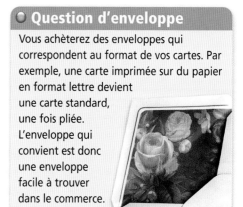

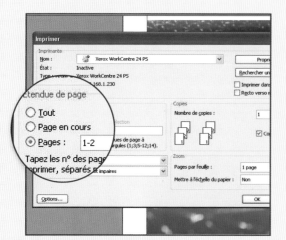

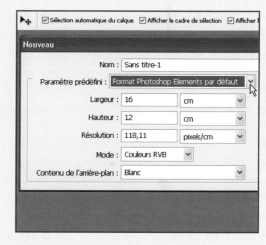

Choisissez les options d'impression

8 Imprimez votre carte sur du papier spécial et cochez la case correspondante pour le choix du papier (voir encadré, page 110). Pour signifier à Word que vous allez imprimer plusieurs cartes sur une même feuille, sélectionnez **Imprimer** dans le menu **Fichier**. Cliquez sur **Propriétés**, réglez les paramètres et cliquez sur **OK**. Sous **Etendue de page**, saisissez 1-2 à côté de **Pages**.

Imprimez recto/verso

9 Replacez la feuille dans l'imprimante, en prenant soin de la retourner pour que l'autre côté de la carte soit imprimé. Veillez à la placer dans le bon sens. Cliquez sur **Imprimer** dans le menu **Fichier** ou appuyez sur **Ctrl+P** et saisissez 3-4 à côté de **Pages**. Cliquez sur **OK**. Pliez votre carte en deux avec le message à l'intérieur. Cliquez sur **Enregistrer** dans le menu **Fichier** pour conserver votre carte.

Créez avec Photoshop Elements

10 Photoshop Elements propose des fonctions de création de cartes de vœux. Il est préférable de partir d'un document vierge. Démarrez Photoshop Elements et cliquez sur **Retoucher et corriger les photos**. Dans le menu **Fichier**, cliquez sur **Nouveau, Fichier vide**. Choisissez le **Format Photoshop Elements par défaut** dans **Paramètre prédéfini** et laissez l'arrière-plan **Blanc**.

● Ajustez les calques

Si vous appliquez un **Style de Calque** et que le résultat ne vous convient pas, modifiez la résolution du document. Dans le menu **Image**, choisissez **Redimensionner**, **Taille de l'image**. Décochez **Rééchantillonnage**, passez la **Résolution** à **72 pixels/pouce** et cliquez sur **OK**. Choisissez ensuite le même **Style de calque**. Si cela ne convient toujours pas, essayez avec d'autres valeurs. Une fois que le **Style** est correct, revenez à une résolution de **300 pixels/pouce**.

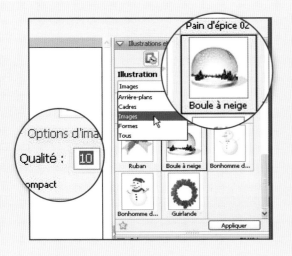

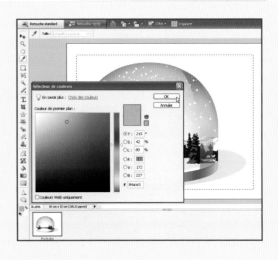

Créez à partir d'un document vierge

11 Choisissez **Enregistrer sous** dans le menu **Fichier**. Saisissez Boule à neige et optez pour le format JPEG. Cliquez sur **Enregistrer**. Choisissez une **Qualité** de 10 et validez. Dans le volet **Illustrations et effets**, cliquez sur l'icône Décorer avec des cadres, des arrière-plans, des images et des formes. Sous **Illustration**, choisissez Images puis **Saisons et vacances**.

Placez une image

12 Choisissez l'image qui vous plaît. Dans notre projet, nous avons opté pour la Boule à neige. Cliquez sur l'image puis sur le bouton **Appliquer**. À l'aide des poignées de redimensionnement, agrandissez l'image et validez la transformation. Placez-la de façon à conserver des marges sur la carte et à réserver un espace suffisant pour inscrire l'année à droite, en verticale.

Créez un dégradé

13 Pour ne pas laisser le fond de la carte en blanc, cliquez sur le menu **Calque** et choisissez **Nouveau calque**. Nommez-le **Dégradé**. Dessinez un rectangle délimitant les marges de la carte à l'aide de l'outil **Rectangle de sélection**. Cliquez sur **Définir la couleur de premier plan** et choisissez un bleu clair. Cliquez sur l'outil **Dégradé** et tracez un axe en travers de la page pour créer l'effet.

● Mélangez les sources

N'hésitez pas à intégrer des objets de votre quotidien dans vos compositions en les numérisant. Si vous utilisez Photoshop Elements, vos images pourront être directement importées dans votre logiciel. Choisissez **Importer** dans le menu **Fichier** et sélectionnez votre numériseur dans la liste. Créez une sélection pour découper votre objet (voir étape 17). Créez un nouveau document et, dans la boîte de dialogue **Nouveau**, choisissez le format lettre dans la zone **Paramètre prédéfini**. Cliquez sur **OK**. À l'aide de l'outil **Déplacement**, disposez l'objet sur la page. Redimensionnez-le et positionnez-le en fonction de votre composition. Ajoutez le texte et imprimez la carte. Dans notre exemple, le dragon et le tissu ont été numérisés séparément.

● avec Elements

Lorsque la carte est terminée, choisissez **Enregistrer** dans le menu **Fichier** et optez pour le format Photoshop. Pour l'imprimer, choisissez **Imprimer** dans ce même menu. Cliquez sur **Format d'impression**, définissez le format du papier et réglez les paramètres. Si vous employez un format lettre, cochez la case **Imprimer les traits de coupe**. Il ne vous restera plus qu'à découper les cartes avec un couteau exacto.

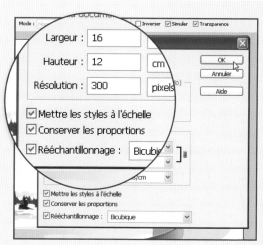

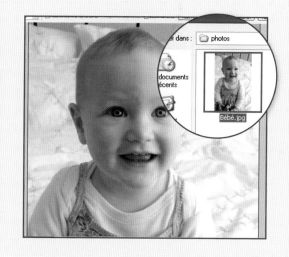

Enregistrez et exportez la carte

14 Faites passer le calque **Boule à neige** au début de la liste. Appuyez sur **Ctrl+S** pour enregistrer le résultat de votre travail. Renommez votre fichier et enregistrez-le en format **Photoshop PDF**. Cliquez sur **OK** dans la boîte de dialogue qui s'ouvre. Dans la boîte **Enregistrer le fichier Adobe PDF**, veillez à ce que la **Qualité de l'image** soit **Elevée**, cliquez sur **Enregistrer le fichier PDF**.

Modifiez la nature du PDF

15 Dans le menu **Image**, cliquez sur la commande **Redimensionner** et choisissez **Taille de l'image**. Assurez-vous que la case **Rééchantillonnage** est bien cochée et passez la résolution à **300 pixels/pouce**. Vous constaterez que le poids du fichier a considérablement augmenté, mais c'est le prix à payer pour obtenir une image d'excellente qualité.

Ajoutez votre photographie

16 Choisissez **Ouvrir** dans le menu **Fichier** et recherchez la photographie que vous souhaitez insérer dans votre carte de vœux. Cliquez sur **Ouvrir**. Choisissez de préférence un portrait. Affichez l'image de façon à ne voir que la tête jusqu'aux épaules. Utilisez pour cela la fonction **Zoom**. Appuyez sur la barre d'espacement pour déplacer l'image dans l'espace de travail.

● Grammage et épaisseur du papier

Les types de papier sont référencés en fonction de leur grammage, c'est-à-dire de leur poids (une carte est habituellement imprimée sur du papier de 200 g). Vous devrez employer les papiers épais avec précaution car toutes les imprimantes ne les supportent pas. Il existe des feuilles prédécoupées très pratiques. Si vous possédez une imprimante laser, employez des papiers spécifiques. Les imprimantes à jet d'encre permettent en revanche l'utilisation de nombreux papiers spéciaux. Évitez les papiers trop fins ou les papiers-calque, qui risquent de provoquer des bourrages et peuvent endommager les parties internes de votre imprimante.

● Montage post-impression

En fonction du pliage envisagé, vous choisirez des papiers de grammages différents. Ainsi, plus le papier est fin, plus le pliage est facile. Si vous souhaitez obtenir une carte en format lettre, prévoyez des marges suffisamment grandes et sélectionnez des paramètres de qualité d'impression élevée, le grand format nécessitant une bonne restitution des trames de couleur. Découpez la carte et collez-la sur une feuille 11 X 17, pliée en deux. Pour obtenir de belles finitions, utilisez un exacto. Servez-vous également d'une règle métallique pour les découpes ou investissez dans une table à découpe qui accepte tous les types de format.

Découpez la sélection

17 Appuyez sur L pour activer l'outil **Lasso polygonal**. Réglez le **Contour progressif** sur **8** afin d'obtenir des angles plus doux. Cliquez au début de la sélection, relâchez le bouton de la souris et tracez une petite ligne. Continuez tout autour de la sélection en restant très près des contours du portrait. Le mieux reste encore de faire un zoom à une échelle qui rendra l'opération plus confortable.

Déplacez votre sélection

18 Effectuez un double-clic pour terminer. La sélection est entourée d'une ligne en pointillés. Activez l'outil **Déplacement** en appuyant sur **V**. Glissez la sélection sur le fond de la carte. Redimensionnez-la pour l'accorder avec le fond. Appuyez sur **M** pour activer l'outil **Rectangle de sélection**. Choisissez l'**Ellipse**, réglez le **Contour progressif** sur **0** et le **Mode** sur **Normal**.

Déformez le visage

19 Cliquez et dessinez un cercle autour de la tête et des épaules. Dans le menu **Filtre**, choisissez **Déformation** puis **Sphérisation**. Réglez la **Valeur** sur **50 %** puis cliquez sur **OK**. Le visage est déformé comme s'il était regardé à travers un verre. Il s'intègre aussi avec plus de réalisme dans la boule. Utilisez l'outil **Déplacement** pour le positionner précisément et cliquez sur l'outil **Ellipse**.

Création assistée de cartes de vœux

Depuis la page d'accueil du logiciel, cliquez sur **Créer avec photos**. La fenêtre **Nouvelle disposition de photo** apparaît. Optez pour un format lettre, une disposition **Portrait** et un thème, **Timbre simple** par exemple. Cliquez sur **OK**, puis dans le cadre pour importer une photo. Choisissez-la et ouvrez-la. Redimensionnez l'image en utilisant le curseur, qui vous permet également de la pivoter. Activez l'outil **Texte** et saisissez le message de votre carte. Disposez-le où bon vous semble et appliquez-lui un effet spécial comme l'indique l'étape 22 de ce projet. Enregistrez le document. Il ne vous reste plus qu'à l'imprimer sans oublier d'opter pour le **Format d'impression** en mode **Paysage**.

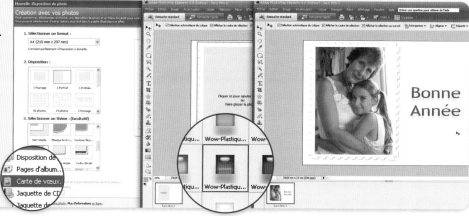

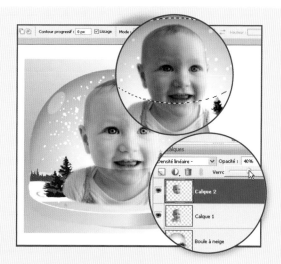

Ajoutez un halo de lumière

20 Dessinez un ovale sur la partie supérieure de la boule. Dans la palette des calques, cliquez sur le **Calque 1**, celui de l'original. Appuyez sur **Ctrl+J** pour copier la zone sélectionnée et créer un nouveau calque. Remontez-le tout en haut dans la palette des calques. Cliquez sur le menu des calques et sélectionnez **Densité linéaire**. Réduisez l'opacité à **40 %**.

Saisissez le message de la carte

21 Appuyez sur **T** pour activer l'outil **Texte**. Dans la barre d'options, choisissez **Texte vertical**, optez pour une police et réglez le corps sur **48 pt**. Cliquez sur le bouton **Centré**. Pour en apprendre davantage sur la mise en forme du texte, référez-vous aux pages 85 et 86, étapes 3 à 6. Cliquez à droite de la boule et saisissez les chiffres de l'année. Saisissez ce texte.

Achevez la carte

22 Dans le volet **Effets spéciaux**, cliquez sur **Appliquer des effets, des filtres et des styles de calque**. Sélectionnez **Styles de calque** dans le premier menu et **Wow Plastique** dans le second. Cliquez sur le **Wow-Plastique rouge**. Appuyez sur **T** et saisissez du texte. Changez la couleur du texte pour faire ressortir votre message. Enregistrez votre travail.

noire de Famille
ur mes petits-enfants

Notre **BÉBÉ** est arrivé

Mémoire d'une vie
Réalisez un album-souvenir de vos proches

Offrir un album-souvenir retraçant les événements majeurs de la vie d'un proche est un cadeau unique et émouvant. Vous devrez rechercher toutes les photos de famille éparpillées pour les rassembler dans un bel album personnalisé. Les albums numériques sont plus faciles à exploiter et, une fois les photos mémorisées sur votre PC, vous pourrez les organiser comme bon vous semble. Elles sont ainsi à votre disposition pour créer autant d'albums que vous le souhaitez.

IL VOUS FAUT : Google Picasa 2 ● Microsoft Word ● Une imprimante couleur ● Un scanner ● Des photos
VOIR AUSSI : Créer avec un numériseur, page 322

○ Organisez les photos avec Picasa

Picasa, issu de Google, est un logiciel de gestion d'images numériques. Rendez-vous à l'adresse www.picasa.com et cliquez pour télécharger le logiciel. Cliquez sur **Enregistrer** et stockez le fichier à un endroit approprié, sur le Bureau par exemple. Effectuez un double-clic sur le fichier que vous venez de télécharger pour démarrer l'installation. Cliquez ensuite sur **Commencer** dans la boîte de dialogue qui s'ouvre et suivez les étapes. Picasa vous propose de balayer les images qu'il trouvera sur votre PC. Choisissez les dossiers à parcourir.

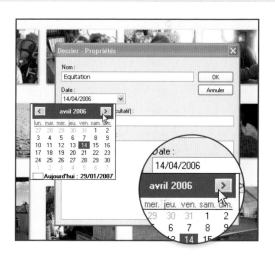

Organisez vos photographies

1 Démarrez Picasa. Vous trouverez à gauche la liste des dossiers contenant des photos. Elles sont classées par dates, en commençant par les plus récentes. Si la plupart de vos images sont numérisées, vous pourrez ainsi les retrouver facilement. Recherchez toutes celles dont vous avez besoin en consultant les différents dossiers.

Choisissez vos photographies

2 Pour visualiser et exploiter une image, déplacez-la de la fenêtre principale vers la zone de **Sélection temporaire** en bas à gauche. Notez que les images apparaissent dans cette zone dès que vous cliquez dessus, mais ne sont gardées que si vous les déplacez ou si vous cliquez sur le bouton **Conserver**. Le fait de les déplacer crée un lien de référencement vers le dossier de la photo.

Changez la date d'un dossier

3 Certains dossiers peuvent contenir des images prises à des dates très différentes. Pour les organiser de façon cohérente, maintenez la touche **Ctrl** enfoncée lors de la sélection dans la fenêtre principale et faites un clic droit. Choisissez **Déplacer vers un nouveau dossier**. Dans la boîte **Dossier - Propriétés**, nommez l'image, vérifiez les dates et ajoutez une information supplémentaire.

Un peu d'aide

N'hésitez pas à demander de l'aide à vos proches, votre projet n'en sera que plus riche. Proposez-leur de vous écrire quelques petits commentaires ou bien les légendes de certaines photos, et de vous envoyer d'autres documents par courriel. Ils peuvent même rédiger des articles ou des messages avec Microsoft Word et vous les communiquer par messagerie électronique. Vous n'aurez plus alors qu'à les intégrer.

De belles polices

Il est évident que votre album laissera la part belle aux photographies. Les titres et les accroches devront être courts et efficaces. Pour renforcer leur impact, utilisez des polices très lisibles. Ne travaillez pas avec un corps inférieur à 14 points et conservez la même police dans tout le document. Vous pourrez néanmoins exploiter des styles différents (italique, gras) en fonction de la nature des textes : légendes, commentaires, articles, etc.

Parcours couronné

Si votre album prend la forme d'une chronique, organisez les photographies dans l'ordre chronologique. Certaines étapes marquantes de la vie permettent de jalonner un parcours. Sélectionnez les moments forts, les réussites, les cérémonies, les remises de médailles etc. S'il s'agit d'une chronique familiale, choisissez les photos de mariage toutes générations confondues, les naissances, etc.

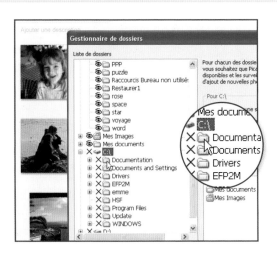

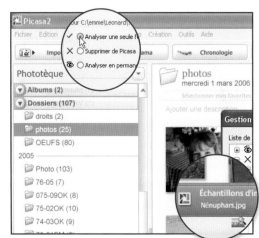

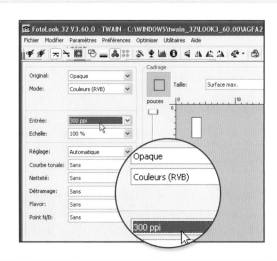

Ajoutez un dossier

4 Si vous souhaitez exploiter des photographies classées dans un dossier que vous ne voyez pas dans Picasa, il convient de l'ajouter. Sélectionnez **Ajouter un dossier à Picasa** dans le menu **Fichier**. Dans la boîte du **Gestionnaire de dossiers**, recherchez votre dossier et sélectionnez-le. Une croix rouge vous indique que Picasa n'a pas procédé à l'importation du dossier.

Récupérez le dossier

5 Cochez **Analyser une seule fois** pour obtenir le contenu du dossier. Si vous cochez **Analyser en permanence**, Picasa affichera à partir de maintenant toutes les images importées dans ce dossier. Cliquez sur **OK** pour importer les images. Cliquez sur le dossier puis sur une image ou appuyez sur **Crtl+A** pour les sélectionner toutes. Cliquez sur **Conserver** pour les placer dans la zone de **Sélection temporaire**.

Importez des images numérisées

6 Pour récupérer des images issues d'albums, vous devrez les numériser. Vous pouvez passer par Picasa. Il suffit de cliquer sur le bouton **Importer** pour ouvrir le logiciel de numérisation. Cliquez sur **Sélectionner un périphérique** et choisissez votre numériseur et son logiciel. Effectuez la numérisation. Réglez la résolution à **300 ppi** pour conserver les dimensions originales (voir page 322).

● Ajoutez des cadres

Les photos numérisées ne possèdent pas de bords blancs, contrairement aux photos argentiques. Dans un album, les bords permettent de différencier les images de l'arrière-plan et de les organiser harmonieusement. Ils leur confèrent également une touche d'élégance. Pour ajouter des bords blancs dans Photoshop Elements, ouvrez votre image et sélectionnez **Cadres** dans le panneau **Illustrations et effets**. Choisissez **Blanc 10 px** ou **20 px** puis cliquez sur **Appliquer**. Il ne vous reste plus qu'à importer dans Word votre image ainsi modifiée.

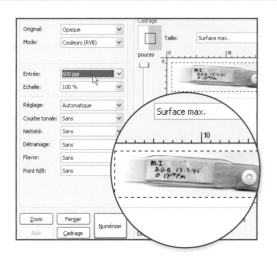

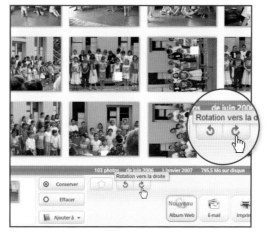

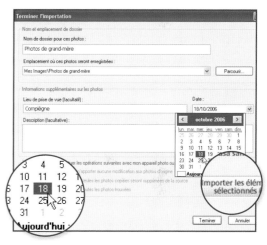

Numérisez des objets

7 L'image numérisée s'ouvre dans Picasa. Numérisez toutes les photos dont vous avez besoin ainsi que les objets qui rappellent des événements (médailles, bracelets de naissance ou étiquettes de bonnes bouteilles, par exemple). Évitez cependant ceux qui risquent d'endommager la vitre de votre numériseur. Numérisez à une résolution élevée les petits objets, vous pourrez ainsi les agrandir sans problème.

Vérifiez les images numérisées

8 Lorsque vous avez terminé les numérisations, fermez le logiciel du numériseur. Si vous ne retrouvez pas Picasa, faites apparaître la **Barre des tâches** de Windows ou appuyez sur **Alt+Tab**. Les images numérisées apparaissent à l'écran. Si certaines ont été numérisées dans le mauvais sens, cliquez sur les boutons permettant d'effectuer des rotations.

Supprimez des images

9 Si des images vous déplaisent, cliquez sur **Importer les éléments sélectionnés** et ne prenez que celles qui vous intéressent. Sinon, cliquez sur **Tout Importer**. Dans la boîte de dialogue **Terminer l'importation**, nommez le fichier. Modifiez les dates dans le calendrier en fonction des éléments numérisés. Ils apparaîtront ainsi parfaitement ordonnés. Cliquez sur **Terminer**.

● Partagez votre album en ligne

Pour proposer votre album sur un site Internet, cliquez sur le bouton **Album Web** au bas de l'écran. L'album apparaît dans **Internet Explorer**. Faites défiler les pages. Considérant que les marges des pages dépassent dans la hauteur, si une image dépasse de la marge supérieure, les autres images seront cachées et votre album s'affichera en bannière verticale. Vous devrez déplacer les légendes des photos pour gagner de la place. N'utilisez que des polices standard pour Internet comme l'Arial, le Comic Sans, le Courier, le Times, le Trebuchet ou le Verdana pour éviter les problèmes d'affichage. Choisissez **Enregistrer en tant que page Web** dans le menu **Fichier** pour sauvegarder votre album (voir page 263).

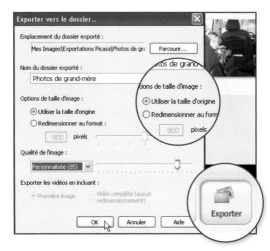

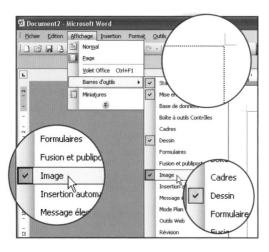

Nommez vos images

10 De retour dans Picasa, le nouveau dossier d'images numérisées apparaît dans la liste à gauche. Cliquez dessus pour afficher les images, sélectionnez-les puis déplacez-les dans la zone de **Sélection temporaire**. Cliquez sur le bouton **Conserver**. Cliquez sur le bouton **Ajouter à** et choisissez **Nouvel album**. Nommez cet album dans la boîte **Album - Propriétés**. Cliquez sur **OK**.

Exportez vos images

11 Cliquez sur le bouton **Exporter** pour copier les images de la **Sélection temporaire** dans un dossier de votre disque dur. Dans la boîte de dialogue **Exporter vers le dossier**, choisissez l'endroit où stocker le fichier. Cochez la case **Utiliser la taille d'origine**. Réglez la **Qualité de l'image** sur **Personnalisée (85)**. Cliquez sur **OK**. Vous pouvez maintenant quitter Picasa.

Poursuivez dans Word

12 Démarrez Word, qui s'ouvre sur un document vierge. Choisissez **Page** dans le menu **Affichage** puis **Barres d'outils** et sélectionnez **Mise en forme**, **Dessin** et **Image**. Si vous ne voyez pas les marges du document, signalées par des lignes en pointillés, sélectionnez **Options** dans le menu **Outils**, cliquez sur l'onglet **Affichage** et cochez **Limites de texte** dans **Options de mode Page et de mode Web**.

⬤ Une impression qui laisse à désirer

Lorsque vous sélectionnez vos images dans Picasa, il peut arriver que vous soyez déçu par leur qualité. Pour améliorer le résultat, effectuez un clic droit sur la photo dans la fenêtre principale. L'onglet **Ret.simples** propose des options qui permettent de recadrer et de redresser les images, d'éviter les yeux rouges dus au flash, de corriger les couleurs. Essayez le bouton **J'ai de la chance** (**1**) pour effectuer une retouche rapide. L'onglet **Réglages** (**2**) permet de contrôler les lumières et les couleurs alors que l'onglet **Effets** (**3**) propose des rendus différents de l'original. Word vous permettra ensuite de régler le **Contraste** et la **Luminosité** (**4**).

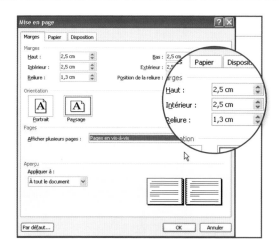

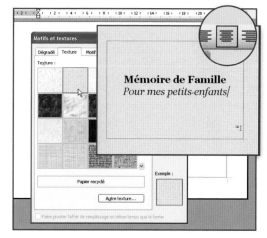

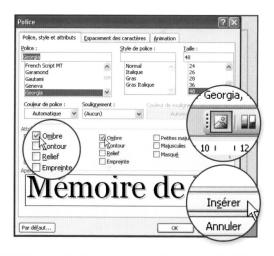

Modifiez la taille de votre album

13 Choisissez **Mise en page** dans le menu **Fichier**. Sous l'onglet **Papier**, choisissez le format lettre. Sous l'onglet **Marges**, sélectionnez **Pages en vis-à-vis** dans **Afficher plusieurs pages**. Réglez les marges sur **2,5 cm** et la **Reliure** sur **1,3 cm**. Choisissez une **Orientation** en **Paysage** pour de larges pages d'albums ou de scrapbooks. Cliquez sur **OK**. Votre première page apparaît.

Placez un fond de page

14 Dans le menu **Format**, choisissez **Arrière-plan**, puis **Motifs et textures**. Cliquez sur l'onglet **Texture** et optez pour un fond simple comme le **Papier recyclé**. Cliquez sur **OK**. Appuyez sur **Entrée** plusieurs fois de façon à placer le curseur au milieu de la page et saisissez le titre de l'album. Sélectionnez-le et choisissez une police, un style et un corps adéquats, ici **Georgia, 48 pt**. Cliquez sur le bouton **Centré**.

Ajoutez votre première image

15 Sélectionnez le texte et choisissez **Police** dans le menu **Format**. Sous l'onglet **Police, style et attributs**, cochez **Ombre**. Cliquez sur **OK**. À la fin du titre, appuyez sur **Entrée** jusqu'à faire apparaître une autre page. Cliquez sur le bouton **Insérer une image** dans la barre d'outils **Image**. Cliquez sur une image venant de Picasa, puis sur le bouton **Insérer**.

Reliures et finitions

Il existe de nombreuses manières de relier un album. Lorsque celui-ci compte peu de pages, empilez-les et assemblez-les en les agrafant à 1,3 cm du bord. Ainsi, vous n'altérerez pas la lisibilité de l'album, surtout si vous avez prévu une marge de reliure comme il est expliqué à l'étape 13. Servez-vous d'une demi-douzaine d'agrafes correctement alignées. Vous pouvez recouvrir ces agrafes d'une bande adhésive pour améliorer la finition de l'ensemble. Dans le cas d'albums plus volumineux, il est conseillé de s'adresser à une boutique de reprographie afin de placer une barre de reliure ou une spirale.

Redimensionnez l'image

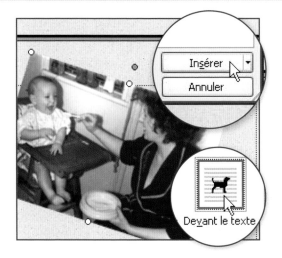

16 Cliquez sur le bouton **Insérer** afin d'importer l'image dans le document. Effectuez un clic droit sur l'image et choisissez **Format de l'image**. Sous l'onglet **Habillage**, sélectionnez **Devant le texte** et cliquez sur **OK**. Déplacez l'image et redimensionnez-la en faisant glisser une des poignées d'angle du contour. Faites glisser la poignée verte pour que l'image pivote.

Disposez les images

17 Ajoutez d'autres images en suivant la même procédure. Celles-ci s'empilent dans leur ordre de placement. Pour en passer une au premier plan, effectuez un clic droit sur l'image et choisissez **Ordre** puis **Mettre au premier plan**. Si vous souhaitez recadrer une image, cliquez sur le bouton **Rogner** dans la barre d'outils **Image** puis faites glisser une des poignées pour obtenir le bon cadrage.

Ajoutez des ombres

18 Pour donner aux images un peu plus de profondeur, sélectionnez-les toutes en maintenant la touche **Maj** enfoncée. Cliquez sur l'icône **Style Ombre** dans la barre d'outils **Dessin**. Choisissez **Style d'ombre 6**, pour une ombre portée semi-transparente vers la droite. Pour affiner cet effet, cliquez sur **Options d'ombre**. Ajustez sa position en cliquant sur les flèches de déplacement de la barre d'options.

Imprimez votre album

Pour imprimer votre album, sélectionnez **Imprimer** dans le menu **Fichier**. Choisissez votre imprimante et cliquez sur **Propriétés**. Désignez le type de papier utilisé et la qualité d'impression escomptée. Cliquez sur **OK**. Dans la zone **Étendue de page**, cliquez sur **Tout**, puis dans la liste déroulante **Imprimer**, sélectionnez **Pages impaires**. Cliquez sur **OK**. Retirez les pages imprimées, assurez-vous qu'elles sont sèches et introduisez-les dans le bac de l'imprimante pour imprimer le verso. Revenez à la boîte de dialogue **Imprimer** et, cette fois, sélectionnez **Pages paires**. Cliquez sur **OK** pour achever l'opération.

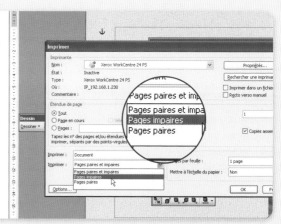

Rédigez une légende

19 Cliquez dans la page pour repérer le curseur, puis cliquez sur l'icône **Zone de texte** de la barre d'outils **Dessin**. Il se peut qu'un cadre libellé **Créer votre dessin ici** apparaisse. Appuyez alors sur **Ctrl+Z** pour l'effacer. Cliquez ensuite n'importe où et tracez la zone de la légende. Spécifiez une police et un corps dans la barre d'outils **Mise en forme**. Saisissez enfin la légende.

Modifiez la zone de texte

20 Effectuez un clic droit sur le bord de la zone de texte et choisissez **Format de la zone de texte**. Cliquez sur l'onglet **Couleurs et traits**. Dans la zone **Remplissage**, cliquez sur la liste **Couleur** et spécifiez **Aucun remplissage**. Dans la zone **Trait**, cliquez sur la liste **Couleur** et choisissez **Aucun trait**. Cliquez sur **OK**. Placez le curseur en bas de la page et appuyez sur **Entrée** pour ajouter une nouvelle page.

Prévisualisez l'album

21 Composez la nouvelle page comme précédemment. Vérifiez l'apparence de votre album dans l'**Aperçu avant impression** du menu **Fichier**. Réglez le **Zoom** sur **25 %** pour afficher plusieurs pages en même temps. Celles-ci sont disposées les unes en face des autres. Il ne vous reste plus qu'à imprimer votre album comme cela vous est expliqué dans l'encadré ci-dessus.

Emballage maison
Offrez un cadeau emballé dans du papier personnalisé

Voici comment créer votre papier cadeau personnalisé. Vous y intégrerez des photographies ou des objets numérisés, des cliparts, des dessins réalisés avec un logiciel spécifique et des textes aux couleurs les plus vives. Vous n'aurez plus qu'à coller tous ces éléments sur un modèle répété plusieurs fois et à l'imprimer autant de fois que nécessaire pour l'emballage de vos cadeaux.

IL VOUS FAUT : Photoshop Elements ● Des photos numériques
VOIR AUSSI : Restaurer une vieille photo, page 20 ● Créer un diplôme d'honneur, page 98

● Motifs prêts à l'emploi

Pour créer un papier cadeau original, vous pouvez remplir une page avec une texture ou un motif répété dans Photoshop Elements. Ouvrez un **Nouveau Fichier vide** et choisissez le format lettre dans **Paramètre prédéfini**. Réglez la résolution sur **100 pixels/po** et cliquez sur **OK**. Dans le menu **Edition**, choisissez **Remplir le calque**. Dans la boîte de dialogue, sous **Remplir**, **Avec**, choisissez **Motif**. Sélectionnez un motif et cliquez sur **OK**.

Ouvrez des photographies

1 Démarrez Photoshop Elements et, à la page d'accueil, cliquez sur **Retoucher et corriger les photos**. Choisissez **Nouveau, Fichier vide** dans le menu **Fichier**. Cliquez sur **Paramètre prédéfini** et choisissez le format **Lettre** pour le papier. Réglez la **Résolution** sur **300**, le **Mode** couleur sur **RVB** et le **Contenu de l'arrière-plan** sur **Blanc**. Cliquez sur **OK**. Ouvrez maintenant toutes les photos à intégrer.

● D'après nature

Pensez à photographier des éléments naturels en macro. Les textures de troncs, les feuilles et les matières naturelles sont d'excellents supports graphiques. Le ciel et les formations nuageuses sont également très décoratifs. Copiez vos images et répétez-les en tant que texture, comme aux étapes 11 et 12. Essayez aussi de créer des patchworks naturels. L'effet est garanti.

● Charme désuet

Pour célébrer un événement, récupérez de vieilles photos d'album, comme dans notre projet. Appliquez une teinte aux images (étape 13) pour leur donner du cachet. N'hésitez pas à restaurer les plus abîmées avant de les insérer dans vos compositions, afin que votre papier ne présente pas d'imperfections. Reportez-vous à la page 20 (Restaurer une vieille photo) pour trouver les solutions adéquates.

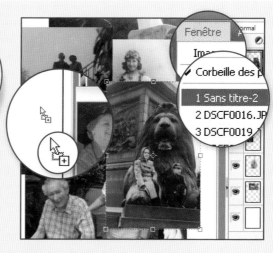

Définissez la taille des photos

2 Recadrez vos images. Appuyez sur **C** pour activer l'outil **Recadrage**. Dans la barre d'options, saisissez des valeurs cohérentes dans **Largeur** et **Hauteur** en fonction du nombre de photos exploitées. Si vous avez sélectionné six images et que vous travaillez sur un format lettre, chaque image ne devra pas dépasser un sixième de la page. Un format 15 x10 cm conviendra car les images se superposent.

Découpez les photos

3 Dans la barre d'options, réglez la **Résolution** sur **300 pixels/pouce**. Cliquez sur la première photo et tracez votre sélection. Ajustez-la pour la caler sur ce qui vous intéresse dans l'image. Procédez de même pour les autres images. Vous devrez parfois intervertir les valeurs de **Largeur** et **Hauteur** en cliquant sur le bouton présentant des flèches qui pointent dans un sens opposé.

Insérez les photos

4 Appuyez sur **V** pour activer l'outil **Déplacement**. Dans le menu **Fenêtre**, choisissez le nom de la page blanche pour la faire passer devant. Disposez ensuite les photos sur la page, les unes après les autres, à partir du menu **Fenêtre** ou de la **Corbeille des photos**. Ne vous préoccupez pas de la dimension et de la position des images pour l'instant.

● Choisissez un papier

Le papier employé pour l'emballage des cadeaux est à la fois fin et solide. Il se plie facilement sans se déchirer. Choisissez le papier le plus fin possible et testez-le avec votre imprimante. Référez-vous au manuel d'utilisation de l'imprimante et ne prenez pas le risque de passer un modèle qui se déchirerait dans les rouleaux. Lorsque vous avez trouvé le papier idéal, commandez-en à votre fournisseur.

Agencez votre composition

5 Lorsque toutes les images sont disposées sur la page, déplacez-les pour trouver approximativement leur place. Déterminez les parties des images qui devront apparaître et celles qui seront cachées ou recouvertes. Ne redimensionnez pas les images et n'effectuez pas de rotation à ce stade. Prévoyez simplement ce que vous envisagez pour la composition finale.

Superposez certaines photos

6 Vous allez ajuster les paramètres de la composition. Cliquez sur l'outil **Déplacement** et assurez-vous que les options **Sélection automatique du calque** et **Afficher le cadre de sélection** sont cochées. Cliquez sur une image et maintenez la touche **Maj** enfoncée lors du redimensionnement. Pour effectuer des rotations, déplacez la souris en cliquant sur la petite flèche de rotation.

Terminez la composition

7 Après chaque transformation, appuyez sur **Entrée** pour les valider. Pour travailler une image en dessous, appuyez sur **Ctrl+]** pour la ramener au premier plan ou **Ctrl+[** pour la faire passer en dessous. Lorsque vous avez terminé, la page doit être à peu près remplie, sans espaces blancs entre les images. Prévoyez de conserver des marges suffisantes autour de la composition.

⦿ Réalisez un pêle-mêle

La technique qui permet d'associer plusieurs images superposées dans une même composition s'appelle la technique du pêle-mêle. Si, après l'étape 12 de ce projet, vous n'êtes pas convaincu par votre réalisation, utilisez le filtre **Translation** une nouvelle fois pour vérifier votre pêle-mêle. Quelles que soient les valeurs saisies dans **Horizontale** et **Verticale**, vous aurez déjà réglé les problèmes des blancs restants.

⦿ Travaillez avec la Translation

Le filtre **Translation** (voir étape 10) est intéressant car il déplace vos images horizontalement vers la droite et verticalement vers le bas, laissant un espace vide à l'emplacement d'origine de la sélection. En fonction de la taille de cette dernière, vous pouvez remplir la zone vide par un arrière-plan transparent, avec les pixels de contour ou les pixels provenant des bords droit ou inférieur d'une image. Si la composition ne vous convient pas après l'étape 12, appuyez sur **Ctrl+Z**, revenez au menu **Filtre**, **Divers** puis **Translation** et essayez avec un nombre de pixels différent.

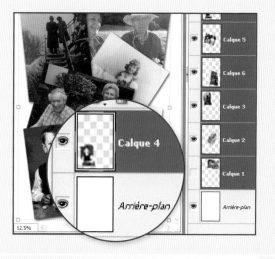

Ajoutez des ombres douces

8 Les ombres appliquées aux images ajoutent du réalisme. Dans la palette des **Calques**, choisissez le premier calque de la liste, maintenez la touche **Maj** enfoncée et cliquez sur l'avant-dernier calque en bas de la palette. Dans la palette **Illustrations et effets**, choisissez **Styles de calque** dans le premier menu puis **Ombres portées** dans le second. Cliquez sur **Contour flou**.

Fusionnez les calques

9 Avant de finaliser la composition, vérifiez qu'aucun angle ni qu'aucune ombre ne dépassent de la page. Ensuite, assurez-vous que tous les calques dans la palette, hormis le calque **Arrière-plan**, sont sélectionnés. Appuyez sur **Ctrl+E** pour fusionner tous les calques sélectionnés. Vous obtenez ainsi deux calques, celui qui contient la composition et celui de l'arrière-plan.

Dupliquez la composition

10 Effectuez un clic droit sur le calque contenant la composition et choisissez **Dupliquer le calque**. Cliquez sur **OK** dans la boîte de dialogue pour effectuer la copie de la composition. Cliquez maintenant sur le menu **Filtre** et choisissez **Divers**, puis **Translation**. Saisissez 1500 dans les deux cases et sous **Zones non définies**, choisissez **Reboucler**. Cliquez sur **OK**.

● Imprimez le papier cadeau

Choisissez **Imprimer** dans le menu **Fichier**. Cliquez sur **Format d'impression**, sélectionnez la **Taille du Papier** qui correspond au plus grand format autorisé par votre imprimante et cliquez sur **OK** pour revenir à la boîte de dialogue **Aperçu avant impression**.

La plupart des imprimantes ne permettent pas d'imprimer une image sur toute la surface de la page. En effet, les imprimantes traditionnelles conservent des petits bords blancs autour de la page, la zone imprimable étant donc plus petite que le format de la feuille. Le logiciel vous avertit alors que l'image est plus grande que la surface du papier et qu'elle sera tronquée. Cochez **Ajuster au support** de façon à diminuer la taille de l'image pour la conserver entière. Cliquez sur **OK** et lancez l'impression. Il vous suffira ensuite de découper les bords blancs.

La composition originale est créée à partir d'un motif répété. Vous devrez donc imprimer plusieurs pages et les coller ensemble suivant les motifs comme pour la pose d'un papier peint.

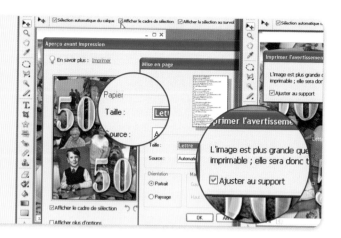

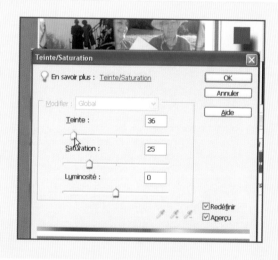

Répétez le motif

11 La copie de la composition se répète sur quelques centimètres en bas et à droite. Les parties qui ont été retirées d'un côté de l'image se retrouvent de l'autre. Vous voyez toujours votre composition en entier, mais les bords blancs se retrouvent maintenant au milieu. Par la présence de la composition originale en arrière-plan, vous n'obtenez aucun blanc.

Fusionnez et dupliquez

12 Il existe néanmoins encore quatre zones vides présentes sur les bords de la composition. Pour les remplir, appuyez sur **Ctrl+E** afin de fusionner les deux calques. Dupliquez le calque obtenu. Choisissez **Divers**, **Translation** dans le menu **Filtre** et saisissez 750. Cliquez sur **OK**. La feuille est désormais intégralement remplie d'images. Appuyez sur **Ctrl+E** pour fusionner une dernière fois.

Teintez les images

13 Vous pouvez laisser les images telles quelles, mais pour créer un véritable papier cadeau, il est préférable de les teindre toutes de la même couleur. Ouvrez la boîte **Teinte/Saturation** en appuyant sur **Ctrl+U**. Cochez **Redéfinir** pour changer la couleur de l'image plutôt que de la corriger. Saisissez 36 dans **Teinte**, pour un effet sépia. Cliquez sur **OK**.

Textes multicolores

Certains papiers cadeaux sont réalisés à partir de textes ou de messages colorés. Vous pouvez en fabriquer vous-même à l'aide de l'outil **Texte** ou depuis Microsoft Word. Il est plus difficile de créer un motif avec du texte qu'avec des images. Mais il n'est pas non plus nécessaire que les textes se suivent très précisément sur le papier cadeau. Associez les pages sans vous soucier de la cohérence des textes et des mots. Rendez-vous page 98 pour en savoir plus sur la mise en forme.

Enregistrez votre travail

Choisissez **Enregistrer** dans le menu **Fichier** ou appuyez sur **Ctrl+S** pour sauvegarder votre travail en tant que fichier **Photoshop (.PSD)**. Vous conserverez ainsi les calques afin d'ajuster les textes et les images. Si vous souhaitez envoyer votre création par courriel, choisissez **Enregistrer sous** et sélectionnez le format **JPEG**, avec des paramètres de qualité qui dépendront du poids du fichier final.

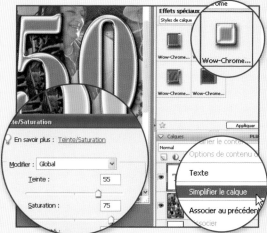

Ajoutez un message

14 Appuyez sur **T** pour travailler avec l'outil **Texte** et saisissez votre message. Pour en savoir plus sur la mise en forme du texte, référez-vous aux étapes 4 et 5 page 182. Ajoutez la quantité de texte qui vous paraît la plus appropriée à la composition, et saisissez des messages du type Bon anniversaire ou Joyeuses fêtes. Cliquez deux fois de suite sur l'outil **Déplacement** pour valider.

Améliorez le texte

15 Utilisez les poignées des cadres de texte pour les redimensionner et les disposer correctement. Dans la palette **Illustrations et effets**, cliquez sur **Wow Chrome**, puis sur **Wow Chrome contour brillant**. Convertissez le texte en image en sélectionnant **Simplifier le calque** dans le menu **Calque**. Utilisez les options **Teinte/Saturation** pour modifier la couleur du texte converti.

Rendez le texte translucide

16 Dans la palette des **Calques**, passez du mode **Normal** au mode **Lumière crue** afin de rendre le texte légèrement transparent. Copiez-le en maintenant la touche **Alt** enfoncée. Positionnez les copies de façon à ce que la distance entre chacune soit harmonieuse et identique sur toute la composition. Enregistrez votre travail et imprimez-le (voir encadré ci-dessus).

Boîte cadeau

Créez une jolie boîte personnalisée à offrir en toute circonstance

Le plaisir d'offrir est renforcé par le charme et l'attrait du paquet cadeau. Quoi de plus inventif que d'offrir de jolies boîtes personnalisées et adaptées aux occasions. Il vous suffit pour cela de concevoir un modèle que vous décorerez selon les personnes à qui vous destinez les cadeaux. Utilisez ce projet comme base de travail de création dans Photoshop Elements et personnalisez les boîtes avec des couleurs et des photos originales.

IL VOUS FAUT : Photoshop Elements • Une imprimante couleur
VOIR AUSSI : Papier cadeau, page 120 • Transformer une photo, page 74

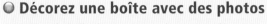

⬤ Décorez une boîte avec des photos

Imaginez de belles boîtes aux couleurs vives décorées avec vos photos de famille ! La boîte présentée à droite a été réalisée à partir de photos traitées avec un effet pop art (voir page 81). Pour insérer des images, cliquez sur l'une des faces de la boîte, comme aux étapes 15 et 16 de ce projet. Appuyez sur **Ctrl+O** pour ouvrir une image. Appuyez sur **Ctrl+V** puis positionnez l'image sur votre modèle de boîte. Appuyez ensuite sur **Ctrl+G** pour la grouper avec le calque précédent. La photo est recadrée à l'intérieur du carré blanc. Procédez de même pour les autres faces de la boîte.

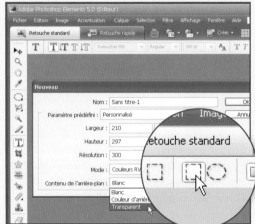

Créez une page transparente

1 Démarrez Photoshop Elements et cliquez sur Retoucher et corriger les photos. Sélectionnez **Nouveau, Fichier vide** dans le menu **Fichier**. Dans la section **Paramètre prédéfini**, choisissez le papier de format **Lettre**. Sélectionnez le **Mode Couleurs RVB** et dans **Contenu de l'arrière-plan**, choisissez **Transparent**. Cliquez sur **OK**. Appuyez sur **M** pour activer l'outil **Rectangle**.

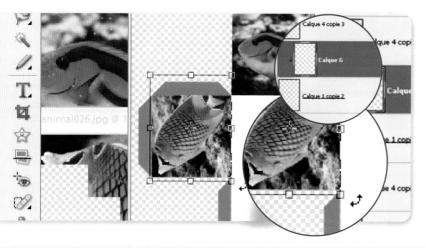

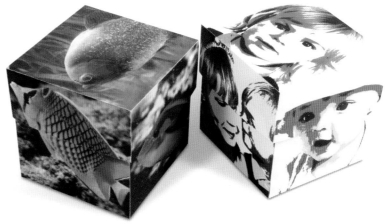

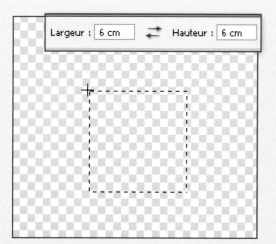

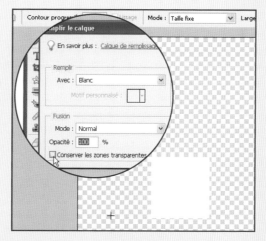

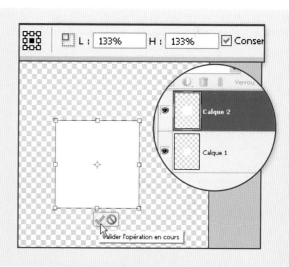

Dessinez un carré

2 Appuyez sur **M** pour activer l'outil **Rectangle**. Dans la barre d'options, choisissez **Rectangle**. Réglez le **Contour progressif** sur **0** puis cliquez sur **Mode** et choisissez **Taille fixe**. Saisissez 6 cm (tapez cm après le chiffre pour passer les unités en centimètres) dans **Largeur** et **Hauteur**. Cliquez ensuite au centre de votre page pour placer un carré. La sélection autour du carré apparaît en pointillé.

Remplissez le carré de blanc

3 Dans le menu **Edition**, choisissez **Remplir la sélection**. Sélectionnez **Blanc** dans **Remplir Avec** puis passez le **Mode de Fusion** sur **Normal** et l'**Opacité** sur **100 %**. Décochez **Conserver les zones transparentes**. Cliquez sur **OK** pour remplir le carré de blanc. Affichez la page en entier en appuyant sur **Ctrl+0** (zéro). Appuyez sur **Ctrl+X** (couper), puis sur **Ctrl+V** (coller). Le carré est placé au centre de la page.

Dupliquez et redimensionnez le carré

4 Appuyez sur **Ctrl+V** à nouveau pour créer une copie du carré. Il apparaît sur un nouveau calque. Appuyez sur **Ctrl+T** pour **Transformer le calque**. Dans la barre d'options, assurez-vous que le **Point de référence**, dans le diagramme en haut à gauche, est bien placé au milieu. Saisissez 133 % pour **L** (largeur) et **H** (hauteur). Validez l'opération.

⦿ Accompagnez votre cadeau d'une carte

Appuyez sur **Ctrl+N** pour ouvrir un **Fichier vide**. Réglez la **Largeur** et la **Hauteur** en fonction de la dimension de la carte qui sera pliée. Définissez une **Résolution** de **300 pixels/pouce**, un **Mode Couleurs RVB** et un **Arrière-plan Blanc**. Cliquez sur **OK**. Ajoutez une couleur ou un motif avec la fonction **Remplir le calque** (étape 16) ou une photo (encadré page 126). Appuyez sur **Ctrl+A** (**Tout sélectionner**) et, depuis le menu **Image**, choisissez **Recadrer**. Dans ce même menu, sélectionnez **Redimensionner, Taille de la zone de travail**. Réglez la **Largeur** sur **200 %** et cliquez sur la flèche **Position au milieu**. Passez la **Couleur d'arrière-plan** sur **Autre** et choisissez une couleur. Cliquez deux fois sur **OK**. Imprimez la carte, découpez-la et pliez-la. Écrivez un message. À l'aide d'une perforeuse, percez un petit trou dans son coin gauche. Passez-y une ficelle et accrochez la carte à votre cadeau.

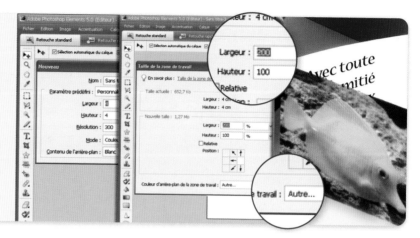

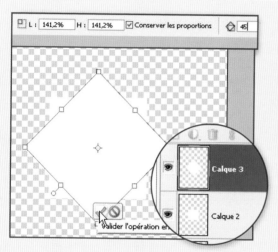

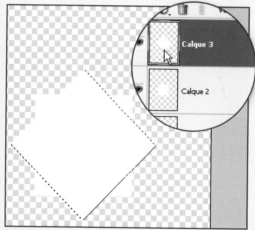

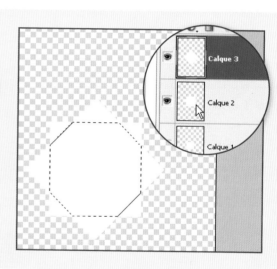

Créez une copie décalée

5 Vous obtenez ainsi un carré de 8 cm avec une bordure de 1 cm autour du premier carré. Appuyez sur **Ctrl+V** pour coller une autre copie du carré original, qui apparaît encore une fois sur un nouveau calque, nommé **Calque 3**. Appuyez sur **Ctrl+T** pour **Transformer le calque**. Réglez **L** (Largeur) et **H** (Hauteur) sur **141,2 %**. Saisissez 45 pour l'angle de **Rotation**. Validez l'opération.

Sélectionnez le carré décalé

6 Vous obtenez une forme en diamant, ses côtés passant par les coins du carré original (Calque 1). Celui-ci est complètement caché par le Calque 2. Combinez maintenant les **Calques 2** et **3** pour ne conserver que l'intersection des deux carrés. Cliquez sur la petite vignette à côté du nom du **Calque 3** dans la palette des calques, tout en maintenant la touche **Ctrl** enfoncée.

Créez l'intersection des carrés

7 Pour sélectionner le diamant, maintenez les touches **Ctrl**, **Maj** et **Alt** enfoncées et cliquez sur la vignette du **Calque 2**. Le pointeur se transforme, indiquant que la nouvelle sélection sera l'intersection pratiquée avec la sélection précédente. Le contour en pointillé présente un carré dont les coins sont coupés. Appuyez sur **Maj+Ctrl+N** pour créer un nouveau calque et cliquez sur **OK**.

Assemblez la base

Imprimez la base de la boîte sur un papier glacé. Découpez-la sans oublier les languettes. Encollez les quatre languettes latérales, côté imprimé, puis mettez-les en place et pressez-les pour leur permettre d'adhérer aux parois. À présent, encollez les languettes à l'extrémité, face non imprimée, repliez-les à l'intérieur de la boîte et collez-les. Votre base est assemblée.

Assemblez le couvercle

Lorsque vous imprimez votre modèle de pliage, réglez l'**Echelle** de la **Zone d'impression** à **105 %** dans la fenêtre d'**Aperçu avant impression**. Si un message d'avertissement vous informe que l'image risque de dépasser de la zone imprimable, décochez **Ajuster au support**. Cliquez sur **OK**. Découpez la forme autour des languettes. Collez les languettes du couvercle.

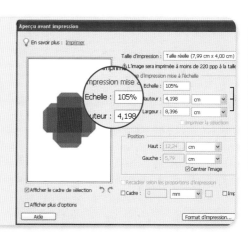

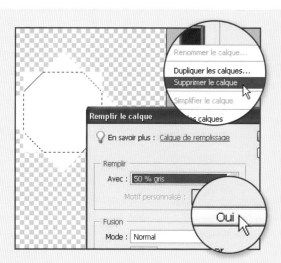

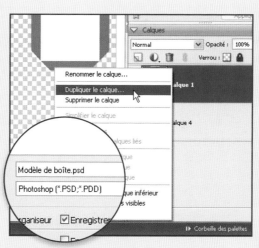

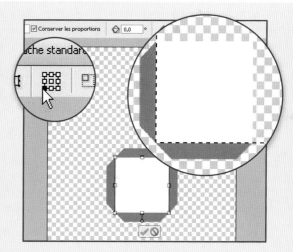

Supprimez les calques gênants

8 Dans le menu **Edition**, choisissez **Remplir la sélection**. Dans **Remplir Avec**, choisissez **50 % gris**. Cliquez sur **OK** pour remplir la sélection. Vous n'avez plus besoin des Calques 2 et 3. Cliquez sur le Calque 2 et maintenez la touche **Maj** enfoncée tout en sélectionnant le Calque 3. Effectuez un clic droit et choisissez **Supprimer le calque**. Cliquez sur **Oui**. Appuyez sur **Ctrl+D** pour tout désélectionner.

Passez la forme grisée en arrière

9 Cliquez sur le **Calque 1** et déplacez-le en haut de la liste. Vous obtenez un carré blanc orné de languettes. Dans le menu **Fichier**, choisissez **Enregistrer** et sauvegardez votre fichier au format Photoshop (.PSD). Nommez-le Modèle de boîte. Cliquez sur **Enregistrer** puis sur **OK**. Supprimons à présent deux languettes. Faites un clic droit sur le **Calque 1** et cliquez sur **Dupliquer le calque** puis sur **OK**.

Découpez les languettes inutiles

10 Appuyez sur **Ctrl+T** pour **Transformer le calque**. Dans la barre d'options, cliquez sur le point en bas à gauche du **Point de référence** et passez L et H à **150 %**. Confirmez l'opération. Appuyez sur **Ctrl** et cliquez sur le **Calque 1 copie**. Effectuez un clic droit sur son nom et choisissez **Supprimer le calque**. Cliquez sur **Oui**. Cliquez sur le **Calque 4** et appuyez sur **Suppr** pour effacer la zone sélectionnée.

⬤ Réalisez une boîte en forme de maison

Vous pouvez varier les formes de boîtes et profiter des modèles pour réaliser de nouvelles créations. Imprimez une autre copie du modèle de boîte et du couvercle. Colorez les formes pour donner un aspect « brique » (étape 16). Assemblez la boîte et le couvercle. Ouvrez ensuite le modèle que vous avez créé à l'étape 9. Choisissez **Enregistrer sous** dans le menu **Fichier** et nommez-le **Toit**.

Appuyez sur **V** pour activer l'outil **Déplacement**, cliquez sur le carré blanc (1) et cliquez sur **Remplir le calque**. Remplissez-le avec un gris sombre pour figurer le toit. Maintenez la touche **Alt** enfoncée, cliquez sur le carré et déplacez le curseur pour effectuer une copie juste en dessous. Créez une autre copie (2). Déplacez les languettes pour les copier sur le carré du haut. Relâchez la touche **Alt** et déplacez les languettes sur le carré du bas. Vous obtenez ainsi une forme ressemblant à un haltère (3).

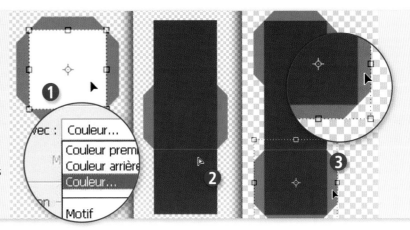

Ajoutez les autres faces

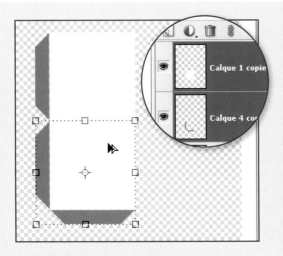

11 Appuyez sur **Ctrl+D** pour tout désélectionner. Maintenez enfoncée la touche **Maj** et cliquez sur le **Calque 1**. Appuyez sur **V** pour activer l'outil **Déplacement**. Maintenez la touche **Alt** enfoncée, cliquez sur le carré blanc et déplacez le curseur pour copier le carré et ses languettes. Placez-le sous le carré original. Placez une seconde copie du carré à gauche du carré original.

Déplacez les languettes

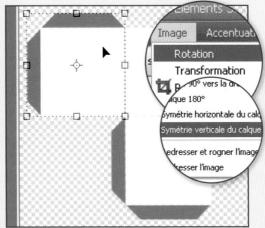

12 Dans le menu **Image**, choisissez **Rotation**, **Symétrie verticale du calque**. Déplacez les formes pour que le carré retrouve sa juste place. Maintenez la touche **Alt** enfoncée et copiez les formes en haut, au centre. Faites passer les languettes à droite en choisissant **Symétrie horizontale du calque** dans le menu **Image**, **Rotation**. Disposez cette copie et copiez-la pour placer le dernier carré à droite.

Achevez votre modèle

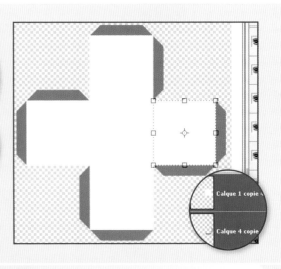

13 Déplacez les languettes vers le bas en optant pour une **Symétrie verticale du calque**, dans le menu **Image**, **Rotation**. Remettez le carré en place. Vous obtenez ainsi le dessin présenté ci-dessus. Choisissez **Enregistrer sous** dans le menu **Fichier** et nommez le fichier Base de la boîte. Cliquez sur **Enregistrer** et OK. Dans la palette des calques, sélectionnez les deux calques.

CRÉATION D'OBJETS

Cliquez sur le carré du milieu et appuyez sur **Ctrl+T** pour le **Transformer**. Cliquez à côté d'un des coins du carré. Maintenez la touche **Maj** enfoncée et effectuez une rotation de 45°. Disposez-le entre les autres carrés (**4**). Validez l'opération et appuyez sur **Ctrl+T** pour le **Transformer** à nouveau. Dans la barre d'options, réglez **L** à **124**% et **H** à **70,5**%. Validez. Maintenez la touche **Alt** enfoncée et déplacez la forme (diamant) pour la copier à gauche afin de compléter le toit. Appuyez sur **Ctrl+S** pour enregistrer. Imprimez le toit, pliez les languettes et les côtés (**a**) pour former le sommet du toit. Collez les languettes à l'intérieur du triangle (**b**). Fixez le toit sur le couvercle de la boîte.

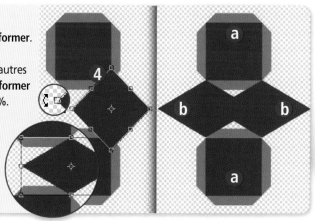

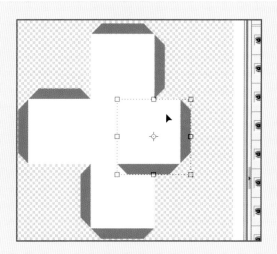

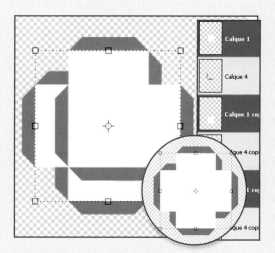

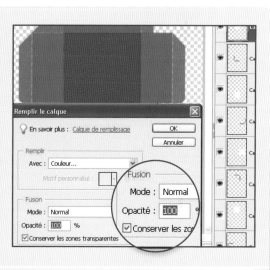

Réduisez les côtés

14 Sur la page, déplacez les formes sélectionnées vers le centre. Placez-les de façon à ce que le centre de la sélection touche les côtés du carré central. Appuyez sur **Maj+Ctrl+[** pour placer les calques tout en bas. Dans la palette des calques, cliquez sur le calque du haut, maintenez la touche **Maj** enfoncée et cliquez sur celui en dessous. Déplacez les formes vers le centre.

Réalisez un couvercle

15 Procédez ainsi pour les quatre côtés. Enfin, cliquez sur le calque du haut, maintenez la touche **Ctrl** enfoncée et cliquez sur les calques contenant les carrés blancs. Appuyez sur **Maj+Ctrl+]** pour les faire remonter. Choisissez **Enregistrer sous** dans le menu **Fichier** et donnez-lui un nouveau nom, Couvercle de la boîte. Cliquez sur l'arrière-plan transparent puis sur le carré blanc central.

Ajoutez de la couleur

16 Dans le menu **Edition**, choisissez **Remplir le calque**. Cochez **Conserver les zones transparentes**. Choisissez **Couleur** dans **Remplir Avec** et sélectionnez une couleur. Validez. Sélectionnez les faces rectangulaires et colorez-les en procédant de même. Appuyez sur **Ctrl+O** et ouvrez la **Base de la boîte**. Cliquez sur chaque carré blanc et colorez-les. Cliquez sur **Enregistrer** dans le menu **Fichier**.

Un calendrier à votre image
Réalisez un calendrier avec une photo pour chaque mois

Les beaux calendriers que l'on trouve dans les boutiques pour la nouvelle année proposent souvent de magnifiques illustrations. Mais pourquoi ne pas créer vous-même votre calendrier personnalisé ? Choisissez vos plus belles images et offrez à vos proches un cadeau qu'ils conserveront toute l'année. Grâce aux modèles proposés par Microsoft Office, vous n'aurez plus qu'à intégrer vos illustrations, à imprimer le calendrier, à le relier et à l'accrocher !

IL VOUS FAUT : Microsoft Excel ● Photoshop Elements ● Des photos
VOIR AUSSI : Tableaux et graphiques dans Excel, page 300

● Modèles personnalisés

Les modèles de calendriers de Microsoft représentent un gain de temps considérable lors de la création d'un calendrier personnalisé. Il vous suffit d'insérer vos photos et de modifier les polices. Sélectionnez pour cela le texte et choisissez une police. Conservez la même pour tous les mois et restez dans l'harmonie pour les jours et les semaines. Changez les couleurs en sélectionnant les cellules et la couleur de remplissage.

Rendez-vous sur Office Online

1 Démarrez Excel et cliquez sur **Se connecter à Microsoft Office Online** depuis le volet Office à droite. Le site de Microsoft Office Online s'ouvre alors dans votre navigateur par défaut. Cliquez sur le lien **Calendriers** dans **Modèles de documents**. Vous obtenez alors une large sélection de modèles de calendriers destinés entre autres à Microsoft Excel.

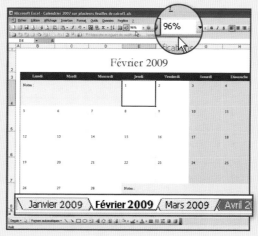

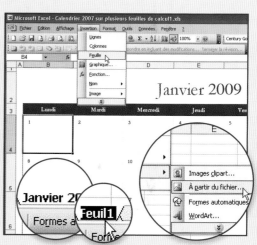

Téléchargez un modèle

2 Cliquez sur **Calendrier 2009 sur plusieurs feuilles de calcul (12 pages, Lun-Dim)**. Cliquez ensuite sur le lien **Télécharger maintenant**. Le modèle que vous avez sélectionné est automatiquement téléchargé dans Microsoft Excel. Il ne vous reste plus qu'à choisir **Enregistrer sous** dans le menu **Fichier** pour le conserver sur le disque dur de votre PC.

Effectuez un zoom

3 Si vous ne voyez pas la page en entier, choisissez un mode d'affichage différent à partir du menu **Zoom** dans la barre d'outils. Chaque mois apparaît dans une feuille de calcul spécifique. Les onglets relatifs aux feuilles de calcul se trouvent en bas de l'écran. Pour consulter la page d'un mois en particulier, cliquez sur un des onglets. Tous les modèles de calendriers ne se présentent pas ainsi.

Insérez une photographie

4 Cliquez sur l'onglet **Janvier 2009** et sélectionnez **Feuille** dans le menu **Insertion** afin d'ajouter une nouvelle feuille devant celle de janvier. Elle contiendra la photo dédiée à ce mois. Effectuez un double-clic sur l'onglet **Feuil1** et nommez-le **Photo jan**. Appuyez sur **Entrée**. Dans le menu **Insertion**, sélectionnez **Image** puis **À partir du fichier**. Cliquez sur **Insérer** après avoir choisi l'image.

Faites-le dans Word

Vous trouverez des calendriers similaires et des modèles tout aussi intéressants destinés à Word sur le site Office Online. Démarrez Word, puis cliquez sur **Se connecter à Microsoft Office Online** dans le **Volet Office**. Choisissez un modèle et téléchargez-le comme à l'étape 1. Insérez vos images et personnalisez le calendrier comme vous l'avez fait dans notre projet avec Excel.

Le papier idéal

Les fournisseurs de papier pour imprimantes à jet d'encre proposent des papiers épais et brillants qui donneront un aspect plus professionnel à votre réalisation et vous permettront de conserver votre calendrier plus longtemps. Parcourez le Web à la recherche du papier qui conviendra le mieux à vos compositions. Certains sites vous permettent de le commander en ligne.

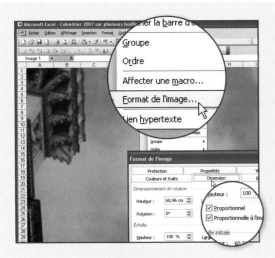

Redimensionnez la photo

5 À moins d'avoir prévu la dimension de la photo, votre image risque d'être trop grande et vous n'en verrez qu'une partie à l'écran. Effectuez un clic droit sur l'image et choisissez **Format de l'image** dans le menu. Cliquez sur l'onglet **Dimension**. Par défaut, **Proportionnel** est coché de façon à vous permettre de modifier la Hauteur et la Largeur sans pour autant déformer l'image.

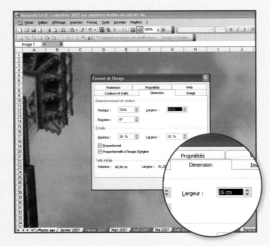

Changez d'orientation

6 Des photos de paysages seraient parfaites pour notre calendrier. Pour que l'image s'intègre dans le format lettre, redimensionnez-la. Ne dépassez pas 25 cm de large et 15 cm de haut. Dans le cadre de notre projet, l'image s'étendra des colonnes **A** à **H** et des lignes **0** à **27**. Si vous souhaitez la placer en **Portrait**, découpez-la avec l'outil de **Rognage** disponible sous l'onglet **Image** de la boîte **Format de l'image**. Validez.

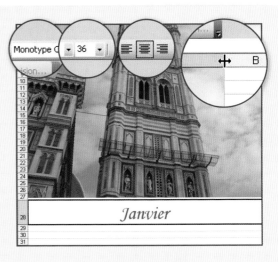

Nommez le mois

7 Cliquez sur la première cellule de la colonne A et saisissez Janvier. Sélectionnez une police et choisissez un corps **36 pt**. Optez pour une couleur. Il est esthétiquement préférable de conserver cette couleur pour tout le calendrier. Cliquez sur la cellule **Janvier** puis sur le bouton **Centré** dans la barre d'outils. Cliquez et redimensionnez la colonne A pour l'ajuster à la largeur de la photo.

Créez un planificateur

Si vous souhaitez créer un planificateur personnalisé, explorez la diversité des modèles proposés par Microsoft Office Online. Rendez-vous à l'adresse http://office.microsoft.com et cliquez sur l'onglet **Modèles**. Dans la zone **Liens rapides**, vous trouverez des **Calendriers et planificateurs**. Vous constaterez qu'il en existe de toutes sortes, en fonction des occasions ou des situations de la vie courante.

Si vous recherchez des planificateurs plus conventionnels ou destinés à un usage professionnel, cliquez sur **Plannings**. Une liste de documents exploitables dans le cadre de l'organisation du travail ou dans celui de l'entreprise vous sera proposée.

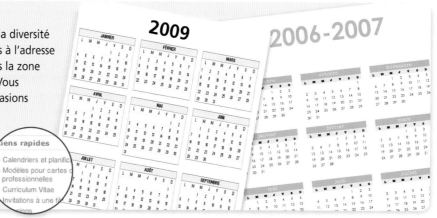

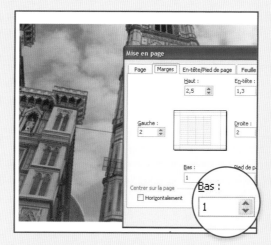

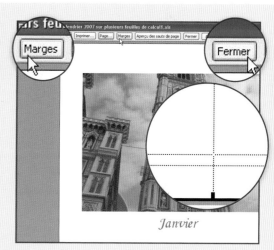

Visualisez avant d'imprimer

8 Cliquez sur **Aperçu avant impression** dans la barre d'outils, pour afficher le calendrier tel qu'il sera imprimé. Ne vous inquiétez pas s'il n'est pas, pour l'instant, satisfaisant. Cliquez sur le bouton **Page** dans la fenêtre d'**Aperçu** et sous l'onglet **Page** de la boîte de dialogue **Mise en page**, modifiez l'**Orientation** à **Paysage** et vérifiez que le papier est bien en format lettre.

Ajustez les marges

9 Cliquez sur l'onglet **Marges** et réduisez la marge du **Bas** à **1 cm**. Vous pouvez aussi réduire la marge du **Haut**, mais pensez à laisser davantage de place en haut du calendrier pour l'accrocher au mur. Assurez-vous que votre imprimante pourra tout imprimer. Cliquez sur **OK** pour visualiser le résultat de vos modifications. Vérifiez également que la photo et le texte sont bien placés.

Peaufinez le document

10 Pour affiner les calages, cliquez sur le bouton **Marges** et déplacez les repères à votre convenance. Si votre image ne rentre pas sur la page, diminuez sa taille (étape 6). Si elle est trop petite, cliquez sur **Fermer** et agrandissez-la. Centrez tous les éléments horizontalement en déplaçant les marges et en ajustant vos calages. Revenez à l'**Aperçu** autant de fois que nécessaire.

⬤ Trouvez des solutions en ligne

Les moteurs de recherche tels que Google ou Yahoo! proposent eux aussi des calendriers originaux (http://calendar.google.com, http://fr.calendar.yahoo.com). Vous devrez préalablement vous inscrire pour profiter de ces services. Votre agenda peut être privé ou ouvert à tous, de façon à échanger des informations dans le cadre de vos activités sportives, par exemple. Vous pourrez l'imprimer et de nombreux modèles vous permettront de créer des calendriers personnalisés.

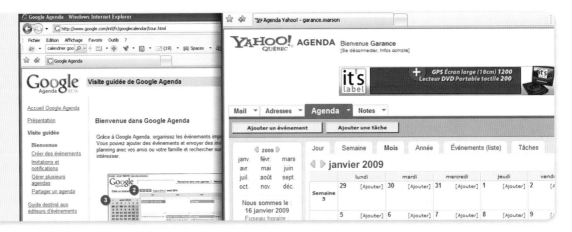

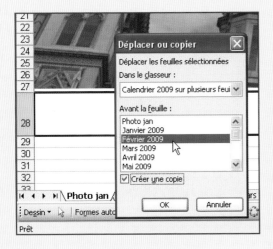

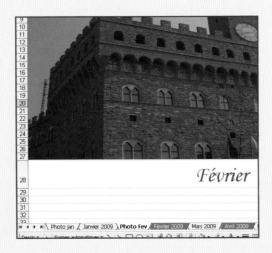

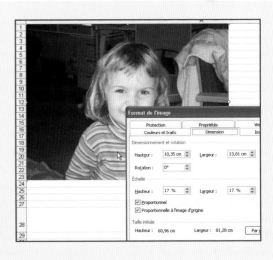

Passez au mois suivant

11 Faites un clic droit sur l'onglet **Photo jan** et sélectionnez **Déplacer ou copier**. Choisissez **Février 2009** dans la liste **Avant la feuille** et cochez **Créer une copie**. Une nouvelle feuille apparaît avant **Février 2009**. Elle se nomme **Photo jan (2)**. Renommez-la **Photo fév**. Cliquez sur la photo et appuyez sur la touche **Suppr**. Cliquez sur la cellule **A1** pour insérer une image comme à l'étape 4.

Complétez le calendrier

12 Redimensionnez l'image et, si nécessaire, recadrez-la. Elle doit être de la même dimension que celle de janvier. Saisissez Février à la place de Janvier et répétez les opérations précédentes pour copier la feuille de calcul et placer les images et le texte sur les autres pages du calendrier. Procédez de même pour tous les mois de l'année.

Anniversaires et occasions spéciales

13 Illustrez des événements particuliers, comme des anniversaires, à l'aide de photos de famille. Recadrez-les et redimensionnez-les dans Excel. Vous les retoucherez dans Photoshop Elements. Ne les agrandissez pas trop au risque d'altérer leur qualité. Revenez à Excel, sélectionnez la cellule **Date** pour ajouter la photo et choisissez **Image, A partir du fichier** dans le menu **Insertion**.

● Choisissez la bonne reliure

Si vous avez réalisé un petit nombre de calendriers, mieux vaut les faire relier par des professionnels de la reliure. Vous pouvez également vous rendre chez un reprographe équipé du nécessaire pour relier vos documents.

Mais vous pouvez aussi les personnaliser en les reliant vous-même. Vous devrez vous munir d'une perforeuse à trois trous de grande dimension. Si vous n'en possédez pas, vous pouvez aussi utiliser une perforeuse simple, mais veillez bien à ce que les perforations soient alignées. Il ne vous reste plus qu'à passer un joli ruban dans les trous prévus à cet effet. Laissez un trou au milieu pour permettre l'accrochage du calendrier au mur.

● Conservez-le longtemps

Pour garder votre planificateur en bon état tout au long de l'année, couvrez-le avant de le placer sur votre bureau. Vous pouvez également le faire plastifier dans des boutiques spécialisées ou le recouvrir de papier adhésif transparent. Ainsi, vous pourrez poser dessus votre tasse de café, faire glisser votre souris sans l'altérer. C'est la meilleure solution pour que votre planificateur résiste toute l'année.

Redimensionnez la photo

14 Cliquez et déplacez les poignées aux coins de la photo pour modifier ses dimensions. Maintenez la touche **Maj** enfoncée pour conserver les proportions. Pour effectuer des rotations, utilisez la poignée verte située au-dessus de l'image. Faites en sorte que l'image s'intègre parfaitement dans la cellule et réduisez éventuellement son opacité pour inscrire une mention manuscrite une fois imprimée.

Modifiez la photo

15 Faites un clic droit sur l'image et sélectionnez **Format de l'image**. Cliquez sur l'onglet **Image**. Dans la zone **Contrôle de l'image**, sélectionnez **Filigrane** dans **Couleur**. Vous réduirez ainsi le contraste et la lumière de la photo. Cliquez sur **OK** et, si vous le souhaitez, rouvrez la boîte de dialogue **Format de l'image** pour régler les valeurs de **Luminosité** et de **Contraste** manuellement.

Imprimez le calendrier

16 Sélectionnez **Imprimer** dans le menu **Fichier**. Dans la boîte de dialogue **Imprimer**, cochez la case **Tout** dans **Étendue**. Si vous souhaitez effectuer ensuite des corrections sur certaines pages, vous pourrez les imprimer individuellement en cochant la case **Page(s)** et en entrant celle concernée. Il ne vous reste plus qu'à agrafer les pages entre elles.

Jour de pluie à l'île des Sœurs Le début du match a été compromis par des averses passagères. Page 2

Découvrez en exclusivité le jeune joueur de l'équipe sélectionné pour ses qualités et sa méthode.

Terrible victoire hier

par VALERIE ROBINSON

Les buts de l'année sont toujours les plus fameux. **PHOTO: IAN LITTLE**

Dans les deux cas, l'assistant aurait effectivement été fondé à lever son peau. Mais inversement, on ne devrait pas se scandaliser et faire [...] fixation sur ce que l'on [...] d'erreurs », alors que le [...]me" arbitral, en l'occurrence, [...] le sens du jeu et de [...] règle. L'absurdité étant, [...], que l'on reproche [...] aux juges de ligne de [...]sser le doute profiter à [...]ve. Au passage, on n[...] [...]bitrage vidéo, en favor[...] [...]igation strictement [...]tive des règl[...] [...]t le jou[...]

Une solution : inciter les assistants à laisser vraiment le doute profiter à l'attaquant, voire instaurer une marge d'un mètre, le hors-jeu devrait alors être jugé sur le critère principal de l'avantage pris ou non par l'attaquant sur le défenseur... Mais on comprend bien qu'en sortant le ruban à mesurer à chaque action, on produit l'effet inverse : une crainte qui paralyse les assistants et les incite à opter pour le moindre « crime » : avorter l'action plutôt que laisser

Ce que l'image arrêtée ne montre pas, c'est que Diané ne reste qu'une de récupérer la balle, ce n'est pas parce qu'il a bénéficié d'un temps (ou de cinquante centimètres) d'avance sur son vis-à-vis, mais plutôt... parce que Gallardo lui a adressé un ballon parfait – et, accessoirement, parce que Monsoreau a "joué le hors-jeu". "Jouer le hors-jeu". On devrait s'arrêter plus souvent sur cette expression.

[...]pe gagnante

Les derniers résultats des matchs

DERNIERS MATCHS DE L'ETE

16 octobre
Lévis contre Île-des-Sœurs
Stade du Centre
Arbitre : M. Thierry

26 octobre
Joliette contre Laval
Stade de la Moisson
Arbitre : M. Vacho[...]

LA BELLE PARTIE

12 OCTOBRE 2008

LES PLUS GRANDES AVENTURES SPORTIVES DU SOCCER

Les gardiens de but son[...] prêts à tout pour gagn[...]

Par Frédérique Almeni

C'est sans la moindre conviction que les joueurs se sont lancés sur le terrain hier.
Pourquoi le hors-jeu a-t-il été inventé ? En deux mots : afin d'interdire aux attaquants de camper devant le gardien. Plus globalement, pour éviter que les équipes s'étirent sur la longueur du terrain, au péril de la qualité et de l'équilibre du jeu. Plus précisément, pour empêcher que l'attaquant ne bénéficie d'un avantage trop important sur le défenseur. Malheureusement, le jugement des hors-jeu par la télévision a impliqué une régression totale de la compréhension de la règle : la pseudo-science du « révélateur » aggrave cette évolution en faisant mesurer les positions au centimètre près... Illustration avec le deuxième but de l'équipe de soccer de l'île des Sœurs.

La nouvelle équi[...]

INFORMATIONS UTILES
Mercredi 16 octobre
Grand Championnat

Berger et Guy R[...] Sars) pour décré[...] une série de ral[...] ments ver[...]

LA BELLE PARTIE 12 OCTOBRE 2008

Faites la Une
Créez votre propre journal avec Microsoft Word

CRÉATION D'OBJETS

Que vous soyez capitaine d'une équipe sportive, membre actif d'une association culturelle ou engagé dans la vie associative d'une école, vous êtes désormais prêt à mettre en place un support de communication. La messagerie électronique est très pratique, mais tout le monde ne possède pas un ordinateur et une connexion à Internet ; un journal personnalisé pourra

donc s'y substituer avantageusement, et ce, pour le plaisir de tous.

Grâce à votre PC, vous pourrez organiser les textes et les images dans une mise en page digne de la presse professionnelle. Le format lettre, imprimé en recto/verso, reste le plus adapté pour ce type de réalisation. Voici comment le créer avec Microsoft Word.

IL VOUS FAUT : Microsoft Word ● Photoshop Elements ● Des photos numériques
VOIR AUSSI : Créer un album-souvenir, page 112 ● Mise en page avec Microsoft Word, page 328

Logiciel de mise en page

Microsoft Word propose de nombreuses fonctions permettant de réaliser des documents de haute qualité. Mais des programmes plus adaptés à la mise en page, comme Microsoft Publisher, http://office.microsoft.com/publisher, ou Serif PagePlus, www.freeserifsoftware.com, sont parfaitement adaptés aux documents plus complexes. Vous pouvez télécharger PagePlus SE, une version allégée du logiciel. Seul inconvénient, il est en anglais.

PagePlus SE - Desktop Pub
● Ads & Broch
● Business Sta
● Flyers & For
● Invitations
● Greeting Ca
● Over 500+ t

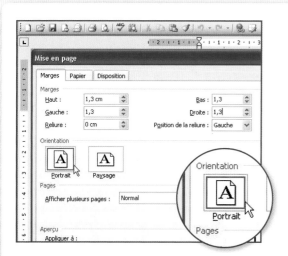

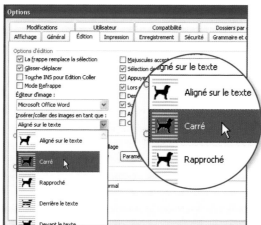

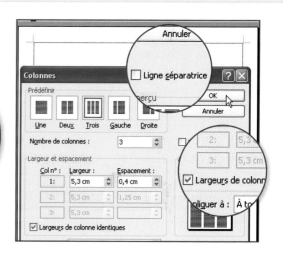

Créez un document vierge

1 Démarrez Microsoft Word. Dans le menu **Fichier**, choisissez **Mise en page**. Sous l'onglet **Papier**, choisissez **Lettre**. Sous l'onglet **Marges**, réglez toutes les marges sur **1,3 cm** et l'**Orientation** sur **Portrait**. Laissez **Normal** dans **Afficher plusieurs pages** et cliquez sur **OK**. Cliquez sur le menu **Affichage** et choisissez **Page**. Cliquez sur le **Zoom** et choisissez **Page entière**.

Paramétrez Microsoft Word

2 Sous **Barres d'outils** dans **Affichage**, assurez-vous que **Mise en forme**, **Dessin** et **Image** sont sélectionnés. Choisissez **Options** dans le menu **Outils**. Sous l'onglet **Affichage**, cochez toutes les options de mode **Page** et de mode **Web**. Sous l'onglet **Général**, décochez **Créer automatiquement des zones**. Sous l'onglet **Edition**, cliquez sur **Insérer/coller des images...** et choisissez **Carré**. Cliquez sur **OK**.

Définissez les colonnes

3 Dans le menu **Format**, choisissez **Colonnes**. Cliquez sur l'icône présentant **Trois colonnes**. Cochez **Largeurs de colonne identiques**. L'option **Espacement** permet de définir l'espace (appelée gouttière) entre les colonnes, de façon à ce qu'elles soient bien séparées. Réglez cette valeur sur **0,4 cm**. Décochez **Ligne séparatrice**. Pour finir, cliquez sur **OK**.

● Apostrophes droites et à la française

Les guillemets et les apostrophes ne correspondent pas toujours aux conventions typographiques. Il vous faut donc les convertir en choisissant **Options de correction automatique** dans le menu **Outils**. Cliquez sur l'onglet **Lors de la frappe** et dans **Remplacer**, cochez **Guillemets ' ' ou " " par des guillemets ' ' ou « »**.

Vous pouvez également ajouter des caractères spéciaux en choisissant **Caractères spéciaux** dans le menu **Insertion**. Sous l'onglet **Caractères spéciaux**, effectuez un double-clic sur le caractère souhaité. Vous trouverez ici tous les types de traits d'union associés à leur raccourci clavier qui permettent de saisir ces caractères sans repasser par l'option **Caractères spéciaux**.

● Hiérarchie d'informations

Une grande image doit toujours être placée en haut de la page, près du titre, pour ne pas alourdir la composition. Les autres paragraphes peuvent contenir des images plus petites et le texte doit conserver le même corps sur toute la page. Vous pouvez varier les polices, sans dépasser trois polices par page. L'emploi du gras et de l'italique allège également votre document. Votre composition doit être lisible et cohérente.

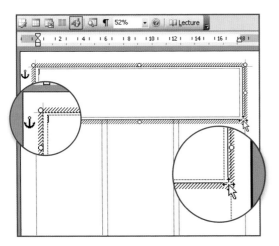

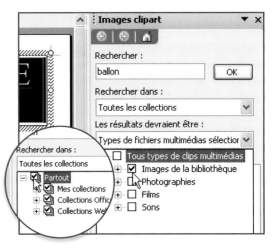

Ajoutez du texte

4 Vous obtenez une page découpée en colonnes. Créez maintenant un bloc de façon à saisir votre titre. Choisissez **Zone de texte** dans le menu **Insertion**. Le curseur se transforme en une croix. Cliquez en haut à gauche de la page, dans le coin d'une marge, maintenez le bouton de la souris appuyé et dessinez votre bloc texte. Celui-ci doit occuper toute la largeur de la page.

Mettez en forme le texte

5 Saisissez le titre de votre journal en lettres majuscules et sélectionnez-le. Dans la barre d'outils **Mise en forme**, choisissez une police comme le **Times New Roman Bold**, issu du nom d'un célèbre journal anglais. Choisissez **Centré** et optez pour un corps qui permette de bien remplir toute la largeur de la page, sans oublier de réserver une place pour une petite image.

Choisissez un dessin

6 Choisissez un thème relatif à la nature des informations que vous allez communiquer. Dans le menu **Insertion**, sélectionnez **Image**, puis **Images clipart**. Sous **Rechercher**, dans le panneau **Images clipart**, saisissez un mot-clé, ballon dans notre exemple. Cliquez sur **Rechercher dans** et cochez **Partout**. Sous **Les résultats devraient être**, cochez **Images de la bibliothèque**. Cliquez sur **OK**.

Alignez les textes

Les textes dans les colonnes d'un journal sont souvent justifiés, ce qui veut dire que l'espace entre les mots est réparti par ligne de façon à ce que le texte remplisse chaque ligne de gauche à droite. Word propose une option **Justifier**, mais elle reste moins performante que dans un logiciel de mise en page. Il peut donc arriver que les espaces entre les mots ne soient pas uniformes. Si tel est le cas, préférez l'option **Aligné à gauche**.

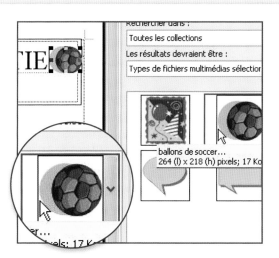

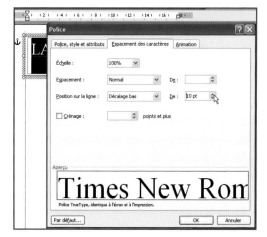

Ajoutez le dessin dans le titre

7 Choisissez une image qui s'apparente au thème principal du journal que vous êtes en train de composer. Cliquez ensuite entre les mots du titre afin d'y placer le curseur, puis insérez le clipart retenu. Ne vous inquiétez pas s'il bouscule le texte. Cliquez sur les poignées de redimensionnement du clipart pour le réduire et lui faire prendre une place proportionnée par rapport au titre.

Ajustez la position de l'image

8 Sélectionnez le texte et choisissez **Police** dans le menu **Format**. Sous l'onglet **Espacement des caractères**, passez **Position sur la ligne** de **Normal** à **Décalage bas**. Augmentez ensuite le paramètre **De** pour faire descendre le texte. Le résultat apparaît dans l'**Aperçu**. Procédez aux ajustements nécessaires. Vous pouvez également changer le corps du texte.

Décrivez votre journal

9 Cliquez à la fin du texte et appuyez sur **Entrée**. Passez le corps à **12 pt** et cliquez sur **Aligné à gauche**. Inscrivez une phrase qui décrit votre journal. Appuyez sur la touche **Tab** et saisissez la date de publication. Cliquez ensuite sur le symbole dans le coin gauche de l'écran. Cliquez dans la règle blanche et déplacez la marge vers la droite pour aligner cette dernière information.

Habillage et recouvrement

Les blocs image et les blocs texte disposent de paramètres avancés accessibles par un double-clic sur le bloc. Dans la boîte de dialogue **Format de l'image**, sous l'onglet **Habillage**, vous avez accès à différents **Styles d'habillage** qui permettent de caler les images par rapport au texte. Cliquez sur le bouton **Avancé** pour gérer l'**Alignement** et le **Positionnement** de l'image et cochez la case **Autoriser le chevauchement de texte** si nécessaire.

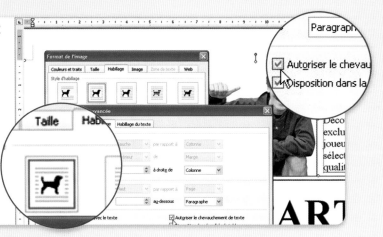

Impression de pro

Si vous avez besoin d'un grand nombre de copies, ayez recours à un imprimeur. La plupart des prestataires en impression numérique proposent d'imprimer des quantités inférieures à mille exemplaires, ce qui n'est pas le cas pour l'imprimerie traditionnelle. Demandez-leur simplement s'ils traitent les fichiers Word.

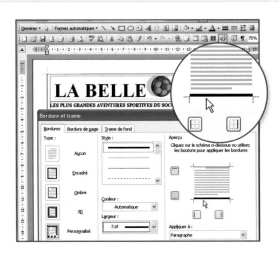

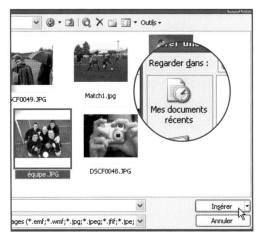

Ajoutez une bordure

10 Laissez le curseur dans la dernière ligne et choisissez **Bordure et trame** dans **Format**. Sous **Bordures**, cliquez sur la première option de **Style**. Passez la **Couleur** sur **Automatique** et réglez la **Largeur** sur **1 pt**. Dans l'**Aperçu**, cliquez au-dessus des lignes grises pour ajouter une ligne. Passez l'**Épaisseur** sur **3 pt** et cliquez sous les lignes grises pour ajouter une ligne plus épaisse. Cliquez sur **OK**.

Insérez une image

11 Cliquez en dehors du bloc texte, puis sur le bouton **Insérer une image** dans la barre d'outils **Image**. Dans la boîte de dialogue qui apparaît, cliquez sur l'image que vous souhaitez utiliser. Si le bouton à droite ne propose pas la fonction **Insérer**, cliquez sur la flèche pour sélectionner cette fonction. Cliquez sur **Insérer** afin d'incorporer le fichier dans votre composition.

Recadrez l'image

12 Cliquez sur l'image pour la sélectionner, puis sur l'outil **Rogner** dans la barre d'outils **Image**. Déplacez les poignées centrales de chaque côté pour recadrer l'image. Conservez l'essentiel. Cliquez à nouveau sur l'outil **Rogner** pour terminer. Placez l'image contre la marge de droite et redimensionnez-la pour qu'elle se place bien sur deux colonnes.

Copyright et crédit photographique

Les journaux n'exploitent jamais des photographies ou des textes sans intégrer une mention spéciale précisant l'auteur. Il s'agit du copyright, qui garantit à l'auteur le suivi de ses droits et de la reproduction de son travail. Alignez à droite ces mentions et ajoutez un petit filet de ¾ pt à l'aide de l'option **Bordure et trame** (voir étape 10). Utilisez une police droite comme l'Arial, Gras, dans un corps plus petit que le texte.

En-tête et pied de page

Le titre du journal doit être répercuté sur chaque page de la publication (en-tête), ainsi que la date et le numéro de la page (pied de page). Les en-têtes et pieds de page du menu **Affichage** permettent de répéter automatiquement ces informations sur chaque page.

Choisissez **En-tête et Pied de page** dans le menu **Affichage** pour ouvrir les blocs permettant de saisir le texte. Pour un journal, mieux vaut opter pour des pieds de page. Saisissez le nom du journal à gauche et appuyez sur **Tab**. Dans le bloc central, vous pouvez ajouter davantage de texte. Appuyez à nouveau sur **Tab**. Dans le bloc de droite, saisissez **PAGE** et à la place du numéro, cliquez sur **Numérotation de page** dans la barre d'outils. Mettez en forme le texte pour terminer.

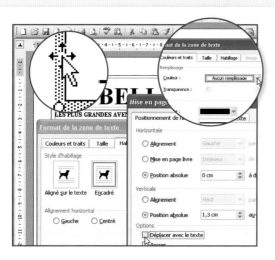

Habillez le texte

13 Placez le curseur sur l'un des bords du bloc texte et effectuez un double-clic. Sélectionnez **Format de la zone de texte**. Sous **Couleurs et traits**, choisissez **Aucun remplissage** pour **Couleur**. Sous l'onglet **Habillage**, sélectionnez le **Style d'habillage Encadré**. Cliquez sur **Avancé** et décochez **Déplacer avec le texte**. Cliquez deux fois sur **OK**, puis n'importe où sur la page.

Saisissez un titre d'article

14 Le curseur se trouve sous le bloc texte. Saisissez le titre de votre article, appuyez sur **Entrée** et commencez à le rédiger. Sélectionnez uniquement le titre et choisissez **Colonnes** dans le menu **Format**. Réglez le **Nombre de colonnes** sur 1. Cliquez sur le bouton **OK**. Sélectionnez à nouveau le titre, agrandissez-le et optez pour la police **Impact** afin de le mettre en forme.

Rédigez l'article

15 Cliquez sur la photo et déplacez-la pour laisser suffisamment de place au titre situé au-dessus. Ajustez sa taille et réécrivez-le s'il ne rentre pas. Saisissez le reste de votre article et mettez-le en forme en le passant en **Times New Roman**, corps **11pt**, **aligné à gauche**. Vous pouvez, pour le moment, vous contenter d'écrire juste la première page de votre article.

◉ Exploitez les styles de paragraphe

Les styles de paragraphe permettent d'appliquer rapidement une mise en forme. Lorsqu'un paragraphe vous convient, cliquez dessus et choisissez **Styles et mise en forme** dans le menu **Format**. Cliquez sur **Nouveau style**, donnez-lui un nom et cliquez sur **OK**. Cliquez sur la liste **Style** dans la palette **Mise en forme** pour appliquer celui que vous venez de créer.

Pour appliquer rapidement des paramètres de mise en forme à un texte, cliquez sur celui qui vous intéresse et choisissez le style. Si vous souhaitez appliquer des modifications aux paragraphes et qu'elles se répercutent sur l'intégralité de votre texte, cliquez sur le style dans le panneau **Styles** et effectuez un clic droit sur ce dernier. Choisissez **Mettre à jour** pour correspondre à la sélection.

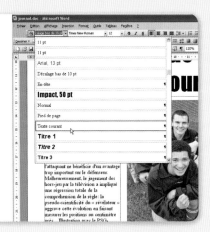

◉ Impression et papier

Imprimez vos pages en suivant les procédures détaillées dans la section « Imprimez votre album », page 119. Retournez vos pages pour les imprimer recto/verso. Pour une imprimante à jet d'encre, optez pour un papier assez épais afin que l'encre n'endommage pas la feuille lorsqu'elle repasse dans l'imprimante. Évitez les papiers glacés car ils rendent les textes difficiles à lire. Choisissez plutôt un beau papier mat.

Améliorez votre une

16 Certains journaux contemporains ont pris l'habitude de placer une accroche au-dessus du nom du journal. Pour en faire autant, cliquez sur le bloc texte contenant le nom du journal, et maintenez la touche **Maj** enfoncée afin de sélectionner la photo. Descendez-les pour laisser la place à cette accroche. Le titre passe directement au-dessus.

Créez une accroche

17 Ajoutez des extraits d'images qui apparaîtront dans les articles de votre journal. Préférez les images détourées, cela conférera un peu plus de légèreté à l'ensemble (voir encadré page 145). Associez un texte à chaque image, comme à l'étape 4, et passez-le en **Arial**, **13 pt**. Une fois votre accroche terminée, le titre revient naturellement à sa place.

Placez un filet

18 Cliquez dans le nom du journal et utilisez **Bordure et trame** comme vous l'avez fait à l'étape 10 afin d'ajouter un filet de 1½ pt au-dessus. Placez correctement les textes dans l'accroche. Alignez-les et placez les images sur le filet. Maintenez la touche **Alt** enfoncée pour les déplacer légèrement ou la touche **Ctrl** associée aux flèches du clavier.

● Détourez vos images

Les images détourées sont préférables pour illustrer l'accroche de votre journal. Pour effectuer les détourages, ouvrez la photo dans Photoshop Elements et créez une sélection. Employez plutôt l'outil **Lasso**. Remplissez le reste de l'image avec du blanc, appuyez sur **D** pour modifier la couleur d'arrière-plan et intervertissez la sélection (**Maj+Ctrl+I**). Appuyez enfin sur **Suppr**. Enregistrez l'image sous un autre nom et insérez-la dans Microsoft Word.

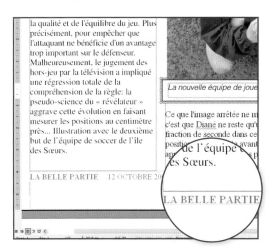

Finalisez votre travail

19 Ajoutez un pied de page (voir l'encadré « En-tête et pied de page », page 143) ainsi qu'une légende sous l'image. Saisissez le texte dans le même corps que l'article, mais choisissez une police différente, sans sérif de préférence. Ajustez et saisissez le texte de la légende et laissez la place pour que l'article passe bien sur trois colonnes.

Créez un bloc coloré

20 En bas à gauche, ajoutez un dernier bloc texte pour y placer des informations pratiques. Effectuez un double-clic sur ses bords et utilisez les options **Format de la zone de texte**. Sous l'onglet **Couleurs et traits**, choisissez une couleur claire qui mettra bien le bloc en évidence. Sous **Zone de texte**, ajoutez une **Marge intérieure** de 0,2 cm.

Terminez la rédaction des articles

21 Vous pouvez maintenant compléter la partie rédactionnelle de votre journal. Gardez la même police dans toute votre composition. Agencez les espaces et ajoutez des images pour illustrer vos articles. Appuyez sur **Entrée** à la fin de votre page pour en créer une nouvelle. Sauvegardez votre travail et imprimez-le en couleur.

Aménagements intérieurs

Tracez les plans de la cuisine de vos rêves avec Microsoft Excel

Et si vous pensiez à réaménager votre cuisine ? À première vue, tout cela paraît très compliqué. Et pourtant, grâce à Excel, vous allez dessiner en un clin d'œil la cuisine idéale, entièrement repensée en fonction des meubles dont vous disposez et de ceux que vous allez acheter. Vous travaillerez sur une feuille quadrillée pour créer un plan qui servira de point de départ à votre imagination. Vous l'imprimerez et pourrez ensuite aménager votre cuisine intelligemment.

IL VOUS FAUT : Des catalogues d'ameublement ● Microsoft Excel ● Photoshop Elements
VOIR AUSSI : Créer un livre de contes, page 180 ● Tableaux et graphiques dans Excel, page 300

● Sélectionnez une forme

L'option **Sélectionner les objets** (étape 2) permet de travailler avec des formes variées. Lorsque cette option est active, le bouton est sélectionné dans la barre d'outils **Dessin**. Vous pouvez donc déplacer ou redimensionner une forme. Mais vous pouvez aussi remplacer du texte en cliquant sur la forme et en saisissant du texte. Pour modifier du texte dans une cellule, vous devrez désélectionner cette option.

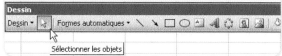

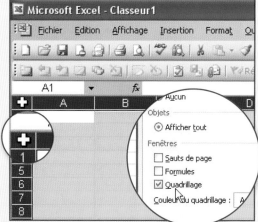

Travaillez avec un quadrillage

1 Démarrez Excel. Choisissez **Options** dans le menu **Outils**, cliquez sur **Affichage** et cochez **Quadrillage**. Faites en sorte que les cellules soient carrées. Les dimensions des cellules sont différentes en fonction de leurs paramètres prédéfinis (voir page 149). Cliquez sur le rectangle dans le coin supérieur gauche de la feuille de calcul, au-dessus du 1 et à gauche du A, pour sélectionner toutes les cellules.

Un peu de couleurs

Repeindre les murs, changer le revêtement du sol et les stores des fenêtres suffit à donner à votre cuisine un air neuf. Prenez en photo votre cuisine, dans un plan aussi large que possible, et importez la photo sur votre PC. Dans Photoshop Elements, servez-vous de l'outil **Lasso** pour sélectionner les éléments que vous souhaitez repeindre. À l'aide des touches **Maj** et **Alt**, ajoutez ou retirez des zones de votre sélection (voir étapes 7 et 8 de la page 183). Inutile d'être d'une précision extrême, l'objectif est juste de vous donner une idée du résultat une fois la cuisine repeinte. Ouvrez la boîte **Teinte/Saturation** et modifiez les paramètres à votre convenance. Vous constatez ainsi l'effet obtenu en fonction des tons que vous souhaitez conférer à votre cuisine.

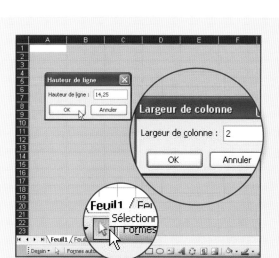

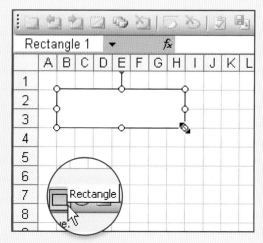

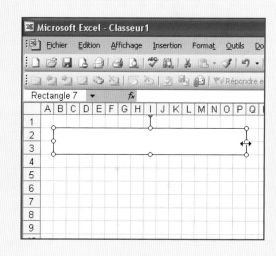

Redimensionnez les cellules

2 Dans le menu **Format**, choisissez **Ligne** puis **Hauteur**. Saisissez 14,25 et cliquez sur **OK**. Dans ce même menu, choisissez **Colonne**, puis **Largeur**. Saisissez 2 et cliquez sur **OK**. Les cellules sont maintenant carrées. Repérez la barre d'outils **Dessin**. Si vous ne la voyez pas, cliquez sur le menu **Affichage** et choisissez **Barres d'outils**, **Dessin**. Cliquez sur la flèche **Sélectionner les objets**.

Dessinez le plan

3 Cliquez sur l'outil **Rectangle** dans la barre d'outils **Dessin**. Commencez par dessiner les murs de la cuisine (voir « Mesurez une pièce », page 148). Tous les éléments de la cuisine seront représentés sur le quadrillage. Maintenez la touche **Alt** enfoncée pour dessiner sur les lignes. Commencez par cliquer sur un carré en haut à gauche et dessinez un rectangle.

Dessinez les murs

4 Dessinez le mur en prenant les mesures et arrêtez-vous lorsqu'il y a une ouverture. Prenez les carrés comme mesure étalon. Chaque carré peut représenter 10 cm. Décidez, par exemple, que les murs extérieurs auront deux carrés d'épaisseur alors que les cloisons n'en auront qu'un seul. Maintenez la touche **Alt** enfoncée pour être certain de finir sur une ligne du quadrillage.

● Mesurez une pièce

Pour créer le plan de votre cuisine, commencez par mesurer les dimensions de la pièce. Dessinez-la avec un papier et un crayon, même si l'échelle n'est pas parfaitement restituée. N'oubliez pas de signaler l'emplacement des portes et des fenêtres ainsi que leurs mesures. Pensez aux niches et aux alcôves. Votre plan doit s'adapter à l'échelle définie d'un carré pour 10 cm. Vérifiez l'exactitude des mesures avant de commencer le plan.

● Imprimez votre plan

Choisissez **Mise en page** dans le menu **Fichier**. Sélectionnez le format lettre et réglez la **Qualité d'impression** sur une valeur élevée. Choisissez l'orientation en fonction du plan. Définissez l'**Échelle** comme expliqué dans « Imprimez à l'échelle », page 151 ou cochez **Ajuster**. Cliquez sur le bouton **Aperçu avant impression** pour vérifier que votre plan sera imprimé correctement. Si nécessaire, cliquez sur **Marges** et déplacez-les pour définir la pièce. Cliquez sur **Imprimer**.

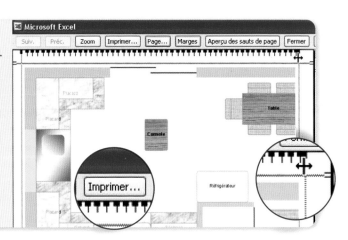

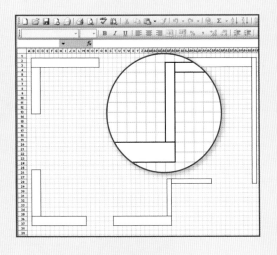

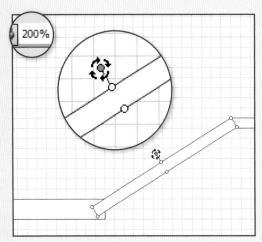

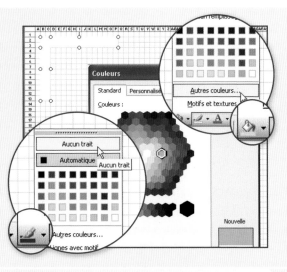

Dessinez dans le quadrillage

5 Si les mesures de vos murs ne correspondent pas exactement à des multiples de 10 cm, arrondissez pour tomber sur une ligne. Cette marge d'erreur ne peut en aucun cas perturber votre aménagement et vous y verrez plus clair une fois que vous aurez dessiné votre pièce en entier. Vérifiez bien les mesures et assurez-vous que vous avez placé les ouvertures au bon endroit.

Dessinez des murs en diagonale

6 Si vous disposez d'un mur en diagonale, commencez par le dessiner droit puis effectuez une rotation à l'aide de la poignée verte en haut de la forme. Si vous ne voyez pas la poignée, effectuez un zoom. Cliquez dans la forme et placez-la correctement. Fiez-vous aux autres murs droits voisins pour le placer convenablement, en fonction de l'angle qui convient.

Ombrez les murs

7 Une fois les murs dessinés, maintenez la touche **Maj** enfoncée et cliquez sur chaque mur l'un après l'autre. Dans la barre d'outils **Dessin**, cliquez sur la flèche **Couleur du contour** (pinceau) et cochez **Aucun trait**. Cliquez sur la flèche **Couleur de remplissage** (pot de peinture) et choisissez une couleur pour vos murs. Cliquez sur **Autres couleurs** pour étendre le choix de couleurs.

Dressez la liste des tâches

Faites la liste de ce qui sera nécessaire à l'aménagement de la cuisine. Cliquez sur l'onglet **Feuil2** et dans la barre d'outils **Dessin**, cliquez sur **Sélectionnez les objets**. Cliquez sur la cellule **A1**. Saisissez le titre des colonnes Objets, Quantité, Coût et Total. Cliquez sur **A2** et remplissez les cellules avec vos informations. Sous **Total**, appuyez sur =, cliquez sur la cellule sous **Quantité**, appuyez sur *, puis cliquez sur la cellule sous **Coût**. Appuyez sur **Entrée**. Sélectionnez la deuxième ligne, appuyez sur **Ctrl** et déplacez la bordure noire pour la copier sur la ligne suivante. Remplissez les cellules, laissant le **Total** s'effectuer tout seul. Répétez les opérations pour compléter la liste. Cliquez sur la cellule sous **Total**, puis sur le bouton **Somme automatique** et appuyez sur **Entrée**.

Taille des cellules

Les feuilles de calcul Excel sont conçues pour contenir des nombres. La largeur des cellules est définie en fonction de paramètres arbitraires selon le nombre de chiffres qu'elles contiennent. Si vous doublez la **Largeur** des colonnes, la colonne ne sera pas pour autant deux fois plus large. Utilisez les paramètres prévus à l'étape 2 pour obtenir des carrés de 0,5 cm de côté.

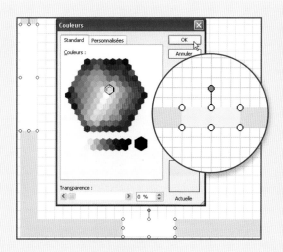

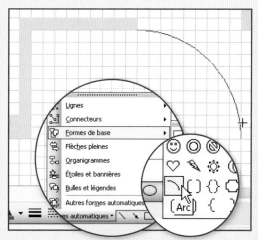

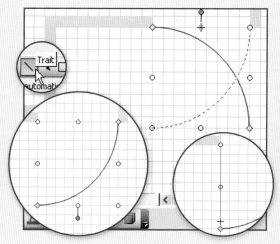

Ajoutez des fenêtres

8 Dessinez des rectangles pour indiquer les fenêtres. Maintenez la touche **Maj** enfoncée, cliquez sur ces rectangles afin de les sélectionner et ajoutez-leur des couleurs. Inutile d'employer des symboles pour les fenêtres, il suffit simplement de choisir des couleurs différentes de celles des murs. Choisissez les couleurs dans **Couleur de remplissage**, sélectionnez **Aucun trait** dans **Couleur du contour**.

Ajoutez des portes

9 Pour les portes, utilisez les symboles architecturaux conventionnels (un arc), de façon à montrer leur sens d'ouverture. Dans la barre d'outils **Dessin**, cliquez sur **Formes automatiques**, choisissez **Formes de base** et cliquez sur **Arc**. Maintenez les touches **Alt** et **Maj** enfoncées pour rester sur la grille et ne pas déformer l'arc. Cliquez sur le coin d'un mur et tracez un arc.

Complétez le symbole des portes

10 En fonction du sens d'ouverture des portes, vous devrez redisposer l'arc. Dessinez-le dans les dimensions qui conviennent et tournez-le ensuite, en maintenant les touches **Alt** et **Maj** enfoncées. Cliquez sur une extrémité de l'arc et tournez-le dans le bon sens. Ensuite, dans la barre d'outils **Dessin**, cliquez sur le bouton **Trait** et dessinez un trait pour fermer la porte.

● Découpez pour mieux planifier

Préparez plusieurs feuilles imprimées pour les découper et visualiser votre pièce sans être devant votre ordinateur. Maintenez la touche **Ctrl** enfoncée, cliquez sur l'onglet **Feuil1** et déplacez-le vers la droite pour copier la feuille. Recommencez plusieurs fois. Sur **Feuil1 (2)**, cliquez sur chaque fenêtre, mur et porte et supprimez-les en appuyant sur **Suppr**. Réorganisez les meubles en îlots et ajoutez-en si nécessaire. Imprimez la feuille et découpez les meubles. Imprimez votre plan et déplacez vos éléments en les posant à l'endroit où vous avez envie de les installer.

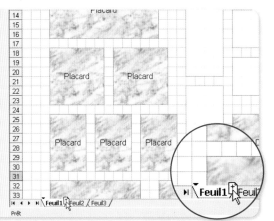

● Imprimez les quadrillages

Les quadrillages de Microsoft Excel sont là pour vous aider à disposer les éléments et ne sont normalement pas visibles à l'impression. À l'étape 1, vous décidez d'afficher ou non l'option **Quadrillage**. Si vous souhaitez voir apparaître le quadrillage à l'impression de votre plan, cliquez sur l'onglet **Feuille** dans la boîte de dialogue **Mise en page** et sous **Impression**, cochez l'option **Quadrillage**.

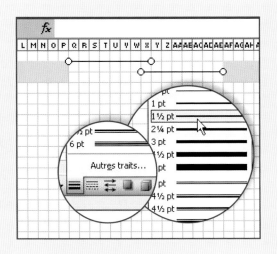

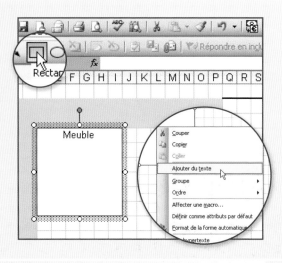

Ajoutez des portes coulissantes

11 Les portes-fenêtres peuvent être représentées par deux arcs. Pour les portes coulissantes, préférez des traits qui se croisent. Employez l'outil **Ligne**. Lorsque vous avez ajouté toutes les portes, maintenez la touche **Maj** enfoncée et cliquez sur chacun des traits. Dans la barre d'outils **Dessin**, cliquez sur le bouton **Style de trait** et modifiez l'épaisseur du trait en passant à 1½ **pt**.

Sauvegardez votre plan

12 Une fois votre plan terminé, choisissez **Enregistrer** dans le menu **Fichier** et sauvegardez votre travail en format Excel (*.xls). Nommez-le Plan de ma cuisine (vide). Dans le menu **Fichier**, choisissez **Enregistrer sous** et donnez-lui un autre nom : Plan de ma cuisine 1. Ainsi, vous ne modifierez pas accidentellement votre travail de repérage en essayant toutes sortes d'aménagements.

Ajoutez les meubles

13 Dans la barre d'outils **Dessin**, choisissez **Rectangle**. Maintenez les touches **Alt** et **Maj** enfoncées, dessinez une forme sur six cellules. Effectuez un clic droit sur la forme et choisissez **Ajouter du texte**. Un contour ombré apparaît autour de la forme et le curseur clignote. Saisissez Meuble. Dans la barre d'outils **Mise en forme**, cliquez sur le bouton **Centré**.

Imprimez à l'échelle

L'option **Échelle** dans la boîte de dialogue **Mise en page** permet de déterminer l'échelle à laquelle sera imprimé votre plan. Si vous avez suivi les étapes décrites pour créer un plan métrique, chaque cellule représente un carré de 0,5 cm de côté (10 cm dans la réalité). Ainsi, si vous imprimez à 100 %, l'échelle sera de ¹⁄₂₀, ce qui représente un choix standard pour les plans d'architecture.

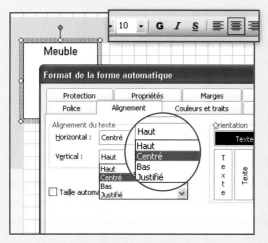

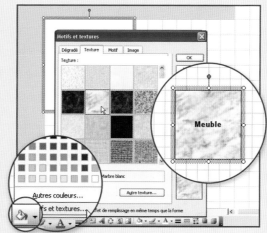

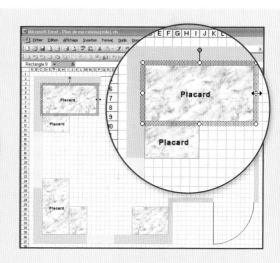

Mettez en forme le texte

14 Pour améliorer l'esthétique des textes, modifiez les polices, les corps et attribuez-leur des options de **Mise en forme**. Effectuez un clic droit sur la forme et choisissez **Format de la forme automatique**. Sous l'onglet **Alignement**, choisissez **Centré** sous **Alignement du texte**, **Vertical**. Cliquez sur **OK**. Passez les contours des formes en gris et remplissez-les de couleur.

Modifiez l'apparence des meubles

15 Dans la barre d'outils **Dessin**, cliquez sur **Couleur de remplissage** et choisissez **Motifs et textures**. Sous l'onglet **Texture**, choisissez une matière qui correspond à celle de votre mobilier de cuisine. Cliquez sur **OK**. Pour créer d'autres meubles, maintenez les touches **Ctrl** et **Maj** enfoncées et cliquez sur le meuble. Déplacez-le pour le copier.

Ajoutez d'autres meubles

16 Pour créer des meubles dans d'autres dimensions, maintenez la touche **Alt** enfoncée et déplacez l'une des poignées. Les tailles les plus communes pour des meubles de cuisine sont 40, 50, 60, 80, 100 et 120 cm, pour 60 cm de profondeur. Dans le coin, vous aurez besoin d'un carrousel pour ranger les casseroles. Utilisez la même forme de base pour tous les meubles.

● Aménagez une cuisine avec Ikea

Ikea propose un logiciel gratuit permettant de planifier votre cuisine et de la visualiser en 3D. Destiné à héberger des meubles Ikea, le programme est fort intéressant car il fournit des modèles de représentations de toutes les sortes.

Rendez-vous sur www.ikea.com/ms/fr_CA/rooms_ideas/splashplanners.html et cliquez sur le bouton **Télécharger**. Enregistrez-le sur votre Bureau. Effectuez un double-clic sur l'icône du logiciel pour l'installer et suivez les instructions.

Une fois le programme démarré, il vous propose de dessiner votre pièce. Choisissez la **Forme de la pièce** dans le menu déroulant à gauche de l'écran. Ajustez sa forme en

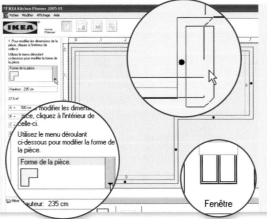

Fenêtre

déplaçant les murs. Les dimensions s'affichent simultanément. En bas, vous trouverez les fenêtres et les portes aux mesures standard. Vous pouvez modifier les dimensions de vos ouvertures à l'aide des options **Largeur** et **Hauteur** à gauche. Pour les supprimer, appuyez sur **Suppr**. Lorsque vous avez reconstitué la pièce, cliquez sur le deuxième bouton en haut de l'écran pour **Meubler la pièce**. En bas à gauche, vous trouverez tous les mobiliers

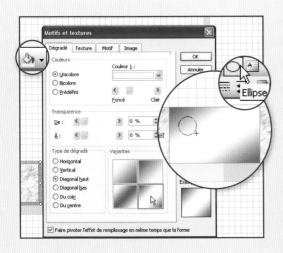

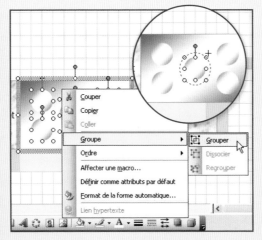

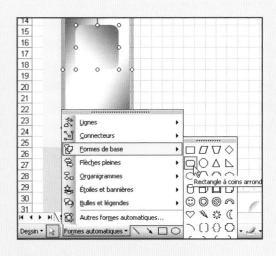

Dessinez la cuisinière

17 Pour représenter la cuisinière, partez de la forme d'un meuble. Faites un double-clic sur le texte et appuyez sur **Suppr**. Choisissez **Motifs et textures**, cliquez sur l'onglet **Dégradé** et choisissez **Diagonal haut**. Cliquez sur **OK**. Dans la barre d'outils **Dessin**, cliquez sur **Ellipse**. Maintenez les touches **Alt** et **Maj** enfoncées et dessinez un cercle pour représenter une plaque. Donnez-lui la même texture.

Dupliquez et ajustez les plaques

18 Maintenez les touches **Alt** et **Ctrl** enfoncées et dupliquez le cercle. Placez les plaques à égale distance les unes des autres. Pour agrandir un cercle, maintenez les touches **Ctrl** et **Maj** enfoncées et déplacez les poignées. Maintenez la touche **Maj** enfoncée et sélectionnez tous les cercles ainsi que le rectangle. Effectuez un clic droit sur la sélection et choisissez **Groupe**, **Grouper**.

Dessinez un évier

19 Copiez un meuble, ajustez sa taille (100 à 120 cm), supprimez le texte dans la forme et choisissez une **Texture**. Dans la barre d'outils **Dessin**, cliquez sur **Formes automatiques**, puis **Formes de base** et choisissez **Rectangle à coins arrondis**. Maintenez la touche **Alt** enfoncée, dessinez l'évier. Remplissez-le avec la texture qui vous semble la plus adaptée.

de la gamme Ikea. Cliquez sur le petit signe + pour ouvrir les dossiers et rechercher les meubles qui vous intéressent. Le mobilier s'affiche sous votre plan. Placez-le sur le plan et effectuez des rotations à l'aide des boutons prévus à cet effet pour l'installer convenablement. Pour avoir une idée de ce que donne votre aménagement, cliquez sur le troisième bouton **Afficher votre cuisine en 3D**. Servez-vous des boutons de navigation et de zoom pour rentrer dans l'espace et faire tourner la pièce. Dans le mode d'affichage en 3D, vous pouvez repositionner les éléments et en ajouter de nouveaux. Le quatrième bouton fournit la **Liste des produits** que vous avez utilisés, associés à leur code catalogue, la quantité et leur prix. Cliquez sur le bouton **Enregistrer** pour conserver une copie de votre plan, que vous pouvez également imprimer.

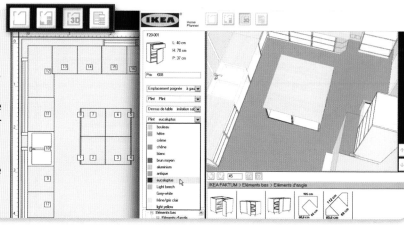

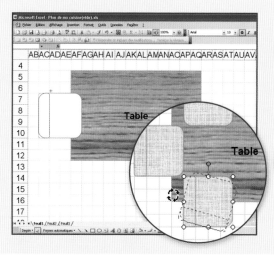

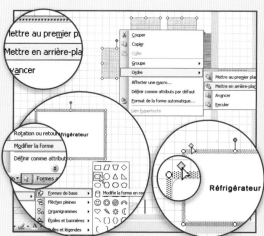

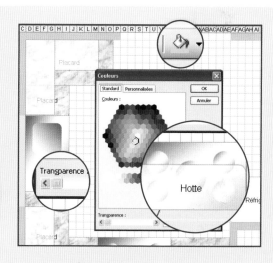

Dessinez une table et des chaises

20 Pour dessiner une table, copiez un meuble et redimensionnez-le (120 x 180 cm pour une table de six personnes). Modifiez le texte et appliquez une **Texture** qui convient. Pour une chaise, dessinez un **Rectangle à coins arrondis** sur quatre cellules carrées (40 x 40 cm). Ajoutez-en une de plus pour le dossier. Groupez les objets et appliquez-leur une **Texture**.

Dessinez un réfrigérateur

21 Passez les chaises en arrière-plan et placez-les sous la table. Pour le réfrigérateur, copiez et redimensionnez un meuble, modifiez le texte et choisissez **Blanc** comme **Couleur de remplissage**. Dans la barre d'outils **Dessin**, cliquez sur **Dessin, Modifier la forme**. Choisissez **Formes de base** puis **Rectangle à coins arrondis**. Déplacez les poignées jaunes pour ajuster les angles.

Ajoutez un habillage

22 Copiez un meuble et supprimez le texte. Cliquez sur **Couleur de remplissage** et choisissez **Autres couleurs**. Cliquez sur le **Blanc** et passez la **Transparence** à 33 %. Cliquez sur **OK**. Maintenez la touche **Alt** enfoncée, déplacez le meuble. Dupliquez-le à volonté. Votre plan de cuisine est prêt. Choisissez **Enregistrer** dans le menu **Fichier** pour le sauvegarder.

Jeu de cartes

Illustrez un jeu de cartes avec vos photos de famille

Et si vous réalisiez un jeu de cartes un peu spécial pour jouer en famille ! Voici comment créer un jeu des 7 familles en prenant comme sujet les membres de votre famille. Récupérez des photographies dans vos albums de famille et transformez-les en caricatures. Ajoutez des textes pour leur donner une fonction et un arrière-plan coloré qui caractérisera chaque famille.

IL VOUS FAUT : Photoshop Elements ● Des portraits de famille
VOIR AUSSI : Créer une bande dessinée, page 32 ● Filtres photo et effets spéciaux, page 316

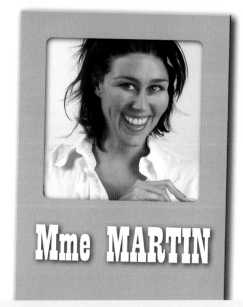

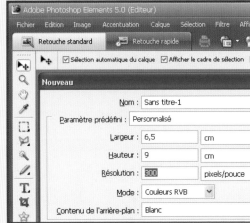

Définissez la taille des cartes

1 Démarrez Photoshop Elements et choisissez **Retoucher et corriger les photos**. Ouvrez un **Fichier vide** en cliquant sur **Fichier, Nouveau**. Réglez la **Largeur** sur 6,5 cm et la **Hauteur** sur 9 cm, ou choisissez les dimensions que vous préférez (voir page 157). Passez la résolution sur **300 pixels/pouce** et le **Mode** en **Couleur RVB**. Laissez le **Contenu de l'arrière-plan** blanc. Cliquez sur **OK**.

Règles du jeu

Pour jouer au jeu des 7 familles, mélangez et distribuez les cartes entre les joueurs. Le premier demande une carte qui lui manque dans son jeu pour constituer une famille. Il désigne quelqu'un et lui dit : « Je voudrais Monsieur X ». Si le joueur a cette carte, il la lui donne et le premier joueur demande alors une autre carte au même joueur ou à un autre. Si le dernier joueur interrogé ne possède pas la carte, c'est à son tour de jouer. Lorsque toutes les familles sont reconstituées, le vainqueur est celui qui en possède le plus.

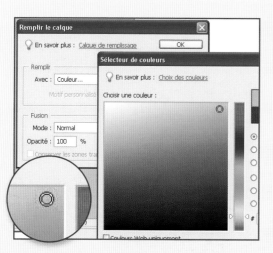

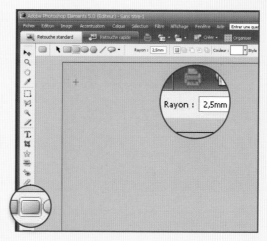

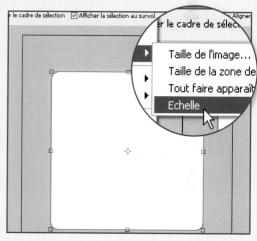

Définissez l'arrière-plan

2 Cliquez dans le menu **Edition** et choisissez **Remplir le calque**. Dans la boîte de dialogue qui s'ouvre, vérifiez que vous êtes en **Mode Normal** et que l'**Opacité** est sur **100 %**. Dans la zone **Remplir Avec**, cliquez sur **Couleur**. Le **Sélecteur de couleurs** apparaît. Choisissez une couleur dans le spectre de manière à bien faire ressortir le fond des cartes. Cliquez sur **OK** deux fois de suite.

Créez un cadre

3 Choisissez l'outil **Forme** en cliquant sur la troisième icône en partant du bas dans la barre d'outils. Vous pouvez aussi appuyer sur la touche **U** pour activer cette fonction. Dans la barre d'options, cliquez sur l'**Outil Rectangle arrondi** et réglez le **Rayon** sur **2,5 mm**. Cliquez sur l'option **Couleur** et choisissez **Blanc**. Le pointeur se transforme en petite croix fine.

Ajustez votre cadre

4 Appuyez sur la touche **Maj** et cliquez pour dessiner une forme carrée. Relâchez le bouton de la souris. Pour centrer la forme, appuyez sur **V** afin d'activer l'outil **Déplacement** et choisissez **Redimensionner**, puis **Echelle**. Vérifiez que le **Point de référence** est bien au centre et, dans la barre d'options, réglez **L** et **H** sur **90 %**. Appuyez sur la touche **Entrée**.

● Effets d'ombre

Vous pouvez placer vos personnages de façon à ce qu'ils semblent assis derrière le cadre. Il suffit pour cela d'ajouter une ombre portée. Dans la palette des calques, cliquez sur celui de texte. Dans le panneau **Illustrations et effets**, sélectionnez **Styles de calque** dans le premier menu, puis **Ombres portées** dans le deuxième. Sélectionnez **Faible** et cliquez sur **Appliquer**. Cliquez sur le calque contenant la forme et sélectionnez **Ombres internes**, puis **Faible**. Cliquez sur **Appliquer**.

● Autres jeux de cartes

Vous pouvez utiliser ces techniques de création de jeux de cartes pour réaliser d'autres types de jeux. Ainsi, rien de plus simple que de faire un jeu de Memory. Créez des paires de personnages déformés et retournez les cartes. À vous de retrouver où se cachent les personnages associés. Vous pouvez aussi réaliser un jeu de cartes traditionnel avec, pour chaque figure, un membre de votre famille.

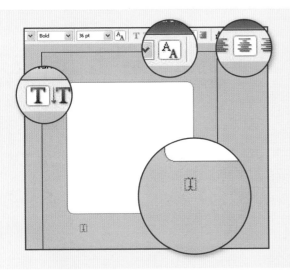

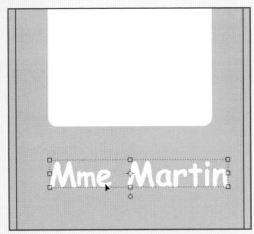

Saisissez le nom

5 Appuyez sur la touche **T** pour activer l'outil **Texte**. Dans la barre d'options, choisissez la première des quatre icônes, **Texte horizontal**. Sélectionnez une police et un corps. Le bouton **AA** doit être sélectionné pour activer l'option **Lissage**. Cliquez sur l'option **Centré** un peu plus loin dans la barre d'options. Cliquez sur la carte, au-dessous du carré blanc.

Saisissez le nom le plus long

6 Les membres de la famille sont traditionnellement appelés M., Mme et Mlle. Commencez par saisir le nom le plus long dans la famille, comme Mme Martin. Sélectionnez le texte et ajustez sa taille à l'aide de la barre d'options. Lorsque ce nom a trouvé sa place, vous êtes certain que les autres rentreront. Cliquez sur l'outil **Déplacement** à deux reprises et disposez le texte.

Ouvrez une photo pour la modifier

7 Si la première carte que vous souhaitez illustrer ne correspond pas au nom que vous avez saisi, activez l'outil **Texte** et modifiez le nom. Cliquez sur **Ouvrir** dans le menu **Fichier** et ouvrez la photo qui vous intéresse. Appuyez sur **C** pour activer l'outil **Recadrage**. Dans la barre d'options, réglez la **Largeur** sur **6 cm**. Faites de même pour la **Hauteur**. Passez la **Résolution** à **300 pixels/pouce**.

Taille et forme

La taille des cartes reste un choix très personnel. Les jeux des 7 familles peuvent contenir 48 cartes de 12 familles. Si vous n'avez le temps que de réaliser une famille, copiez-en les cartes, donnez-leur des noms différents, changez la couleur de l'arrière-plan et le tour est joué ! Vous pouvez également transformer les mêmes personnes et les rendre tellement méconnaissables qu'elles composeront ainsi de nouvelles familles imaginaires : les allongés, les petits, les gonflés, etc.

Pourquoi s'arrêter là ?

Les jeux de cartes ne sont pas les seuls supports qui peuvent être personnalisés avec un éditeur d'image. Vous pouvez, par exemple, créer un jeu de l'oie. Choisissez un papier format lettre dans la boîte de dialogue **Nouveau**. Dessinez des carrés à l'aide de l'outil **Rectangle** (étapes 3 et 4) et nommez-les en employant l'outil **Texte** (étapes 5 et 6). Trouvez des **Formes personnalisées** (voir étape 15 dans « Créer une bande dessinée », page 37) et remplissez les cases avec des animaux ou des symboles amusants.

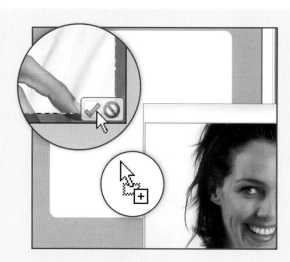

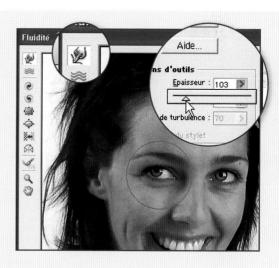

Recadrez la photo

8 Recadrez l'image de façon à ne conserver que le buste de la personne. Déplacez précisément les poignées. Validez les opérations. Appuyez sur la touche **V** pour activer l'outil **Déplacement**. Cliquez sur l'image et déposez-la sur la carte créée précédemment. Positionnez-la et redimensionnez-la de façon à ce qu'elle se place bien sur le carré blanc.

Disposez l'image dans le cadre

9 Dans la palette des calques, déplacez le calque de la photo sous celui du texte. Appuyez sur Ctrl+G. Ainsi, le calque contenant la photo est maintenant groupé avec celui de la forme, juste en dessous. La photo est passée derrière la forme. Pour transformer la photo en caricature, cliquez sur le menu **Filtre** et choisissez **Déformation**, puis **Fluidité**. La boîte de dialogue **Fluidité** affiche la photo.

Choisissez une taille de pinceau

10 En bas de la boîte, vous trouverez l'outil **Reconstruction**, qui annule les effets. L'outil **Zoom** permet de travailler avec plus de précision et l'outil **Main**, de déplacer la photo. Cliquez sur le **Zoom** pour agrandir l'image. Cliquez sur le premier outil **Déformation**. Commencez par ajuster l'**Epaisseur** du pinceau, à droite, et réglez la **Pression** sur 50.

● Imprimez vos cartes

Cliquez sur **Fichier**, **Ouvrir** et ouvrez les fichiers **JPEG** des cartes à imprimer. Cliquez sur **Fichier**, **Imprimer plusieurs photos**. Vos photos apparaissent sous forme de vignettes, à gauche de l'écran. À droite, choisissez votre imprimante et les options d'impression. Cliquez sur le menu nommé **Type d'impression** et choisissez **Tirages individuels**. Cliquez sur le menu **Taille et options d'impression** et choisissez **Personnalisée**. Dans la boîte de dialogue qui apparaît, saisissez les dimensions de vos cartes et cliquez sur **OK**. Décochez la case **Une photo par page** de façon à ce que vos cartes s'organisent automatiquement sur le nombre de pages nécessaire. Cliquez enfin sur **Imprimer**. Pour des résultats optimaux, imprimez sur du papier glacé et de belle qualité. Découpez vos cartes avec un couteau exacto.

Exagérez les joues

11 Pour des résultats satisfaisants, soyez plutôt flatteur avec la personne et évitez les exagérations. Ici, par exemple, les joues déformées de la maman rehaussent simplement son sourire. Pour réaliser ce type d'effets, cliquez sur la pupille droite et déplacez le curseur pour déformer légèrement l'œil vers le haut. Faites de même avec l'œil gauche et étirez les joues toujours vers le haut.

Déformez le nez

12 Vous allez ici exagérer le nez. Dans la fenêtre **Fluidité**, choisissez le cinquième outil nommé **Contraction**. Placez le cercle sur le nez et cliquez tout en maintenant brièvement le bouton de la souris enfoncé pour centrer le cercle. Si vous vous trompez, appuyez sur **Ctrl+Z** afin d'annuler ou choisissez l'outil **Reconstruction** et cliquez sur la zone à corriger.

Travaillez sur les dents et les cheveux

13 La bouche est plus difficile à déformer sans rompre le naturel du visage. Avec l'outil **Contraction**, cliquez sur un coin de la bouche et remontez-le légèrement pour accentuer le sourire. Faites de même pour l'autre côté. Cliquez sur l'outil **Déformation** et déplacez un peu les cheveux pour qu'ils entourent davantage le visage. Utilisez une **Epaisseur** de pinceau plus petite.

Impression professionnelle

Pour imprimer sur du papier glacé épais, ayez recours aux services de reprographie ou de développement de photos numériques. Il existe des services en ligne fort pratiques, www.imaginephoto.ca et www.copiesbureauengros.ca, par exemple.

Vous gagnerez à imprimer deux cartes côte à côte de façon à rentrer dans un format standard et à les découper par la suite. Ouvrez les fichiers de vos cartes. Dans le menu **Image**, choisissez **Redimensionner**, puis **Taille de la zone de travail**. Réglez la **Largeur** sur **200 %**. Cliquez sur la **Position centrale à gauche**. Cliquez sur OK. Ouvrez une autre carte. À l'aide de l'outil **Déplacement**, placez la carte dans ce nouvel espace. Appuyez sur **Ctrl+E** pour fusionner les calques. Cliquez sur **Enregistrer sous** dans le menu **Fichier**. Sauvegardez-le en format **JPEG**. Répétez l'opération pour toutes les paires de cartes.

Enregistrez le projet

14 Achevez la retouche et cliquez sur OK. Choisissez **Enregistrer** dans le menu **Fichier** et sauvegardez votre travail en format Photoshop (*.PSD). Nommez-le **Modèle de carte**. Cliquez sur **Enregistrer**. Choisissez **Enregistrer sous** dans le menu **Fichier** et saisissez un nom de fichier. Passez au **Format JPEG**. Cliquez sur **Enregistrer**. Réglez la **Qualité** sur 8 et cliquez sur OK.

Créez une deuxième carte

15 Pour la deuxième **Carte**, procédez comme aux étapes 7 et 8. Changez le texte et insérez une photo. Dans la palette des **Calques**, cliquez sur l'œil à côté de la photo précédente pour la faire disparaître. Déplacez le calque de la nouvelle image pour qu'il soit juste au-dessus de celui contenant la forme. Les calques sont automatiquement groupés. Utilisez le **Filtre Fluidité** pour réaliser une caricature.

Complétez la famille

16 Sauvegardez votre fichier en format **Photoshop (*.PSD)** puis en format **JPEG**. Ajoutez une troisième carte de la même façon. Créez autant de cartes et de familles que nécessaire et conservez un fichier contenant les calques en format **Photoshop** et un fichier individuel en **JPEG** pour toutes les cartes. Référez-vous aux encadrés des pages 158 et 159 pour optimiser l'impression du jeu.

Drôles de masques !
Transformez-vous le temps d'une fête déguisée

C'est toujours un plaisir, surtout pour les enfants, de se déguiser pour des occasions particulières, tels des anniversaires. Pour fabriquer un masque, la seule chose dont vous avez besoin, c'est d'un modèle photographique. La méthode consiste à créer un côté et à le copier symétriquement pour former la tête en entier. Essayez avec des animaux ou des personnalités trouvés sur Internet, ou même avec des membres de votre famille !

IL VOUS FAUT : Photoshop Elements ● Des photos numériques
VOIR AUSSI : Créer un livre de contes, page 180 ● Portrait de famille virtuel, page 46

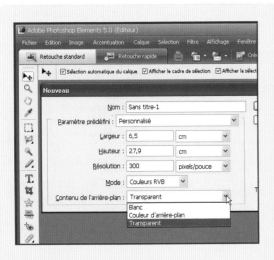

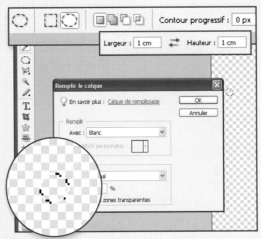

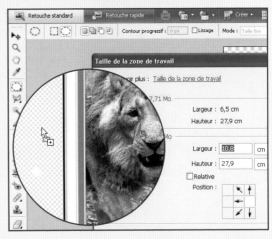

Créez un modèle

1 Démarrez Photoshop Elements et cliquez sur Retoucher et corriger les photos. Cliquez sur Nouveau, Fichier vide dans le menu Fichier. Réglez la Largeur en fonction de la distance entre les yeux (6,5 cm pour un adulte, 5 cm pour un enfant). Passez la Couleur de l'arrière-plan sur Transparent. Cliquez sur OK. Appuyez sur M pour activer l'outil Rectangle de sélection.

Dessinez un rond pour l'œil

2 Dans la barre d'options, choisissez l'Ellipse. Réglez le Contour progressif sur 0 et décochez Lissage. Passez en Mode Taille fixe et réglez la Largeur et la Hauteur sur 1 cm. Cliquez pour définir une sélection. Choisissez Remplir la sélection dans le menu Edition. Choisissez Remplir Avec : Blanc et décochez Conserver les zones transparentes. Cliquez sur OK. Coupez et collez la forme.

Ajoutez une image

3 Dans le menu Image, choisissez Redimensionner, puis Taille de la zone de travail. Modifiez la Largeur et saisissez 10,8 cm pour un format lettre. Cliquez sur la Position centrée à droite. Cliquez sur OK. Cliquez ensuite sur Ouvrir dans le menu Fichier et ouvrez l'image de votre choix. Appuyez sur V pour activer l'outil Déplacement et placez la photo sur la zone de travail.

Miroir, miroir…

La méthode du miroir est une excellente solution mais les résultats peuvent varier en fonction du visage choisi. Avant de placer une photo dans votre modèle, choisissez le côté du visage le plus approprié. S'il ne s'agit pas du côté gauche, retournez le visage, en utilisant l'option **Rotation**, **Symétrie axe horizontal** dans le menu **Image**. En fonction du côté du visage que vous choisirez pour votre masque, les effets obtenus pourront être radicalement différents (voir ci-contre).

Créez des masques simples

Certains visages ne permettent pas d'exploiter l'effet miroir. Essayez alors de créer des masques sans passer par cette méthode. Après avoir redimensionné la zone de travail à l'étape 3, passez directement à l'étape 6. Cliquez sur **OK** pour valider l'opération et insérez la photo (comme à l'étape 4) afin de tomber sur les deux trous des yeux. Dessinez autour de la forme et supprimez l'arrière-plan (étapes 5 et 6).

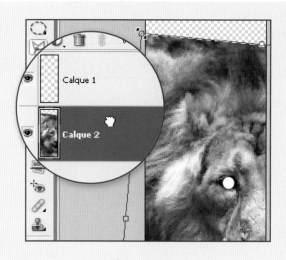

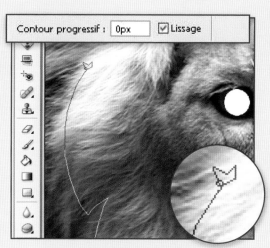

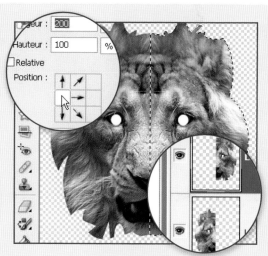

Redimensionnez l'image

4 Dans la palette des **Calques**, déplacez le **Calque 2** sous le **Calque 1**. Le cercle blanc apparaît sur la photo. Redimensionnez l'image, effectuez des rotations et positionnez-la (voir page 182) de façon à ce que l'œil corresponde au trou et à ce que le centre du visage soit aligné sur le côté droit de la zone de travail. Veillez à ce que la tête soit bien centrée. Appuyez sur **Entrée**.

Découpez la forme

5 Appuyez sur **L** pour activer l'outil **Lasso**. Dans la barre d'options, choisissez le **Lasso polygonal**. Réglez le **Contour progressif** sur 0 et cochez **Lissage**. Cliquez sur la zone de travail pour commencer à découper le masque. Faites le tour de la forme et cliquez sur le point de départ pour la fermer. Appuyez sur **Maj+Ctrl+I** pour intervertir la sélection, puis sur **Suppr** pour effacer l'arrière-plan.

Terminez le masque

6 Appuyez sur **Ctrl+A** et choisissez **Recadrer** dans **Image**. Fusionnez les calques (**Maj+Ctrl+E**). Sélectionnez la **Taille de la zone de travail** et réglez la **Largeur** sur 200 %. Placez la **Position** centrée à gauche. Cliquez sur **OK**. Dans **Calque**, choisissez **Dupliquer le calque** et cliquez sur **OK**. Appuyez sur **Ctrl+A** et choisissez **Rotation, Symétrie axe horizontal** dans **Image**. Enregistrez le fichier.

Invitations et menus

De magnifiques invitations et un menu de gourmet

Vous aimez recevoir vos amis chez vous, autour d'un bon repas. Alors, pour un dîner un peu spécial, vous devrez mettre les petites assiettes dans les grandes et, grâce à votre PC, vous réaliserez des menus qui marqueront l'événement. Chaque invité trouvera sa place devant une belle étiquette à son nom, un napperon personnalisé et chacun lira avec délectation son élégant menu. Tout le monde gardera ainsi un souvenir exceptionnel de ce dîner.

IL VOUS FAUT : Photoshop Elements ● Microsoft Word
VOIR AUSSI : Boîtes décorées, page 126 ● Créer une affiche, page 84 ● Jeu des 7 familles, page 154

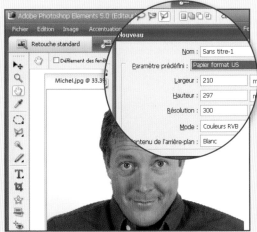

Napperons – Préparez le modèle

1 Démarrez Photoshop Elements. Cliquez sur **Retoucher et corriger les images**. Sélectionnez **Nouveau, Fichier vide** dans le menu **Fichier**. Choisissez un papier format lettre. Réglez la **Résolution** sur 300 pixels/pouce, le **Mode** sur **Couleurs RVB** et le **Contenu de l'arrière-plan** sur **Blanc**. Cliquez sur **OK**. Choisissez **Ouvrir** dans le menu **Fichier** et recherchez une photo d'un invité.

● Créez des étiquettes nominatives

Pour réaliser des étiquettes, suivez la méthode proposée dans l'encadré, page 128. Dans la boîte de dialogue **Nouveau**, réglez la **Largeur** sur **14,75 cm** et la **Hauteur** sur **5,25 cm**. Après avoir sélectionné une couleur, ajoutez un nom comme pour le napperon. Dans **Image**, **Redimensionner**, **Taille de la zone de travail**, doublez la **Hauteur** et choisissez la **Position centrée en bas**. Appuyez sur **Ctrl+S** et enregistrez le fichier en **JPEG**. Appuyez sur **Ctrl+Z** pour retrouver la taille d'origine de la zone de travail et modifiez le nom de l'invité. Doublez à nouveau la zone de travail et enregistrez le fichier sous un nouveau nom. Répétez l'opération pour tous les invités. Appuyez sur **Ctrl+N** et paramétrez le document. Appuyez sur **V** pour activer l'outil **Déplacement** et insérez quatre étiquettes côte à côte. Imprimez-les, découpez-les et pliez-les en deux.

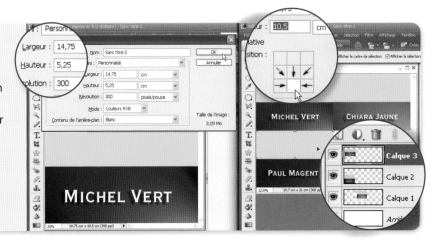

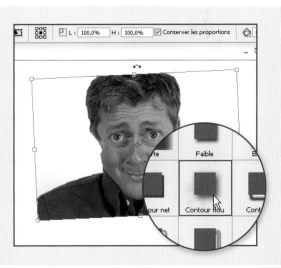

Recadrez votre image

2 Appuyez sur **C** pour activer l'outil **Recadrage**. Dans la barre d'options, réglez la **Largeur** sur 24 cm et la **Hauteur** sur 16 cm. Passez la **Résolution** à 300 pixels/pouce, comme celle de votre document. Cliquez en haut à gauche de votre image et tracez le cadre de sélection pour recadrer votre image à votre convenance. Cliquez sur le bouton de validation afin de confirmer l'opération.

Créez une caricature

3 Dans le menu **Filtre**, sélectionnez **Déformation**, puis **Fluidité** pour transformer le visage (voir « Jeu des 7 familles », pages 157 et 158). Appuyez sur **V** pour activer l'outil **Déplacement**. Cliquez sur la photo et déplacez-la dans le document vide. Positionnez-la de façon à laisser une marge égale de chaque côté, un espace suffisant en haut et une marge plus importante en bas.

Ajoutez une ombre

4 Placez le curseur juste au-dessus de l'image, à proximité d'une poignée, de façon à afficher la double flèche de rotation. Inclinez légèrement l'image et validez l'opération. Dans le panneau **Illustrations et Effets**, choisissez **Styles de calque** dans le premier menu, puis **Ombres portées** dans le second. Sélectionnez **Contour flou** dans les options suivantes.

Drôles de pancartes

Si vous souhaitez accueillir vos invités avec une jolie pancarte pour les guider vers la salle de réception, utilisez la même méthode de réalisation que pour le napperon. Imprimez votre pancarte sur du carton. Employez une perforeuse pour la trouer et accrochez-la sur la porte à l'aide d'une punaise. L'effet est garanti !

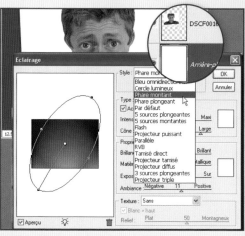

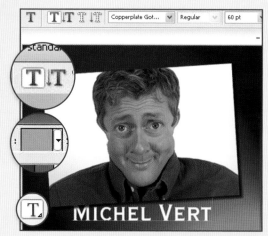

Ajoutez un arrière-plan

5 Dans la palette des calques, cliquez sur Arrière-plan. Dans le menu Edition, choisissez Remplir le calque. Dans la boîte de dialogue, choisissez Couleur dans Remplir Avec et optez pour une couleur. Laissez le Mode sur Normal et l'Opacité à 100 %. Cliquez sur OK. Dans le menu Filtre, choisissez Rendu, puis Eclairage. Sous l'option Style, sélectionnez Phare montant. Cliquez sur OK.

Écrivez le nom de l'invité

6 Appuyez sur T pour activer l'outil Texte. Dans la barre d'options, sélectionnez la première des quatre icônes, nommée Texte horizontal. Choisissez une police bien épaisse et passez le corps à 60 pt. Le bouton AA doit être sélectionné pour obtenir un texte lissé. Cliquez sur la flèche à côté de Couleur et choisissez Blanc. Cliquez sous l'image et saisissez le nom de votre invité.

Imprimez le napperon

7 Pour terminer, cliquez deux fois sur l'outil Déplacement. Centrez le texte sous l'image. Ajoutez une ombre au texte (comme à l'étape 4). Enregistrez le travail (Ctrl+S) et imprimez-le (Ctrl+P). Pour obtenir des informations sur l'impression, référez-vous à la page 187. Si votre imprimante n'imprime pas correctement les bords de la feuille, réduisez l'Echelle à 90 % et découpez le napperon.

● Protégez vos napperons

Pour éviter de tacher vos napperons et pour les conserver plus longtemps, faites-les plastifier. Ainsi, vous pourrez les offrir à vos invités, qui pourront eux-mêmes les réutiliser à volonté. Vous trouverez ce service de plastification chez les reprographes. Vous pouvez également vous rendre sur le Net, certains sites proposant ce service en ligne. C'est le cas par exemple de www.mes-laminations.com. Vous y trouverez toutes les solutions pour conserver vos documents durablement.

● Le bon symbole

Certains caractères n'apparaissent pas sur le clavier. Pour les employer, placez le curseur texte à l'endroit où vous souhaitez intégrer le symbole. Depuis le menu **Insertion**, choisissez **Caractères spéciaux**. Cliquez sur l'onglet **Symboles** et sélectionnez **(texte normal)**. Effectuez un double-clic sur le caractère qui vous intéresse afin de l'insérer dans votre document. Vous pourrez ensuite le copier/coller à volonté.

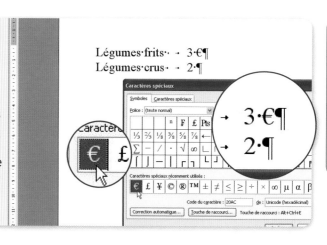

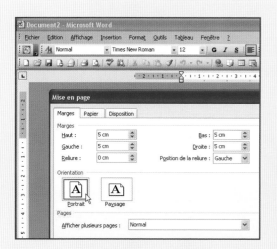

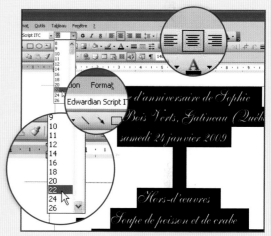

Le menu – Paramétrez la page

1 Démarrez Microsoft Word. Appuyez sur **Ctrl+N** pour créer un **Nouveau document**. Dans le menu **Fichier**, choisissez **Mise en page**. Sous l'onglet **Papier**, choisissez le format lettre. Sous l'onglet **Marges**, passez toutes les marges à **5 cm**. Réglez la **Reliure** sur **0** et optez pour l'**Orientation** en **Portrait**. Cliquez sur **OK**. Dans le menu **Affichage**, choisissez **Page**.

Saisissez la date et l'heure du dîner

2 Cliquez sur l'outil **Zoom** et choisissez **Largeur page**. Si vous ne voyez pas les marges, cliquez sur **Options** dans le menu **Outils**, et, sous l'onglet **Affichage**, cochez **Limites de texte**. Commencez par titrer le dîner. Appuyez sur **Entrée** et saisissez les informations utiles. Appuyez deux fois sur **Entrée** pour laisser de l'espace et saisissez par exemple, Hors-d'œuvre.

Saisissez le menu

3 Appuyez sur **Entrée** et saisissez le nom des plats afin de compléter votre menu. Une fois le menu saisi, appuyez sur **Ctrl+A** pour tout sélectionner. Dans la barre d'outils **Mise en forme**, cliquez sur le bouton **Centré**. Choisissez ensuite une police élégante, comme l'**Edwardian Script**. Choisissez un corps plus gros (**22 pt**) pour que le texte soit bien lisible.

● « Vous êtes cordialement invité… »

Pour réaliser de belles invitations sur le même modèle que les autres documents, suivez les étapes du projet de menu. Dans **Mise en page**, réglez les **Marges** sur **3,5 cm** et l'**Orientation** sur **Portrait**. Sous **Pages**, **Afficher plusieurs pages**, choisissez **2 pages par feuille**. Saisissez les informations relatives à l'invitation. Pour gagner du temps, copiez les éléments du menu. Modifiez-les en fonction de cette nouvelle mise en page. Ajoutez une jolie bordure comme à l'étape 5. Composez votre invitation en variant le corps du texte et les polices. Appuyez sur **Ctrl+A** pour sélectionner tout le texte, puis sur **Ctrl+C** pour le copier. Appuyez sur **Entrée** afin de créer une deuxième page et appuyez sur **Ctrl+V** pour coller le texte sur cette page. Imprimez le nombre d'exemplaires dont vous avez besoin et découpez-les. Écrivez à la main le nom de vos invités.

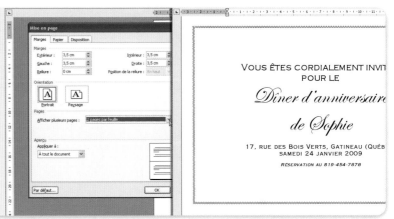

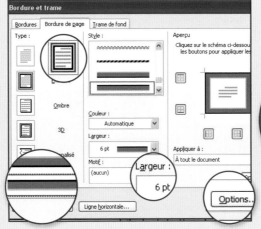

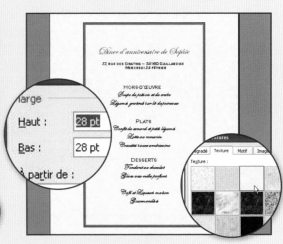

Mettez en forme les titres

4 Cliquez trois fois sur **Hors-d'œuvre** pour le sélectionner. Maintenez la touche **Ctrl** enfoncée et effectuez un double-clic sur le second titre pour le sélectionner également. Répétez l'opération pour les autres titres. Choisissez une police droite, comme le **Cooperplate Gothic Light**. Comme les lettres sont plus grandes, baissez le corps à **16 pt**.

Ajoutez une bordure

5 Mettez en forme les autres parties du texte. Espacez les titres et terminez en créant une bordure. Dans le menu **Format**, choisissez **Bordure et trame**. Cliquez sur l'onglet **Bordure de page**. Sous **Type**, cliquez sur **Encadré**. Choisissez un style de bordure épais. Le résultat apparaît dans l'**Aperçu** à droite. Modifiez votre choix s'il ne vous convient pas. Cliquez sur le bouton **Options**.

Dernières finitions

6 Dans la zone **A partir de**, choisissez **Texte** et réglez les **Marges** sur **28 pt**. Cliquez sur **OK** deux fois de suite. Pour affiner le style du document, ajoutez un arrière-plan en choisissant **Motifs et textures** dans **Arrière-plan** sous le menu **Format**. Cliquez sur l'onglet **Texture** et sélectionnez le **Parchemin**. Vous pouvez imprimer votre menu sur un papier élégant, qui sera du meilleur effet.

⬤ Dites-le bien fort !

Pour sortir une grande bannière sur votre imprimante, il suffit d'imprimer les lettres une par une, chacune sur une page de format lettre. Vous pouvez imprimer ainsi les caractères aussi grands que vous le souhaitez. Pour un message simple, utilisez Word. Une lettre A de 800 pt remplira une feuille, mais vous devrez penser à ajuster les marges de façon à l'imprimer au milieu de la page. Attachez les lettres ensemble directement sur le mur ou assemblez-les avec une cordelette pour faire une bannière.

⬤ Personnalisez vos serviettes

Pour décorer votre dîner de mille couleurs, imprimez vos serviettes avec votre message personnalisé. La plupart des prestataires pour ce type de services demandent un minimum de cent exemplaires. Vous trouverez toujours une solution sur Internet. C'est le cas par exemple avec www.positivemarketing.ca/français/index.html. Si vous avez peu d'invités, mieux vaut employer la méthode du transfert et reproduire votre motif comme sur un T-shirt (voir « Imprimer un t-shirt », page 200).

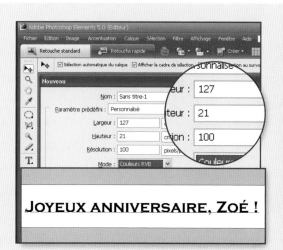

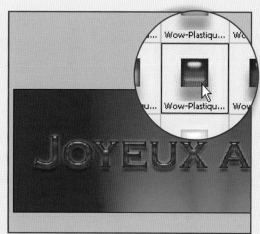

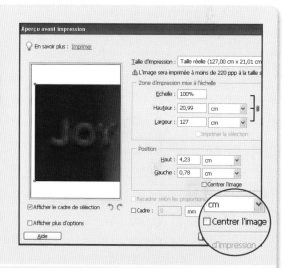

Bannière – Paramétrez le modèle

1 Dans Photoshop Elements, appuyez sur **Ctrl+N** pour ouvrir un **Fichier vide**. La taille maximale imprimable est de **127 cm**. Saisissez donc cette dimension dans **Largeur**. Réglez la **Hauteur** à **21 cm** pour un format lettre. Passez la **Résolution** sur **100 pixels/po**, ce qui est suffisant pour une lecture à distance. Cliquez sur **OK**. Utilisez l'outil **T** pour saisir votre message (voir étape 6, page 164).

Travaillez votre texte

2 Adaptez le texte à la bannière. Dans la palette **Illustrations et effets**, choisissez **Styles de calque** dans le premier menu, puis **Wow Plastique** dans le second. Cliquez sur **Wow-Plastique rouge**, puis sur **Appliquer**. Suivez l'étape 5, page 164, pour colorer le calque d'**Arrière-plan** et ajoutez l'**Eclairage**. Cliquez sur le menu **Style** et sélectionnez **5 sources montantes**. Cliquez sur **OK**.

Imprimez sur plusieurs feuilles

3 Appuyez sur **Ctrl+P** pour imprimer. Choisissez **Taille réelle**. Cliquez sur **Format d'impression**, puis sur **Imprimante** pour choisir les options d'impression. Validez et revenez à l'**Aperçu avant impression**. Décochez **Centrer l'image**. Affichez le début de la bannière. Imprimez-le, puis appuyez à nouveau sur **Ctrl+P**. Faites de même avec la suite de la bannière (voir page 88).

Jeu de mots
Créez un jeu pour vos enfants afin de les initier au langage

Les jeux de cartes associant des images aux mots sont des méthodes très efficaces pour apprendre du vocabulaire. Très utile dans le cadre d'un apprentissage pour les enfants, cette méthode visuelle fonctionne également pour les adultes qui apprennent une langue étrangère. Voici comment créer un tel outil pédagogique à l'aide de Photoshop Elements. Vous pourrez également combiner ce projet avec celui de la page 84 pour réaliser un lexique géant.

IL VOUS FAUT : Photoshop Elements
VOIR AUSSI : Créer une affiche, page 84 ● Créer une bande dessinée, page 32

Obtenez les bonnes couleurs

Lorsque vous utilisez le **Pot de peinture** (voir étape 5), vérifiez ses options. Cochez **Lissage** pour atténuer les angles et placez l'**Opacité** sur **100 %**. La **Tolérance** est habituellement réglée sur **0**, mais elle peut être augmentée. Assurez-vous que **Pixels contigus** est bien coché, sinon toutes les zones de la même couleur que celle sélectionnée seront remplacées par la couleur par défaut.

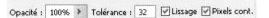

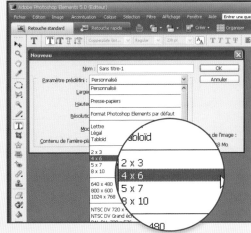

Créez votre modèle de carte

1 Démarrez Photoshop Elements et cliquez sur **Retoucher et corriger les photos**. Ouvrez un **Fichier vide** en cliquant sur **Nouveau** dans le menu **Fichier**. Réglez ensuite la **Largeur** et la **Hauteur** ou choisissez un format standard, comme le format **4 x 6** (pouces). Passez la Résolution à **300 pixels/pouce**, le **Mode** en **Couleurs RVB** et choisissez **Blanc** pour le **Contenu de l'arrière-plan**.

Utilisez les calques

Chaque forme créée occupe un calque. Si vous rencontrez des problèmes lors de la mise en couleur de la forme, vérifiez que vous travaillez sur le bon calque. Cliquez sur le nom du calque concerné. Lorsque vous utilisez l'outil **Déplacement**, cochez **Sélection automatique du calque** dans la barre d'options pour préciser que vous souhaitez travailler sur le calque de la forme sélectionnée.

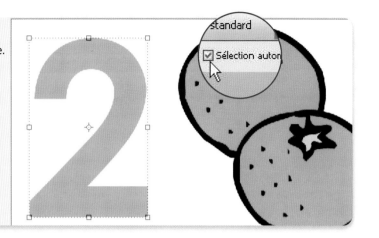

heureux   échant

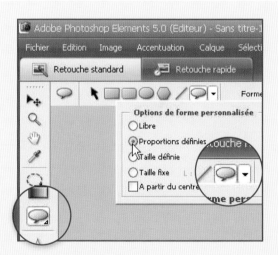

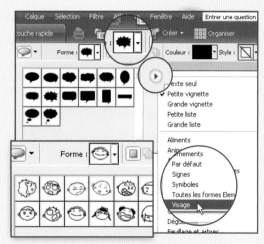

Ajoutez un symbole

2 Ce type de cartes propose habituellement des images simples avec des textes lisibles de loin. Photoshop Elements permet d'exploiter de nombreuses **Formes personnalisées**. Appuyez sur la touche U pour activer l'outil **Formes**. Dans la barre d'options, cliquez sur l'icône **Forme personnalisée**. Cliquez ensuite sur la flèche permettant de dérouler le menu, puis sur **Proportions définies**.

Choisissez une forme personnalisée

3 Cliquez sur la flèche à droite de **Forme** pour dérouler la palette des formes. Cliquez ensuite sur la petite flèche bleue à droite de la palette. Choisissez un thème. Nous avons ici besoin d'un **Visage**. Les visages remplacent alors les formes dans la palette. Cliquez sur l'un d'eux. Avant de le tracer, appuyez sur D (couleurs par défaut) pour sélectionner le noir.

Tracez la forme

4 Cliquez maintenant en haut à gauche dans le document et dessinez la forme. Comme vous avez déjà défini les proportions, le symbole s'affichera tel quel jusqu'à ce que vous le redimensionniez. Agrandissez-le suffisamment pour qu'il prenne toute la largeur de la carte. Relâchez le bouton de la souris, puis appuyez sur V pour activer l'outil **Déplacement**. Disposez la forme.

● **Images et droits de reproduction**

Il est possible de créer des cartes-mots avec n'importe quel type d'image. Choisissez **Ouvrir** dans le menu **Fichier** pour travailler avec une image dans Photoshop Elements. Utilisez l'outil **Déplacement** afin de placer votre image sur la carte. Pour trouver des images originales sur Internet, essayez www.google.com/images ou http://images.google.ca. Si vous comptez en faire une utilisation plus étendue (à l'école par exemple), recherchez des images libres de droits. Elles sont souvent payantes, et vous les obtiendrez par téléchargement ou en achetant un CD d'images. Testez www.istockphoto.com. Vérifiez les droits de reproduction avant de télécharger une image. Des CD d'images sont également disponibles sur www.amazon.ca. Saisissez **photo clipart** dans le moteur de recherche. Vous y trouverez des collections de CD organisés par thèmes. Si vous possédez un appareil numérique, vous pouvez réaliser un petit imagier personnel, très utile pour l'acquisition d'une nouvelle langue. Vous le concevrez avec plaisir avec vos enfants. C'est gratuit et tellement plus original !

œil

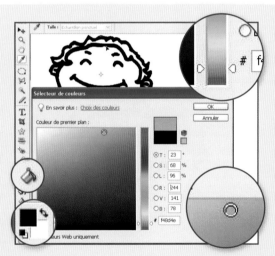

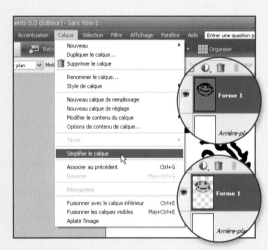

Définissez une couleur

5 Pour colorier la forme, utilisez le **Pot de peinture** en appuyant sur la touche **K**. Cliquez sur **Définir la couleur de premier plan** – le petit carré noir tout en bas de la boîte à outils – pour ouvrir le **Sélecteur de couleurs**. Dans le spectre vertical, cliquez entre le rouge et le orange, vers des tons couleur chair. Dans la zone centrale, choisissez la teinte exacte recherchée et cliquez sur **OK**.

Coloriez votre dessin

6 Pour colorier votre dessin, vous devrez d'abord le convertir pour l'intégrer dans un calque conventionnel. Dans le menu **Calque**, choisissez **Simplifier le calque**. Cliquez maintenant sur le visage avec le **Pot de peinture**. La couleur s'inscrit dans le visage sans dépasser le contour. Ouvrez à nouveau le **Sélecteur de couleurs** et appliquez un jaune pour les cheveux.

Inversez les couleurs

7 Si vous voulez colorier les oreilles, copiez la couleur du visage en maintenant la touche **Alt** enfoncée associée au **Pot de peinture**. Le pointeur se transforme en pipette, comme celle disponible dans la barre d'outils. Cliquez sur la couleur que vous souhaitez copier. La **Couleur de premier plan** change. Relâchez la touche **Alt** et cliquez sur les oreilles pour appliquer la couleur.

● Typographies adaptées aux cartes d'apprentissage

Travaillez avec des polices très lisibles lorsque vous réalisez des documents pour enfants. Exploitez des polices de grande taille, surtout pour les cartes-mots qui doivent être regardées à distance.

Les polices utilisées pour les enfants sont souvent sans sérif (voir page 326). Vous pouvez employer de l'Arial, du Verdana, du Century Gothic ou encore du Futura. Pour des documents pédagogiques ou des méthodes d'apprentissage des langues pour adultes, préférez des polices avec sérif comme le Times ou le Georgia, généralement employées dans la presse ou l'édition.

Lorsque vous écrivez un seul mot, comme sur les cartes-mots, saisissez-le en minuscule, sauf s'il s'agit d'un terme qui commence toujours par une majuscule (un nom de pays par exemple). Et surtout, vérifiez l'orthographe des mots !

Arial Verdana Century Gothic **Futura** Futura Times Georgia

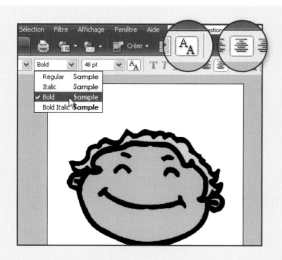

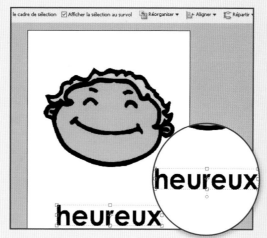

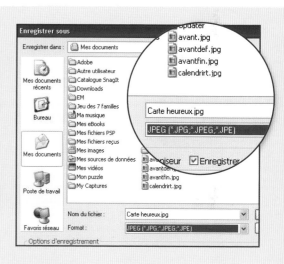

Définissez les mots

8 Appuyez sur la touche T pour activer l'outil Texte. Dans la barre d'options, sélectionnez l'outil Texte horizontal. Choisissez une police épaisse et sélectionnez Bold. Passez en corps 48 pt et assurez-vous que le bouton AA est bien sélectionné. Cliquez sur l'option Texte centré, un peu plus loin à droite dans la barre d'options.

Saisissez le texte

9 Appuyez sur D pour choisir le noir. Cliquez en bas de la carte, sous le dessin, et saisissez un mot. Tous les mots de vos cartes auront la même mise en forme, alors saisissez-en un plutôt long pour voir s'il rentre. Si besoin, sélectionnez le mot et changez le corps. Lorsque vous avez terminé, cliquez deux fois sur l'outil Déplacement et positionnez le mot convenablement.

Enregistrez votre modèle de carte

10 Dans le menu Fichier, cliquez sur Enregistrer et ouvrez le dossier adéquat. Saisissez un nom de fichier, comme Modèle de carte-image et laissez le Format en Photoshop (*.PSD). Cliquez sur Enregistrer. Revenez au menu Fichier et choisissez Enregistrer sous. Saisissez un nom de fichier. Sélectionnez le Format JPEG. Cliquez sur Enregistrer. Réglez la Qualité sur 8 et cliquez sur OK.

Matériel pédagogique en ligne

Recherchez « imagier » avec un moteur de recherche quelconque comme www.google.ca et vous trouverez quantité d'idées de cartes. Vous pourrez les imprimer ou les télécharger pour les utiliser en famille. Il faut cependant bien en vérifier le contenu car rien ne vous assure de leur qualité. Vous trouverez également de nombreux outils pédagogiques sur des sites comme www.imagier.net, ce dernier étant spécialisé dans les activités destinées aux enfants.

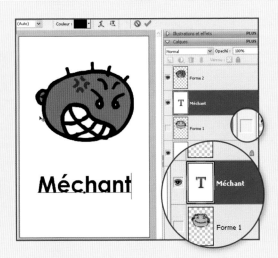

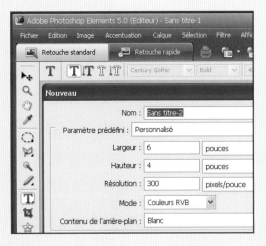

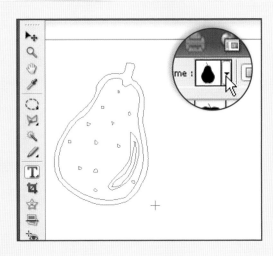

Créez une autre carte

11 Dans la palette des **Calques**, cliquez sur l'œil à côté du calque de la **Forme**, de façon à le rendre invisible. Reprenez à l'étape 2 pour dessiner une nouvelle forme et la colorier. Utilisez l'outil **Texte** pour saisir un mot et le mettre en forme. Mettez à jour votre fichier en cliquant sur **Enregistrer** dans le menu **Fichier**, puis **Enregistrer sous** afin de conserver la carte en format **JPEG**.

Créez une carte-numéro

12 Les cartes proposant un nombre sont généralement réalisées sur des cartes orientées en mode Paysage. Créez donc un **Nouveau Fichier vide** à partir du menu **Fichier**. Inversez les données de la **Largeur** et de la **Hauteur**. Vous pouvez laisser inchangées les autres options présentées dans la boîte de dialogue. Cliquez sur **OK** pour confirmer la création.

Dessinez une forme

13 Suivez les étapes 2 à 4 pour dessiner une forme. Dupliquez l'objet autant de fois que l'indique le chiffre que vous avez choisi d'illustrer. Superposez les objets plutôt que de les présenter séparés, de façon à conserver leur taille inchangée. Coloriez la forme comme vous l'avez appris aux étapes 5 et 6. Appuyez sur la touche **V** pour activer l'outil **Déplacement**.

● Imprimez vos cartes

Pour imprimer vos cartes, mieux vaut acheter du papier prédécoupé aux dimensions standards. Vous pouvez également imprimer deux cartes sur un format lettre et les découper ensuite.

Pour imprimer une seule carte, ouvrez un fichier **JPEG** et, à partir du menu **Fichier**, choisissez **Imprimer**. Dans la fenêtre de l'**Aperçu avant impression**, cliquez sur **Format d'impression**. Sélectionnez l'imprimante et validez. Laissez **Taille réelle** dans **Taille d'impression** ou **Page entière** pour que la carte remplisse la feuille. Cliquez sur **Imprimer**. Pour imprimer deux cartes sur une même page, ouvrez les deux fichiers. Choisissez **Imprimer plusieurs photos**. L'**Organiseur** s'ouvre. Sous **Type d'impression**, sélectionnez **Collection d'images**. Les cartes s'organisent ainsi sur la page. Cliquez sur **Imprimer**.

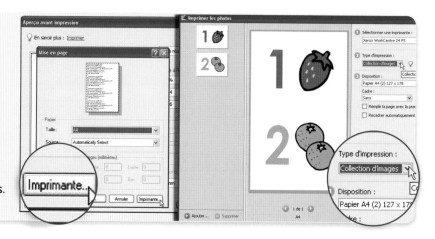

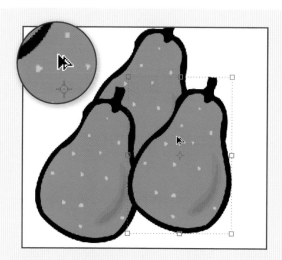

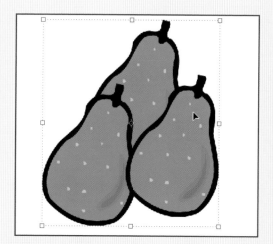

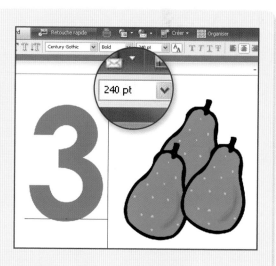

Copiez la forme

14 Maintenez la touche **Alt** enfoncée. Cliquez sur la forme coloriée et déplacez-la. Relâchez le bouton de la souris pour la copier. Cliquez sur cette dernière et effectuez une autre copie. Lorsque vous avez le nombre d'objets souhaité, disposez-les à l'aide de l'outil **Déplacement**. Pour faire passer une forme sur une autre, cliquez sur une forme et appuyez sur **Ctrl+]**.

Positionnez les formes

15 Pour organiser les formes sur la carte, maintenez la touche **Maj** enfoncée et cliquez sur chacune d'elles. Vous pouvez aussi appuyer sur **Ctrl** et cliquer sur leur calque dans la palette des **Calques**. Déplacez-les toutes en même temps. Si nécessaire, redimensionnez-les en maintenant la touche **Maj** enfoncée et en utilisant les poignées. Placez les formes à droite de la carte.

Ajoutez un grand chiffre

16 Utilisez l'outil **Texte** comme aux étapes 8 et 9 pour ajouter un chiffre à gauche. Passez-le dans un corps relativement gros, **240 pt** par exemple. Pour que votre carte soit plus jolie, choisissez une couleur pour le chiffre, en prenant soin de vérifier qu'elle se voit de loin. Enregistrez votre travail et répétez les opérations comme à l'étape 11.

Le jeu des générations

Créez un arbre personnalisé avec vos photos de famille

Recherchez les documents familiaux et récoltez des photographies de famille pour réaliser votre arbre généalogique. Il vous suffira de trouver des portraits de tous les membres de votre famille, de génération en génération, et de profiter des outils en ligne pour créer votre propre document personnalisé. Exploitez les capacités de Microsoft Excel pour mettre en forme cet arbre illustré.

IL VOUS FAUT : Microsoft Excel ● Des photos de famille
VOIR AUSSI : Restaurer une vieille photo, page 20 ● Tableaux et graphiques dans Excel, page 300

Logiciels de généalogie

De nombreux programmes sont disponibles sur le marché. Ils permettent de collecter et d'organiser facilement toutes vos données. Ils génèrent automatiquement des graphiques et offrent même de créer des pages Web pour les mettre en ligne sur Internet. Pour trouver le logiciel le mieux adapté à vos besoins, le plus simple est encore de parcourir le Web à partir d'un moteur de recherche de type www.google.ca.

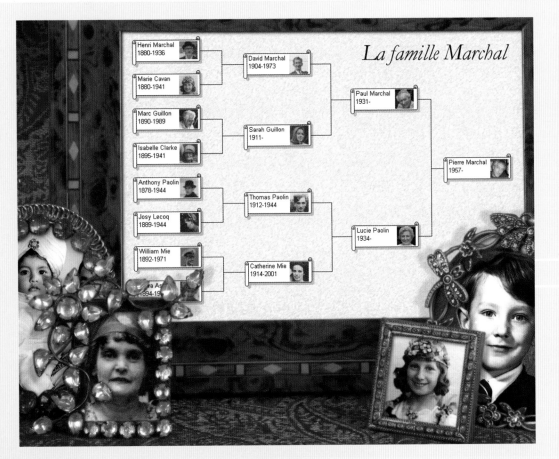

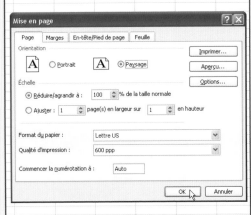

Créez un nouveau classeur Excel

1 Démarrez Excel. Un nouveau document s'ouvre (voir page 300). Pour un arbre généalogique, mieux vaut travailler sur un **Format en Paysage**. Sélectionnez donc **Fichier** puis **Mise en page** et cochez **Paysage** sous l'onglet **Page**. Choisissez le format lettre et cliquez sur **OK**. Votre zone de travail est maintenant délimitée par des pointillés.

Recherchez dans vos albums

Avant d'effectuer des recherches spécifiques sur Internet, commencez par rassembler les informations qui sont à votre portée. Trouvez les noms et les dates de naissance de votre famille proche. Vous devriez facilement récupérer les livrets de famille ou les certificats de naissance, de mariage ou de décès. Ainsi, lors de vos découvertes, vous retrouverez les noms de naissance des épouses. Posez alors des questions dans votre entourage pour voir si les données récoltées se recoupent.

Préparez vos photographies

Vous ne pourrez pas réaliser un arbre généalogique « présentable » si les photos sont endommagées ou mal cadrées. Excel ne permet pas le recadrage et la retouche d'image. Effectuez ces opérations et numérisez vos images soigneusement. Utilisez les **Réglages automatiques** pour vous éviter trop de travail. Lorsque vous numérisez de vieilles photos, réglez la résolution sur 600 dpi ou plus, surtout si l'original est petit. Voir aussi « Restaurer une vieille photo », page 20.

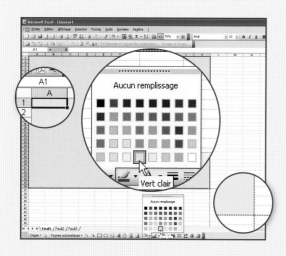

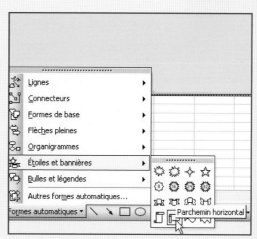

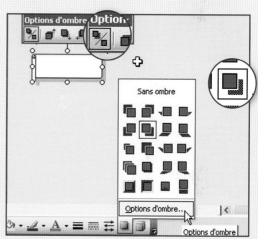

Colorez l'arrière-plan

2 Cliquez dans la cellule A1 et tout en maintenant la touche **Maj** enfoncée, cliquez sur la dernière cellule en bas de la zone de travail. Cliquez sur la flèche à côté de **Couleur de remplissage** dans la barre d'outils pour remplir les cellules avec une couleur pastel. Si vous ne voyez pas la barre d'outils **Dessin**, effectuez un clic droit sur la barre d'outils et sélectionnez-la.

Sélectionnez une Forme automatique

3 Dans le menu déroulant **Formes automatiques** de la barre d'outils **Dessin**, sélectionnez **Étoiles et bannières**, puis **Parchemin horizontal**. Cliquez et dessinez votre forme n'importe où dans la feuille de calcul. Ne vous inquiétez pas de ses dimensions pour l'instant. Sachez simplement que vous devrez en créer une quinzaine plus tard pour quatre générations.

Ajoutez une ombre portée

4 Cliquez sur le bouton **Style d'ombre** dans la barre d'outils **Dessin** et choisissez **Style d'ombre 6**, l'ombre étant positionnée vers le bas, à droite. Cliquez à nouveau sur le bouton **Style d'ombre** et sélectionnez **Options d'ombre**. Utilisez les boutons de la barre d'outils qui s'affiche pour redresser légèrement l'ombre vers le haut et à gauche.

● Recherches en ligne

Lorsque vous êtes à la recherche d'informations relatives aux lieux et dates de naissance et de décès de vos aïeux, le mieux est de commencer par prospecter les bases de données spécialisées que vous trouverez aisément sur le Web. Attention, toutes ne sont pas parfaitement fiables et vous devrez toujours recouper les informations que vous trouvez sur le Web avec celles de l'état civil officiel.

Parmi la multitude de sites, retenons celui du Centre de généalogie francophone d'Amérique (www.genealogie.org) qui est consacré à la généalogie et à l'histoire des familles francophones d'Amérique. De son côté, la Banque de données généalogiques du Québec (http://mesaieux.com) est un site de recherche généalogique sur les familles québécoises.

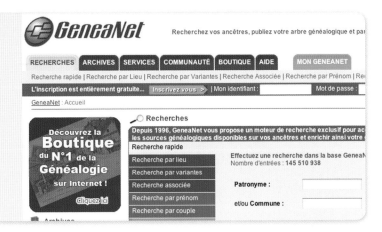

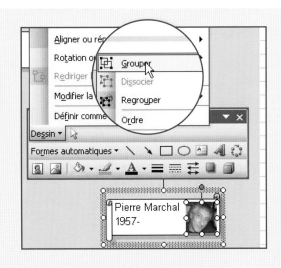

Ajoutez un nom

5 Saisissez le nom d'un membre de votre famille dans le parchemin. Choisissez le nom le plus long pour ne pas avoir de problème de place par la suite avec les autres. Sélectionnez une police et un corps qui conviennent par l'entremise de la barre d'outils **Mise en forme**. Préférez une police simple avec sérif (voir page 326). Essayez par exemple un corps **10 pt**.

Insérez la première image

6 Cliquez à l'extérieur du parchemin, puis sur le bouton **Insérer une image depuis un fichier** dans la barre d'outils **Dessin**. Choisissez votre fichier image et cliquez sur le bouton **Insérer**. Positionnez la photo dans l'espace blanc à droite du texte. Redimensionnez le parchemin et la photo à l'aide des poignées. Utilisez les flèches de direction sur votre clavier pour plus de précision.

Groupez la photo et le parchemin

7 Maintenez la touche **Maj** enfoncée et cliquez sur la photo, puis sur la bannière. Cliquez sur le bouton **Dessin** et sélectionnez **Grouper**. Les deux éléments sont maintenant groupés en un seul objet, ce qui facilitera leur déplacement et leur copie dans la feuille. Cliquez sur la nouvelle bannière et choisissez **Copier** dans le menu **Edition** ou appuyez sur **Ctrl+C**.

Ressources en ligne depuis Office

Le site Web de Microsoft Office propose ses propres modèles d'arbres généalogiques. Vous en profiterez dans Word et Excel notamment. Démarrez Excel puis, dans le menu **Fichier**, sélectionnez **Nouveau**. Dans le volet **Office** qui s'affiche à droite, cliquez sur **Modèles sur Office Online**. Le site correspondant apparaît. Saisissez arbre généalogique dans la zone de recherche et cliquez sur **Rechercher**.

Vous pouvez aussi saisir http://office.microsoft.com/fr-ca dans la barre d'adresses du navigateur. Cliquez ensuite sur **Modèles** et sur la catégorie **Autres catégories**. Choisissez ensuite **Diagrammes** avant de télécharger le modèle qui vous intéresse.

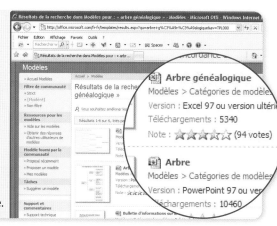

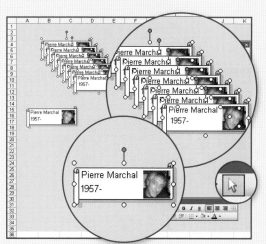

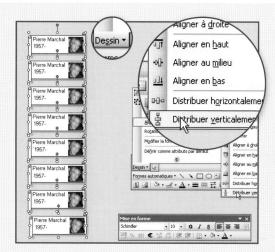

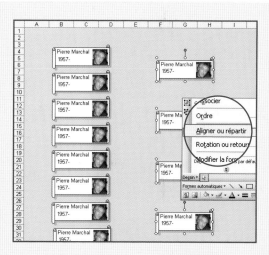

Dupliquez les bannières

8 Dans le menu **Edition**, sélectionnez **Coller**, ou appuyez sur **Ctrl+V**. Répétez six fois l'opération pour créer huit bannières. Sélectionnez la première bannière et descendez-la en bas du document, en l'alignant sur celle du haut. Cliquez sur l'outil **Sélectionner les objets** dans la barre d'outils **Dessin**, et cliquez sur un des bords grisés afin de déplacer toutes les bannières.

Composez votre arbre

9 Cliquez sur le bouton **Dessin** et sélectionnez **Aligner ou répartir**, puis **Aligner à gauche**. Toutes les bannières s'alignent alors à gauche en se calant sur celle du haut. Répétez l'opération, mais cette fois, choisissez **Distribuer verticalement** dans le menu déroulant. Les bannières sont maintenant parfaitement réparties dans la feuille de calcul.

Créez davantage de bannières

10 Copiez et collez quatre autres bannières et placez-les dans une nouvelle colonne à droite. Disposez les bannières de façon bien régulière. Repérez-vous avec les lignes et les colonnes. Alignez les colonnes à gauche en sélectionnant **Aligner ou répartir** dans la barre d'outils **Dessin**, comme vous l'avez fait précédemment.

● Noms de famille

Le Web peut servir les requêtes formulées à propos des noms de famille. Le sujet est vaste et les sources d'un nom de famille permettent parfois de retrouver des aïeux éloignés. Il existe divers services sur le Web qui mettent à votre disposition leurs bases de données, et ce, gratuitement ou moyennant une contribution généralement minime. Par leur biais, vous apprendrez d'où vient votre nom, serez parfois surpris de découvrir des origines que vous ne pensiez pas avoir et apprendrez avec amusement le nombre d'individus qui, de part le monde, portent le même patronyme que vous. Allez sur www.stat.gouv.qc.ca/donstat/societe/demographie/noms_famille/, un site de statistiques du gouvernement pour les patronymes du Québec ou sur www.armoiry.com pour commander l'armoirie de votre famille.

● Types d'arbres

L'arbre développé dans ce projet est un arbre classique. Le sujet, en l'occurrence vous, apparaît à droite. Il est précédé des branches de la famille. L'arbre descendant est une autre forme couramment employée. Cette fois, les ancêtres les plus anciens apparaissent sur la première ligne en haut de la page. De ce couple descendent tous les autres membres de la famille.

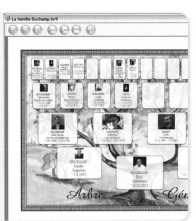

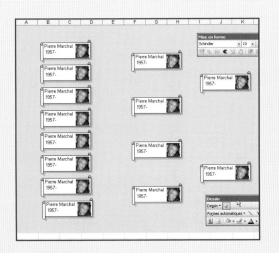

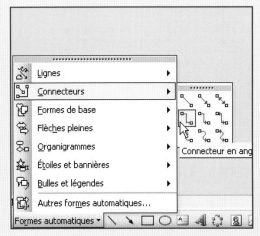

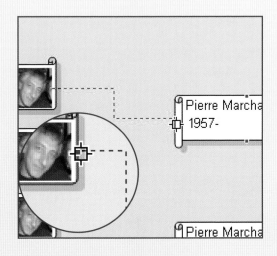

Composez toutes les générations

11 Répétez le processus de l'étape précédente mais, cette fois, collez de nouvelles bannières et alignez-les dans deux autres colonnes à droite. L'une contient deux bannières, l'autre une seule. Vous obtenez ainsi quinze bannières (de gauche à droite, 8, 4, 2 et 1), organisées en quatre colonnes, représentant vos arrière-grands-parents, vos grands-parents, vos parents et vous-même.

Créez les liens

12 Cliquez sur le bouton **Formes automatiques** dans la barre d'outils **Dessin** et sélectionnez **Connecteurs**. Dans la palette qui s'affiche, sélectionnez **Connecteur en angle**. Placez le curseur sur une bannière de la première génération. Le curseur se transforme en croix et des points de couleur apparaissent pour vous signifier quels points seront connectés.

Créez une connexion

13 Cliquez à l'endroit où vous souhaitez commencer votre connexion et, tout en maintenant le bouton de la souris appuyé, rejoignez l'endroit à relier sur la seconde bannière. Une ligne brisée se dessine automatiquement en fonction de l'axe des objets à relier. Ils le sont ainsi quelle que soit leur position dans la composition. Cette fonction vous fera gagner un temps considérable.

Partagez-le sur le Web

Une fois que vous aurez conçu votre arbre avec Excel, vous pourrez l'imprimer et, pourquoi pas, l'encadrer. Cependant, la meilleure manière de partager votre travail avec le plus grand nombre reste indéniablement celle que procure le Web. Pour cela, inutile de savoir programmer des pages Web, employez simplement ce qu'Excel vous offre. Cliquez sur le menu **Fichier** et choisissez **Enregistrer sous**. Sélectionnez le **Type de fichier Page Web**. Excel crée alors un document et le dossier contenant les photos insérées dans la feuille. Il ne vous reste plus qu'à télécharger ce dossier (voir page 256).

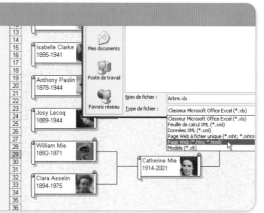

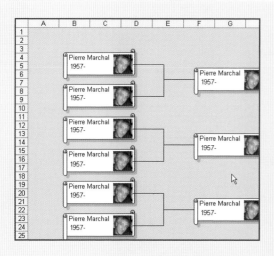

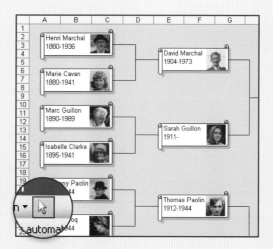

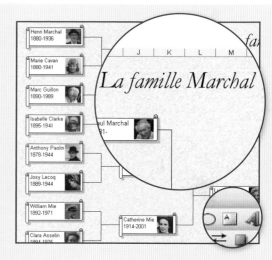

Reliez les parents et les enfants

14 Répétez l'étape 13 en ajoutant des connecteurs entre chaque enfant et ses deux parents. L'avantage d'utiliser des connecteurs plutôt que des lignes réside dans le fait qu'ils se déplacent avec les objets auxquels ils sont associés. Pour redimensionner les connecteurs ou les changer de couleur, effectuez un clic droit et sélectionnez **Format de la forme automatique**.

Remplacez par les bonnes personnes

15 Assurez-vous que le bouton **Sélectionner les objets** (la flèche dans la barre d'outils **Dessin**) est désactivé. Si le fond est orangé, cliquez dessus pour le désélectionner. Cliquez sur chacune des bannières et puis sur **Dissocier** sous **Dessin**. Sélectionnez toutes les photos et supprimez-les. Insérez, placez et redimensionnez vos photos, comme à l'étape 6.

Ajoutez un titre

16 Cliquez sur l'outil **Texte** dans la barre d'outils **Dessin**. Cliquez et saisissez un titre. Mettez-le en forme à l'aide des options de la barre d'outils **Mise en forme**. Sauvegardez votre travail en choisissant **Enregistrer** dans le menu **Fichier** et nommez-le. Pour conserver votre arbre, mieux vaut l'imprimer sur du papier de belle qualité. Il ne vous reste qu'à l'offrir à tous les membres de votre famille.

Il était une fois
Créez un livre de contes pour émerveiller vos enfants

Un livre de contes constitue un merveilleux projet pour vos enfants. Inutile de faire preuve de talent de dessinateur puisque vous travaillerez à partir de photos. De même, il est inutile d'écrire quantité de textes, à moins que tel soit votre désir. L'essentiel est de raconter une belle histoire qui donne à rêver. Intégrez des photos de vos enfants dans le conte, ils n'en seront que plus fiers du projet que vous aurez conçu pour eux. Vous allez ainsi créer un livre de huit pages illustré par vos dessins et vos photos. Plus tard, vous pourrez ajouter autant de pages que vous le voudrez, pourvu que ce nombre soit un multiple de quatre (voir page 187).

IL VOUS FAUT : Photoshop Elements ● Photos ● Une imprimante couleur
VOIR AUSSI : Imagier pour apprendre, page 168 ● Créer une BD, page 32

● Créez la couverture

La couverture d'un livre de contes est généralement composée d'illustrations. Créez un nouveau fichier vierge et glissez-y l'image d'une page de votre livre. Choisissez une image qui recouvre bien la page puis, à l'aide de l'outil **Texte**, ajoutez le titre de l'ouvrage. Pour améliorer son aspect, sélectionnez le calque contenant le texte et déformez son contenu. Dans cet exemple, seul un mot du titre, posé sur un calque indépendant, subit le traitement. Dans le menu **Calques**, choisissez **Texte** puis **Déformer le texte**. Choisissez **Coquille vers haut** et cliquez sur **OK**.

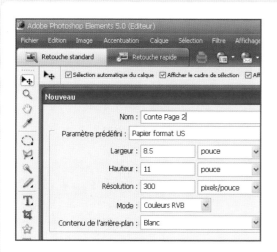

Créez la première page

1 Démarrez Photoshop Elements et cliquez sur **Retoucher et corriger les photos**. Créez un Fichier vide en choisissant Nouveau dans le menu **Fichier** (**Ctrl+N**). Dans la boîte de dialogue **Nouveau**, choisissez la taille **Lettre**. Réglez le **Mode** sur **Couleurs RVB** et choisissez un **Contenu de l'arrière-plan Blanc**. Nommez votre fichier **Conte Page 2** et cliquez sur **OK**.

Ouvrez une image

2 La première image de votre livre présente le décor de l'histoire. Choisissez **Ouvrir** dans le menu **Fichier** (**Ctrl+O**). Dans la boîte de dialogue qui apparaît à l'écran, sélectionnez la photographie qui vous intéresse pour illustrer votre page. Cliquez sur **Ouvrir**. Cliquez ensuite sur votre image et déplacez-la sur la page vide que vous venez de créer.

Adaptez votre image à la page

3 Appuyez sur **V** pour activer l'outil **Déplacement**. Sélectionnez la photo et redimensionnez-la en utilisant les poignées situées autour de l'image de façon à ce qu'elle occupe toute la page. Maintenez la touche **Maj** enfoncée pour conserver ses proportions. Validez l'opération et positionnez correctement l'image sur la page.

Déplacement d'éléments

L'outil **Déplacement** agit sur le calque sélectionné dans la palette ou sur un des éléments sélectionnés. Lorsque vous activez l'outil **Déplacement (V)**, une zone de sélection apparaît. Si vous ne la voyez pas, cochez **Afficher le cadre de sélection** dans la barre d'options. Cliquez sur la zone pour la déplacer, utilisez les poignées situées autour de la sélection pour la redimensionner ou placez le pointeur juste à côté pour effectuer des rotations.

Préalable au Lasso

Avant de tracer une sélection à l'aide de l'outil Lasso, appuyez sur **Z** afin d'activer le **Zoom** et définissez la sélection qui vous intéresse. Dessinez votre sélection avec l'outil **Lasso**, en veillant à bien la refermer. Si vous vous trompez, désélectionnez-la en appuyant sur la combinaison **Ctrl+D** et recommencez. Vous pouvez aussi cliquer en dehors de la sélection et recommencez.

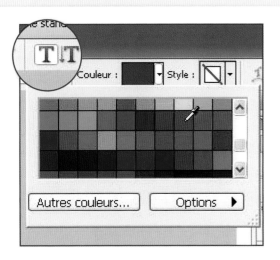

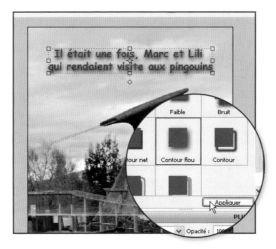

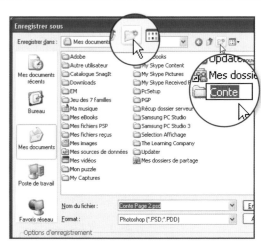

Ajoutez du texte

4 Choisissez une couleur pour votre texte noir ou une couleur foncée sur un fond clair et blanc ou une couleur claire sur un fond sombre. Appuyez sur **T** pour activer l'outil **Texte**. Dans la barre d'options, sélectionnez **Texte horizontal**. Choisissez une police et un corps et cliquez sur la petite flèche à côté de **Couleur**, puis cliquez sur une couleur vive.

Ombrez le texte

5 Cliquez en haut de l'image et saisissez votre texte. Cliquez deux fois sur l'outil **Déplacement** pour terminer. Positionnez votre texte en le disposant au centre de l'image. Dans la palette **Illustrations et effets**, sélectionnez **Styles de calque** dans le premier menu et **Ombres portées** dans le deuxième. Choisissez **Contour flou** et cliquez sur **Appliquer**.

Créez une autre page

6 Sélectionnez **Enregistrer** dans le menu **Fichier (Ctrl+S)**. Dans la boîte de dialogue **Enregistrer sous**, cliquez sur l'icône **Créer un nouveau dossier**. Nommez-le **Conte** et cliquez sur **Ouvrir**. Cliquez sur **Enregistrer**. Appuyez ensuite sur **Ctrl+N** pour créer un **Fichier vide**. Paramétrez-le comme le précédent et nommez-le **Conte Page 3**. Cliquez sur **OK**.

⬤ Travaillez avec le Lasso

Vous pouvez utiliser l'outil **Lasso standard** pour dessiner autour des objets, à main levée. Mais il est souvent plus facile d'employer l'outil **Lasso polygonal** (voir étape 7) pour tracer votre sélection à partir de petits segments. Dans le cadre de votre livre de contes, vous pouvez conserver des bords plus larges autour de la sélection, de façon à simuler un découpage aux ciseaux. L'effet n'en sera que meilleur.

Créez un photomontage

7 Ouvrez deux photographies pour composer votre photomontage. Pour les découper, utilisez l'outil **Lasso polygonal** en appuyant sur la touche **L**. Réglez le **Contour progressif** sur la valeur **0**. Dessinez votre tracé de découpe autour de la zone que vous souhaitez conserver. Effectuez un double-clic sur votre sélection pour la valider.

Déplacez la sélection

8 Appuyez sur la touche **V** pour activer l'outil **Déplacement**. Déplacez la sélection sur la photo des pingouins. Positionnez les enfants de façon à ce qu'ils aient l'air de faire naturellement partie du groupe de pingouins. Validez l'opération. Dans la palette des **Calques**, cliquez sur l'icône en forme d'œil à côté du calque contenant la sélection pour qu'il disparaisse.

Dupliquez des éléments

9 Cliquez sur le calque d'**Arrière-plan**. Appuyez sur la touche **L** pour activer l'outil **Lasso polygonal** et dessinez une sélection autour des deux pingouins du premier plan. Lorsque vous avez terminé, appuyez sur **Ctrl+J** afin de copier cette sélection dans un nouveau calque. Appuyez ensuite sur **Ctrl+Maj+]** pour le faire passer au premier plan.

Effets spéciaux

Vous trouverez la plupart des effets sous le menu **Filtre**, dans **Réglages**. Choisissez par exemple **Filtre photo** et réglez la densité jusqu'à obtenir l'effet escompté. Sélectionnez ensuite **Isohélie** et saisissez un nombre faible de **Niveaux** pour un rendu pop art. Pour une image psychédélique, choisissez **Courbe de transfert de dégradé** et sélectionnez une couleur dans la boîte de dialogue.

Agrandissez des éléments

10 Cliquez maintenant sur le calque contenant les enfants. Appuyez sur la touche **V** pour activer l'outil **Déplacement**. Une ligne en pointillé apparaît autour des pingouins lorsque leur calque est sélectionné. Maintenez la touche **Maj** enfoncée et utilisez les poignées de redimensionnement pour les agrandir. Déplacez-les au premier plan.

Retournez des éléments

11 Validez l'opération que vous venez d'effectuer. Pour retourner les pingouins, choisissez **Symétrie axe horizontal** dans le menu **Image** sous **Rotation**. Dans le menu **Calque**, sélectionnez **Aplatir l'image**. Redimensionnez maintenant votre image finale sur la page de sorte qu'un espace blanc apparaisse en-dessous de la photographie.

Terminez votre page

12 Dans notre exemple, nous avons utilisé des photographies qui ne seront pas celles que vous choisirez pour vos créations. Adaptez toutes les opérations à vos photographies personnelles et créez vos pages en utilisant cette même méthode. Placez votre texte au bas des pages en conservant la même police. Enregistrez votre travail à intervalles réguliers.

● Modifiez la tonalité des photos

Pour utiliser deux photographies dans des tonalités différentes, ouvrez une image et choisissez la commande **Teinte/Saturation** sous **Régler la couleur** dans le menu **Accentuation**. Cochez maintenant la case **Redéfinir**. La photographie prend la teinte glaciale qui correspond mieux à l'univers des pingouins ou au monde marin évoqué dans notre livre de contes.

● Mémoire et taille d'image

En disposant les images sur une page au format lettre, vous générez un fichier lourd dont la taille est d'environ 25 Mo, voir plus s'il contient plusieurs calques. Si vous ouvrez plusieurs fichiers de cette taille en même temps, Photoshop Elements risque de manquer de mémoire vive (mémoire RAM). Votre PC ralentira donc les opérations en cours. Pour éviter cela, fermez les pages sur lesquelles vous ne travaillez pas.

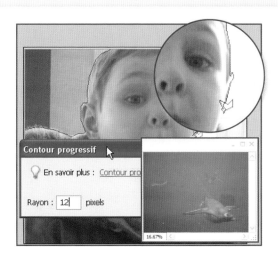

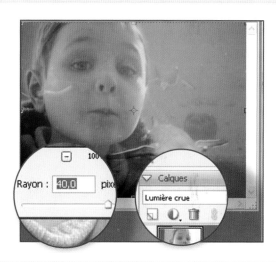

Découpez un visage

13 Créez une nouvelle page et nommez-la **Conte Page 4**. Ouvrez deux photographies que vous souhaitez combiner. Dessinez une sélection autour du visage de l'enfant à l'aide de l'outil **Lasso polygonal**. Choisissez ensuite la commande **Contour progressif** depuis le menu **Sélection** et saisissez la valeur **12** dans le **Rayon**, puis cliquez sur **OK**.

Dimensionnez la sélection

14 Appuyez sur la touche **V** pour activer l'outil **Déplacement** et déplacez le visage sur la photo d'arrière-plan. Grâce au contour progressif, les bords sont adoucis. Agrandissez l'image en conservant la touche **Maj** enfoncée. Puis, dans la palette des calques, effectuez un clic droit sur le calque d'**Arrière-plan** et choisissez la commande **Dupliquer le calque**.

Combinez les calques

15 Cliquez sur **OK** pour créer une copie. Déplacez ce calque en le glissant en haut de la palette des **Calques**. Cliquez ensuite sur le menu **Normal** dans la palette des **Calques** et choisissez **Lumière crue**. Dans le menu **Filtre**, choisissez la commande **Flou**, puis **Flou gaussien**. Réglez maintenant le **Rayon** sur la valeur **40** et cliquez sur **OK**.

○ Transformez une photo en coloriage

Pour convertir une photo en dessin noir et blanc, utilisez des filtres tels que **Noir/Blanc** sous **Contours**. Les enfants préfèrent les dessins simplifiés pour les colorier plus facilement. Pour transformer une image, créez un nouveau calque en appuyant sur **Maj+Ctrl+N**. Appuyez sur la touche **U** afin d'activer l'outil **Forme** et, dans la barre d'options, choisissez la ligne droite. Réglez l'**Epaisseur** sur **2 px** et la **Couleur** sur **Noir**. Dessinez à présent les contours les plus évidents, ceux qui permettront à l'enfant de repérer facilement les zones à colorier. Ensuite, cliquez sur le calque d'**Arrière-plan**. Dans le menu **Edition**, sélectionnez **Remplir le calque**. Choisissez **Blanc**, **Normal**, **100 %** et cliquez sur **OK**. Cliquez sur l'icône en forme d'œil située à côté du calque de la photo originale pour la faire disparaître.

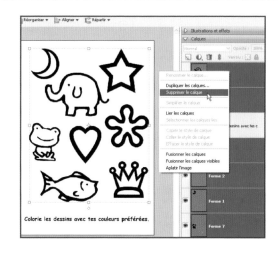

Copiez le texte

16 Ce type de flou permet de conserver les détails tout en préservant la couleur de l'eau. Choisissez **Aplatir l'image** dans le menu **Calque** et utilisez l'outil **Déplacement** pour positionner votre image en haut de la page. Copiez le bloc texte de la Page 3 (**Ctrl+C**) et collez-le sur votre page (**Ctrl+V**). Saisissez votre texte et enregistrez le document.

Créez une page de coloriage

17 Créez une nouvelle page et nommez-la **Conte Page 5**. Pour réaliser cette page, utilisez l'outil **Formes personnalisées** comme aux étapes 2 à 4 de la page 169. Pour les utiliser en tant que coloriages, choisissez des formes évidées dotées de gros contours noirs. Positionnez-les à l'aide de l'outil **Déplacement** et réservez un espace pour le texte.

Réutilisez votre page

18 Copiez le bloc texte des pages précédentes (**Ctrl+C** et **Ctrl+V**) pour saisir votre texte. Enregistrez le travail. Vous pouvez réutiliser cette page pour en créer d'autres. Dans la palette des **Calques**, sélectionnez tous les calques contenant les formes en maintenant la touche **Maj** enfoncée. Effectuez un clic droit sur l'un d'eux et choisissez **Supprimer le calque**. Cliquez sur **Oui**.

● Imprimez votre livre

Ouvrez toutes les pages du livre et choisissez **Imprimer** dans le menu **Fichier**. Cliquez sur **Format d'impression** pour régler tous les paramètres de **Mise en page**, puis cliquez sur **Imprimante**. Sélectionnez l'imprimante et cliquez sur **Propriétés** pour ajuster les paramètres avancés. Cliquez plusieurs fois sur **OK**. Cliquez ensuite sur **Imprimer** pour imprimer la page concernée. Vous pouvez également cliquer sur **Imprimer plusieurs photos** pour ouvrir l'**Organiseur**. Il aide à visualiser le travail. Sous **Type d'impression**, choisissez **Tirages individuels**. Cliquez sur **Imprimer** et imprimez toutes vos pages.

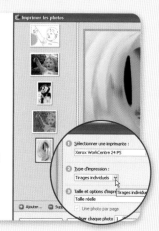

● Reliez votre livre

Pour donner une touche finale à l'ensemble, reliez votre livre pour en faciliter la lecture. Une fois imprimé sur du papier de qualité, il vous suffit d'en assembler les pages. Utilisez des feuilles de papier légèrement plus larges que vos pages. Ainsi, vous pourrez les coller les unes aux autres en respectant l'ordre de lecture. Découpez ensuite les marges supplémentaires sur les côtés extérieurs à la reliure et pliez les pages pour qu'elles forment un livre.

Vous pouvez également imprimer sur des feuilles deux fois plus grandes que vos pages. Il ne vous restera plus qu'à les plier pour retrouver vos doubles pages associées. Collez les feuilles deux à deux. Vous les lierez en les perforant et en plaçant une jolie ficelle.

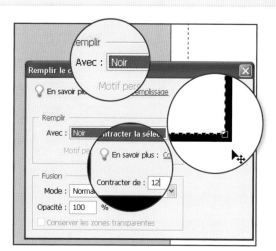

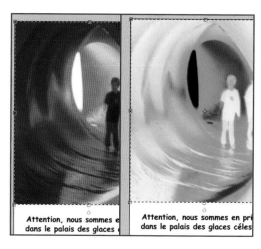

Créez une page de dessin

19 Modifiez le texte pour inviter les enfants à dessiner sur la page. Choisissez **Enregistrer sous** dans le menu **Fichier** et nommez le fichier **Page 8 Dessin**. Appuyez sur la touche **M** pour activer l'outil **Rectangle de sélection**. Dessinez un rectangle pour définir la zone à compléter par l'enfant. Dans la palette des **Calques**, cliquez sur le calque d'**Arrière-plan**.

Ajoutez une bordure

20 À partir du menu **Edition**, sélectionnez **Remplir la sélection**. Sous Remplir, **Avec**, choisissez **Noir**. Sous **Fusion**, laissez le **Mode** sur **Normal** et l'**Opacité** à **100** %. Cliquez sur **OK**. Ensuite, dans le menu **Sélection**, choisissez **Modifier**, puis **Contracter**. Saisissez **12** et cliquez sur **OK**. Retournez dans le menu **Remplir la sélection** et dans Remplir, **Avec**, choisissez **Blanc**. Cliquez sur **OK**.

Finalisez votre livre

21 Ajoutez les pages 6 et 7 en appuyant sur **Ctrl+N** et nommez vos pages comme vous l'avez fait précédemment. Saisissez le texte et ouvrez de nouvelles images. Ici, nous avons pris une photo d'intérieur. Pour la transformer en décor de glace, appuyez sur **Ctrl+I** pour la passer en négatif. Ajoutez enfin une couverture (voir encadré page 181) et imprimez votre livre.

Sincèrement vôtre...

Voici comment créer une police pour votre signature

Transformez votre signature numérisée en police de caractères afin de signer vos documents plus facilement. La création de nouveaux caractères n'est pas difficile, mais vous aurez besoin d'un logiciel spécifique : l'Éditeur de caractères privés inclus dans Windows XP. Vous pouvez partir de rien ou commencer à travailler à partir d'une police installée sur votre ordinateur.

IL VOUS FAUT : Éditeur de caractères privés ● Photoshop Elements ● Numériseur
VOIR AUSSI : Polices de caractères, page 326

VOIR AUSSI : Polices de caractères, page 326

● Personnalisez vos polices Windows

Vous pouvez modifier des caractères existants grâce à l'Éditeur de caractères privés. Pour copier un caractère existant et vous en servir comme base de création, démarrez l'**Éditeur de caractères** privés (voir étape 9) et sélectionnez **Référence** dans le menu **Fenêtre**. Cliquez sur le caractère qui vous intéresse, puis sur **OK**. Sélectionnez la forme dans la fenêtre **Référence** à l'aide de l'outil **Sélection rectangulaire**. Appuyez sur **Ctrl+C** puis sur **Ctrl+V** pour le copier et le coller dans la fenêtre **Modifier**.

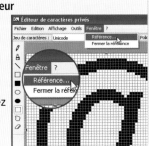

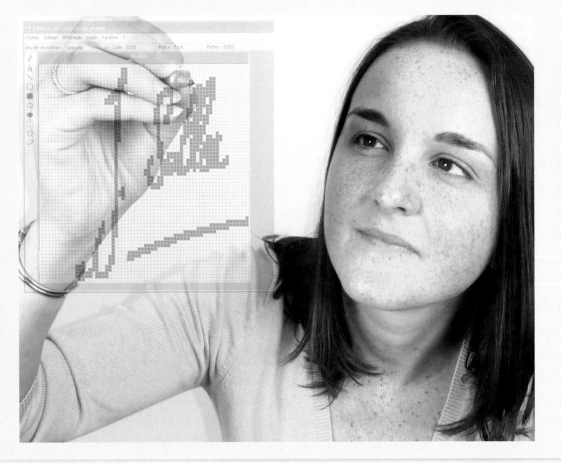

Signez ici, s'il vous plaît

1 Commencez par numériser votre signature inscrite sur une feuille de papier blanc. Utilisez si possible un stylo plume ou un stylo de bonne qualité, et de l'encre noire. Effectuez plusieurs essais et choisissez la signature la plus lisible. Placez ensuite la feuille dans votre numériseur pour la numériser. Assurez-vous que la vitre du numériseur est bien propre.

◉ Utilisez des symboles existants pour en créer de nouveaux

Les polices Wingdings, livrées avec Windows, proposent une multitude de symboles que vous pouvez intégrer dans vos documents. Mais vous pouvez également employer ces symboles pour créer vos propres polices de caractères à l'aide de l'Éditeur de caractères privés (voir page 188). Pour savoir à quelles touches de votre clavier correspondent les symboles, Windows propose un utilitaire nommé **Table de caractères** (étape 13). Vous y trouverez toutes les polices installées sur votre ordinateur et vous pourrez copier directement les caractères dans vos documents. Cliquez sur le bouton **Démarrer** de Windows, puis sur **Exécuter**. Saisissez charmap et cliquez sur **OK**. Sélectionnez une police Wingdings et le caractère qui vous intéresse. Cliquez ensuite sur le bouton **Sélectionner**, puis sur **Copier**. Enfin, ouvrez votre document dans Word par exemple et appuyez sur **Ctrl+V** pour le coller.

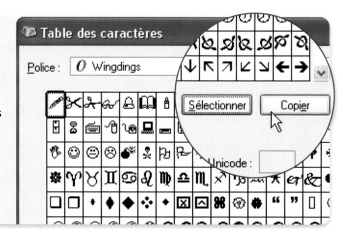

Préparez la numérisation

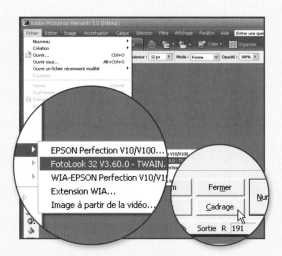

2 Démarrez Photoshop Elements et, à partir de la page d'accueil, cliquez sur le bouton **Retoucher et corriger les photos**. Sélectionnez ensuite **Importation** dans le menu **Fichier** et choisissez votre logiciel de numérisation dans la liste. Cliquez sur le bouton **Cadrage** avant de numériser le document. Effectuez des essais et choisissez la signature la plus lisible.

Numérisez votre signature

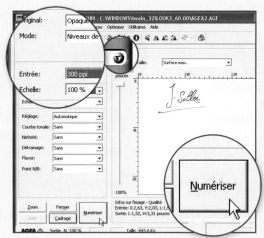

3 Choisissez un **Mode** en **Niveaux de gris**. Le nom de l'option peut varier en fonction du logiciel utilisé. Réglez la **Résolution** sur **300 ppi** et l'**Echelle** sur **100 %**. Cliquez sur le bouton **Numériser**. Lorsque la numérisation est terminée, le fichier s'ouvre automatiquement dans Photoshop Elements. Quittez votre logiciel de numérisation pour continuer à travailler avec le document obtenu.

Finalisez votre signature

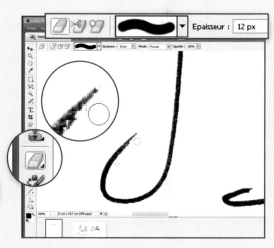

4 Appuyez sur la touche **D** pour passer la couleur d'arrière-plan en blanc. Appuyez ensuite sur la touche **E** pour activer l'outil **Gomme**. Choisissez la première **Gomme** dans la barre d'options. Sélectionnez **Forme** dans l'option **Mode**. Passez l'**Epaisseur** à **12 px**. Effectuez un zoom en appuyant sur **Ctrl+[barre d'espace]** et utilisez la **Gomme** pour finaliser votre signature.

Travaillez avec le bon outil

L'Éditeur de caractères privés propose des outils basiques permettant de dessiner de nouveaux caractères ou d'adapter des caractères existants. Vous y trouverez un pinceau et une brosse, des ellipses et des formes rectangulaires. Sélectionnez un outil et testez-le dans la fenêtre **Modifier**. Cliquez pour noircir un carré et effectuez un clic droit pour effacer. Vous pouvez retourner ou faire pivoter un caractère, le copier/coller dans la grille ou un autre programme Windows. Si vous souhaitez comparer votre caractère avec celui d'une autre police, sélectionnez **Référence** dans le menu **Fenêtre**.

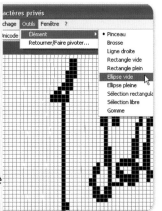

Créez un caractère à partir d'une image

Les photographies peuvent être converties en polices de caractères. Sélectionnez vos photos en préférant celles dont le contraste est élevé et ne dépassez pas les 64 x 64 pixels de la grille.

Démarrez Photoshop Elements et cliquez sur l'option **Retoucher et corriger les photos** depuis la page d'accueil du logiciel. Appuyez sur **Ctrl+O** et choisissez votre image. Cliquez sur **Ouvrir**. Cliquez ensuite sur l'outil **Recadrage**. Dans la barre d'options, réglez les **Proportions** sur **Aucune restriction** et saisissez 64 px dans Largeur et 64 px dans Hauteur. Recadrez maintenant votre image et validez

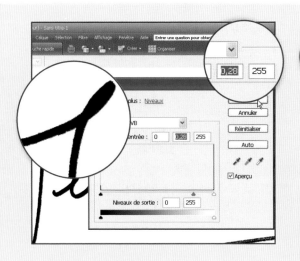

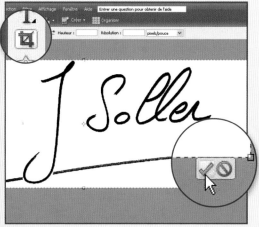

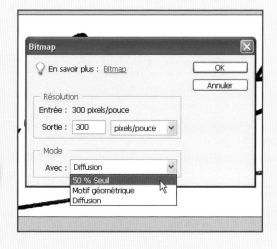

Contrastez les traits

5 Dans le menu **Accentuation**, choisissez **Régler l'éclairage** puis **Niveaux** (Ctrl+L). Poussez le petit curseur gris vers la droite jusqu'à ce que la signature devienne plus noire. Si des points noirs apparaissent un peu partout, repoussez le curseur vers la gauche pour les faire disparaître. Lorsque vous êtes satisfait du résultat obtenu, cliquez sur **OK**.

Découpez la signature

6 La police de caractères que vous allez créer prend sa source à partir de ce fichier image. Pour obtenir un résultat optimal, il vous faut éliminer tout ce qui peut parasiter la qualité de l'image. Appuyez sur la touche **C** pour activer l'outil **Recadrage** et tracez une sélection aussi proche que possible de la signature. Validez l'opération.

Supprimez les niveaux de gris

7 L'image doit être composée de noir et blanc et non de niveaux de gris pour être traitée avec l'Éditeur de caractères privés (voir étape 9). Pour la convertir, sélectionnez **Image**, **Mode** puis **Bitmap**. Ne modifiez pas les paramètres mais passez le **Mode**, **Avec** à **50 % Seuil**. Ainsi, tous les points sombres seront transformés en point noirs et les plus clairs en points blancs.

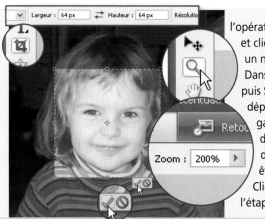

l'opération. Appuyez sur la touche Z et cliquez sur l'image jusqu'à atteindre un niveau d'agrandissement de 200 %. Dans le menu **Filtre**, choisissez **Réglages** puis **Seuil**. Dans la boîte de dialogue, déplacez le curseur blanc (en bas à gauche) vers la droite ou la gauche, de façon à restituer la plupart des détails de l'image. L'image ne doit être ni trop claire, ni trop foncée. Cliquez sur **OK**. Continuez à partir de l'étape 7 de notre projet.

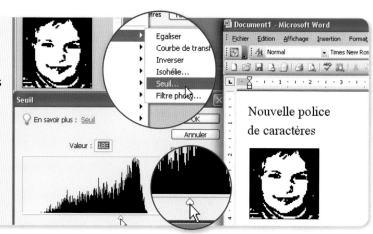

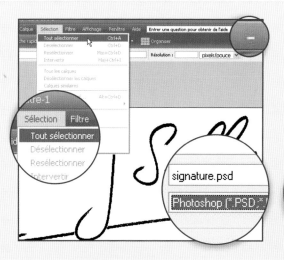

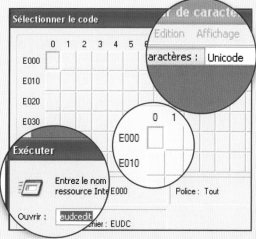

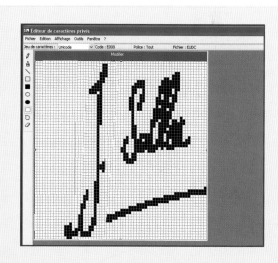

Copiez et enregistrez

8 Choisissez **Tout sélectionner** dans le menu **Sélection** et appuyez sur **Ctrl+C** pour copier votre signature. Appuyez sur **Ctrl+S**, nommez le fichier et choisissez un format **Photoshop** (*.PSD, *.PDD). Cliquez sur **Enregistrer** pour le sauvegarder sur le disque dur de votre PC. Cliquez sur le bouton **Réduire** pour afficher le Bureau de Windows.

Ouvrez l'Éditeur de caractères privés

9 Cliquez sur le bouton **Démarrer** de Windows en bas à gauche de l'écran et choisissez **Exécuter**. Saisissez eudcedit et cliquez sur **OK**. Une grille apparaît alors. Chaque case représente un caractère. Si vous l'utilisez pour la première fois, la grille doit être vide. Les coordonnées de chaque case définissent des valeurs dites Unicode. La première case E000/0 doit être sélectionnée.

Collez votre signature

10 Cliquez sur le bouton **OK** pour accepter le code E000 et la grille de caractères correspondants apparaît. Appuyez sur la combinaison **Ctrl+V** pour coller votre signature dans la grille. Si votre signature est trop longue, elle ne rentrera certainement pas dans ce type de grille. Vous pouvez alors utiliser simplement vos initiales ou une version simplifiée de votre signature habituelle.

● Trouvez vos caractères sur le clavier

Votre clavier propose toutes les lettres de l'alphabet, les chiffres de 0 à 9 et des symboles communs. Mais tous les caractères disponibles pour chaque police ne sont pas représentés sur le clavier, en particulier ceux que vous avez créés. Vous pouvez ouvrir la **Table des caractères** à tout moment (étape 13) et copier (**Ctrl+C**), puis coller (**Ctrl+V**) les caractères dans vos documents.

Sélectionnez un caractère dans la **Table des caractères**. Son nom apparaît en bas de la table, ainsi que la combinaison de touches du clavier correspondante (**Alt** + un nombre à quatre chiffres). Ainsi, le symbole © copyright correspond à **Alt+0169**. Pour intégrer ce caractère dans Word, assurez-vous que la touche **Num Lock** est active (une lumière s'allume). Maintenez la touche **Alt** enfoncée et saisissez 0169 sur le clavier numérique.

Redessinez votre signature

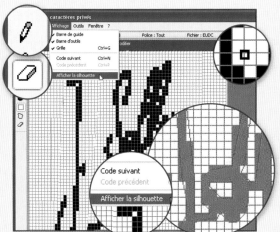

11 Cliquez sur l'outil **Pinceau** pour ajouter des pixels noirs où les lignes sont brisées et utilisez la **Gomme** pour supprimer les pixels gênants. Les pixels ne sont ici que des guides pour la future forme des caractères que vous pouvez afficher en sélectionnant **Afficher la silhouette** dans le menu **Affichage**. Appuyez sur **Ctrl+S** pour sauvegarder votre signature.

Liez les caractères à des polices

12 Si vous souhaitez n'utiliser que quelques caractères de certaines polices, sélectionnez **Liens de police** dans le menu **Fichier**. Cochez **Lier avec les polices sélectionnées**, puis sélectionnez les polices qui vous intéressent et cliquez sur **Enregistrer sous**. Nommez le fichier et cliquez sur **Enregistrer**, puis sur **OK**. Sélectionnez **Quitter** dans le menu **Fichier**.

Ouvrez la Table des caractères

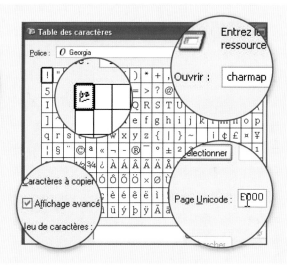

13 Pour utiliser les nouveaux caractères, ouvrez la **Table des caractères**. Cliquez sur le bouton **Démarrer** de Windows, puis sur **Exécuter**. Saisissez charmap et cliquez sur OK. Dans la **Table des caractères**, cochez la case **Affichage avancé**. Choisissez la police qui vous intéresse et saisissez E000 dans **Page Unicode**. Si le caractère est disponible, il apparaît en haut à gauche.

Davantage d'outils avancés

L'Éditeur de caractères privés propose une méthode simple et rapide pour créer des caractères personnalisés. Si vous souhaitez aller plus loin dans la création de polices de caractères, vous devrez recourir à un logiciel spécifique.

L'un des programmes les plus connus s'appelle FontForge. Il présente l'avantage d'être clair et d'un abord plutôt facile. Vous pourrez le télécharger à l'adresse http://fontforge.sourceforge.net. Grâce à cet éditeur, vous pourrez créer vos propres polices de caractères adaptées à toutes les imprimantes. Autre éditeur très réputé, Fontlab Studio, www.fontlab.com, qui produit TypeTool. Utilisé par les professionnels de l'imprimerie et par les typographes, il présente cependant l'inconvénient d'être en anglais. Cela étant, son utilisation est très simple et la maîtrise de l'anglais n'est pas indispensable.

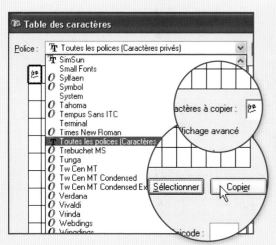

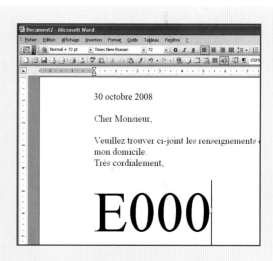

Affichez tous les caractères

14 Si vous avez du mal à retrouver votre nouveau caractère, cliquez sur **Toutes les polices (Caractères privés)** dans **Police**. Par ce biais, vous trouverez la dernière police de caractères créée à l'aide de l'**Éditeur de caractères privés**. Cliquez sur la case contenant votre signature puis sur le bouton **Sélectionner**, et enfin sur le bouton **Copier**.

Signez vos documents

15 Ouvrez un document Word, cliquez dans le texte à l'endroit où vous souhaitez apposer votre signature. Appuyez maintenant sur la combinaison **Ctrl+V** pour coller la signature. Augmentez la taille de ce caractère spécial afin d'améliorer la lisibilité de la signature. Utilisez un corps 72 pt dans la barre d'options de la palette **Mise en forme**.

Signez avec le clavier

16 Si vous possédez une version de Microsoft Office 2002 ou plus récente, vous pouvez saisir directement les caractères sur la page, sans passer par la **Table des caractères**. Il vous suffit donc de saisir directement le coordonnées Unicode, comme **E000** et d'appuyer sur **Alt+X**. Les coordonnées seront alors remplacés par votre signature.

Meilleurs vœux
Voici comment organiser vos envois de cartes de vœux

Face à la longue liste de personnes à qui vous souhaitez envoyer des cartes de vœux, il est normal que vous soyez un peu découragé. Votre PC peut vous aider dans cette tâche en récupérant les noms et les adresses à partir de votre carnet d'adresses dans Microsoft Outlook ou dans une liste Excel. Vous imprimerez facilement vos enveloppes personnalisées et profiterez de l'occasion pour créer une lettre de vœux.

IL VOUS FAUT : Microsoft Word ● Microsoft Excel
VOIR AUSSI : Créer ses cartes de vœux, page 104 ● Tableaux et graphiques dans Excel, page 300

● Principes de fusion et publipostage

Lorsque vous devez écrire la même lettre à plusieurs personnes, vous pouvez inclure des champs spéciaux dans votre document Word. Des liens permettent ainsi de personnaliser chaque copie de votre lettre, à partir d'une liste de noms et d'adresses, et même d'imprimer directement les enveloppes. Ainsi, à la place de « Cher Monsieur », vous pouvez saisir « Cher », suivi du nom du champ qui permettra d'automatiser la saisie de chaque en-tête de lettre. L'Assistant Fusion et publipostage automatise ce type de tâche en complétant son action par la gestion d'impression des enveloppes.

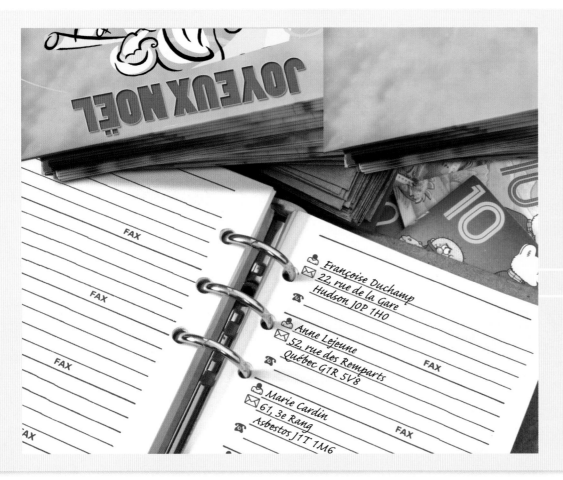

Choisissez un thème

1 Démarrez Microsoft Word et créez un nouveau document en appuyant sur la combinaison Ctrl+N. Sélectionnez l'option **Thème** dans le menu **Format** et choisissez celui qui vous intéresse. Optez pour un thème simple : **Fusion** convient parfaitement au cadre de notre projet. Cliquez maintenant sur **OK** pour l'appliquer à votre document.

◯ Trouvez des modèles

Pour créer une belle carte de vœux, vous pouvez vous aider des modèles proposés par le site Web de Microsoft. Démarrez Microsoft Word, cliquez sur le menu **Fichier**, puis sur la commande **Nouveau**. Saisissez Noël dans les Modèles et cliquez sur **OK**. La liste des résultats propose un vaste choix de documents prêts à l'emploi. Sélectionnez un modèle qui vous séduit en cliquant sur son nom et cliquez sur **Télécharger**.

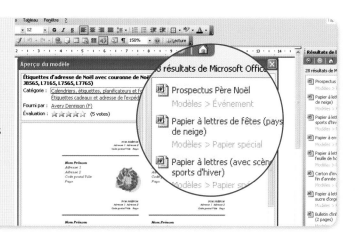

◯ Publipostage avec Outlook

Si vous employez Microsoft Outlook, votre carnet d'adresses pourra vous servir à d'autres fins que votre messagerie. Il vous suffit de choisir ce logiciel par défaut en cliquant sur **Outils**, **Options**, **Autre** et de cocher **Définir Outlook par défaut**. Lorsque vous arrivez à la **Sélection des destinataires**, cochez **Sélection à partir des contacts d'Outlook** et cliquez sur **Choisir le dossier Contacts**.

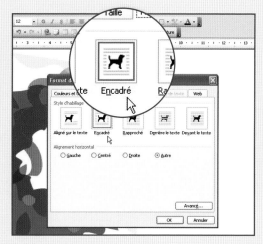

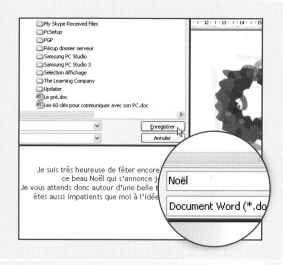

Optez pour les cliparts

2 Choisissez des cliparts pour illustrer votre carte de vœux. Connectez-vous à Internet et sélectionnez Image, puis Images clipart dans le menu Insertion de Word. Dans le volet **Office** relatif aux **Images clipart**, saisissez un mot-clé représentatif de l'objet de votre recherche. Dans cet exemple, saisissez noël et cliquez sur **OK**. Les cliparts sont alors téléchargés.

Positionnez les images

3 Cliquez sur un clipart pour qu'il apparaisse dans votre document. Effectuez un double-clic sur l'image. Dans la boîte de dialogue qui s'ouvre à l'écran, cliquez sur l'onglet **Habillage** et choisissez le style **Encadré**. Cliquez sur **OK**. Redimensionnez l'image et repositionnez-la. Ajoutez une autre image si nécessaire. Procédez ainsi pour toutes les images que vous comptez ajouter au document.

Saisissez votre message

4 Cliquez sur la page pour insérer le curseur de saisie. Appuyez sur la touche **Entrée** à plusieurs reprises afin de laisser l'espace nécessaire pour saisir le nom. Saisissez votre lettre. Laissez également de l'espace pour un message personnalisé. Appuyez sur **Ctrl+S** pour enregistrer votre lettre. Nommez votre fichier Noël et cliquez sur **Enregistrer**. Quittez Word.

● Adresse de retour

Word peut automatiquement imprimer une adresse de retour sur les enveloppes. Cliquez sur **Outils**, **Options** et sélectionnez l'onglet **Utilisateur**. Saisissez l'adresse de retour dans le bloc **Adresse**. Dans la boîte de dialogue **Enveloppes et étiquettes**, décochez la case **Omettre** pour faire apparaître l'adresse dans la fenêtre **Aperçu**.

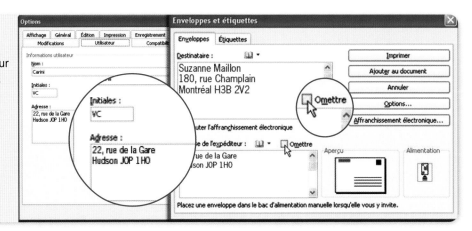

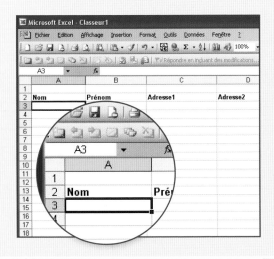

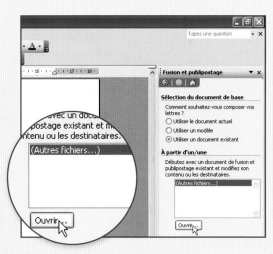

Créez un carnet d'adresses

5 Microsoft Word ne pourra pas personnaliser vos lettres s'il ne dispose pas d'une liste de noms et d'adresses. Démarrez Microsoft Excel (voir page 300) et saisissez les titres des colonnes. Vous pouvez, par exemple, saisir Nom, Prénom, Adresse1, Adresse2 (deuxième ligne d'adresse), Code postal et Ville. La nature des informations apparaissant dans ce tableau dépend de vos besoins.

Saisissez les noms et adresses

6 Sélectionnez les cellules des titres et effectuez un clic droit puis sélectionnez **Format de cellule** dans le menu contextuel qui est apparu. Cliquez sur l'onglet **Motifs** et choisissez une couleur vive. Remplissez ensuite les colonnes avec les renseignements utiles. Lorsque vous avez terminé, choisissez **Enregistrer** dans le menu **Fichier** et quittez Microsoft Excel.

Utilisez Fusion et publipostage

7 Démarrez Microsoft Word. Cliquez sur **Outils**, **Lettres et publipostage** puis sur **Fusion et publipostage**. Dans le panneau **Fusion et publipostage**, sous **Sélection du type de document**, cochez **Lettres**. Cliquez sur **Suivante : Document de base**, en bas du panneau. Cochez maintenant **Utiliser un document existant**. Dans la liste, cliquez sur **Autres fichiers** puis sur **Ouvrir**.

Personnalisez une lettre

Il est possible de personnaliser vos lettres traitées avec **Fusion** et **publipostage**. Démarrez l'**Assistant Fusion et publipostage** et allez jusqu'à la dernière étape du processus. Cliquez sur **Modifier les enveloppes individuelles**. Microsoft Word crée alors un document contenant toutes les lettres personnalisées. Vous avez ainsi accès à ces lettres et pouvez les modifier et les personnaliser à volonté.

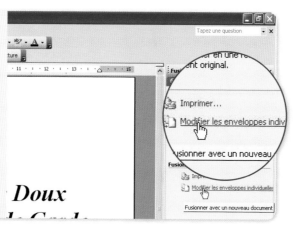

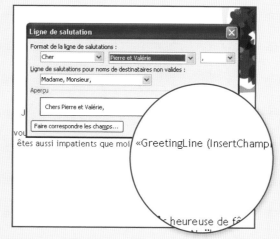

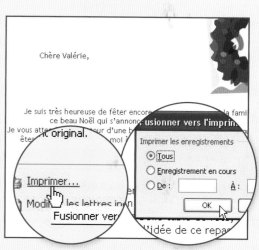

Ouvrez votre carnet d'adresses

8 Ouvrez la lettre Noël. Cliquez sur **Suivante :** **Sélection des destinataires**. Cochez la case **Utiliser le document actuel** et cliquez sur le bouton **Parcourir**. Ouvrez le fichier Excel que vous avez préalablement conçu. Cliquez sur **OK** dans la boîte de dialogue qui s'ouvre. Votre liste s'affiche dans **Fusion et publipostage : Destinataires**. Cliquez sur **OK**.

Ajoutez une salutation

9 Cliquez sur **Suivante : Ecriture de votre lettre** dans le volet **Fusion et publipostage**. Cliquez sur la lettre, à l'endroit où est insérée la formule de salutation. Cliquez sur **Ligne de salutations** et mettez votre formule de politesse en forme. Cliquez sur le bouton **OK**. Un nouveau champ apparaît alors dans la lettre. Il sera personnalisé sur chaque lettre.

Affichez et imprimez vos lettres

10 Cliquez sur **Suivante : Aperçu de vos lettres**. Pour modifier la mise en forme de la formule de politesse, cliquez sur **Précédente : Ecriture de votre lettre** et revenez à l'**Aperçu**. Cliquez ensuite sur **Suivante : Fin de la fusion**. Cliquez sur **Imprimer**. Dans la boîte de dialogue **Fusionner vers l'imprimante**, cochez **Tous**. Réglez vos paramètres et cliquez sur **OK**.

⊙ Imprimez des enveloppes parfaites

Pour être sûr du résultat des impressions de vos enveloppes, voici quelques conseils.

● Choisissez attentivement vos enveloppes. Ne les prenez pas trop fines ou bon marché car elles risquent de rester coincées dans l'imprimante.

● Conservez vos enveloppes dans un endroit sec et sain. Vous éviterez ainsi des surprises lors de l'impression.

● Si votre imprimante propose un volet spécial destiné à l'impression des enveloppes (voir le manuel d'utilisation de l'imprimante), n'hésitez pas à l'utiliser chaque fois.

● Choisissez les paramètres de qualité les plus faibles. Inutile de gâcher de l'encre et de l'argent pour l'impression des adresses sur des enveloppes destinées à être maltraitées durant leur acheminement.

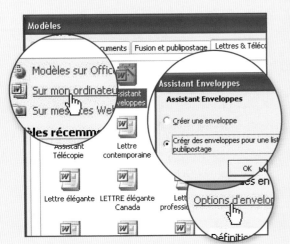

Créez une enveloppe

11 Dans Word, cliquez sur **Fichier, Nouveau**. Dans le volet **Nouveau document**, sélectionnez **Sur mon ordinateur** sous **Modèles**. Dans la boîte **Modèles**, cliquez sur l'onglet **Lettres & Télécopies**, puis sur l'icône de l'**Assistant Enveloppes**. Cliquez sur **OK**. Cochez **Créer des enveloppes pour une liste de publipostage** et sur **OK**. Cliquez sur le lien **Options d'enveloppe**.

Sélectionnez un format

12 Dans la boîte de dialogue **Options pour les enveloppes**, cliquez sur l'onglet **Options d'enveloppe** et choisissez dans la liste le format qui vous convient (voir encadré page 107). La plupart des formats standards sont disponibles. Vous pouvez définir la **Police** des **Adresses** et leur position, mais les paramètres par défaut conviennent aussi parfaitement.

Réglez les options d'impression

13 Cliquez sur l'onglet **Options d'impression**. Vous définirez la **Méthode d'alimentation** et le sens d'impression des enveloppes. Vérifiez les paramètres d'impression des enveloppes de votre imprimante avant de choisir. Vous pouvez aussi laisser les options en l'état, par défaut, les paramètres étant adaptés aux usages les plus courants. Cliquez sur **OK**.

◉ Créez des étiquettes personnalisées

Si vous imprimez beaucoup d'enveloppes, les étiquettes autocollantes sont plus simples. Vous en trouverez dans le commerce, qui sont spécialement conçues pour être imprimées avec n'importe quel type d'imprimante.

Word supporte l'impression de la plupart des feuilles d'étiquettes, dont les Avery, Formtec et Rank Xerox. Cliquez sur **Outils**, **Lettres et publipostage**, **Enveloppes et étiquettes**, puis sous l'onglet **Etiquettes**, cliquez sur **Options**. Choisissez le type d'étiquettes dont vous disposez. Si celles-ci n'apparaissent pas dans la liste, cliquez sur **Nouvelle étiquette**. Dans la boîte correspondante, saisissez les dimensions de chaque étiquette et la distance entre chacune d'elles, pour être sûr d'obtenir une impression satisfaisante. Choisissez ensuite **Etiquettes** à la place d'**Enveloppes** lors de la **Fusion et publipostage**.

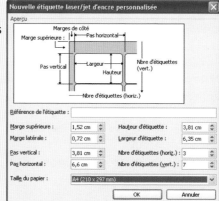

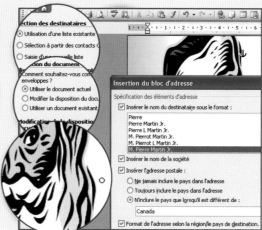

Décorez vos enveloppes

14 Cliquez sur Format, Thème et choisissez le même thème que pour la lettre préalablement conçue. Cliquez sur Insertion, Image, Image clipart. Sélectionnez une image et positionnez-la sur votre enveloppe. Réservez une place pour l'adresse. Dans le volet Images clipart, cliquez sur la flèche Autres volets Office et choisissez Fusion et publipostage.

Choisissez les destinataires

15 Cliquez sur Suivante : Sélection des destinataires. Choisissez le lien Parcourir et ouvrez votre fichier Microsoft Excel. Cliquez sur Suivante : Disposition de votre enveloppe. Cliquez à l'emplacement de l'adresse puis sur Bloc d'adresse. Mettez en forme votre adresse comme vous l'entendez. Assurez-vous qu'elle est bien lisible et cliquez sur OK.

Prêt à imprimer

16 Pour finir, cliquez sur Suivante : Aperçu de vos enveloppes. Si le texte est trop petit ou si sa disposition ne vous convient pas, retournez aux étapes précédentes. N'hésitez pas à déplacer le bloc adresse ou à le redimensionner à votre convenance. Une fois vos corrections effectuées, cliquez sur Suivante : Fin de la fusion, puis sur Imprimer.

Fier de votre t-shirt

Créez un t-shirt pour votre club ou votre équipe

Vous pouvez facilement réaliser ce projet et imprimer votre t-shirt grâce à votre PC, une imprimante à jet d'encre, un fer à repasser, un clipart et du papier spécialement conçu pour les transferts sur t-shirt. Les t-shirts personnalisés sont appréciés dans tous les types d'occasions et restent des souvenirs originaux à offrir à vos amis. Vous pouvez y placer le logo de votre entreprise ou de votre club et vous habiller aux couleurs de vos passions.

IL VOUS FAUT : Photoshop Elements ● T-shirt ● Imprimante à jet d'encre ● Fer ● Papier transfert
VOIR AUSSI : Polices de caractères, page 326 ● Créer une affiche, page 84 ● Trousse d'invitation, page 162

● Réalisez des transferts

Pour imprimer vos créations, employez votre imprimante à jet d'encre habituelle, mais procurez-vous du papier spécial pour les transferts. L'image doit être imprimée à l'envers. Une fois la feuille bien sèche, placez-la dans le bac d'alimentation manuelle. Utilisez un fer très chaud et plaquez l'image sur le textile. Une fois sec, le t-shirt peut être lavé normalement, comme n'importe quel autre t-shirt imprimé vendu dans le commerce. L'idéal cependant est de le laver à l'envers et à 30 °C (86 °F).

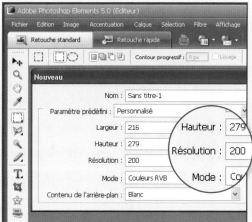

Paramétrez votre page

1 Démarrez Photoshop Elements et cliquez sur **Retoucher et corriger les photos**. Créez un **Nouveau Fichier** vide. Sélectionnez le format de page lettre. Si votre papier transfert n'est pas au format lettre, choisissez les dimensions adéquates dans le menu déroulant. Réglez la Résolution sur **200 pixels/pouce** et cliquez sur **OK** afin de valider les paramètres de création du document.

⚪ Se procurer des feuilles de transfert

Vous trouverez du papier destiné aux transferts chez la plupart des fournisseurs de papier d'impression. Bureau en gros et Hewlett Packard en vendent directement à partir de leur site Internet, www.staples.ca et www.hp.com/country/ca/fr/welcome.html. Une grande variété de produits sont également disponibles sur Internet, sur le site www.cendirect.com par exemple. Vous n'avez pas besoin d'encres spéciales pour imprimer des transferts. Mais vous obtiendrez de meilleurs résultats en procédant à des nettoyages fréquents de vos rouleaux d'impression (référez-vous aux instructions d'entretien de votre imprimante).

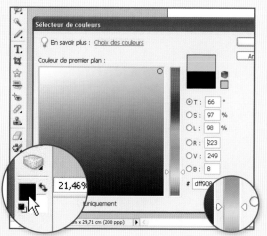

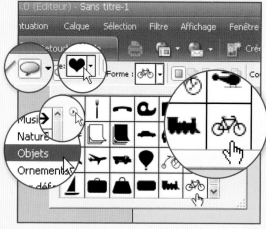

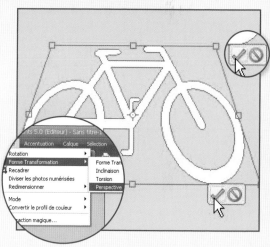

Colorez l'arrière-plan

2 Nous allons maintenant créer un t-shirt destiné à un club de cyclisme. Cliquez sur **Définir la couleur de premier plan**, situé en bas de l'écran à gauche et sélectionnez une couleur jaune vif dans le **Sélecteur de couleurs**. Cliquez sur **OK** pour valider l'opération. Appuyez ensuite sur la combinaison **Alt+Suppr** afin de remplir le calque d'**Arrière-plan**.

Dessinez une bicyclette

3 Appuyez sur **U** pour activer l'outil **Forme**. Cliquez sur **Outil Forme personnalisée** dans la barre d'options. Cliquez sur la flèche à droite dans **Forme** et choisissez **Objets** dans la liste. Sélectionnez la **Bicyclette**. Appuyez sur **X** pour intervertir la couleur de premier plan et d'arrière-plan. Maintenez la touche **Maj** enfoncée et dessinez votre forme au centre de la page.

Changez la perspective

4 Depuis le menu **Image**, sélectionnez la commande **Forme Transformation**, puis **Perspective**. Déformez la bicyclette pour lui donner un effet de perspective. Utilisez les poignées supérieures ou inférieures pour déformer la bicyclette comme si elle était en perspective. Vous donnerez ainsi une certaine profondeur au dessin. Validez l'opération.

● Imprimez un t-shirt en ligne

Si vous ne possédez pas d'imprimante à jet d'encre, vous pouvez confier votre travail d'impression à un site Web spécialisé. C'est le cas par exemple de Wordans, www.wordans.com, et de Dream Studio, www.dreamstudiophoto.com. Il vous suffit de créer l'image ou sélectionner la photo que vous souhaitez voir apparaître sur le t-shirt, de choisir la couleur et la taille du t-shirt et d'envoyer ces informations avec votre réglement au prestataire. Vous recevrez rapidement les exemplaires par la poste.

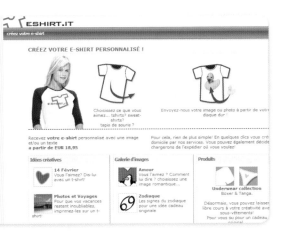

● Fabriquez une texture

À la place d'une photographie utilisée en fond comme dans notre projet, vous pouvez créer des textures en fonction de votre sujet. Munissez-vous de votre appareil numérique et photographiez une matière quelconque. Placez-vous très près de la texture et évitez les effets de perspective. Si vous ne possédez pas d'appareil photo numérique, vous pouvez créer votre texture personnalisée à l'aide de Photoshop Elements. Appuyez sur **Ctrl+N** pour créer un **Nouveau Fichier vide.**

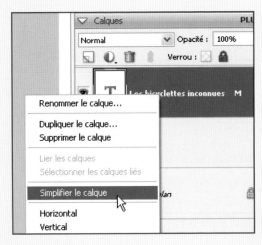

Saisissez un nom

5 Appuyez sur la touche **T** pour activer l'outil **Texte horizontal**. Dessinez un grand bloc texte recouvrant toute la page. Saisissez le nom du club en capitales et appuyez sur la touche **Entrée** à la fin de chaque mot. Appuyez plusieurs fois sur la touche **Entrée** afin de laisser suffisamment de place au dessin du vélo. Choisissez une police épaisse et un grand corps.

Convertissez le texte

6 Pour ajouter davantage de perspective, il convient de « simplifier » le calque. Mais les calques simplifiés ne peuvent plus être retouchés. Vérifiez donc que votre texte est correct avant d'effectuer cette opération. Ensuite, dans la **palette des Calques**, effectuez un clic droit sur celui contenant le texte et choisissez **Simplifier le calque.**

Exagérez la perspective

7 Dans le menu **Image**, sélectionnez la commande **Transformation**, puis **Perspective**. Servez-vous des poignées afin de déformer le texte du t-shirt. Suivez l'effet de perspective appliqué au vélo en faisant en sorte que l'ensemble paraisse sur le même plan. La sensation de profondeur doit être immédiatement perceptible. Validez votre opération quand le résultat vous paraît satisfaisant.

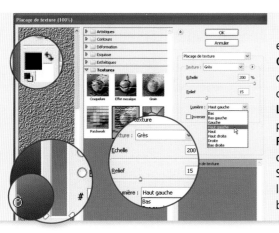

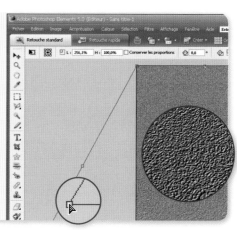

En bas à gauche, cliquez sur **Définir la couleur d'arrière-plan** et choisissez un gris moyen. Cliquez sur **OK**. Appuyez sur **Ctrl+Suppr** pour remplir le calque. Dans le menu **Filtre**, choisissez **Texture**, puis **Placage de texture**. Dans **Texture**, choisissez **Grès**, réglez l'**Echelle** sur **200**, le **Relief** sur **15** et la **Lumière** sur **Haut gauche**. Cliquez sur **OK**. Appuyez sur **Ctrl+A** pour sélectionner toute la page et choisissez **Transformation**, **Perspective** dans le menu **Image**. Cliquez sur une des poignées du bas et agrandissez le bloc. Appuyez sur la touche **Entrée**. Sauvegardez votre texture en appuyant sur **Ctrl+S** et nommez-la. Choisissez un **Format JPEG** et cliquez sur **Enregistrer**. Dans la boîte d'options JPEG, réglez la **Qualité** sur **6** et cliquez sur **OK**.

Agrandissez le texte

8 Du fait de la déformation en perspective, le texte situé dans la partie supérieure du dessin a considérablement rétréci. Appuyez sur la touche **M** pour activer l'outil **Rectangle de sélection**. Tracez une sélection autour du texte et appuyez sur **V** pour activer l'outil **Déplacement**. Maintenez la touche **Alt** enfoncée et redimensionnez le texte. Faites de même avec le texte du bas.

Ajoutez une image

9 Sélectionnez la commande **Importer** dans le menu **Fichier** pour ajouter une image dans votre composition. Redimensionnez-la afin qu'elle occupe toute la page. Pour laisser la place à du texte dans la partie supérieure, appuyez sur la touche **M** et sélectionnez un morceau de la partie haute de la page. Il convient maintenant de l'effacer en appuyant sur la touche **Suppr**.

Incrustez le texte

10 Ajustez les textes du t-shirt et redimensionnez-les pour qu'ils rentrent dans la surface allouée par la photographie. Resserrez les éléments à l'aide de l'outil **Déplacement**. Cliquez ensuite sur le calque contenant le texte et choisissez, à la place du mode **Normal**, le mode **Incrustation** à partir de la **palette des Calques**.

◯ Imprimez sur n'importe quel support

Pourquoi vous limiter à l'impression sur t-shirts lorsque le Web vous permet de produire, à partir de vos créations, des aimants de réfrigérateur, des étiquettes autocollantes, des décalcomanies, des impressions sur tissu (sacs, vêtements...).

Dream Studio, par exemple, www.dreamstudiophoto.com, vous propose d'imprimer vos créations ou vos photos sur des tasses à café, des tapis de souris, des calendriers, des coussins, des sacs de voyage, des ornements de porcelaine ainsi que sur le verre et les carreaux de céramique. Multi I.D., www.invitation-plus.com, ajoute la possibilité d'impression sur des sous-verres, des bagues pour serviettes de table, des bijoux, des porte-clés, des horloges et des plaques d'identité pour chiens et chats. Dans tous les cas, le principe est le même. Vous envoyez par courriel, ou déposez sur un serveur, le ou les fichiers de vos créations, vous remplissez un formulaire spécifiant notamment le support sur lequel vous souhaitez imprimer et réglez la commande en ligne par carte de crédit.

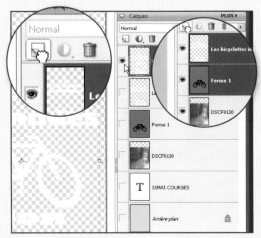

Informations pratiques

11 Vous allez maintenant ajouter des informations pratiques sur le t-shirt. Cliquez sur **Définir la couleur du premier plan** et choisissez une couleur qui contraste avec le fond. Dans la barre d'options, cliquez sur l'outil **Texte horizontal** et ajoutez les informations en haut de la page. Employez des capitales et conservez la même police. Centrez le texte.

Créez un logo

12 Sélectionnez les calques contenant les textes et le vélo, tout en maintenant la touche **Maj** enfoncée. Déposez-les sur **Créer un calque**. Effectuez un clic droit sur l'un des nouveaux calques et choisissez **Fusionner les calques**. Renommez le calque **Logo** et appuyez sur **Entrée**. Déplacez ce calque en haut de la palette et cliquez sur son œil tout en maintenant la touche **Alt**.

Colorez le logo

13 Cliquez sur le bouton **Verrouiller les pixels transparents** dans la **palette des Calques**. Appuyez sur la combinaison **Alt+Suppr** pour remplir les pixels blancs avec la couleur de premier plan. Appuyez sur la touche **V** pour activer l'outil **Déplacement**, puis cliquez sur la poignée du bas, tout en maintenant la touche **Alt** enfoncée, afin de réduire la taille du logo.

Papier transfert pour laser

Le procédé de transfert des imprimantes laser est sensiblement identique à celui employé par les imprimantes à jet d'encre. Le papier est cependant plus onéreux et plus difficile à trouver dans le commerce. TransTex, www.transfer-papers.com, vend du papier de transfert adapté aux imprimantes laser. Vous devrez changer les paramètres d'impression et opter pour « papier couché » et une alimentation manuelle de l'imprimante, sans quoi vous risquez des bourrages de papier.

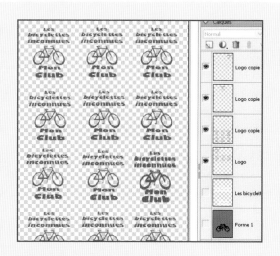

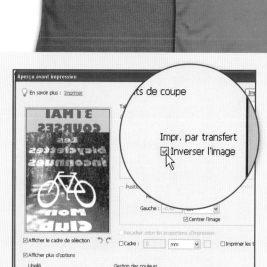

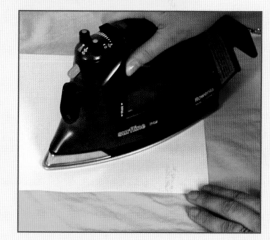

Dupliquez le logo

14 Déplacez le logo en haut de la page. Maintenez la touche **Alt** enfoncée pour le dupliquer. Organisez les copies sur la page comme vous le feriez sur une grille. Pour imprimer une page de logos, laissez visibles uniquement les calques qui la constituent en cliquant sur l'œil devant chaque calque qui ne doit pas être affiché. La feuille peut contenir une dizaine de logos.

Paramétrez l'impression

15 Lisez attentivement les instructions proposées avec le paquet de feuilles spécialement destinées au transfert sur t-shirt. Disposez une feuille dans l'imprimante et cliquez sur **Imprimer** dans le menu **Fichier**. Cochez l'option **Afficher plus d'options**, puis la commande **Inverser l'image** afin de coller dans le bon sens votre transfert sur le t-shirt.

Passez le fer à repasser

16 Imprimez vos images et laissez les pages sécher avant de les poser sur le tissu. Le textile doit être parfaitement lisse et posé sur une surface plate. Appliquez le transfert à l'aide d'un fer à repasser en veillant à ce que la pression soit constante d'un bout à l'autre de la feuille. Reportez-vous aux instructions livrées avec les feuilles spécialement destinées à cette opération.

Son et vidéo

Exploiter les ressources de son PC, créer des vidéos et des diaporamas, numériser sa discothèque, composer un chef-d'œuvre et préparer une compilation musicale pour une fête.

Laboratoire vidéo à domicile
Faites de vos vidéos familiales un film hollywoodien

SON ET VIDÉO

Si vous possédez une caméra vidéo, vous disposez certainement de dizaines d'heures d'enregistrement stockées sur des cassettes. Les séquences n'ayant pas toutes le même intérêt, la lecture d'une cassette n'est pas toujours très fluide.

En suivant le projet présenté ici, vous allez créer un film ne reprenant que ce qu'il y a de meilleur dans ces séquences. Vous ajouterez vos propres titres, des effets spéciaux et une musique

d'ambiance. Ce projet est aussi agréable à faire que son résultat est plaisant à regarder. Windows XP est livré avec le logiciel Movie Maker 2, qui vous permettra de mener à bien ce projet.

Vous devrez aussi disposer d'une caméra vidéo et d'un câble de connexion au PC par le port FireWire. Si vous n'êtes pas équipé d'une caméra numérique, référez-vous à l'encadré « Numérisez des vieux films », page 215.

IL VOUS FAUT : Un PC avec un port FireWire ● Movie Maker 2 ● Une caméra et un câble FireWire
VOIR AUSSI : Menu interactif de DVD, page 248 ● Son et image avec le Lecteur WM, page 330

● Autres logiciels

D'autres logiciels offrent un potentiel comparable à celui de Windows Movie Maker. Ulead VideoStudio, www.ulead.com/vs, Pinnacle Studio, www.pinnaclesys.com, et Roxio VideoWave, www.roxio.com/en/products/videowave, permettent également la création de DVD vidéo. Vous devrez alors disposer d'un graveur de DVD pour en tirer profit. Des logiciels plus professionnels, à l'instar d'Adobe Premiere et de Sony Vegas, offrent plus de possibilités, mais leur prix est aussi bien plus élevé.

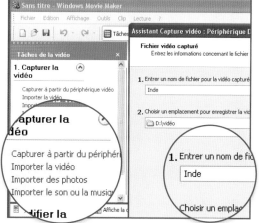

Connectez votre caméra au PC

1 Connectez une extrémité du câble FireWire sur la prise de la caméra et l'autre sur votre PC. Alimentez la caméra en la reliant au secteur. Dans cette configuration, n'employez pas la batterie. Allumez ensuite la caméra et sélectionnez la fonction **Lecture** ou le mode **VCR**. Positionnez la cassette au début de la première scène que vous souhaitez capturer.

Démarrez Movie Maker

2 Activez Movie Maker et dans le volet **Tâches de la vidéo**, sélectionnez **Capturer à partir du périphérique vidéo**. La boîte correspondante apparaît. Elle présente la liste des périphériques vidéo disponibles. Choisissez votre caméra et cliquez sur le bouton **Suivant**. Saisissez un nom de fichier représentatif du projet et optez pour son dossier de stockage.

Définissez la qualité

3 Sélectionnez la qualité de votre vidéo en fonction du support sur lequel vous lirez le fichier. Si vous souhaitez créer un DVD vidéo, choisissez **Format du périphérique numérique (DV-AVI)**. Si, au contraire, la qualité n'est pas la première de vos préoccupations, préférez l'option **Autres paramètres**. Le fichier obtenu sera moins volumineux. Cliquez sur **Suivant**.

● La chronologie et la table de montage

Windows Movie Maker propose deux modes de travail : la **Table de montage** et la **Chronologie**. La première (à droite) est la plus simple. Les séquences se présentent sous la forme de vignettes séparées par des cellules de transition (voir étape 9). La **Chronologie** (à gauche) offre davantage de contrôles en séparant trois pistes : une pour la vidéo (elle-même divisible entre la piste vidéo et la piste son de cette vidéo), une seconde pour la musique et une dernière pour les titrages.

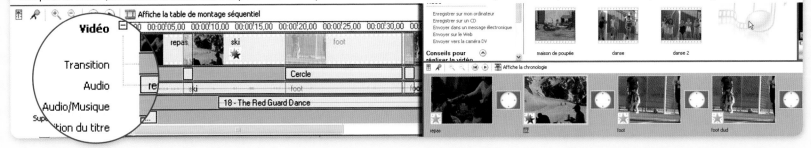

Transférez la séquence

4 Choisissez si vous souhaitez capturer tout ou une partie de la vidéo. Si votre PC n'est pas très rapide, décochez la case **Afficher un aperçu durant la capture**. Vous pourrez toujours suivre le déroulement de la séquence sur l'écran de la caméra. Cliquez sur **Suivant** afin d'afficher l'écran de capture et servez-vous des boutons pour positionner le début de la séquence. Cliquez sur **Démarrer la capture**.

Organisez les vidéos

5 Pour interrompre l'opération, cliquez sur **Arrêter la capture**. Movie Maker analyse alors la séquence et la morcelle en clips. Faites un clic droit sur les clips, sélectionnez **Renommer** et saisissez le nom du fichier tel que vous le souhaitez. Choisissez **Sélectionner tout** dans le menu **Edition**, glissez les clips dans le volet **Collections** et posez-les sur la **Table de montage**.

Concevez la vidéo

6 Chaque nouveau clip occupe sa propre « cellule » dans la **Table de montage**. Les vignettes affichent la première image du clip. Pour lire toute la séquence, cliquez sur le bouton **Lecture** situé sous la fenêtre **Moniteur**. Pour réaliser une séquence spécifique, cliquez dessus dans la **Table de montage** et démarrez la lecture. Enregistrez le projet sans plus attendre.

SON ET VIDÉO

● Code temps

Votre caméra numérique écrit automatiquement un code temps lorsque vous enregistrez un film, indiquant le temps écoulé en heures, minutes, secondes et nombre d'images (25 par seconde). Les logiciels d'acquisition et d'édition vidéo emploient le même code à quelques variantes près. Windows Movie Maker, par exemple, remplace le nombre d'images par des centièmes de seconde. Lorsque vous filmez, prenez soin de toujours commencer une séquence au terme de la précédente. Le fait de laisser un blanc réinitialise le compteur.

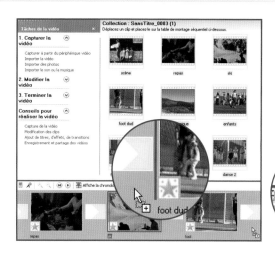

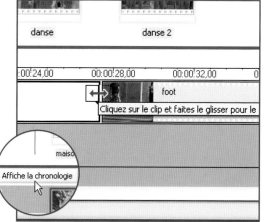

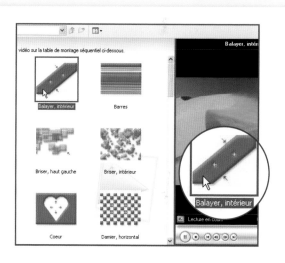

Réorganisez les séquences

7 Glissez les séquences dans la **Table de montage** et disposez-les dans l'ordre qui vous convient. Lorsque vous glissez une séquence, le curseur se transforme et se souligne d'un rectangle. Une barre verticale bleue indique l'endroit où sera insérée la séquence lorsque vous la relâcherez. L'ordre à ce stade importe peu, vous aurez plus tard tout le loisir d'intervenir sur la **Table de montage**.

Calibrez les séquences

8 Pour étirer un clip, passez en mode Chronologie en cliquant sur le bouton **Affiche la chronologie**. À l'aide de l'outil **Zoom**, agrandissez la taille d'affichage des vignettes. Cliquez sur le clip à calibrer. Disposez le curseur à la fin de la séquence, cliquez et glissez le repère afin d'en réduire la durée. La dernière image de la séquence s'affiche dans le **Moniteur**.

Ajoutez des effets de transition

9 Cliquez sur le bouton **Affiche la table de montage séquentiel**. Les boîtes situées entre les clips reçoivent les transitions. Si une cellule de transition est vide, vous passerez directement de la séquence à la suivante. Dans le volet des **Tâches**, sélectionnez **Afficher les transitions vidéo**, situé dans la section **Modifier la vidéo**. Faites un double-clic sur une transition pour la voir à l'action.

● Faites simple et clair !

Le fait d'ajouter des titres à vos vidéos contribue à leur conférer un caractère plus professionnel. Cela étant, sachez rester simple. Employez par exemple une jolie police sur un fond noir au début du film afin de capter l'attention des spectateurs. Si vous superposez le titre sur les premières images du film, faites attention à ce qu'il reste lisible malgré les mouvements de l'image. Pour parer à cette contrainte, pensez à disposer le titre au bas de l'écran, vous serez ainsi assuré de sa lisibilité. Ne réservez pas le titrage au seul début du film, ajoutez des sous-titres et des écrans d'introduction.

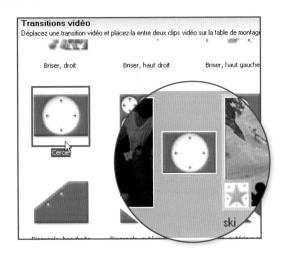

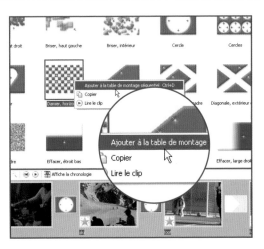

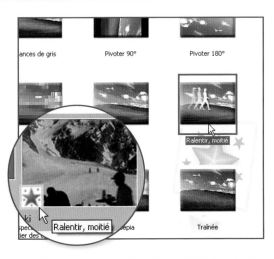

Affichez une prévisualisation

10 Glissez la transition **Cercle** dans une cellule de transition vide, située dans la **Table de montage**. Movie Maker place automatiquement la « tête de lecture » au terme de la première séquence, juste avant que ne commence l'effet de transition. Ainsi, pour visualiser l'effet obtenu, il ne vous reste plus qu'à cliquer sur le bouton **Lecture du Moniteur**.

Choisissez des transitions

11 Vous pouvez employer une transition différente par clip, bien qu'il soit préférable de ne pas dépasser deux par vidéo. Les ajouter individuellement est une tâche laborieuse. Aussi, pour ajouter la même transition entre chaque clip, sélectionnez tous les clips dans la **Table de montage**, faites un clic droit sur la transition et cliquez sur **Ajouter à la table de montage séquentiel**.

Ajoutez un effet vidéo

12 Pour ajouter un effet vidéo, sélectionnez **Afficher les effets vidéo** dans le volet des tâches. Déroulez la liste des effets, jusqu'à l'effet **Ralentir, moitié**. Glissez-le sur la vignette du clip choisi dans la **Table de montage**. L'étoile, jusqu'alors grise, devient bleue pour indiquer qu'un effet a été appliqué. Celui-ci ralentit la vitesse de lecture du clip et double sa longueur.

● Dites-le haut et fort !

Les titres doivent être gros. Préférez les polices sans sérif tels que l'Arial. Les petits titres sont difficiles à lire sur un écran de télévision. Si vous superposez un titre sur une image, choisissez un style d'animation (voir étape 17) qui donnera du relief au titre ou disposez-le sur un fond coloré. Éloignez toujours les titres des bords de l'écran, sinon vous riquez de les voir tronqués en fonction du téléviseur.

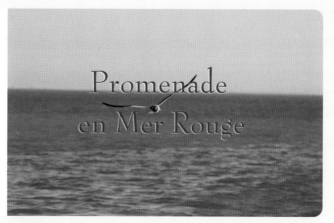

● Vidéo depuis un cellulaire

Vous pouvez réaliser des vidéos avec votre téléphone portable, si celui-ci est équipé pour cela. Le format d'enregistrement varie d'un modèle à l'autre. Vous devrez donc vous référer au manuel du téléphone pour savoir si vous pourrez l'employer avec un logiciel d'édition vidéo. Il vous suffit de connecter votre téléphone au PC et de démarrer le programme de synchronisation. Copiez les vidéos sur le disque dur puis importez-les dans Windows Movie Maker comme vous l'avez appris.

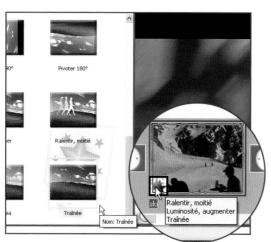

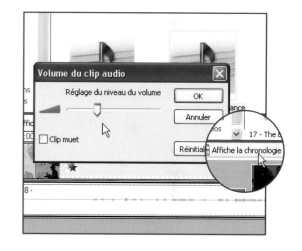

Effets multiples

13 Vous pouvez ajouter jusqu'à six effets vidéo par clip. Glissez les effets **Luminosité, augmenter** et **Traînée** sur l'effet que vous avez ajouté précédemment. Une ombre s'ajoute à l'étoile indiquant que le clip est composé de plusieurs effets. Leur nom apparaît lorsque vous laissez le pointeur de la souris quelques secondes sur cette étoile.

Sonorisez la vidéo

14 Pour ajouter un fond musical, sélectionnez **Importer le son ou la musique** dans le volet des **Tâches**. Vous pouvez insérer la plupart des formats (voir page 332). Le dossier **Ma musique** de votre disque dur est l'endroit idéal pour écouter les fichiers son dont vous disposez. Cliquez sur le bouton **Importer** afin d'ajouter votre sélection musicale dans la séquence vidéo.

Ajustez le volume

15 Cliquez sur le bouton **Affiche la chronologie** puis glissez le fichier audio de la fenêtre de contenu vers la piste **Audio/Musique** au-dessous de la piste **Vidéo**. Pour fondre cette musique à la vidéo, faites un clic droit sur la séquence sonore et choisissez **Apparition en fondu** ou **Disparition en fondu**. Vous pouvez régler le volume en cliquant sur **Volume**. Ajustez le repère et cliquez sur **OK**.

Ajoutez une voix hors-champ

Vous pouvez ajouter toutes sortes de bandes son. Si vous souhaitez récupérer le contenu d'un CD audio, vous devrez d'abord le copier et le convertir à l'aide de Windows Media Player (voir page 330).
Vous pouvez aussi ajouter une voix hors-champ, directement depuis Movie Maker. Connectez un microphone au PC et cliquez sur le bouton **Narration de la chronologie**.

Ajustez la balance en cliquant sur le bouton **Définir la balance audio**, situé à l'extrême gauche de la **Table de montage** ou de la **Chronologie**.

Envoyez vos vidéos par courriel

Pour expédier une vidéo par courriel, vous devez d'abord commencer par en réduire le poids. Cliquez sur **Envoyer dans un message électronique**, option située sous **Modifier la vidéo** du volet des tâches. Le logiciel se charge alors de tout.

Si la qualité du résultat laisse trop à désirer, essayez l'option **Enregistrer sur mon ordinateur** et optez pour le paramètre de qualité qui vous semble le mieux adapté. Ces options font varier le rapport poids/qualité en fonction de la finalité. Essayez **Vidéo pour RNIS** (48 Kbits/s) ou **Vidéo pour accès à distance** (38 Kbits/s), qui offrent des résultats permettant d'être expédiés par courriel.

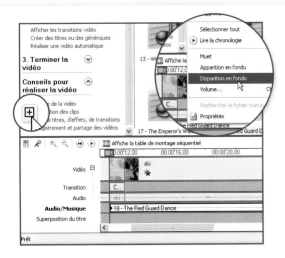

Réglez les balances

16 Vous souhaiterez certainement ajuster le volume du son de la vidéo afin d'équilibrer la musique de fond et la bande son de la vidéo. Cliquez sur le signe + situé à côté de l'intitulé **Vidéo** au début de la piste. Chaque clip est accompagné de sa propre bande son. Faites un clic droit dessus pour accéder aux mêmes fonctions de fondu et de volume que celles de l'étape précédente.

Saisissez un titre

17 Affichez le volet des **Tâches** et sélectionnez **Créer des titres ou des génériques**. Cliquez sur **Ajouter un titre au début de la vidéo**. À l'écran suivant, saisissez le titre du film. Utilisez les options de mise en forme situées en bas du volet et sélectionnez un style d'animation. **Apparition, disparition en fondu**, par exemple, est un effet très esthétique. Cliquez dessus pour le sélectionner.

Superposez le titre

18 Cliquez sur **Terminé**. Le titre est en caractères pleins sur un fond uni et Movie Maker l'a placé au début de la vidéo. Pour un effet plus professionnel, vous pouvez le superposer sur la première image du film. Glissez sa cellule sur la ligne **Superposition du titre**. Pour modifier ses caractéristiques graphiques, faites un clic droit dessus et choisissez **Modifier le titre**.

● Numérisez des vieux films

Il existe des sociétés qui convertissent vos films 8 mm en vidéos numériques. Saisissez transfert de films 8 mm dans Google, www.google.ca, afin de trouver un prestataire. Si vous disposez d'une caméra analogique 8 mm, vous pouvez aussi récupérer sur votre PC les images réalisées en employant les sorties Video-in et S-Video-in de l'ordinateur. Si celui-ci n'en est pas équipé, vous pouvez acheter une carte d'acquisition (peu onéreuse) telle que la Dazzle DVC 90 de Pinnacle (www.pinnaclesys.com). Une fois la vidéo numérisée sur le disque dur, vous pourrez l'éditer comme vous le feriez avec les vidéos issues d'une caméra numérique.

● Questions de gravage

Movie Maker vous permet de créer des CD vidéo au format Microsoft HighMAT, supporté par nombre de lecteurs DVD. Si vous disposez d'un graveur de DVD, préférez la production de DVD vidéo. Windows Movie Maker n'est pas équipé de fonctions permettant la gravure de DVD, mais vous pourrez vous procurer facilement un logiciel spécifique. Le DVD vidéo offre une qualité supérieure et constitue un moyen plus simple pour partager vos vidéos avec vos amis.

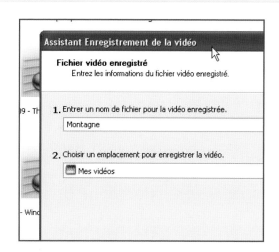

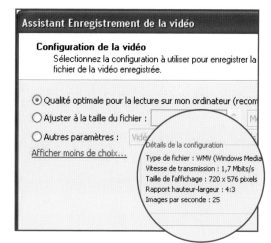

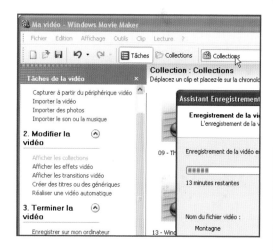

Enregistrez le film

19 Vous êtes maintenant prêt à exporter votre travail. Le logiciel propose différentes options d'exportation. Sous la rubrique **Terminer la vidéo** située dans le volet des **Tâches**, cliquez sur **Enregistrer sur mon ordinateur**. Vous allez ainsi créer un fichier vidéo qui pourra être lu dans le Lecteur Windows Media. L'**Assistant Enregistrement de la vidéo** apparaît.

Choisissez la qualité

20 Saisissez le nom du fichier et optez pour son dossier de stockage. Cliquez sur **Suivant**. Sélectionnez **Qualité optimale pour la lecture sur mon ordinateur**. Des informations relatives au fichier en cours de création apparaissent au bas de la boîte. Vous saurez notamment quel espace sur le disque sera occupé par la vidéo.

Créez le fichier final

21 Cliquez sur le bouton **Suivant** pour démarrer la production du fichier. Le temps de calcul risque d'être long, en fonction de la durée du film, du nombre d'effets et de transitions employés, ainsi que de la puissance de votre PC. La barre de progression indique le temps restant. Ce calcul peut être fait pendant la nuit tandis que le PC n'est pas employé.

Dépoussiérez vos vinyles

Apprenez à numériser et à nettoyer votre discothèque

Si vous collectionnez les disques vinyles et les cassettes audio depuis plusieurs années ou si vous aimeriez les écouter sur votre chaîne dernier cri, qui n'est évidemment pas pourvue d'un lecteur de cassette ou d'une table tournante, la solution consiste à numériser votre discothèque. C'est également un moyen pour les passer sur un support inaltérable et les nettoyer de bruits parasites qui font le charme de l'ère « prénumérique ». Grâce à votre PC, tout cela est possible, sans effort ni difficulté.

IL VOUS FAUT : Un graveur de CD ● Des CD vierges ● Une chaîne hi-fi équipée d'une table tournante ou d'un magnétophone ● Magix Audio Cleanic

À propos d'Audio Cleanic

Magix Audio Cleanic présente l'avantage d'une solution complète. Pour être certain que celle-ci vous convient, l'éditeur Magix vous propose de télécharger une version d'évaluation de son logiciel. Pour cela, rendez-vous à l'adresse www.infos-du-net.com/telecharger/audio-cleanic-magix,0301-2299.html. Suivez le lien qui permet le téléchargement d'évaluation et inscrivez-vous sur le site.

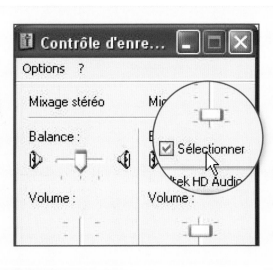

Préparez votre PC à l'enregistrement

1 Une fois votre équipement audio connecté (voir page 217), cliquez sur le bouton Démarrer, choisissez **Tous les programmes, Accessoires, Divertissement** puis **Contrôle du volume.** Une fois le programme chargé, cliquez sur **Options** puis **Propriétés.** Cliquez sur **Enregistrement** puis sur **OK.** Cochez la case **Sélectionner** de la section **Mixage audio.** Fermez la fenêtre.

● Connectez votre équipement audio

La connexion de la la chaîne hi-fi au PC est indispensable pour mener à bien ce projet. Votre table tournante ou votre magnétophone dispose très certainement d'une sortie Line-level (1) qui autorise un enregistrement de qualité du signal véhiculé. Reliez un câble de cette sortie vers celle du PC, également baptisée Line-in (4). Si cela ne fonctionne pas, vous devrez connecter l'ampli ou le pré-ampli (2) à la platine (3) et cette dernière au PC (4). Vous emploierez un câble pourvu de deux prises phono d'un côté et d'une mini-prise de l'autre, connecté à l'ordinateur.

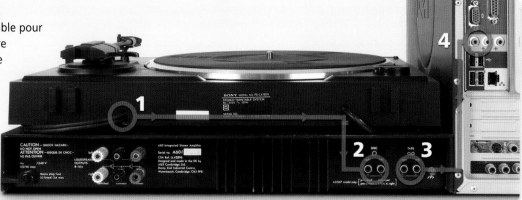

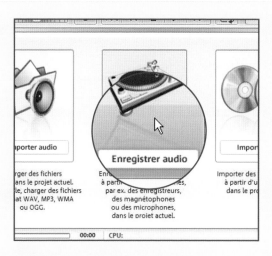

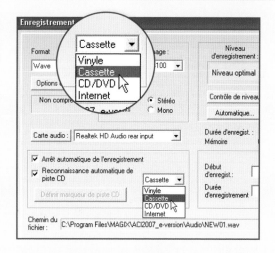

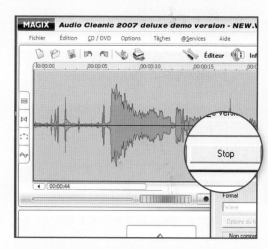

Démarrez Audio Cleaning

2 Une fois Audio Cleaning installé, cliquez sur le bouton **Démarrer**, choisissez **Tous les programmes**, puis **Magix** et **Magix Audio Cleaning** et enfin le programme du même nom. Quelques instants s'écoulent avant que n'apparaisse l'interface du logiciel. Trois boutons de navigation sont disposés dans la partie inférieure de la fenêtre. Cliquez sur le bouton intitulé **Enregistrer audio**.

Vérifiez les niveaux d'enregistrement

3 Le logiciel est configuré en fonction des sources d'enregistrement dont vous disposez. Vous accédez maintenant à une fenêtre qui vous permet de démarrer l'enregistrement. Commencez par vérifier les niveaux d'enregistrement. Cliquez sur le bouton **Automatique** et assurez-vous que le niveau d'enregistrement est optimal. Choisissez **Cassette** dans la liste des sources disponibles.

Enregistrez la première piste

4 Rembobinez la cassette audio à importer puis commencez sa lecture. Cliquez sur **Enregistrement**. L'importation débute et vous matérialiserez sa progression dans la fenêtre principale du logiciel. Laissez ainsi se dérouler l'enregistrement jusqu'au terme de la première piste. Cliquez alors sur le bouton **Stop**. La piste est numérisée dans un fichier, stocké sur votre PC.

⬤ Petit dépoussiérage

Avant d'entamer un nettoyage électronique, nettoyez physiquement le disque ou la cassette audio, ainsi que la platine et le magnétophone. Ce dernier dispose de têtes de lecture qu'il est important de nettoyer soigneusement. Il existe des systèmes remplissant cette mission. Vérifiez, et remplacez si besoin, le diamant du bras de lecture sur la table tournante.

Les disques vinyles se nettoient à l'eau chaude avec une pointe de détergent. N'immergez tout de même pas le disque et nettoyez-le à l'aide d'un chiffon doux. Rincez-le à l'eau tiède et séchez-le.

⬤ Test d'enregistrement

Bien qu'Audio Clinic fonctionne très bien et s'occupe de tout à votre place, il est recommandé de tester un premier enregistrement. Après une première écoute du résultat, vous pourrez ajuster le niveau d'enregistrement afin de compenser les variations d'un morceau à l'autre. Laissez au neutre les réglages de basses et d'aigus de l'amplificateur.

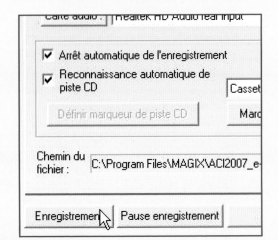

Au tour de la deuxième piste

5 Fermez la fenêtre d'enregistrement et écoutez la piste que vous venez de numériser en cliquant sur le bouton **Lecture**. Si tout vous paraît correct, passez à la deuxième piste de la cassette à numériser. Reprenez la procédure à l'étape 2 et suivez la progression que vous venez de mettre en œuvre. Ne vous souciez pas des « blancs » entre chaque piste, vous les aménagerez plus tard.

Terminez les enregistrements

6 Procédez ainsi pour toutes les pistes de la cassette à importer. Par défaut, toutes les pistes sont enregistrées au format WAV. Il est cependant recommandé de les découper et de leur associer un fichier distinct à chacun. Pour cela, au moment de l'importation, cliquez sur le bouton **Parcourir** (en forme de dossier) de la boîte **Enregistrement** et nommez le fichier de la piste.

Importez la première piste

7 Cliquez sur le menu **Fichier** et choisissez **Nouveau projet**. Cliquez maintenant sur le bouton **Importer audio** situé au bas de l'interface principale. Dans la fenêtre de sélection qui apparaît, choisissez la première piste que vous avez préalablement numérisée. Celle-ci s'affiche dans la zone principale de l'interface. Cliquez sur le bouton **Lecture** pour vous assurer qu'il s'agit bien de celle-là.

● N'enfreignez pas la loi

Soyez respectueux des règles régissant la propriété intellectuelle. Copier un enregistrement que vous avez acheté, à des fins purement personnelles, est toléré par la loi et les maisons de disques.

Servez-vous de la fonction de protection du logiciel pour vous assurer que le résultat pourra être lu uniquement sur votre PC ou sur votre lecteur de CD, sans qu'aucune copie ne puisse être distribuée à d'autres personnes.

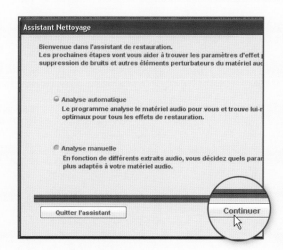

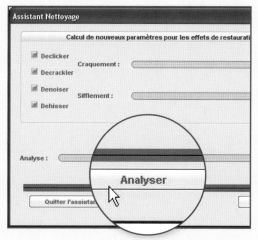

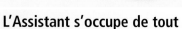

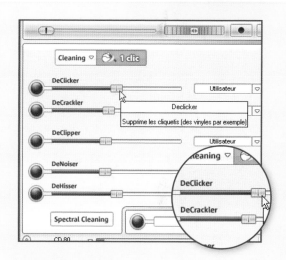

Premier nettoyage

8 Vous allez maintenant expurger l'enregistrement des défauts liés à son support original. Cliquez pour cela sur l'onglet **Nettoyer**. Faites appel à l'**Assistant nettoyage** en cliquant sur le bouton **1 click** situé à droite du bouton **Cleaning**. La fenêtre de l'Assistant s'ouvre. Laissez l'option **Analyse automatique** cochée et contentez-vous de cliquer sur le bouton **Continuer**.

L'Assistant s'occupe de tout

9 Cliquez sur le bouton **Analyser**. L'Assistant lance la lecture de la piste audio et estime le travail de nettoyage auquel il convient de procéder. Lorsque l'analyse est achevée, une nouvelle fenêtre vous suggère le travail à mener. Pour l'accepter, cliquez sur le bouton **Appliquer**. Avant cela, vous pouvez écouter le résultat de la modification en cliquant sur **Test avec paramètres d'effets courants**.

Affinez le travail

10 Vous disposez d'un panneau de contrôle qui vous permet d'intervenir sur les bruits et autres effets parasites perceptibles à l'oreille. La fonction **DeClicker** permet de supprimer l'effet de cliquetis propre aux disques vinyles, cet effet parasite lié à la lecture du diamant sur la surface du disque. Glissez le curseur en fonction des cliquetis que vous percevez.

Alternatives

Nombre de produits proposent des fonctions permettant de produire d'excellents enregistrements, y compris depuis des sources dites analogiques, comme le disque vinyle ou la cassette audio. LP Recorder, www.cfbsoftware.com, fonctionne très bien et existe en version de démonstration. C'est aussi le cas d'Audacity, http://audacity.sourceforge.net, qui, s'il est en anglais, présente l'avantage d'être gratuit.

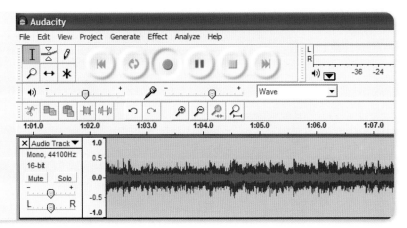

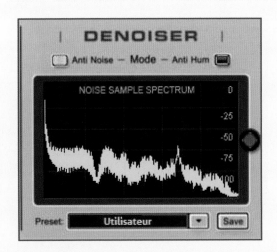

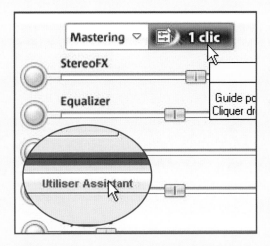

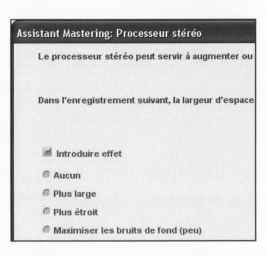

Supprimez le ronflement

11 Si l'enregistrement provient d'une cassette audio, il se peut que vous ayez également capté le bruit du moteur du magnétophone. Cliquez sur le bouton **Edit** à droite du repère **Denoiser**. Dans la boîte qui apparaît, procédez au réglage de manière arbitraire jusqu'à ce que le bruit de ronflement disparaisse. Cliquez sur **OK** pour valider les changements.

Préparez vos pistes comme les pros

12 Le nettoyage étant terminé, vous êtes prêt à « masteriser » la piste. C'est généralement le travail des techniciens de studio, installés devant leur console. Un **Assistant** automatise cette tâche particulièrement complexe si vous êtes novice en la matière. Cliquez sur le bouton **1 click** à droite du bouton **Mastering**. Cliquez sur le bouton **Utiliser l'Assistant**.

Suivez l'Assistant de masterisation

13 L'**Assistant** suggère d'introduire des effets en fonction de la qualité d'enregistrement. Optez pour les solutions proposées selon le résultat à obtenir. Pour chacune d'elles, vous pouvez affiner le réglage et écouter le résultat. Au terme des étapes de l'Assistant, cliquez sur le bouton **Appliquer** de manière à modifier la piste. Celle-ci est maintenant prête à être gravée.

● La touche finale

Pour conférer à vos CD un aspect professionnel, pourquoi ne pas créer une couverture et une étiquette dignes de ce nom ? Il existe plusieurs logiciels permettant de mener à bien cette tâche. C'est le cas, par exemple, de SureThing, qui offre un éventail de solutions fort intéressantes pour créer des pochettes et « galettes » de CD originales. Le logiciel existe en français.

Alternativement, vous pouvez employer Microsoft Word et exploiter l'un des nombreux modèles d'étiquettes de CD disponibles sur le Web. Connectez-vous à Internet et démarrez Microsoft Word. Choisissez **Nouveau** dans le menu **Fichier** et, dans le volet Office apparu sur la droite, cliquez sur **Modèles sur Office Online**. Ceci aura pour effet de charger le site Web de Microsoft dans lequel vous trouverez les modèles d'étiquettes.

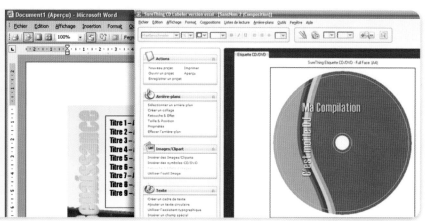

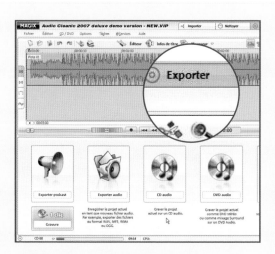

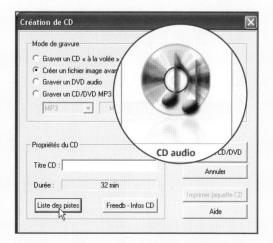

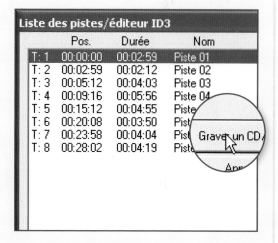

Préparez votre CD audio

14 Chargez chaque piste et, pour chacune, nettoyez les bruits parasites et égalisez les niveaux de sortie grâce aux Assistants mis à votre disposition. Si vous ne vous sentez pas à l'aise, intervenez peu sur ces paramètres et laissez faire les Assistants. Vous allez ensuite créer le CD audio, réplique améliorée de la cassette ou du vinyle d'origine. Cliquez sur l'onglet Exporter.

Utilisez l'Assistant de création

15 Dans la fenêtre du logiciel apparaissent de nouveaux Assistants. Cliquez sur CD Audio et constatez par la même occasion que le logiciel vous permet de créer un balado, un DVD audio ou encore un CD/DVD de données. Inutile donc de faire appel à un autre logiciel pour mener à bien ces opérations. Cliquez ensuite sur le bouton Liste des pistes.

Vérifiez et gravez

16 Les pistes du CD apparaissent dans la liste. Pour chacune d'elles, vous pouvez ajouter le titre, le nom de l'artiste, l'album dont la piste est issue et le type de musique dont il s'agit. Une fois ces informations vérifiées, fermez la fenêtre. Insérez un CD vierge dans votre graveur. Donnez un titre au CD, vérifiez sa durée et cliquez sur le bouton Graver un CD/DVD.

Des histoires en images
Créez des diaporamas pour donner vie à vos photos

Afficher ses photos sur son PC les met indéniablement en valeur. Le problème est de les partager avec vos amis. Une solution consiste à créer un diaporama que vous stockerez sur un CD ou que vous enverrez par courriel. Il existe des logiciels permettant de mener à bien cette opération, dont Photorécit. Vous ajouterez des effets spéciaux et une bande-son digne des films hollywoodiens. Le diaporama finalisé sera lu sur un PC, un lecteur de DVD, voire sur un PC de poche.

IL VOUS FAUT : Microsoft Photo Récit
VOIR AUSSI : Créer un film, page 208 ● Faire de belles photos, page 304

● Logiciel de présentation

Photorécit est gratuit pour les utilisateurs de Microsoft Windows, mais il existe aussi une version payante et plus complète, intitulée Plus!, que vous trouverez également en téléchargement sur le site de Microsoft. D'autres logiciels de création de diaporamas sont disponibles. C'est le cas de Photoshop Elements, qui dispose d'une fonction intégrée. Rendez-vous sur les sites de Roxio, www.roxio.com, et de Ulead, www.ulead.com, pour essayer d'autres outils de création de diaporamas.

Installez le logiciel

1 Commencez par installer le logiciel. Rendez-vous à l'adresse www.microsoft.com/downloads/Search.aspx?displaylang=fr et saisissez **Photorécit** dans le moteur de recherche du centre de téléchargement. Cliquez sur le lien proposé dans les résultats puis sur le bouton **Continuer** afin de valider l'authenticité de votre système. Cliquez ensuite sur le bouton **Télécharger**.

Augmentez l'impact visuel des transitions

Plutôt que de passer abruptement d'une photo à l'autre, Photorécit vous propose d'employer des effets de transition (voir étape 15). Comme vous le verrez, ces effets sont nombreux. Vous pourrez les visualiser avant leur application en regardant les vignettes s'animer sous l'onglet **Transition** de la fenêtre **Personnaliser l'animation**. Évitez cependant d'en abuser et préférez un ou deux effets par diaporama.

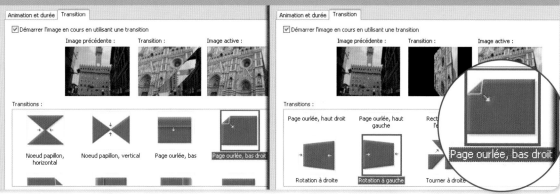

Démarrez Photorécit

2 Le fichier que vous avez téléchargé s'appelle **PStory.msi**. Faites un double-clic dessus et suivez les instructions. Vous êtes maintenant en mesure d'utiliser le logiciel. Faites un double-clic sur son icône ou cliquez sur **Démarrer**, **Tous les programmes** puis **Photorécit 3 pour Windows**. Cochez **Commencer un nouveau récit** dans la fenêtre qui apparaît puis cliquez sur **Suivant**.

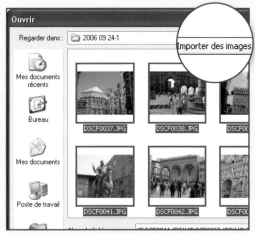

Sélectionnez vos photos

3 Cliquez sur le bouton **Importer des images** et naviguez jusqu'au dossier contenant les photos que vous voulez insérer dans le diaporama. Sélectionnez ensuite les photos en maintenant la touche **Majuscule** ou la touche **Ctrl** enfoncée pour en choisir plusieurs en même temps. Vous pouvez aussi appuyer sur **Ctrl+ A** pour sélectionner toutes les photos du dossier. Cliquez sur **Ouvrir**.

Organisez les photos

4 Les photos s'affichent sous forme de vignettes. Pour supprimer l'une d'elles, cliquez sur sa vignette puis sur le bouton en forme de croix. L'original reste intact. Pour ajouter de nouvelles photos, cliquez sur le bouton **Importer des images**. Organisez les images comme bon vous semble. Cliquez et glissez une vignette pour modifier l'ordre de la séquence.

● Un diaporama complet avec une seule photo !

Vous pouvez obtenir un résultat fort intéressant à partir d'une seule image. L'astuce fonctionne mieux si la photo est définie dans une résolution élevée et si elle représente un paysage.

Démarrez un nouveau projet dans Photorécit. Cliquez sur le bouton **Importer des images** et insérez cinq ou six fois la même image. Cliquez sur **Suivant** jusqu'à arriver à l'écran contenant le bouton **Personnaliser l'animation** (voir étape 12). Cochez la case **Indiquer les positions initiale et finale de l'animation** et définissez un petit carré comme point de départ. Faites de même pour le point final de l'animation en cochant la case **Définir la position finale pour qu'elle soit identique à la position initiale** mais déplacez le carré à un autre endroit de l'image. Procédez de la même façon avec les autres copies de l'image en définissant des points différents. Décochez la case en haut de la fenêtre **Transition**.

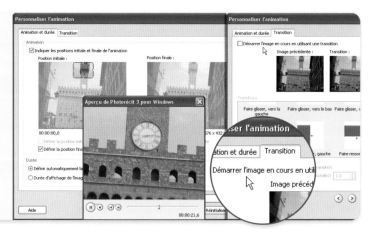

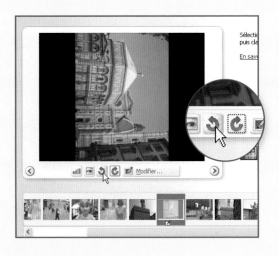

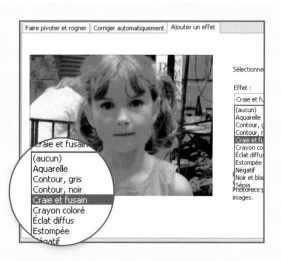

Yeux rouges et rotation

5 Chaque fois que vous cliquez sur la vignette d'une photo, celle-ci apparaît en grand dans la partie supérieure de la fenêtre. Vous disposez alors de boutons permettant de modifier la photo sélectionnée. Vous pouvez par exemple faire pivoter l'image pour qu'elle présente la même orientation que les autres. Vous pouvez aussi corriger l'effet « yeux rouges » propre à l'utilisation du flash.

Corrigez et améliorez les photos

6 Cliquez sur le bouton **Modifier** pour accéder à des fonctions d'édition plus avancées. Sous l'onglet **Corriger automatiquement**, vous pourrez intervenir sur le contraste et les niveaux de couleurs. Vous retrouvez aussi la correction « yeux rouges ». Toutes ces fonctions sont automatiques et déclenchées d'un clic de souris. Nous corrigeons ici le contraste d'une photo un peu pâle.

Ajoutez des effets spéciaux

7 Cliquez sur l'onglet **Ajouter un effet**. Vous pouvez ainsi donner à la photo un ton sépia, la transformer en un dessin au fusain ou au crayon par exemple. Essayez ces effets et choisissez celui que vous souhaitez appliquer. La photo originale ne sera pas affectée par ces modifications. Pour appliquer l'effet sélectionné à l'ensemble des images du récit, cochez la case prévue à cet effet.

● Titres et légendes

Pour personnaliser un diaporama, Photorécit vous offre la possibilité d'ajouter un titre ou une légende à n'importe quelle image (voir étape 12). Cliquez sur la zone de texte dans la partie droite de la fenêtre, saisissez le texte et servez-vous des boutons pour le mettre en forme (alignement de l'image à gauche, à droite, au milieu, en haut ou au bas de la photo). Cliquez sur le bouton représentant un A pour choisir la police, le corps et la couleur des caractères. Faites en sorte que votre titre soit facilement lisible et choisissez une couleur qui contraste bien avec la photo. Vous pouvez enfin ajouter un effet à la photo (voir étape 7) qui permettra de mettre en valeur son titre. C'est ici le cas avec l'effet **Estompée**.

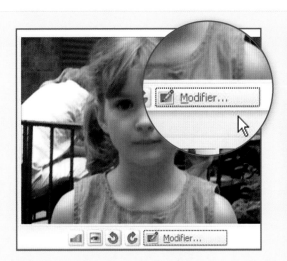

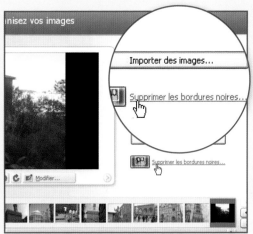

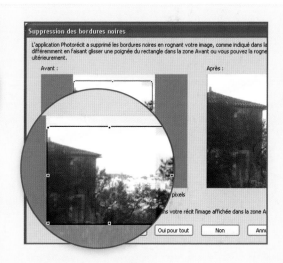

Enregistrez les modifications

8 Avant de cliquer sur le bouton **Fermer**, cliquez sur **Enregistrer** pour conserver les modifications ou sur **Réinitialiser** pour revenir à l'original. Si vous conservez les effets, un petit crayon apparaîtra près de la vignette, indiquant ainsi que la photo a été modifiée. Vous pouvez revenir sur ces changements en sélectionnant l'image, en cliquant sur le bouton **Modifier** puis sur **Réinitialiser**.

Évitez les bords noirs

9 Toutes les photos n'ont pas nécessairement la même dimension, le même aspect-ratio, et certaines pourront parfois présenter un bord noir disgracieux. Vous pouvez recadrer ces images et n'en conserver que la partie intéressante. Sélectionnez l'image concernée par ces défauts apparents et cliquez sur le lien **Supprimer les bordures noires**.

Recadrez les images

10 Photorécit dessine automatiquement un bloc de recadrage sur la photo. La partie droite de la fenêtre montre le résultat du cadrage une fois que vous aurez validé l'opération. Vous pouvez également glisser le contour ou en modifier les dimensions jusqu'à obtenir le résultat escompté, à l'aide des poignées prévues à cet effet. Essayez différents cadrages avant de valider.

● Comment partager ses histoires

Si vous souhaitez partager un diaporama, enregistrez-le en format WMV (Windows Media Video). Ainsi, n'importe quel utilisateur disposant d'un PC sous Windows XP pourra le lire. Vous pourrez envoyer le fichier par courriel ou le graver sur un CD ou un DVD (voir étape 16).

Vous pouvez aussi employer un format permettant de lire le diaporama sur un PC de poche ou même un téléphone portable. Le fichier ainsi généré sera bien moins lourd, mais sa qualité sera également inférieure.

● Présentation sur DVD

Pour lire vos diaporamas depuis un DVD, votre PC devra être équipé d'un graveur de DVD. Vous pourrez employer le format CD Vidéo pour enregistrer un diaporama sur CD mais sachez que vous perdrez incontestablement en qualité. Photorécit ne dispose pas de fonctions de gravage intégrées, mais vous pourrez employer celle qui vous a été livrée avec votre graveur.

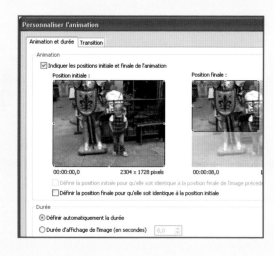

Poursuivez le recadrage

11 Cliquez sur **Oui** pour valider le nouveau cadrage et passez à l'image suivante. Une nouvelle boîte apparaît, indiquant que toutes les images ont été recadrées. Cliquez sur **OK**. Vous devrez peut-être rogner manuellement certaines images. Pour cela, sélectionnez la vignette concernée et cliquez sur le bouton **Modifier**. Sous l'onglet **Faire pivoter et rogner**, cochez la case **Rogner**.

Ajoutez des légendes et des titres

12 Cliquez maintenant sur le bouton **Suivant**. Vous pouvez ajouter des titres à toutes les images ou à certaines d'entre elles (voir l'encadré page 225). Cliquez de nouveau sur **Suivant**. Vous pouvez ici ajouter un commentaire oral que vous enregistrerez depuis cette page (voir l'encadré page 227). Cliquez sur le bouton **Personnaliser l'animation**.

Donnez une dynamique à vos photos

13 La boîte **Personnaliser l'animation** dispose de deux onglets. **Animation et durée** paramètre un affichage progressif de l'image. Photorécit peut s'en charger automatiquement mais rien ne vous empêche d'intervenir sur le paramétrage de cet effet. Cochez ainsi la case **Indiquer les positions initiale et finale de l'animation**, puis glissez les cadrages dans les vignettes.

Il était une fois...

Ajouter une narration à un diaporama facilite la compréhension du spectacle. Photorécit vous permet d'enregistrer votre voix afin de décrire les photos affichées pendant le diaporama. Enregistrez ainsi un commentaire par image. Vous devrez simplement disposer d'un micro.

Cliquez sur l'icône représentant un micro pour configurer votre installation. Cliquez ensuite sur le bouton rouge pour démarrer l'enregistrement.

00:00 Arrêté

Ajoutez une musique de fond

Vous conférerez une nouvelle dimension à votre spectacle en lui ajoutant une « bande son ». À l'étape 16, lorsque vous cliquez sur le bouton **Suivant**, vous arrivez à l'écran **Ajouter une musique de fond**. Cliquez sur l'image qui déterminera le départ de la musique. Cliquez ensuite sur **Sélectionner une musique** pour choisir un fichier enregistré sur le PC. Vous pouvez aussi cliquer sur **Créer de la musique**, qui vous donne accès à la bibliothèque de musiques du logiciel. Rien ne vous empêche d'ajouter plusieurs extraits musicaux dans le même diaporama.

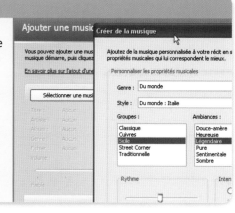

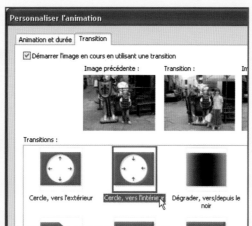

Zoom avant et zoom arrière

14 Laissez la **Durée** en mode automatique. Cliquez sur la flèche encerclée pour passer à l'image suivante. L'effet obtenu par un zoom avant puis un zoom arrière partant du même point est très intéressant et confère une dynamique à l'image. Pour l'obtenir, cochez la case **Définir la position initiale pour qu'elle soit identique à la position finale de l'image précédente.**

Soignez vos transitions

15 Lorsque l'on passe d'une photo à l'autre, Photorécit met à votre disposition des effets de transition comme ceux que l'on utilise en montage vidéo (voir page 211). Cliquez sur l'onglet **Transition** pour accéder aux options disponibles. Pour tester l'effet d'une transition, il vous suffit de cliquer dessus et de constater le résultat dans les vignettes de la partie supérieure.

Enregistrez le diaporama

16 Cliquez sur le bouton **Aperçu** pour visualiser le diaporama puis cliquez à deux reprises sur **Suivant**. Cliquez ensuite sur **Enregistrer le projet**, nommez votre diaporama et cliquez sur **Enregistrer**. Choisissez le mode de lecture du diaporama (voir page 226) avant de cliquer sur le bouton **Suivant**. Cette dernière action achève d'enregistrer votre spectacle.

Chanter avec son PC
Transformez votre PC en un système de karaoké

Que vous ayez ou non des facilités vocales, le karaoké est toujours une source d'amusement pour toute la famille. Grâce au Lecteur Windows Media, vous transformerez votre PC en un système de karaoké. Vous allez ajouter les paroles en sous-titrage de votre chanson favorite. Vous modifierez quelques paramètres du logiciel pour que ces paroles défilent à l'écran au rythme de la chanson. Finissez en illustrant cette dernière d'un habillage aux couleurs psychédéliques et préparez-vous à faire la fête !

IL VOUS FAUT : Lecteur Windows Media ● Des haut-parleurs ● Un microphone
VOIR AUSSI : Son et image avec WM, page 330 ● Enregistrement et création musicale, page 332

● Récupérez les paroles

Vous gagnerez du temps en téléchargeant les paroles depuis Internet. Rendez-vous sur www.lyricsandclips.com, ou sur www.paroles.net, et saisissez le nom de l'interprète ou le nom de la chanson. Lancez la recherche. Copiez les paroles depuis le site. Revenez au Lecteur Windows Media et, plutôt que de saisir les paroles (étape 3), faites un clic droit et choisissez **Coller**. Souvenez-vous que les paroles et la musique sont protégées par les lois sur la propriété intellectuelle.

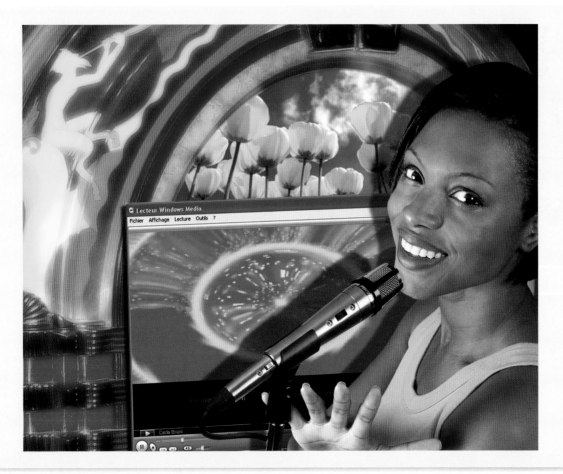

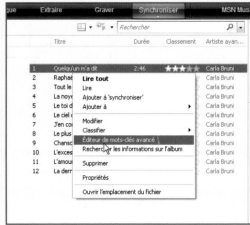

Choisissez la piste du disque

1 Ouvrez le Lecteur Windows Media en cliquant sur le bouton **Démarrer**, **Tous les programmes** et en sélectionnant le programme dans la liste. Cliquez sur l'onglet **Bibliothèque** de la fenêtre principale. Faites défiler les titres jusqu'à trouver la chanson qui vous intéresse. Faites un clic droit sur cette chanson et choisissez **Éditeur de mots-clés avancé**.

SON ET VIDÉO

Des thèmes psychédéliques

Pour ajouter une nouvelle dimension aux fêtes que vous organisez, ajoutez des effets visuels aux chansons que vous diffusez. Transformez votre PC en un outil de son et lumière surprenant. Le Lecteur Windows Media est livré avec un certain nombre d'effets mais vous pourrez en télécharger d'autres en cliquant sur le bouton de l'onglet **Lecture en cours**. Choisissez alors **Visualisations** puis **Télécharger des visualisations**. Lorsque vous en avez téléchargé une, faites un double-clic sur son icône afin de l'ajouter au menu des **Visualisations**.

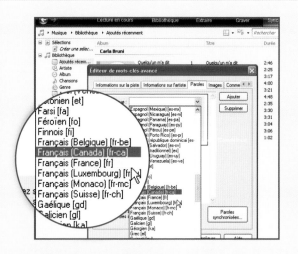

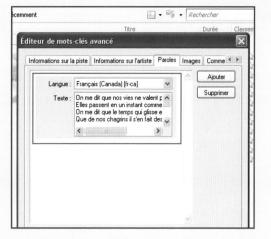

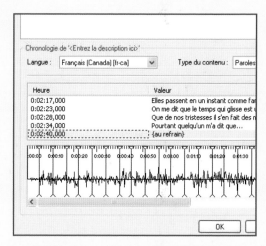

Trouvez les paroles

2 Dans la boîte qui apparaît, cliquez sur l'onglet **Paroles**. C'est ici que vous allez saisir les paroles de la chanson. Cliquez sur **Ajouter** et, dans le formulaire vierge qui s'ouvre, cliquez sur la flèche située près de la boîte **Langue**. Sélectionnez la langue des paroles de la chanson concernée par l'opération. Dans cet exemple, il s'agit du français.

Saisissez les paroles

3 Cliquez dans la zone **Texte** et saisissez les paroles de la chanson. Chaque ligne commence à un nouveau paragraphe, sans quoi les paroles ne s'afficheront pas correctement et vous n'obtiendrez pas l'effet d'un karaoké. Si vous vous sentez plus à l'aise dans un traitement de texte, vous pouvez saisir les paroles dans Word, par exemple, et les copier ensuite dans cet écran.

Associez paroles et musique

4 Cliquez sur le bouton **Paroles synchronisées**. Les paroles apparaissent ici séquencées et une courbe tremblotante tient lieu de représentation du son. Le Lecteur Windows Media a deviné l'association paroles et musique, chaque début de phrase étant marqué par une ligne verticale dans la représentation graphique. Il convient cependant de vérifier.

● Comment vous faire entendre

Si vous avez un micro, branchez-le dans la sortie Mic in de votre ordinateur. Si, alors que vous parlez, vous n'entendez pas le son de votre voix, il se peut que la sortie soit mal paramétrée. Cliquez alors sur le bouton **Démarrer**, choisissez **Tous les programmes**, **Accessoires**, **Divertissement** puis **Contrôle du volume**. Vérifiez que le micro n'est pas en position **Muet** et glissez le repère sur la barre de contrôle jusqu'à obtenir le réglage qui vous convient le mieux.

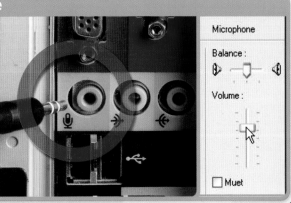

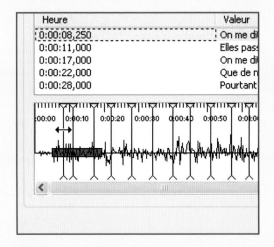

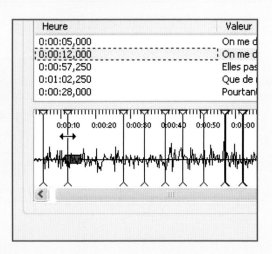

Jouez le morceau

5 À l'aide de la souris, déroulez les paroles de la chanson pour revenir à la première ligne. Cliquez sur le bouton **Lire** et regardez ce qui se produit. La ligne verticale représentant la première phrase clignote. De même, au fil de la lecture de la chanson, le programme affiche une barre rouge de progression qui indique la position actuelle de la lecture.

Ajustez la lecture

6 Écoutez la première ligne de paroles. Déplacez le curseur sur la ligne verticale clignotante représentant cette première ligne, dans le graphique du bas de la boîte. Ce curseur prend la forme d'une double flèche. Cliquez et glissez le repère vers la droite ou la gauche en fonction de l'endroit où la barre apparaît dans la chanson.

Synchronisez les autres paroles

7 Une fois la barre correctement placée, cliquez sur **Arrêter**. Cliquez de nouveau sur **Lire** et vérifiez la position de la barre en fonction de ce que vous entendez. Ajustez-la, si besoin. Cliquez maintenant sur **Arrêter**. Cliquez ensuite sur la deuxième phrase et réitérez l'opération précédente. Faites de même pour les autres lignes. Cliquez sur **OK** pour fermer la boîte.

SON ET VIDÉO

Des programmes de karaoké

Le Lecteur Media constitue une bonne introduction au karaoké. Il existe cependant des logiciels dont c'est la fonction centrale. C'est le cas, par exemple, de Karafun, www.karafun.com, qui est gratuit et permet d'afficher les paroles en plein écran, de changer la couleur des paroles au fur et à mesure de leur déroulement et même d'aider à suivre la mélodie par un système de diodes de couleurs. PowerKaraoke, www.powerkaraoke.com, permet de créer vos propres disques, qui pourront être joués sur n'importe quel PC.

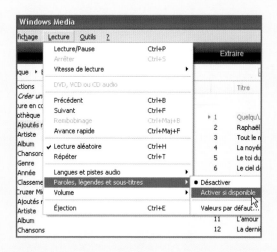

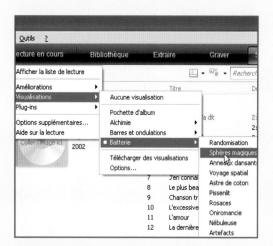

Préparez le Lecteur Windows Media

8 De retour dans l'**Éditeur de mots-clés avancé**, supprimez les paroles que vous avez saisies pour leur permettre d'apparaître ligne par ligne à la lecture de la chanson. Cliquez pour cela sur le bouton **Supprimer** puis sur **OK** afin de revenir au Lecteur Windows Media. Dans le menu **Lecture**, cliquez sur **Paroles, légendes et sous-titres** puis sur **Activer si disponible**.

Paramétrez l'affichage

9 Pour que des images s'affichent en même temps que la lecture de la chanson (voir page 229), cliquez sur l'onglet **Lecture en cours** et choisissez **Visualisations**. Optez pour l'une des animations proposées telles que **Sphères magiques** dans la sélection **Batterie**. Pour en changer, il suffira d'un clic droit dans la fenêtre de visualisation et du choix d'un autre modèle disponible.

Votre karaoké en action

10 Éteignez la lumière, et la fête peut commencer ! Cliquez sur le bouton **Lecture** pour démarrer la lecture. Un show psychédélique s'affiche, tandis que la chanson commence, rythmée par les paroles qui défilent en bas de l'écran. Suivez ces paroles, et concurrencez la voix de l'artiste pour le plaisir (peut-être un peu moqueur) de votre auditoire.

En musique

Composez votre musique grâce à un logiciel gratuit

Sans être un virtuose, vous allez créer facilement vos chansons, grâce à un logiciel gratuit tel qu'ACID XPress. Ce programme emploie un système d'enregistrement à répétition (boucles) d'instruments ou de voix. Vous créerez votre arrangement en positionnant ces boucles sur une grille. Après le téléchargement de ce programme, vous pourrez obtenir des fichiers de démonstration en vous rendant sur le site Web de l'éditeur. Ce matériel vous aidera à débuter dans l'univers de la musique.

IL VOUS FAUT : Des haut-parleurs ● ACID XPress ● Un micro si vous souhaitez enregistrer votre voix
VOIR AUSSI : Son et image avec le Lecteur WM, p. 330 ● Enregistrement et création musicale, p. 332

● Boucles à volonté

Il existe un grand nombre de boucles disponibles sur CD. Vous en trouverez aussi sur le Web et les téléchargerez gratuitement. Pour des sons relatifs à la danse moderne, rendez-vous sur www.freeloops.com **ou sur** www.looperman.com. **Pour** des orchestrations originales, cherchez plutôt sur www.samplenet.co.uk, **et, si vous recherchez** des mandolines et des clarinettes, saisissez www.platinumloops.com. **Sony propose également** chaque semaine de nouveaux lots de morceaux disponibles sur www.acidplanet.com/tools/8packs.

Téléchargez ACID XPress

1 Rendez-vous sur http://itrsoftware. telechargement.fr/fiche.html?REF=11067 et cliquez sur le bouton **Télécharger**. Cliquez sur **Enregistrer**. Choisissez l'endroit où stocker le fichier et cliquez sur **Enregistrer**. Une fois le téléchargement achevé, effectuez un double-clic sur acid20c_fra.exe et suivez la procédure d'installation. Celle-ci ne dure que quelques secondes.

SON ET VIDÉO

Plus de musique

Le programme eJay fonctionne comme ACID XPress, avec quelques variations en fonction des styles de musique. Visitez www.ejay.com.

Si vous préférez des instruments moins ordinaires, essayez Fruity Loops, sur www.fruityloops.com, pour obtenir une démonstration gratuite. Essayez également le logiciel de composition musicale Music Maker, sur www.magix.net. Tous les programmes fonctionnent en qualité CD.

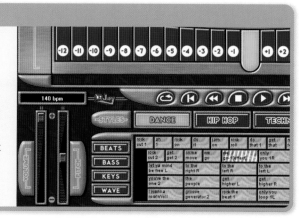

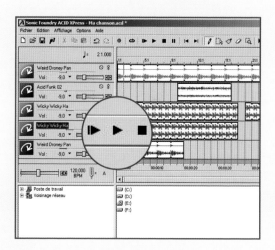

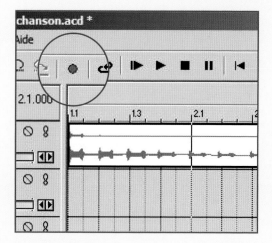

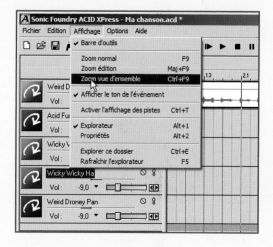

Écoutez une chanson

2 Cliquez sur le bouton **Démarrer** et choisissez **Tous les programmes**, puis **Sony** et enfin **ACID XPress**. Le programme s'ouvre par la lecture d'une chanson. Le panneau de contrôle de lecture se trouve au milieu de la barre d'outils. Assurez-vous que vos enceintes sont bien allumées et cliquez sur le bouton en forme de flèche simple tournée vers la droite. La chanson redémarre.

Essayez les commandes

3 En partant de la gauche, le premier bouton vous permet d'enregistrer des sons ou des voix. Le bouton **Lire en boucle** permet d'écouter en boucle votre enregistrement. Le troisième bouton démarre la chanson au début. Le quatrième vous fait entendre le passage désiré. Vous trouverez également des boutons **Stop** et **Pause**. Les deux derniers mènent au début ou à la fin du morceau.

Voir une chanson en entier

4 Un morceau de musique est généralement composé de nombreuses pistes qui s'étendent sur des périodes de temps plus ou moins longues. Le logiciel met à votre disposition une fonction permettant d'afficher le morceau dans son intégralité. Cliquez pour cela sur le menu **Affichage** et choisissez la commande **Zoom vue d'ensemble**.

● D'autres logiciels

Pour passer à un niveau plus professionnel, préférez Cubase SE3, www.steinberg.net, ou Cakewalk SONAR Home Studio (à droite), www.cakewalk.com. Ces programmes permettent de combiner des morceaux avec de la musique de synthèse originale et des enregistrements acoustiques. Si vous disposez d'un clavier, Reason, www.propellerheads.se et Orion, www.synapse-audio.com, autorisent l'utilisation de milliers de sons originaux pour créer et enregistrer votre propre musique. Tous fonctionnent en qualité CD.

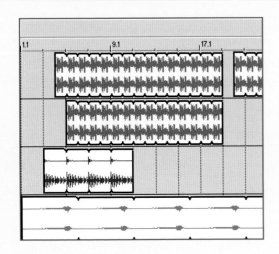

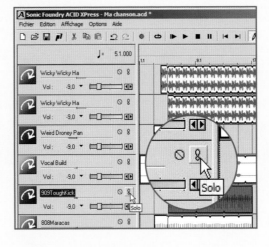

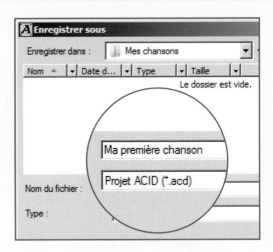

De quoi se compose une chanson ?

5 Vous créez une chanson avec ACID XPress en associant des « samples » ou échantillons musicaux, des petits morceaux de musique enregistrés en boucle. Les notes s'organisent sur des pistes qui se lisent horizontalement. Par exemple, cette chanson emploie huit pistes. Les blocs présentant des lignes cadencées au milieu de l'écran représentent les sons en cours de lecture.

Silence et piste en solo

6 Écoutez à nouveau la chanson. Retrouvez les huit pistes à gauche et remarquez que chacune d'elles possèdent un couple de symboles : un cercle barré et un point d'exclamation. Cliquez sur le premier pour rendre la piste « muette ». Cliquez sur le second symbole pour écouter la piste en « solo » et ne rien entendre d'autre. Essayez sur d'autres pistes de la chanson.

Créez une chanson

7 Choisissez **Nouveau** dans le menu **Fichier**. Lorsque le programme vous demande d'enregistrer les modifications, cliquez sur **Non**. Cliquez maintenant sur le **Enregistrer sous** dans le menu **Fichier**. Donnez un titre à votre chanson. Choisissez l'endroit où vous souhaitez stocker le fichier et cliquez sur **Enregistrer**. Vous êtes alors prêt à importer vos premiers échantillons.

● Quelques conseils pour obtenir de bons résultats

Commencez par limiter la durée de votre morceau à trois minutes. S'il s'agit d'une chanson, préférez adopter la structure couplet/refrain que vous avez l'habitude d'entendre à la radio. La musique moderne est plutôt répétitive, donc n'employez pas plus de dix échantillons dans vos premières compositions. Concentrez-vous plutôt sur la qualité de votre création. Pour ajouter des paroles, gravez une copie de votre composition sur un CD et chantez dans votre voiture pour vous entraîner. Vos paroles sont probablement très personnelles, mais essayez toujours de les rendre accessibles au plus grand nombre. Si vous manquez d'inspiration pour les paroles de vos chansons, consultez des magazines spécialisés. Vous pouvez aussi vous rendre sur le Web, source d'inspiration intarissable, s'il en est !

● Quelques astuces

L'expérience est la meilleure source d'apprentissage. Si vous employez par exemple deux pistes pour les percussions (pour des maracas et des congas), essayez de régler les sons pour qu'ils soient dissociés et qu'ils soient perçus dans l'une ou l'autre des enceintes. Ajoutez des silences qui permettent de rythmer votre morceau et de rompre la monotonie. Pour créer un effet de surprise, inversez un échantillon. Changez parfois de clé, par exemple dans le dernier refrain qui mène à la fin du morceau.

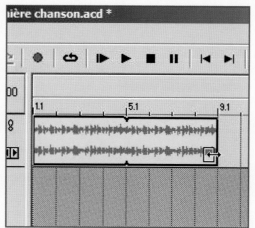

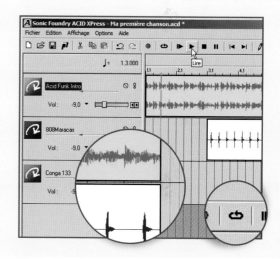

Votre première piste

8 Pour commencer, cliquez sur **Ouvrir** dans le menu **Fichier**. Rendez-vous dans le dossier d'exemples du logiciel et cliquez sur **Acid Funk Intro**. Cliquez sur le bouton **Ouvrir** pour l'importer dans votre chanson. Pour l'insérer, cliquez et glissez le curseur vers la droite, jusqu'à ce que la piste ressemble à l'image présentée ici. Relâchez alors le bouton de la souris.

Fonctionnement des échantillons

9 L'échelle au-dessus des pistes est une mesure de temps. **1.1** indique le début de la première mesure, tandis que **9.1** indique le début de la neuvième (qui est aussi la fin de la huitième). À l'étape 8, vous avez posé l'échantillon sur 20 mesures. Rétrécissez-le sur 8 en cliquant à la fin pour transformer le curseur en double flèche et déplacez-le vers la gauche jusqu'à atteindre la marque **9.1**.

Ajoutez d'autres pistes

10 Ajoutez deux pistes à votre morceau en déplaçant les échantillons au milieu de l'écran avec la souris. Écoutez le morceau en boucle. Faites en sorte que toutes les mesures s'arrêtent au repère **9.1**. Glissez pour cela les repères des pistes vers la droite. Cliquez maintenant sur le bouton **Boucle** afin de lire le morceau en boucle puis cliquez sur le bouton **Lire**.

● Enregistrez vos échantillons

Les enregistrements professionnels employés par des programmes tels qu'ACID XPress sont de très bonne qualité. Mais pour être créatif jusqu'au bout, vous pouvez enregistrer les vôtres. Pour enregistrer avec votre PC, utilisez un programme comme Audacity, sur http://audacity.sourceforge.net. Ensuite, exploitez les outils de création pour définir le point de départ et la fin de la boucle et pour ajouter des effets. Vous travaillerez avec vos créations comme avec les autres échantillons.

● Améliorez les voix

La voix humaine reste parmi les sons les plus difficiles à enregistrer sur un PC. Pour mettre toutes les chances de votre côté, prévoyez une petite table de mixage « professionnelle ». Vous en trouverez à bons prix en parcourant les sites spécialisés du Web. Investissez aussi dans un microphone de très bonne qualité. N'essayez pas de contrôler les tonalités ou d'ajouter des effets lors de l'enregistrement, mais effectuez les corrections a posteriori. Évitez également les distorsions.

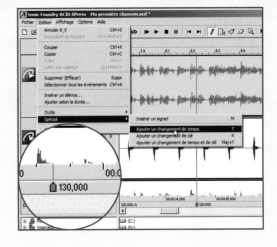

Apprenez à maîtriser vos outils

11 Prenez du temps pour découvrir les outils. La **Gomme** permet d'effacer des échantillons du morceau que vous jugez inutiles. L'outil **Dessin** (le crayon) permet d'ajouter un nouvel échantillon sur une seule piste. L'outil **Sélection** (la flèche) déplace les échantillons dans le morceau. Enfin, l'outil **Pinceau** (la brosse) ajoute des échantillons sur toutes les pistes.

Créez une chanson

12 Cliquez sur le bouton **Boucle** pour désactiver la fonction et continuez à ajouter des pistes. Remarquez que toutes les pistes restent synchronisées les unes par rapport aux autres. C'est là tout le travail des professionnels qui créent des échantillons parfaitement aboutis. Choisissez **Enregistrer** dans le menu **Fichier**. Inutile de saisir un nom, vous l'avez fait à l'étape 7 du projet.

Accélérez le rythme

13 Vous aurez peut-être envie de modifier certains paramètres intrinsèques du morceau. Ainsi, si vous souhaitez accélérer le rythme de la chanson, cliquez à l'endroit où vous souhaitez modifier la vitesse, puis choisissez **Spécial**, **Ajouter un changement de tempo** depuis le menu **Edition**. Une petite zone apparaît alors en surbrillance sous les pistes. Remplacez la valeur par **130**.

Mixez, masterisez et exportez vos compositions

ACID XPress vous permet de sauvegarder vos compositions au format WMA de façon à les écouter sur votre PC ou sur un baladeur après les avoir converties en format MP3. Choisissez **Enregistrer sous** dans le menu **Fichier**. Déroulez la liste Type et choisissez **Support Windows mixé**. Cliquez sur le bouton **Enregistrer**. Vous pouvez maintenant lire vos pistes avec le Lecteur Windows Media et les enregistrer dans un autre format plus universel, le MP3 par exemple.

Pour cela, ouvrez le Lecteur Windows Media, recherchez le morceau que vous venez de créer et commencez la lecture. Vous pourrez également vous servir de ce logiciel pour sauvegarder votre musique sur CD. C'est le meilleur moyen de partager avec le plus grand nombre vos nouveaux talents de compositeur et d'ingénieur du son.

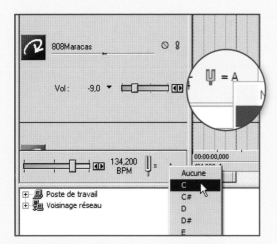

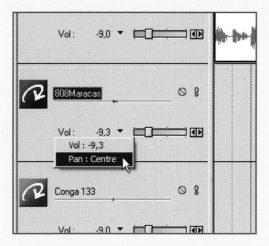

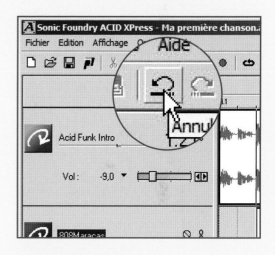

Réglez le tempo ou changez de clé

14 Pour modifier la vitesse du morceau, référez-vous à la zone située sous le nom des pistes. Vous y trouvez l'indication 134 200 BPM. Il s'agit du tempo du morceau en battements par minute. Déplacez le curseur vers la gauche ou la droite pour ralentir ou accélérer votre morceau. De même, pour changer de clé, cliquez sur A à côté du diapason et choisissez une autre clé dans la liste déroulante.

Paramètres de volume et de stéréo

15 Chaque piste possède un module de réglage sonore permettant de diminuer ou d'augmenter le volume de la piste concernée. Cliquez sur la petite flèche en face de l'indication **Vol** et sélectionnez **Pan : Centre** dans la liste déroulante. Procédez de la même manière pour les autres pistes et réglez ainsi la répartition stéréo du son sur vos enceintes.

Corrigez les erreurs

16 ACID XPress permet de corriger et de modifier à souhait vos morceaux. Vous pourrez intervenir à un niveau de détail très avancé et intégrer de nombreuses variations applicables par piste. Si vous vous rendez compte d'une erreur que vous venez de commettre, vous pouvez toujours avoir recours à la fonction d'annulation que vous activerez en cliquant sur le bouton **Annuler**.

Des compilations sur mesure
Téléchargez des pistes depuis Internet et créez vos compilations

Une compilation musicale constitue une belle idée de cadeau d'anniversaire ; elle met aussi de l'ambiance dans les fêtes que vous organisez. Choisissez l'année de naissance de la personne à qui vous allez offrir ce CD et saisissez-la dans Google, www.google.ca, afin de trouver les chansons de cette époque. Une fois que vous avez fait votre choix, reportez-le dans iTunes et servez-vous de sa boutique en ligne pour vous les procurer. Une fois que vous aurez conçu le CD, vous pourrez créer sa couverture sur mesure.

IL VOUS FAUT : Apple iTunes
VOIR AUSSI : Enregistrement et création musicale, page 332 ● Produire un balado, page 286

● Téléchargements gratuits

Nombre de sites permettent de télécharger de la musique gratuitement et en toute légalité. C'est le cas d'Amazon USA, www.amazon.com. Cliquez sur le lien **Music** puis sur le lien **Free download**. D'autres sites proposent d'acheter de la musique, mais offrent aussi des chansons gratuites, comme Zik.ca, www.archambault.ca/store/culture_selection.asp.

Visitez le magasin iTunes

1 Téléchargez iTunes gratuitement depuis www.apple.com/ca/itunes et suivez les instructions proposées. Grâce à ce logiciel, vous pourrez copier la musique dont vous disposez déjà, la jouer sur votre PC et la transférer vers ou depuis un baladeur iPod. Dans cet exemple, nous nous servons d'iTunes pour acheter de la musique. Cliquez sur **iTunes Store** dans la colonne de gauche.

● Regardez des clips vidéo

Vous pouvez également vous servir d'iTunes pour regarder vos clips vidéo préférés. Rendez-vous sur **Music Store** et, dans la liste **iTunes Store**, choisissez **Clips vidéo**. Vous pouvez rechercher un titre en particulier ou cliquer sur un lien proposé. Lorsque la vidéo apparaît dans la fenêtre, cliquez sur le bouton **Preview** et vous pourrez en regarder environ 20 secondes. Les clips vidéo peuvent également s'acheter.

● Observez la loi

Gardez à l'esprit que la musique est régie par la loi sur la propriété intellectuelle. Des restrictions vous empêchent de faire tout et n'importe quoi avec la musique que vous achetez sur iTunes. Ainsi, par exemple, vous ne pouvez pas la diffuser auprès de vos amis en la copiant sur CD. Cette loi protège les droits des artistes et des maisons de disques.

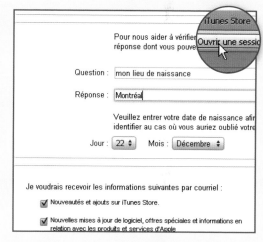

Recherchez un morceau

2 Le magasin iTunes dispose d'une bibliothèque contenant plus de deux millions de titres. Vous pouvez écouter un extrait avant d'acheter un morceau. Vous y trouverez également des clips vidéo, des pochettes de disques et la biographie de vos artistes préférés. Pour trouver un titre en particulier, saisissez son nom ou celui de son auteur dans la zone de recherche. Appuyez sur la touche **Entrée**.

Écoutez avant d'acheter

3 Le magasin iTunes affiche la liste de tous les titres de l'artiste ou du groupe qui fait l'objet de la recherche. Dans cet exemple, le chanteur s'appelle Ibrahim Ferrer, il faisait partie du Buena Vista Social Club, une formation cubaine au succès planétaire. Nous recherchons le titre *Marieta*. Déroulez la liste pour le trouver. Sélectionnez-le et cliquez sur le bouton **Lire**, en haut à gauche.

Ouvrez un compte iTunes

4 Vous pouvez écouter 30 secondes du titre choisi. Pour l'acheter, vous devrez cependant commencer par ouvrir un compte iTunes. Cliquez sur le bouton **Ouvrir une session**, situé en haut à droite, puis cliquez sur **Créer nouveau compte** dans la fenêtre qui apparaît. Suivez les instructions – choisissez notamment un nom d'utilisateur et un mot de passe.

Convertissez votre collection de CD

Les CD audio sont adaptés à la platine CD de votre chaîne ou au lecteur de votre PC. Les fichiers MP3 ou WMA, quant à eux, offrent davantage de souplesse. Des programmes tels que le Lecteur Windows Media et iTunes convertissent les pistes de vos CD en fichiers de cette nature. Vous pourrez alors les copier sur un lecteur MP3, sur votre téléphone portable ou directement sur votre disque dur. Cela vous permettra de rechercher plus facilement un titre en particulier, plutôt que de passer en revue toute votre « CDthèque ». Vous créerez également ce que l'on appelle des « playlists » (listes de diffusion) organisées par thèmes (musique de film, jazz vocal, etc.). Vous pourrez enfin lire tout le contenu de votre discothèque dans un ordre aléatoire.

Formats de fichiers

Il existe différents formats de fichiers musicaux, tous ne sont pas compatibles. MP3 et WMA sont les plus répandus (voir page 332) et seront lus par tous les PC modernes et les baladeurs MP3. Certains logiciels commenceront par les convertir, c'est le cas d'iTunes, ce qui pourra altérer la qualité du son. Apple emploie son propre format, appelé AAC, qui fonctionne uniquement avec iTunes et les baladeurs iPod.

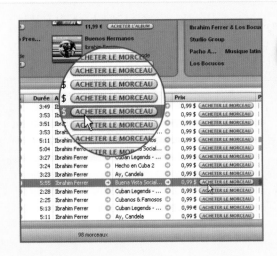

Achetez le titre

5 Le prix des pistes apparaît sur le côté droit de la fenêtre iTunes. Cliquez sur le bouton Acheter le morceau pour ajouter le titre à votre panier. Lorsque vous procéderez à l'achat, vous serez invité à saisir vos identifiants une nouvelle fois, afin de garantir la sécurité de la transaction. Le montant sera automatiquement débité de votre compte.

Guidez vos recherches

6 Par défaut, iTunes effectue ses recherches dans toute sa base, y compris les vidéos, les livres audio et les balados (voir page 286) : le volume des résultats obtenus risque donc d'être élevé. Filtrez ces résultats en cliquant sur les boutons situés dans la partie supérieure de la fenêtre. En cliquant sur Vidéoclips, par exemple, vous n'afficherez que les vidéos de l'artiste qui fait l'objet de la recherche.

Préparez la liste de la compilation

7 Poursuivez vos achats par ce biais jusqu'à obtenir de quoi créer votre compilation (environ 80 minutes de musique sur un CD). Cliquez sur Achats dans le volet gauche de la fenêtre. La liste de toutes les chansons achetées s'affiche. Elle est prête à être gravée sur CD. Vous pouvez modifier l'ordre des chansons à votre convenance.

La musique sur le Web

iTunes est très connu mais essentiellement employé par les propriétaires d'un iPod. Napster, www.napster.com, de son côté, rassemble 70 % de lecteurs et offre plus d'un million de fichiers musicaux en téléchargement légal. De beaucoup plus petite envergure, Zik.ca, www.archambault.ca/store/culture_selection.asp, et Bluetracks, www.bluetracks.ca, disposent d'un service similaire.

Ajoutez une piste bonus

Nombre de CD audio proposent une piste « bonus » cachée et jouée un certain temps après le dernier morceau de l'album. C'est amusant et surprenant pour l'auditeur qui ne s'y attend pas. Vous pouvez en faire autant dans vos compilations en enregistrant 5 minutes de silence à l'aide d'un éditeur de sons. Enregistrez le fichier, glissez-le dans iTunes, et déposez-le avant la dernière piste. Il ne vous reste plus qu'à graver le CD.

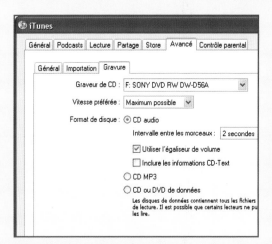

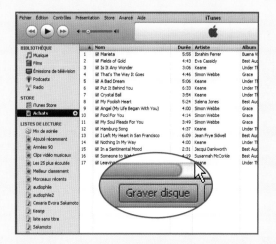

Dernières vérifications

8 Avant de graver votre CD, il convient de vérifier un certain nombre d'éléments. Ouvrez le menu **Edition** d'iTunes et cliquez sur l'onglet **Avancé** puis sur l'onglet **Gravure**. Vérifiez que le **Format de disque** est bien sur **CD audio** et cochez l'option **Utiliser l'égaliseur de volume** afin d'homogénéiser le volume général du disque. Cliquez sur **OK** pour valider l'ensemble.

Créez le CD de compilation

9 Cliquez sur l'icône **Graver** en haut, à droite de la fenêtre. L'icône grisée change de couleur pour vous indiquer l'imminence de l'opération. iTunes vous invite à insérer un CD vierge. Lorsque celui-ci est inséré dans le lecteur, l'opération commence. Celle-ci ne dure que quelques minutes. À son terme, le CD est chargé comme n'importe quel CD audio et vous pourrez l'écouter.

Choisissez la couverture

10 Pour créer une couverture dans iTunes, ouvrez le menu **Fichier** et choisissez **Imprimer**. Sélectionnez un thème dans la liste proposée. Comme il s'agit d'une compilation, vous pouvez opter pour une mosaïque. iTunes se charge d'organiser les couvertures des différents albums au recto et liste les titres de votre album au verso de la couverture. Cliquez sur **OK** pour valider l'opération.

Créer une présentation multimédia

Apprenez à réaliser une présentation interactive

Un diaporama n'induit pas une lecture séquentielle de son contenu. Créez une page de sommaire faite des vignettes de chacune des diapositives et vous pourrez passer de l'une à l'autre sans ordre défini. S'il s'agit de la présentation d'un voyage, vous pouvez même disposer ces vignettes sur une carte représentant chacune des étapes de vos pérégrinations. Ce projet présente en images l'histoire d'une année de pêche. Il vous suffira de la copier sur CD ou de l'envoyer par courriel pour la partager avec vos amis.

IL VOUS FAUT : Un graveur de CD (optionnel) ● Microsoft PowerPoint
VOIR AUSSI : Création de diaporamas PowerPoint, page 302

● Préparation des images

Lorsque vous insérez une photo ou un clipart dans PowerPoint, sa dimension est rarement adaptée au document. Vous la modifierez en glissant ses poignées d'angle. Faites ensuite un clic droit sur l'image et choisissez **Format de l'image**. Cliquez sur l'onglet **Taille** et notez sa largeur et sa hauteur. Ouvrez alors toutes les autres images dans Photoshop Elements (voir page 308) et redimensionnez-les en prenant ces valeurs pour référence. Vous pourrez ensuite les insérer à la bonne taille dans PowerPoint.

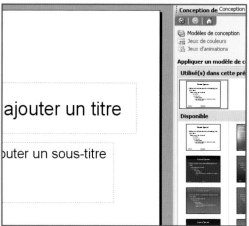

Concevez les diapositives

1 Démarrez Microsoft PowerPoint. La fenêtre principale du logiciel affiche une diapositive vierge dans laquelle vous pouvez saisir un titre et un sous-titre. Avant cela, commencez par changer le fond de la page en cliquant sur le bouton **Conception** dans la barre d'outils afin de faire apparaître une liste de modèles prêts à l'emploi, qu'il vous suffit d'appliquer.

> ● **Scénarimage**
>
> Si votre présentation est complexe, commencez par la dessiner sur une feuille de papier en représentant chaque diapositive. Rédigez un bref descriptif de leur contenu : Grande photo d'un poisson, Page de sommaire, etc. Cliquez sur le menu **Affichage** puis sur **Trieuse de diapositives** pour afficher les vignettes des pages. Modifiez l'ordre d'un simple glissé.

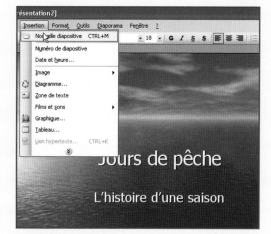

Choisissez la couleur

2 Dans le volet sont rangés des modèles de diapositives. Vous pouvez bien sûr en créer de toutes pièces, mais avoir recours à ces modèles peut vous faire gagner du temps. Pour ouvrir l'un d'eux, cliquez dessus. Essayez différents styles jusqu'à trouver celui qui vous convient. Dans cet exemple, nous optons pour un fond bleu mer, baptisé Océan.

Ajoutez du texte

3 Les modèles contiennent des zones de texte permettant d'insérer un titre, un sous-titre, une liste à puces et un commentaire. Cliquez sur **Cliquer pour ajouter un titre** et saisissez le texte du titre. Faites de même pour la zone de sous-titre. La première diapo est terminée. Pour en ajouter une deuxième, ouvrez le menu **Insertion** et choisissez **Nouvelle diapositive**.

Modifiez la mise en page

4 Désormais, deux vignettes sont présentes dans le volet droit de la fenêtre : la diapositive de titre et celle que vous venez d'ajouter. Le logiciel met automatiquement en forme les diapositives insérées à partir des critères de la première. Cliquez sur le modèle vierge pour supprimer toute trace de mise en forme et repartir d'une page blanche.

● Petits films

Pour ajouter une vidéo dans une diapo, cliquez sur le menu **Insertion** et choisissez **Films et sons**. Optez pour **Film en provenance d'un fichier**. PowerPoint ouvre le dossier **Mes vidéos** (1). Faites un double-clic sur le clip. Le logiciel vous demande si vous souhaitez que la vidéo soit lue dès l'ouverture de la diapo ou au clic de la souris (2). Le clip est inséré dans la diapo (3), ce qui vous permet de le redimensionner ou de le disposer à votre guise. Pour accéder à d'autres **Options du film** (4), faites un clic droit sur le clip vidéo et choisissez **Modifier Objet vidéo**.

Alignez tous les éléments

5 Servez-vous de la grille pour aligner les images. Les objets s'ajusteront automatiquement par magnétisme et leur positionnement sera parfait. Ouvrez le menu **Affichage** et choisissez **Grille et repères**. Dans la boîte qui apparaît, laissez toutes les options comme elles sont, à l'exception de l'option **Afficher la grille à l'écran**, qu'il convient de cocher.

Créez un écran de navigation

6 Il s'agit de la page de sommaire représentant un calendrier créé dans Word puis enregistré comme image. Choisissez **Image** depuis le menu **Insertion**, puis **A partir d'un fichier**. Recherchez le fichier à insérer et faites un double-clic sur son nom. De la même manière, insérez une photo sur le premier mois et disposez-la. Faites un clic droit sur la colonne de gauche et choisissez **Nouvelle diapositive**.

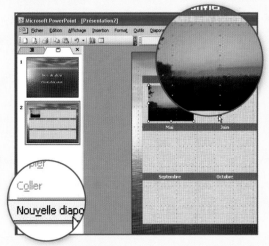

Rendez le contenu interactif

7 Vous souhaitez que lorsque l'on clique sur une vignette dans le calendrier, l'écran correspondant apparaisse. Cliquez sur la vignette de la page de sommaire pour l'afficher. Faites un clic droit sur la photo de Janvier et choisissez **Paramètres des actions**. Cliquez sur **Créer un lien hypertexte vers** puis choisissez **Diapositive suivante** dans la liste. Cliquez sur **OK**.

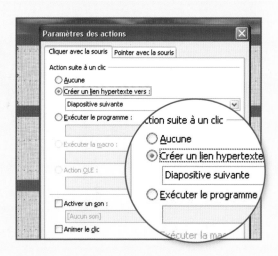

Ajoutez des liens vers le Web

Le fait de proposer des liens qui mènent à des ressources complémentaires améliore considérablement la valeur de votre document. Si vous disposez d'une connexion à Internet, vous pouvez associer à n'importe quel objet de votre présentation une fonction de lien vers une page Web, qui s'ouvrira dans un navigateur. Faites un clic droit sur une photo et choisissez **Lien hypertexte**. Saisissez l'adresse du lien et cliquez sur **OK**. Le site Web apparaîtra lorsque vous cliquerez sur l'image.

C'est le moment d'applaudir

Microsoft PowerPoint est livré avec une bibliothèque de sons tels que des applaudissements ou des roulements de tambour. Vous pouvez également ajouter n'importe quel son stocké sur votre PC ou jouer le contenu d'un CD audio pour créer une atmosphère particulière. Pour ajouter des sons, cliquez sur le menu **Insertion** et choisissez **Films et sons**. Cliquez sur **Son de la Bibliothèque multimédia**. Pour sélectionner un son, faites un double-clic sur son nom.

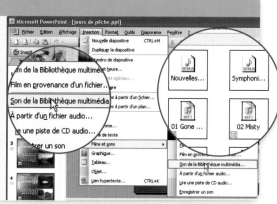

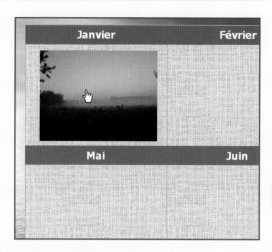

Testez la navigation

8 Ouvrez le menu **Diaporama** et choisissez **Visionner le diaporama**. La diapositive de titre apparaît en plein écran. Cliquez une fois dessus pour passer à la diapositive du sommaire. Placez le curseur sur la photo du mois de janvier : il se transforme alors en une main. Cliquez une fois pour accéder à la diapositive suivante.

Revenez à la page de navigation

9 Il est important de disposer d'un lien dans chaque page qui permet de revenir à la page de navigation. Plutôt que de l'appliquer à chaque diapo, ajoutez ce lien dans le **Masque des diapositives**. Il sera alors dupliqué dans chaque page. Cliquez sur le menu **Affichage**, choisissez **Masque** puis **Masque des diapositives**. Cliquez sur la première diapositive pour la sélectionner.

Utilisez des images prêtes à l'emploi

10 Faites un clic droit sur le cadre du texte à puces dans la fenêtre principale et choisissez **Couper** afin de l'effacer. Ouvrez le menu **Insertion** et choisissez **Image** puis **Images clipart**. Saisissez cible dans la boîte **Rechercher** sur le côté droit de la fenêtre et cliquez sur **OK**. S'affichent alors les images en rapport avec le terme cible. Pour ajouter l'une d'elles, faites un double-clic dessus.

● Des effets très spéciaux

Vous pouvez employer des effets de transition forts ingénieux pour passer d'une diapo à l'autre : fondu, dissolution, effet de rideau, etc. Employez-les avec parcimonie, pour éviter de perturber l'attention du public. Faites un clic droit sur une diapo et choisissez **Transition**. Cliquez sur la transition à appliquer et regardez sa prévisualisation dans la fenêtre principale. L'effet présenté ici est dit de dissolution.

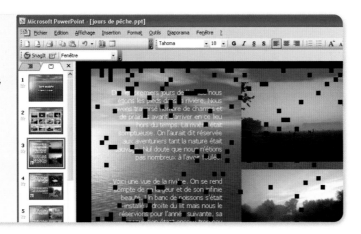

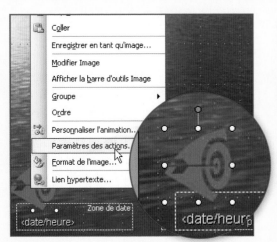

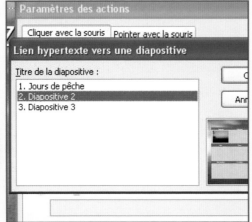

Déplacez des images

11 Glissez l'image pour la disposer à l'endroit souhaité. Vous pouvez également en modifier les dimensions en déplaçant les poignées de redimensionnement qui entourent l'image. Une fois les modifications apportées, faites un clic droit sur l'image et, dans le menu contextuel qui apparaît, choisissez la fonction **Paramètres des actions**.

Créez des liens

12 Sélectionnez l'option **Créer un lien hypertexte vers** puis ouvrez la liste déroulante jusqu'à atteindre **Diapositive**. Cliquez dessus pour afficher la liste de toutes les diapos créées. En cliquant sur l'une d'elles, la vignette correspondante apparaît. Dans cet exemple, **Diapositive 2** correspond à la page de calendrier. Sélectionnez-la. Double-cliquez sur **OK**.

Ajoutez un contenu à la diapo

13 Revenez à un affichage Normal et cliquez sur la troisième diapo dans la liste des vignettes pour la sélectionner. Ajoutez quelques photos comme vous l'avez appris à l'étape 6. Puis ouvrez le menu **Insertion** et choisissez **Zone de texte**. À l'aide de la souris, dessinez la zone sur la diapo. Saisissez le texte et mettez-le en forme (police, alignement, etc.).

● Outils de référence

La recherche est simplifiée dans PowerPoint. Ouvrez le menu **Outils** et cliquez sur **Bibliothèque de recherche**. Dans le volet qui s'ouvre, saisissez l'objet de votre recherche, validez, et le programme vous fournira une liste de liens Web sur lesquels il suffit de cliquer pour les activer. C'est un bon moyen de vérifier la véracité des informations contenues dans une diapo sans quitter PowerPoint. Cette fonction est accessible dans les autres programmes de la suite Office.

● Enregistrez et partagez

Vous pouvez partager une présentation PowerPoint même si le destinataire ne dispose pas du programme. Ouvrez le menu **Fichier** et choisissez **Partage pour CD-ROM**. Vous allez ainsi copier une version du fichier sur un CD et le jouer sur n'importe quel PC. Insérez un disque vierge dans le lecteur et cliquez sur **Copier sur le CD-ROM**. Le logiciel fait le reste.

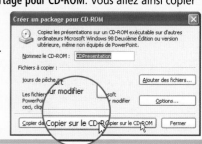

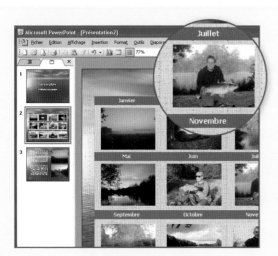

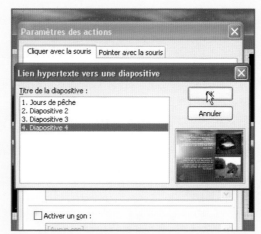

Achevez la page de navigation

14 Revenez à la page du calendrier en cliquant sur sa vignette dans la liste et ajoutez une photo par mois. Servez-vous de la grille pour positionner précisément les photos. En fonction du thème de votre diaporama, vous pourrez choisir un autre principe de présentation : un arbre, par exemple, si l'objet du diaporama est de présenter votre généalogie.

Peaufinez les contrôles de navigation

15 Ajoutez d'autres diapos comme vous l'avez appris. Chaque fois que vous en ajoutez une, reliez-la à l'image qui lui correspond dans le calendrier. Faites un clic droit sur cette image et choisissez **Paramètres des actions**, puis **Créer un lien hypertexte vers**. Sélectionnez **Diapositive**, puis la nouvelle diapo et double-cliquez sur **OK**.

Parcourez votre présentation

16 Ouvrez le menu **Diaporama** et choisissez **Visionner le diaporama**. Cliquez une fois pour passer à l'écran de navigation principal (le calendrier). Cliquez sur n'importe quelle image pour accéder à la diapositive représentant le mois. Pour voir un autre mois, cliquez sur l'image ajoutée dans le **Masque des diapositives** (étape 9) et vous reviendrez à l'écran de navigation.

Action !

Ajoutez un menu DVD à une vidéo maison

Passer une vidéo maison sur DVD la rend accessible à tous. Vous pourrez lui ajouter un principe de navigation interactif et même des bonus comme ceux que l'on trouve sur les DVD commercialisés. La plupart des logiciels appropriés automatisent cette tâche et vous n'aurez plus qu'à mettre des titres et à choisir les images apparaissant dans le menu, les clips et la musique de fond. Vous pourrez ensuite lire votre DVD sur le lecteur de salon et en faire des copies pour vos amis.

IL VOUS FAUT : Adobe Premiere Elements 2, www.adobe.com/products/premiereel ● Graveur de DVD
VOIR AUSSI : Son et image avec le Lecteur WM, page 330 ● Créer un film, page 208

VOIR AUSSI : Son et image avec le Lecteur WM, page 330 ● Créer un film, page 208

● Le bon logiciel

Nombre de PC équipés d'un graveur de DVD sont livrés avec un outil d'édition vidéo qui souvent permet de créer des menus de DVD. Movie Maker, partie intégrante de Windows XP, n'offre pas cette fonction. Pour mener à bien ce projet, procurez-vous Adobe Premiere Elements. Vous pouvez en télécharger une version d'essai valable 30 jours sur www.adobe.com/fr/downloads. Suivez les instructions d'installation et employez cette version pour mener à bien ce projet.

Capturez les vidéos

1 Pour créer un DVD, vous devez commencer par capturer les séquences vidéo à partir de votre caméra. Démarrez Adobe Premiere Elements. Sélectionnez **Acquisition vidéo** dans la page d'accueil. Nommez le projet et enregistrez-le sur votre disque. Cliquez sur le bouton **Obtenir la vidéo** de la fenêtre **Acquisition** afin de capturer la séquence choisie. Cliquez ensuite sur l'onglet **Créer un DVD**.

○ Organisez vos clips

Ce n'est pas parce que vous créez un menu qui permet d'accéder au contenu du DVD selon le choix du spectateur, et non plus selon un ordre séquentiel, que l'ordre des clips n'a plus d'importance. Lorsqu'un clip, ou un chapitre, a été sélectionné depuis le menu et que sa lecture arrive à son terme, le clip suivant est alors enclenché, et ainsi de suite jusqu'au dernier clip du DVD. Cela reste vrai sauf si le spectateur décide de revenir au menu principal pour choisir un autre clip. Aussi, pensez bien à organiser vos clips comme s'ils allaient être lus du début du DVD jusqu'à son terme.

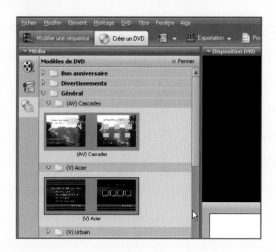

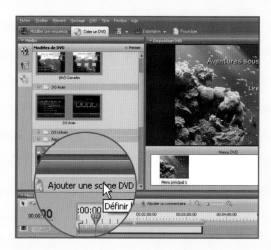

Choisissez un modèle

2 La liste **Modèles de DVD** apparaît. Choisissez un thème dans la liste déroulante puis cliquez sur la flèche du thème retenu pour afficher un modèle. Les vignettes présentent deux types de menu : **Principal** et **Scènes**. Certains menus principaux proposent d'autres boutons permettant d'accéder aux bonus par exemple. Vous pourrez en ajouter plus tard.

Posez vos repères

3 Glissez le thème choisi dans la fenêtre centrale. Vous devez à présent disposer des repères DVD aux endroits qui marquent les chapitres du film. Placez le curseur et cliquez sur le bouton **Ajouter une scène DVD** situé dans la partie inférieure de l'écran. Saisissez le nom de ce chapitre et choisissez le type de marque avant de valider l'opération en cliquant sur **OK**.

Saisissez le titre de la vidéo

4 Le menu principal est affiché dans la fenêtre centrale du DVD avec désormais un lien menant au menu **Choisir une scène**. Faites un double-clic sur le titre principal pour le remplacer par votre propre titre, dans ce cas-ci, Voyage en Indonésie. Vous disposez d'options de mise en forme sur le côté droit de la fenêtre qui vous permettront de mettre ce titre en valeur.

● Élaborez un plan sur papier

Pensez à rendre votre DVD le plus interactif et le plus intuitif possible. Avant de commencer votre montage, couchez sur papier son organisation. Vous pourrez par exemple respecter un ordre chronologique des séquences. Ainsi, le DVD d'un voyage commence à l'aéroport, puis suivent l'arrivée à l'hôtel, la visite des monuments, etc. Un DVD promotionnel, quant à lui, est organisé par produits présentés. Si le DVD contient plusieurs niveaux de menus, le dessin de son organigramme est essentiel. Adobe Premiere Elements permet de définir des repères qui servent à réorienter la navigation en un point particulier. Par exemple, lorsque le terme d'une scène est atteint, un repère stop permettra de revenir automatiquement au menu principal plutôt que d'enchaîner sur la séquence suivante.

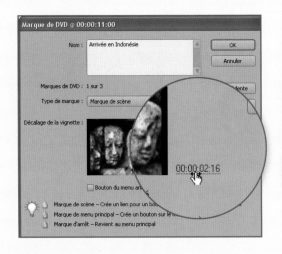

Sélectionnez une image de bouton

5 Cliquez sur la vignette **Menu des scènes 1** afin de l'éditer. Faites un clic droit sur la vignette d'une scène préalablement disposée pour en modifier le contenu. Dans la boîte **Marque de DVD**, faites glisser le repère bleu situé à droite de la vignette jusqu'à afficher l'image qui vous paraît représentative de toute la scène – choisissez une image forte qui incitera le spectateur à cliquer dessus.

Associez une vidéo au bouton

6 Pour afficher un extrait du clip plutôt qu'une image fixe dans le menu, cliquez sur l'option **Bouton du menu animé** sous la vignette et validez. Dans la section **Menu** du volet **Propriétés**, déroulez la liste jusqu'à **Image postérisée**. Définissez le **Point d'entrée** pour la vignette (le point de début de lecture du clip) en glissant le code temporel vers la gauche ou la droite.

Vérifiez le bouton

7 Cliquez sur **Aperçu du DVD** pour vérifier que le bouton joue correctement l'extrait du clip. La durée maximale de cet extrait est de 30 secondes. Si le clip est plus long, il sera lu en boucles de 30 secondes dans le bouton. Cliquez n'importe où sur l'arrière-plan du menu dans la fenêtre **Disposition DVD**. Les caractéristiques de l'arrière-plan sont présentées dans le volet **Propriétés**.

SON ET VIDÉO

Vous n'avez pas de graveur de DVD

Ce n'est pas parce que votre PC n'est pas équipé d'un graveur de DVD que vous ne pouvez pas créer un disque vidéo. Un simple graveur de CD peut faire l'affaire. Certains logiciels permettent de créer des CD Vidéo (VCD). L'inconvénient de cette solution est qu'elle ne permet pas d'héberger autant de vidéos qu'un DVD. De plus, la qualité n'est pas la même et tous les lecteurs de salon ne supportent pas ce format.

Si vous disposez d'un grand nombre de vidéos à éditer et si vous n'avez pas de graveur de DVD, vous pouvez acheter un graveur simple couche, relativement bon marché. Si vous ne vous sentez pas capable d'installer un graveur interne, préférez un graveur externe, qui se connecte au PC par l'entremise d'un câble USB. Les DVD vierges sont économiques et contiennent l'équivalent de huit CD.

Raccourcissez la boucle

8 Déroulez les propriétés jusqu'à la section **Boutons du menu animé**. L'option **Durée** affiche la durée du bouton en heures, minutes, secondes et centièmes de seconde. Passez de 30 à 6 secondes en faisant glisser le curseur vers la gauche. Vous pouvez aussi saisir la nouvelle valeur à la place de l'ancienne.

Définissez les autres boutons

9 Faites un double-clic sur le bouton permettant d'accéder à la deuxième scène, dans le volet **Disposition DVD**, renommez-le et faites en sorte qu'il contienne un extrait du clip comme vous l'avez appris à l'étape 6. Définissez le point de départ de l'extrait. Sa durée sera automatiquement définie à 6 secondes. Répétez cette procédure pour chacun des boutons.

Modifiez l'arrière-plan du menu

10 Pour ajouter un nouvel arrière-plan à l'aide d'une image fixe, cliquez n'importe où dans l'arrière-plan et déplacez une photo depuis le volet **Média** jusqu'à la zone intitulée **Faire glisser le média ici**, dans le volet **Propriétés**. Vous pouvez aussi cliquer sur **Parcourir** dans le volet **Arrière-plan du menu**. Le nouvel arrière-plan apparaîtra dans la fenêtre **Disposition DVD**.

● Ajoutez un effet noir et blanc

Cliquez sur le bouton **Effets et transitions** dans le volet **Média** et choisissez **Fondu** dans la liste **Transitions vidéo**. Glissez le filtre **Fondu au noir** sur le **Plan de montage**. Tirez sur le repère de fin du filtre pour adapter sa longueur à celle du clip. Sélectionnez **Fichier**, **Exportation** puis **Séquence**. Cliquez sur le bouton **Réglages** dans la boîte de dialogue et choisissez **Barre de la zone de travail** dans la liste **Etendue**. Saisissez un nom de fichier et cliquez sur **Enregistrer**. Le nouveau clip est ajouté dans le volet **Media** et vous pourrez le glisser sur l'arrière-plan de votre menu.

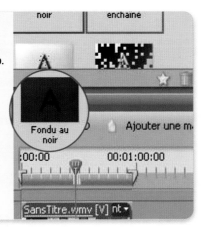

● Évitez les effets superflus

Les fonctions interactives et multimédias d'Adobe Premiere Elements sont fort intéressantes mais n'en abusez pas pour autant. La perception de vos spectateurs risque d'être perturbée par six petites vidéos en mouvement sur un fond lui aussi dynamique et coloré. N'hésitez pas à user du mouvement mais faites-le avec parcimonie. Pour l'arrière-plan, utilisez des images douces sans trop de détails, un ciel nuageux, une rivière, des vagues ou un drapeau claquant au vent, par exemple. Les boutons de navigation doivent être lisibles. Choisissez leur graphisme avec attention.

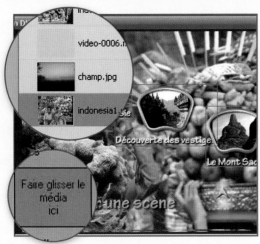

Ajoutez une vidéo en arrière-plan

11 L'arrière-plan peut afficher une vidéo. Glissez un clip depuis le volet **Média** pour remplacer l'image fixe actuellement définie dans la boîte **Faire glisser le média ici**. Vous pouvez aussi le placer directement sur l'arrière-plan du menu. Vous pouvez également employer un clip du DVD en lui appliquant un filtre afin de le différencier. Optez par exemple pour un filtre noir et blanc.

Paramétrez le clip d'arrière-plan

12 Choisissez le point de départ de la lecture du clip d'arrière-plan en modifiant la valeur de la durée dans le volet **Propriétés**. La vignette reflète en temps réel la modification. Définissez ensuite la durée de lecture de l'extrait. Comme vous pouvez le constater, le principe est en tout point identique à celui appliqué pour définir les vignettes représentatives des scènes.

Intégrez de la musique

13 Ajoutez de la musique au menu en glissant un clip audio depuis le volet **Média** vers la zone **Audio** dans le volet **Propriétés**. Vous pouvez aussi glisser un fichier audio (voir page 332) depuis un dossier ouvert sur le Bureau. Définissez le point de départ de la lecture à l'aide du bouton **Lecture**. La durée du clip audio sera la même que celle de la vidéo d'arrière-plan.

SON ET VIDÉO

Partagez vos DVD

Si vous devez produire plusieurs copies d'un DVD afin de les envoyer à vos amis, vous profiterez de la fonction propre à la plupart des logiciels d'édition vidéo, qui permet de créer plusieurs exemplaires d'un même DVD en une seule fois. C'est de loin la méthode la plus rapide, l'encodage ne devant être effectué qu'à une seule reprise. Attention cependant : si une erreur d'encodage se produit, tous les DVD ainsi créés seront bons à jeter !

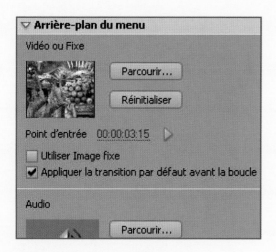

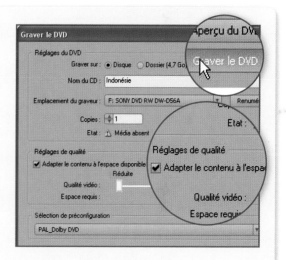

Choisissez vos transitions

14 Lorsqu'un extrait appliqué à l'arrière-plan ou à un bouton boucle automatiquement, le passage entre la dernière image du clip et la première risque d'être brutal. Employez une transition en cliquant sur la case **Appliquer la transition par défaut avant la boucle** dans le volet **Propriétés**. Si celle-ci ne vous plaît pas, choisissez-en une autre dans le volet **Effets et transitions**.

Prévisualisation

15 Cliquez sur le bouton **Aperçu du DVD** dans le volet **Disposition DVD**. La fenêtre de prévisualisation apparaît : elle est équipée de boutons de contrôle comparables à ceux d'une télécommande. Vérifiez que tous les boutons de navigation fonctionnent correctement. Ne vous attardez pas sur la qualité du visionnage, celle-ci sera meilleure dans la version finale, gravée sur DVD.

C'est le moment de graver

16 Cliquez sur la case **Fermer** de la fenêtre de prévisualisation puis sur le bouton **Graver le DVD** dans le volet **Disposition DVD**. Insérez un DVD vierge et cochez la case **Adapter le contenu à l'espace disponible**. À moins que vous ayez plus de 2 heures de vidéo, cette option permettra d'obtenir la meilleure qualité de rendu. Cliquez sur **Graver**. L'opération peut durer plusieurs heures.

Internet

Soyez un acteur du Web en créant votre propre site, un journal et un album photo en ligne. Téléphonez en vidéoconférence et créez votre émission sur le Net.

Votre page d'accueil sur le Web
Créez votre propre site Web en un rien de temps

Créez votre univers sur le Web pour partager avec de nombreux internautes votre quotidien et les photos de votre environnement. Tous les programmes de la suite Office comprennent une option **Enregistrer en tant que page Web**.

Aussi pourrez-vous convertir un document Word en une page Web, en un clin d'œil. Le problème tient au poids des fichiers, qui

alourdit leur affichage sur le Web. Le mieux est encore de créer votre page à partir d'un document vierge et de construire les zones destinées à recevoir les titres et le contenu principal, une fois pour toutes.

Les principes développés ici s'appliquent aussi bien à la création de votre page d'accueil personnelle qu'à celle du site Web d'un club sportif ou d'une association.

IL VOUS FAUT : Microsoft Word ● Photoshop Elements
VOIR AUSSI : Créer un journal, page 138 ● Votre album photo en ligne, page 266

Un peu d'ordre

Votre site va s'étoffer à mesure que vous ajouterez de nouvelles pages, des photos et de nouvelles sections. Le nombre des fichiers va croître de manière exponentielle.

Pour éviter le désordre, rangez ces fichiers dans des dossiers clairement organisés. Avant même de concevoir la première page, créez son dossier (voir étape 1). Lorsque vous enregistrerez le document pour la première fois, assurez-vous de choisir ce dossier, qui contiendra également tous les fichiers afférents à cette page.

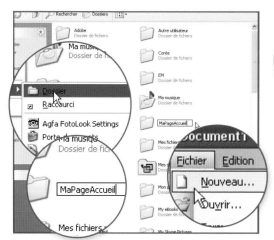

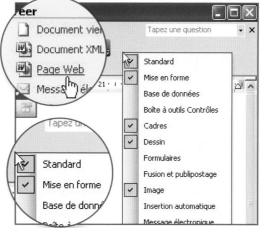

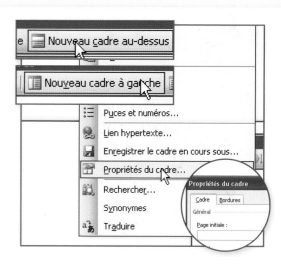

Créez un dossier pour vos fichiers

1 Cliquez sur le bouton Démarrer et choisissez Mes documents. Faites un clic droit sur un endroit vide de la fenêtre Mes documents et choisissez Nouveau puis Dossier. Saisissez le nom MaPageAccueil (sans espace) et appuyez sur la touche Entrée. Le nouveau dossier s'ajoute à la liste existante. Démarrez Microsoft Word et cliquez sur Nouveau dans le menu Fichier.

Préparez Word à l'édition Web

2 Le volet Nouveau document apparaît à droite de l'écran. Dans la liste, cliquez sur le lien Page Web. Une page vierge apparaît. Faites un clic droit à droite des menus principaux. Assurez-vous que les options Cadres, Image, Dessin et WordArt sont bien cochées. Si tel n'est pas le cas, activez-les une à une. Ce sont là les barres d'outils dont vous aurez besoin pour créer le document.

Définissez le cadre de travail

3 La page Web sera divisée en trois zones distinctes : le titre en haut de la page, une liste de liens à gauche et la zone principale au centre. Dans la barre d'outils Cadre, cliquez sur Nouveau cadre au-dessus. La page est scindée en deux pans verticaux. Cliquez sur le cadre du bas et sur Nouveau cadre à gauche. Faites un clic droit dans le cadre supérieur et cliquez sur Propriétés du cadre.

Choisissez les polices en connaissance de cause

En choisissant les polices (voir page 326), ou fontes, pensez aux internautes qui verront votre site. Votre éditeur Web vous offre le choix des polices contenues par votre PC. Les internautes ne possèdent peut-être pas les mêmes, aussi convient-il de sélectionner des polices très courantes. Optez ainsi pour l'Arial, le Comic Sans, le Courier, le Georgia, le Times, le Trebuchet ou le Verdana. Ces polices sont partagées par tous les ordinateurs. Aussi, vos pages seront affichées dans les navigateurs telles que vous les voyez sur votre PC.

Arial Comic Sans
Courier **Georgia**
Trebuchet Times
Verdana

Quelques astuces de mise en forme

Microsoft Word en tant qu'éditeur Web vous offre toutes ses fonctions de mise en forme. Employez des caractères gras (Ctrl+G) pour faire ressortir des mots dans un texte ou des italiques (Ctrl+I) pour les légendes. Servez-vous de couleurs, sans en abuser. Préférez un texte courant en noir ; les titres eux, pourront être en couleurs.

Quant au corps, n'allez pas au-delà de 16 points pour éviter de compromettre l'affichage dans le navigateur de vos visiteurs. Si vous souhaitez mettre un titre en évidence, préférez l'emploi de WordArt (voir étape 7). Vous pouvez aussi créer ce titre dans un éditeur d'images tel que Photoshop Elements et l'enregistrer dans un format reconnu par le Web, en JPEG par exemple (voir page 311).

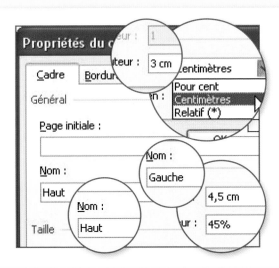

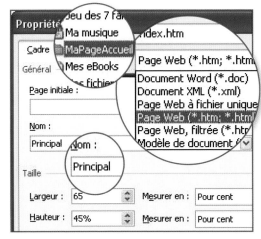

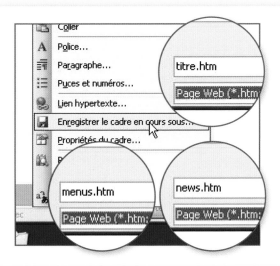

Ajustez les cadres

4 Cliquez sur l'onglet **Cadre**. Sous **Nom**, saisissez Haut. Dans la boîte **Mesurer en**, choisissez **Centimètres** puis spécifiez une **Hauteur** de 3. Cliquez sur **OK**. Faites ensuite un clic droit dans le cadre de gauche. Choisissez **Propriétés du cadre** et nommez-le Gauche. Définissez une largeur de 4,5 cm. Choisissez **Pour cent** pour la **Hauteur** et saisissez 45. Validez. Ouvrez la même boîte pour le cadre de droite.

Enregistrez les cadres

5 Nommez le troisième cadre Principal. Choisissez **Pour cent** dans la zone **Mesurer en** et spécifiez une **Largeur** de 65 et une **Hauteur** de 45. Cliquez sur **OK**. Appuyez sur **Ctrl+S**. La fenêtre **Enregistrer sous** apparaît. Ouvrez le dossier MaPageAccueil. Spécifiez le format **Page Web** dans la zone **Type de fichier**. Saisissez index.htm dans la zone **Nom de fichier** et cliquez sur **Enregistrer**.

Enregistrez les pages des cadres

6 Faites un clic droit sur le cadre supérieur et choisissez **Enregistrer le cadre en cours sous**. Dans la boîte de dialogue qui apparaît, près du **Nom de fichier**, saisissez titre.htm. Spécifiez le format **Page Web** et cliquez sur **Enregistrer**. Faites de même avec les cadres de gauche et de droite en les nommant respectivement menus.htm et news.htm.

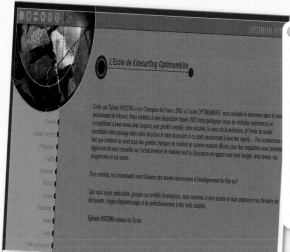

Créez le site Web d'un club sportif

Vos pages Web ne doivent pas nécessairement parler de vous ou de votre famille. Un site permet de promouvoir une association, une troupe de théâtre, une école ou encore un club sportif. Inutile cependant de modifier sa structure ou sa mise en forme. Démarrez sur une page divisée en cadres et ajoutez une page pour chacun d'eux (étapes 1 à 6). Puis, à l'étape 7, concevez un titre avec **WordArt** qui reflète le sujet du site. Comme à l'étape 8, ajoutez des boutons. Les étapes suivantes s'appliquent quel que soit le sujet du site. Vous ajouterez de nouvelles fonctions au fur et à mesure de son développement.

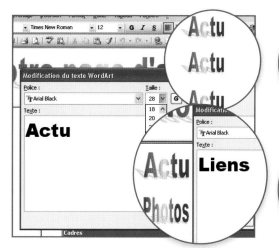

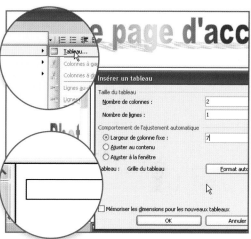

Utilisez WordArt pour le titre

7 Cliquez sur le cadre supérieur. Dans le menu **Insertion**, choisissez **Image** puis **WordArt**. La fenêtre **Galerie WordArt** apparaît. Choisissez le style qui vous plaît et cliquez sur le bouton **OK**. Saisissez maintenant le titre de la page, Notre page d'accueil, par exemple. Ce titre apparaîtra en haut de chaque page. Choisissez une police très lisible. Nous optons pour de l'**Arial Black** en **36 points**. Cliquez sur **OK**.

Ajoutez des titres de menus

8 Cliquez sur le cadre gauche. Dans **Insertion**, choisissez **Image**, **WordArt**. Optez pour le même style et cliquez sur **OK**. Saisissez Actu dans un corps 28 et cliquez sur **OK**. Cliquez sur le bloc **Actu** et appuyez sur **Ctrl+C** pour le copier. Appuyez deux fois sur **Ctrl+V** pour le coller à deux reprises. Faites un double-clic sur le deuxième titre et saisissez Photos. Cliquez sur **OK**. Baptisez le troisième titre Liens.

Créez un tableau

9 Cliquez sur le cadre **Principal**. Dans le menu **Tableau**, choisissez **Insérer** puis **Tableau**. Dans la boîte qui apparaît, sous **Taille du tableau**, saisissez **2** dans la zone **Nombre de colonnes** et **1** dans la zone **Nombre de lignes**. Cochez **Largeur de colonne fixe** et saisissez **7** dans la boîte à droite. Cliquez sur **OK**. Un tableau vierge apparaît dans le cadre principal de la page.

⬤ Préparez les images de la page d'accueil

Redimensionnez toujours les photos et les images avant de les importer dans Word. Il est possible de modifier la dimension d'une image dans Word, mais cela ne réduit pas pour autant le poids du fichier. Gardez à l'esprit que plus ce poids est élevé, plus long est le chargement de l'image dans la page. Il est donc préférable d'utiliser un logiciel comme Photoshop Elements pour mener à bien cette opération (voir page 308). 260 pixels est une largeur correcte pour des images insérées dans des tableaux comme pour notre projet. Des images plus petites encore peuvent également être du meilleur effet.

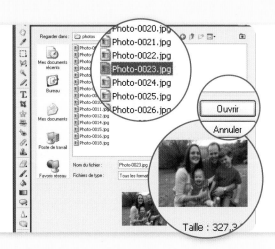

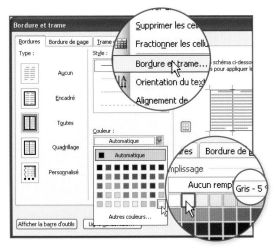

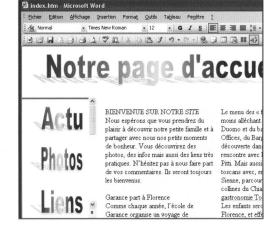

Mettez le tableau en forme

10 Faites un clic droit dans l'une des cellules du tableau et choisissez **Bordure et trame**. Sous l'onglet **Bordures**, cliquez sur **Toutes**. Cliquez sur la liste **Couleur** et optez pour le **Blanc**. Spécifiez une largeur de **6 points**. Cliquez maintenant sur l'onglet **Trame de fond** et optez pour un ton subtil, **Gris-5 %** par exemple. Cliquez sur OK pour appliquer la mise en forme que vous venez de définir.

Supprimez les filets des cadres

11 Faites un clic droit sur le cadre supérieur et choisissez **Propriétés du cadre**. Cliquez sur l'onglet **Bordures**. La partie droite de la fenêtre présente une prévisualisation de la structure de la page. Les filets qui distinguent les trois cadres sont inutiles, il convient donc de les supprimer. Sous **Page de cadres**, cochez l'option **Pas de bordure** et cliquez sur **OK**.

Saisissez la page d'actualités

12 La page du cadre Principal sera la première à être présentée aux visiteurs de votre site. Nous décidons d'y faire figurer les dernières nouvelles. Vous pourriez commencer par un message de bienvenue et par une présentation de votre site. Saisissez ou copiez/collez ensuite votre actualité dans la première cellule du tableau. Le contenu de cette page pourra changer par la suite.

Démarrez Photoshop Elements et, dans l'écran d'accueil, choisissez **Retoucher et corriger les photos**. Cliquez sur **Ouvrir** dans le menu **Fichier** et sélectionnez l'image dont vous avez besoin. Cliquez sur l'outil **Recadrage** puis, dans la **Barre d'options**, saisissez une **Largeur** de **260 px** et laissez les cases **Hauteur** et **Résolution** vides. Cliquez et glissez un rectangle sur l'image afin de définir la zone à recadrer. Validez l'opération. Photoshop redimensionne l'image sur la base de 260 pixels de large. Cliquez sur **Enregistrer sous** dans le menu **Fichier** et sauvegardez le fichier dans le dossier du site. Saisissez un nom de fichier et optez pour le format **JPEG**. Cliquez sur **Enregistrer**. La boîte **Options JPEG** apparaît. Glissez le repère de qualité sur **8** et cliquez sur **OK**.

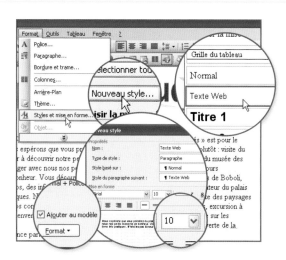

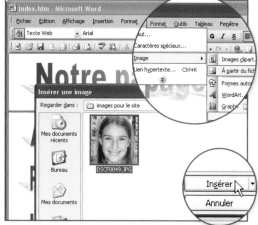

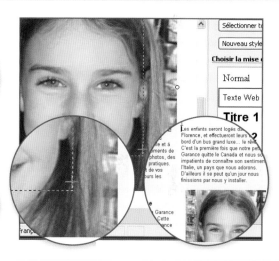

Créez un style de texte

13 Cliquez dans le texte puis choisissez **Styles et mise en forme** dans **Format**. Dans le volet qui s'ouvre, cliquez sur **Nouveau style**. Dans la zone **Nom**, saisissez Texte Web. Sous **Mise en forme**, optez pour une police **Arial** en **10 points**. Cochez Ajouter au modèle et validez. Cliquez sur les styles dans la barre d'outils **Mise en forme**. Choisissez **Texte Web** pour le texte et **Titre 3** pour chaque intertitre.

Ajoutez une photo

14 Les photos que vous insérez devront être à la bonne taille et au bon format (voir page 260). Cliquez à la fin du texte pour placer le curseur et appuyez sur la touche **Entrée**. Dans le menu **Insertion**, choisissez **Image** puis **A partir du fichier**. Dans la boîte qui apparaît, repérez la photo que vous souhaitez insérer. Sélectionnez-la et cliquez sur **Insérer**.

Ajustez l'image

15 La photo est insérée dans la page mais elle est plus large que la cellule qui l'héberge et, de ce fait, la colonne se déforme pour compenser. Cliquez sur l'image puis sur sa poignée dans le coin à droite. Réduisez la photo jusqu'à ce que la colonne reprenne sa largeur originale. Lorsque tel est le cas, relâchez le bouton de la souris. Votre image est à présent correctement disposée dans la page.

● Donnez vie à l'arrière-plan

Les pages Web de ce projet sont sur fond blanc, mais rien ne vous empêche de choisir une autre couleur ou même d'ajouter une texture ou une image. À l'aide de l'Explorateur Windows, ouvrez le dossier **MaPageAccueil**. Faites un clic droit sur le fichier **index.htm** et choisissez **Modifier**. Lorsque la page est chargée dans Word, cliquez sur le cadre du haut et choisissez **Arrière-plan** dans le menu **Format**. Vous pouvez dès lors appliquer une couleur et des effets de texture en arrière-plan. Cliquez sur **Effets de remplissage** et choisissez le dégradé, la texture, le motif ou la photo qui sera employé en arrière-plan. Cliquez sur l'onglet **Texture** et choisissez celle qui vous convient avant de cliquer sur **OK**. Le cadre du haut de page prend alors l'aspect que vous venez de déterminer. Vous pouvez aussi cliquer sur l'onglet **Image** puis sélectionner une image au format **JPEG**. Si sa surface est inférieure à celle du cadre, l'image sera répétée tel un motif. Il se peut que vous constatiez que la lecture du titre mis en forme à l'aide de WordArt est rendue plus difficile depuis que vous lui avez ajouté un arrière-plan. Modifiez alors le style de WordArt en cliquant sur le bouton **Galerie WordArt**.

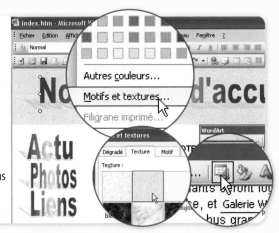

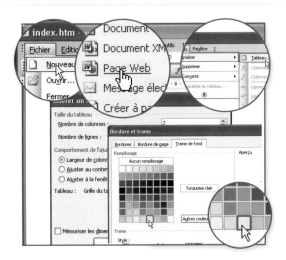

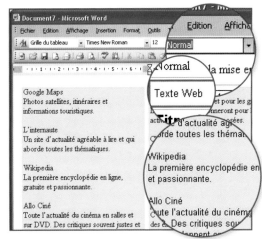

Ajoutez une nouvelle page

16 Appuyez sur **Ctrl+S** pour enregistrer la page. Puis, dans **Fichier**, choisissez **Nouveau**. Cliquez sur **Page Web** dans le volet de droite. Une page blanche s'affiche. Cliquez sur **Tableau**, choisissez **Insérer** puis **Tableau**. Mettez en forme le tableau comme vous l'avez fait mais, cette fois, optez pour une couleur d'arrière-plan différente, le bleu turquoise clair, par exemple.

Créez une page de liens

17 Cliquez sur la cellule de gauche et saisissez le nom du premier site, Google Maps, par exemple. Appuyez sur la touche **Entrée** puis saisissez sa description, Photos satellites, itinéraires et informations touristiques, par exemple. Appuyez deux fois sur la touche **Entrée** et ajoutez un second site. Procédez ainsi pour tous les liens. Sélectionnez-les ensuite et appliquez-leur le style **Texte Web**.

Paramétrez les liens

18 Sélectionnez le premier site Web. Faites un clic droit et choisissez **Lien hypertexte**. La boîte correspondante apparaît. Dans la zone **Adresse**, saisissez http://maps.google.ca. Cliquez sur le bouton **Cadre de destination** et sélectionnez **Nouvelle fenêtre** dans la liste déroulante. Cliquez sur le bouton **OK** à deux reprises. Paramétrez les autres liens de cette manière.

● Ouvrez votre site au reste du monde

Vous avez créé vos pages Web et vous souhaitez maintenant que le monde entier en profite. Vous devez donc le charger de votre PC vers le serveur Web de votre fournisseur d'accès Internet, par exemple. Il existe des logiciels qui peuvent se charger de cette opération. Il s'agit des clients FTP (File Transfer Protocol). SmartFTP, www.smartftp.com, en est un (voir Téléchargez et installez SmartFTP, page 269). Démarrez le programme, saisissez l'identifiant et le mot de passe vous permettant d'accéder à l'espace qui vous est réservé sur le serveur Web de votre fournisseur d'accès et celui-ci s'affichera dans la fenêtre du logiciel. Glissez ou copiez puis collez les fichiers de votre site depuis l'Explorateur Windows vers le serveur Web comme si vous le faisiez d'un PC vers un autre.

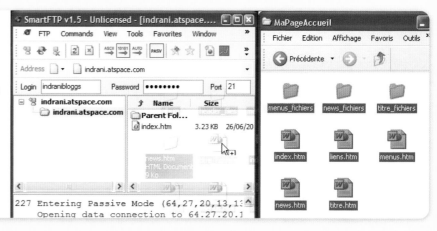

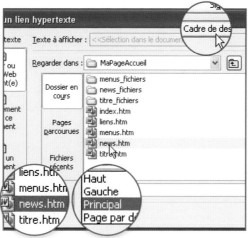

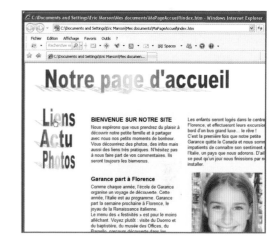

Revenez à la page d'accueil

19 Appuyez sur **Ctrl+S** pour enregistrer la page des liens. Ouvrez le dossier créé à l'étape 1, spécifiez **Page Web** dans la zone **Type de fichier** et nommez le document **Liens.htm**. Cliquez sur **Enregistrer** puis appuyez sur **Ctrl+W** pour fermer la page. Revenez à la page **index.htm** et cliquez sur le mot **Actu**. Faites un clic droit et choisissez **Lien hypertexte**. La boîte apparaît.

Configurez les boutons des menus

20 Ouvrez le dossier **MaPageAccueil** et choisissez **news.htm**. Cliquez sur **Cadre de destination** puis sur **Principal**. Cliquez sur **OK** à deux reprises. Sélectionnez maintenant le mot **Liens** et procédez comme vous l'avez vu à l'étape 19. Cette fois, sélectionnez **liens.htm** dans la liste des fichiers. Sélectionnez **Principal** comme cadre de destination. Validez et enregistrez la page.

Visualisez et chargez votre site

21 Vous pourrez ensuite lier le menu **Photos** à un album photo en ligne (voir page 271). Pour le moment, utilisez l'Explorateur Windows pour ouvrir le dossier **MaPageAccueil** puis faites un double-clic sur le fichier **index.htm**. Le navigateur Internet charge la page et vous pouvez tester son fonctionnement. Pour télécharger votre site sur le Web, référez-vous à l'encadré de cette page.

Donnez vie à votre site
Comment créer une animation destinée à vos documents Internet

Pour ajouter des animations dynamiques sur votre site Web, servez-vous de Photoshop Elements.
Les fichiers GIF (Graphics Interchange Format) sont fréquemment employés sur le Web. Un seul fichier
GIF peut contenir plusieurs images. Ainsi, placées et intégrées dans votre navigateur, elles défilent
de façon à créer une animation. Vous pouvez donc créer facilement une bannière ou un bouton
dynamique, que vous transformerez en lien lorsque vous créerez votre site Web.

IL VOUS FAUT : Photoshop Elements
VOIR AUSSI : Concevoir un faire-part par courriel, page 284

VOIR AUSSI : Concevoir un faire-part par courriel, page 284

Efficace et léger

L'une des applications les plus courantes des animations sur le Web est la bannière. Une bannière standard se trouve habituellement en haut de page et mesure 468 pixels sur 80 pixels. N'essayez pas d'animer des images plus grandes, car le fichier GIF risque d'être trop long à télécharger à l'ouverture de la page. Pour les mêmes raisons, évitez les images proposant des effets graphiques trop complexes. Sachez rester simple et efficace dans vos effets.

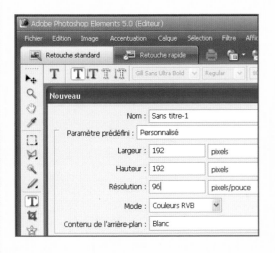

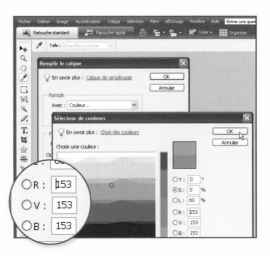

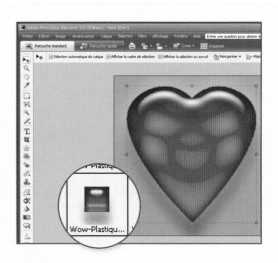

Créez une image animée

1 Démarrez Photoshop Elements et cliquez sur **Retoucher et corriger les photos**. Ouvrez un **Fichier vide** et, dans la boîte de dialogue **Nouveau**, saisissez les dimensions requises pour votre animation. Ici, nous choisissons **192 pixels** pour la **Largeur** et la **Hauteur**. Réglez la **Résolution** sur **96 pixels/pouce**, le **Mode** sur **Couleurs RVB** et le **Contenu de l'arrière-plan** sur **Blanc**. Cliquez sur **OK**.

Définissez l'arrière-plan

2 Si votre image est destinée au Web, l'arrière-plan n'est pas forcément blanc. Dans le menu **Edition**, choisissez **Remplir le calque**. Dans la boîte de dialogue **Remplir le calque**, cliquez sur le menu déroulant **Remplir**, **Avec** et sélectionnez **Couleur**. Cochez la case **Couleurs Web uniquement**, en bas de la fenêtre. Il s'agit souvent d'une couleur RVB (voir pages 310 et 311). Cliquez sur **OK**.

Choisissez une forme

3 Dessinez une forme simple. Appuyez sur **U** pour activer l'outil **Forme personnalisée**, puis cliquez sur **Forme personnalisée** dans la barre d'options. Sélectionnez une **Forme**, comme le **Cœur**. Dessinez-la sur votre page. Dans la palette **Illustrations et effets**, choisissez **Styles de calque** dans le premier menu et **Wow-Plastique** dans le second. Sélectionnez le **Rouge** et cliquez sur **Appliquer**.

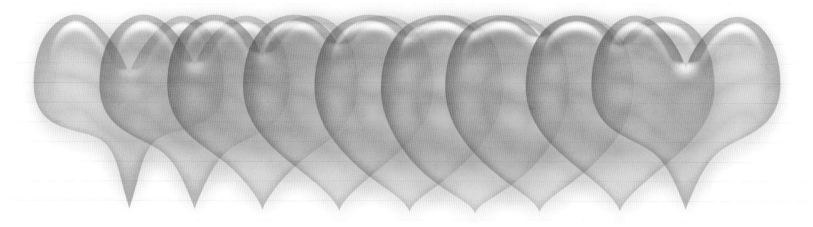

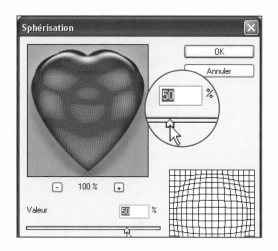

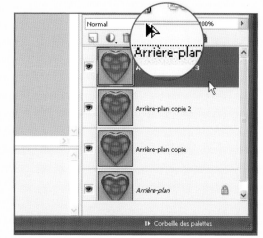

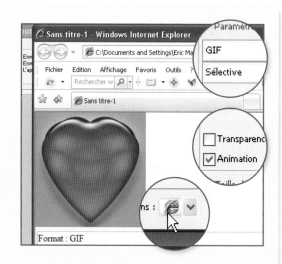

Créez un effet d'animation

4 Appuyez sur la combinaison **Ctrl+E** pour **Fusionner avec le calque inférieur**. Vous obtenez la première image de votre animation. Pour continuer, choisissez **Dupliquer le calque** dans le menu **Calque**. Cliquez sur **OK**. Sélectionnez **Sphérisation** sous **Déformation** dans le menu **Filtre**. Déplacez le curseur de la zone **Valeur** sur 50 % et cliquez sur **OK**.

Créez d'autres images

5 Cliquez sur **Dupliquer le calque** dans le menu **Calque**. Vérifiez que vous avez bien trois calques dans la palette. Maintenez les touches **Ctrl** et **Alt** enfoncées et déplacez le calque **Arrière-plan copie** en haut de la liste. Vous obtenez un autre calque nommé **Arrière-plan copie 3**. Vous avez donc quatre calques. Pour les transformer en animation, sélectionnez **Enregistrer pour le Web** dans le menu **Fichier**.

Sauvegardez votre animation

6 Dans la boîte de dialogue, sous **Paramètres prédéfinis**, sélectionnez **GIF**, **Sélective**. Décochez **Transparence** et cochez **Animation**. Cliquez sur l'icône d'Internet Explorer en bas de l'écran. Le cœur s'anime dans la fenêtre du navigateur. Fermez Explorer et cliquez sur **OK** pour enregistrer votre animation en **.GIF**. Cliquez sur **Enregistrer** dans le menu **Fichier** pour conserver vos images.

Une galerie internationale
Partagez vos photos avec le monde entier

Grâce à Picasa, le logiciel de gestion de photos de Google, vous pouvez créer une véritable galerie de photos avec tous vos albums. Un album est conçu comme une page Web et s'affiche donc dans un navigateur. Réservez un espace sur le Web et exportez votre galerie sur Internet pour la mettre à disposition de tous. Vous pouvez également intégrer votre galerie à votre site Web (voir « Votre page d'accueil », page 256).

IL VOUS FAUT : Picasa, http://picasa.google.com ● Des photos
VOIR AUSSI : Votre page d'accueil, page 256 ● Organiser ses images numériques, page 324

● Optimisez vos images

Lorsque vous intégrerez vos images dans la galerie, elles apparaîtront telles que vous les aurez placées. Pour les corriger, cliquez sur **Centre de retouches** dans le menu **Affichage** et, sous l'onglet **Ret.simples**, choisissez **J'ai de la chance**. Si les corrections ne sont pas suffisantes, testez d'autres options, comme le **Contraste auto**, la **Couleur auto** ou l'**Eclairage d'appoint**. Cliquez sur Photothèque.

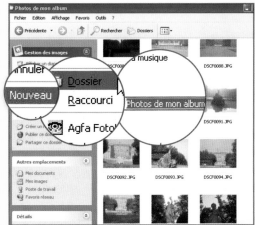

Organisez vos images

1 Commencez par rassembler toutes vos images. Choisissez **Mes documents** dans le menu **Démarrer** de Windows. Dans la fenêtre **Mes documents**, effectuez un clic droit et choisissez **Nouveau**, puis **Dossier**. Nommez-le Photos de mon album et appuyez sur **Entrée**. Copiez toutes vos images dans ce dossier. Ne vous inquiétez pas si elles sont de tailles différentes.

○ Options d'affichage des photos

Picasa propose deux types d'options d'affichage des images. Le petit curseur en bas à droite de l'écran permet en effet d'afficher un nombre déterminé de photographies sur une même page. Déplacez le curseur vers la gauche pour visualiser le plus d'images possible à l'écran et poussez-le vers la droite pour agrandir les images et, de ce fait, en visualiser moins dans la même fenêtre. Vous pouvez à tout moment sélectionner une image et la retoucher dans le **Centre de retouches**. C'est cette facilité d'utilisation qui fait le succès de Picasa.

Démarrez Picasa

2 Si vous n'avez pas Picasa sur votre PC, consultez « Organisez les photos avec Picasa », page 113, pour l'installer. Démarrez Picasa et retrouvez le dossier contenant vos images. Si vous ne voyez pas vos images, cliquez sur **Ajouter un dossier à Picasa** dans **Fichier**. Dans la boîte, cliquez sur le dossier **Photos de mon album** et cochez **Analyser une seule fois**. Cliquez sur **OK**.

Un outil pratique et puissant

3 La force de Picasa tient essentiellement à sa simplicité d'emploi et à la facilité qu'il vous offre pour consulter et organiser vos photos. Quel que soit l'usage que vous comptez faire de ces images, vous saurez toujours où vous en êtes et éviterez notamment d'encombrer votre disque d'images dont vous ne vous servez pas ou dont la qualité laisse à désirer.

Visualisez vos images

4 Vous pouvez organiser et ajouter des images à volonté dans la fenêtre de Picasa. Vous trouverez de nombreuses fonctions vous permettant de préparer vos images en vue d'une utilisation sur le Web. Vous disposez également d'un bouton **Diaporama** qui offre la possibilité de visualiser vos images en plein écran. Cela permet entre autres, de voir les défauts et de les corriger.

Personnalisez votre album

Picasa propose des options de mise en forme applicables aux albums que vous créez. Les albums sont définis comme des pages Web classiques, vous pourrez donc les modifier dans un éditeur Web ou un traitement de texte. Depuis le dossier de l'album, faites un clic droit sur le fichier **index.html** et choisissez **Modifier**. Intervenez sur la page comme vous l'avez appris (voir page 256), ajoutez des textes, des liens, des couleurs ou des textures.

Intervenez sur les images

5 Picasa offre donc des fonctions permettant de modifier les images que vous allez disposer sur le Web. Ainsi pouvez-vous faire pivoter des photos qui apparaissent dans le mauvais sens. Pour cela, sélectionnez la ou les photos concernées et cliquez sur le bouton **Rotation vers la gauche** ou **Rotation vers la droite** en fonction du sens du mouvement. Cliquez sur le bouton **Enregistrer les modifications**.

Publiez votre catalogue

6 Cliquez maintenant sur le bouton **Album Web** situé dans la partie inférieure de la fenêtre. Pour que l'opération soit possible, vous devez être en ligne. Aussi, si votre connexion n'est pas active, activez-la. Cliquez sur l'option **Créer un nouvel album Web**. Donnez un titre à cet album. Cliquez sur la case **Public** dans la zone **Visibilité** afin d'ouvrir votre album au plus grand nombre.

Transfert des photos

7 L'opération de transfert des photos peut prendre un certain temps. Tout dépend en fait du poids de vos images. Sachez que plus les photos seront légères, plus rapides seront le chargement dans l'album et l'affichage dans le navigateur de vos visiteurs. Ce dernier paramètre est déterminant, les internautes étant aujourd'hui habitués à un affichage rapide des informations.

● Téléchargez et installez SmartFTP

Si Picasa propose une fonction intégrée permettant le chargement direct de vos albums sur le Web, ce n'est pas le cas de tous les éditeurs d'images. Aussi, vous aurez peut-être besoin de charger « manuellement » vos photos sur l'espace dédié de votre fournisseur d'accès, par exemple. Pour y parvenir, vous devrez employer un logiciel FTP. SmartFTP est certainement le meilleur d'entre eux. Seul inconvénient, il est en anglais. Vous le téléchargerez à l'adresse www.smartftp.com. Cliquez sur **Download SmartFTP 2 Now**. Dans la page de téléchargement, cliquez sur **Download SmartFTP Client (x86)**, puis cliquez sur le bouton **Download Now**. Apparaît ensuite une boîte de dialogue, dans laquelle vous devrez cliquer sur **Enregistrer**. Parcourez votre disque jusqu'à trouver l'endroit où stocker le fichier qui sera téléchargé et cliquez de nouveau sur le bouton **Enregistrer**. Faites ensuite un double-clic sur le fichier et suivez les instructions d'installation. Pour démarrer SmartFTP, faites un double-clic sur son icône posée sur le Bureau ou choisissez le programme dans le menu **Démarrer**.

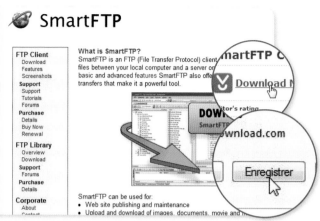

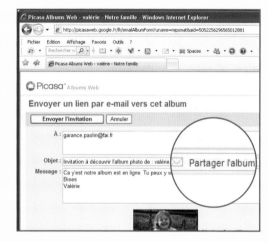

Visualisez l'album en ligne

8 Lorsque vous vous êtes inscrit sur Picasa, celui-ci a créé pour vous un espace Web dédié à l'exposition de vos photos. Ainsi disposez-vous désormais d'une adresse Web, accessible par n'importe quel utilisateur à qui vous l'aurez confiée. Au terme du chargement, cliquez sur le bouton **Afficher en ligne** pour faire apparaître la première page de votre album.

Faites-le connaître

9 Votre album en ligne n'a d'intérêt que s'il est vu par d'autres internautes. Il convient donc d'en faire la publicité. Le meilleur moyen reste la messagerie électronique. Cliquez sur le bouton **Partager l'album** situé sur la page d'accueil. Dans la nouvelle fenêtre qui apparaît, saisissez l'adresse du destinataire et ajoutez un commentaire. Le message contiendra un lien vers votre album.

Choisissez la couverture de l'album

10 Vous pouvez personnaliser l'apparence de votre album et changer, par exemple, la photo qui est utilisée en couverture. Cliquez pour cela sur le lien **Sélectionner la couverture de l'album**. Les photos de l'album apparaissent sous forme de vignettes. Choisissez celle qui doit servir de couverture et cliquez sur le bouton **Sélectionner la photo**. Vous pourrez en changer aussi souvent que vous voulez.

L'alternative Photoshop Elements

Photoshop Elements peut également produire un album en ligne en quelques clics de souris, et ce, avec des boutons et des fonds de page du meilleur effet. Démarrez le programme et cliquez sur **Afficher et organiser les photos**. Dans la fenêtre **Organiser**, cliquez sur le menu **Fichier** et choisissez **Obtenir des photos, A partir de fichiers et de dossiers**. Parcourez le disque à la recherche des photos à ajouter, sélectionnez-les et cliquez sur **OK**. Les vignettes des images apparaissent dans la fenêtre principale. Dans le menu **Fichier**, cliquez sur **Créer** puis sur **Galerie de photos**. Vous choisirez dans l'écran suivant les caractéristiques graphiques de votre album.

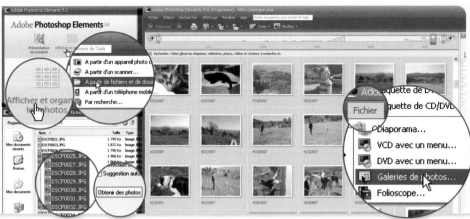

Ajoutez des légendes

11 Vous pouvez insérer des commentaires pour chaque image de l'album. Cliquez sur le bouton **Modifier les légendes**. Apparaissent alors les photos accompagnées d'un cadre de texte qu'il convient de remplir. Vous avez de la place, alors n'hésitez pas à rédiger de longues descriptions qui permettront à vos visiteurs de connaître la petite histoire qui accompagne chaque photo.

Ajoutez des photos

12 Vous pouvez ajouter des photos dans un album sans même utiliser le logiciel Picasa. Il vous suffit de vous connecter à votre album en utilisant vos identifiants et de cliquer sur le lien **Ajouter des photos**. Parcourez le disque à la recherche de la photo à ajouter. Cliquez enfin sur **Transférer** pour insérer la nouvelle image dans l'album.

Téléchargez l'album

13 Grâce à Picasa et au fait que votre album soit en ligne, vous pourrez en télécharger le contenu quel que soit l'endroit où vous vous trouvez et la machine que vous utilisez. Depuis le PC de vos amis, par exemple, vous pourrez récupérer toutes vos photos : une connexion Internet suffit. Cliquez sur **Télécharger l'album** puis sur le bouton **Télécharger** dans la fenêtre qui s'ouvre.

Déroulez la liste des thèmes proposés par le logiciel et choisissez celui qui vous plaît. Cliquez maintenant sur **Suivant**. Dans la fenêtre qui apparaît, saisissez le titre de l'album, ses caractéristiques et optez pour un dossier de stockage que vous définirez en cliquant sur le bouton **Parcourir**. Une fois la conception terminée, cliquez sur **Partager**. Vous devez dès lors être connecté pour permettre au logiciel de charger votre album sur le Web.

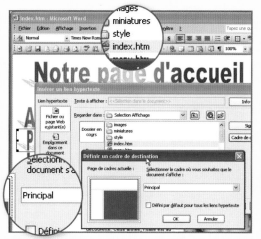

Ajoutez un lien à votre page d'accueil

14 Si vous avez conçu une page d'accueil comme expliqué page 256, cliquez sur Démarrer, Mes documents. Ouvrez le dossier MaPageAccueil. Faites un clic droit sur le fichier index.htm et choisissez Ouvrir avec puis Microsoft Office Word. L'un des boutons sur la gauche mène à une galerie photos. Faites un clic droit dessus et choisissez Liens hypertexte.

Configurez le bouton

15 Dans la boîte de dialogue, cliquez sur le bouton qui vous permet de parcourir le disque et repérez le dossier contenant les photos de votre album. Parmi les fichiers, vous constatez la présence d'un fichier index.htm. Cliquez dessus, puis sur le bouton Cadre de destination. Cliquez sur le cadre Principal puis sur OK à deux reprises. Enregistrez le document.

Affichez la page d'accueil

16 À l'aide de l'Explorateur Windows, ouvrez le dossier MaPageAccueil et faites un double-clic sur le fichier index.htm. La page est chargée dans le navigateur Web. Cliquez sur le bouton Photos à gauche de la page d'accueil et votre album apparaît comme précédemment, si ce n'est qu'il est désormais intégré à un cadre de la page de votre site Web.

Mon journal sur Internet

Partagez vos centres d'intérêt avec l'univers grâce au blogue

Vous souhaitez faire preuve de créativité, partager vos pensées et vos centres d'intérêt, vous faire de nouveaux amis et peut-être même gagner un peu d'argent ? Le blogue (en anglais *blog* ou *weblog*) est alors une solution qu'il serait intéressant d'envisager ! Ce bulletin en ligne, sorte de billet d'humeur, est simple à mettre en œuvre et gratuit. Suivez les étapes présentées dans ce projet et vous pourrez rejoindre des millions d'utilisateurs déjà en ligne.

IL VOUS FAUT : MSN Spaces, http://spaces.msn.com

VOIR AUSSI : Découverte d'Internet et de la messagerie électronique, page 14 ● Votre page d'accueil, page 256

● Blogue gratuit

Il existe des sites Web, dédiés à l'hébergement de blogues, qui pourront accueillir votre blogue personnel et permettront aux internautes de découvrir vos passions et même de communiquer avec vous. Nombreux sont ces sites sur lesquels il suffit de s'inscrire pour profiter de leurs services, par exemple pour mettre à jour le contenu de votre blogue. Les blogues sont indexés par le moteur de recherche, ce qui veut dire que l'on pourra vous rendre visite sans forcément connaître votre adresse.

Cherchez l'inspiration

1 Si vous vous demandez ce que vous allez écrire et la manière dont vous allez le présenter, parcourez des blogues existants sur le Web. Recherchez un blogue correspondant à vos centres d'intérêt en utilisant un moteur de type Google, http://blogsearch.google.com, ou des annuaires et des répertoires, http://quebecblogue.com, ou http://www.quebecblogs.org.

Choisissez où « bloguer »

Dans ce projet, nous employons Live Messenger pour créer un blogue, mais sachez qu'il existe quantité d'autres services similaires. Si vous le souhaitez, vous pouvez tester Québec Blog, http://www.quebecblog.org, Le Blogue du Québec, http://quebecblogue.com, Over Blog, www.over-blog.com, Oldiblog, www.oldiblog.com, dont la page d'accueil prend l'allure d'un véritable portail, ou encore Blog.com Canada, http://www.ca.blog.com, aussi simple et efficace que ses concurrents. Le choix ne manque pas !

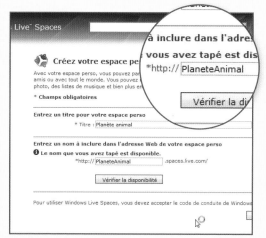

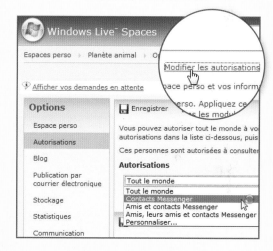

Trouvez un hébergement en ligne

2 Créer un blogue de toutes pièces peut s'avérer complexe. Préférez l'emploi d'un service conçu à cet effet. C'est le cas par exemple de Live Spaces, développé par Microsoft. Très simple d'emploi et riche en fonctionnalités, ce service est gratuit. Rendez-vous à l'adresse http://spaces.live.com et cliquez sur le bouton **Créer votre espace perso**. Vous devrez saisir vos identifiants ou créer un nouveau compte.

Un nom mémorable

3 Vous devez trouver un nom de blogue original et simple à retenir. Dans cet exemple, nous créons un journal dédié aux animaux, que nous appellerons « Planète Animal ». L'adresse sera similaire au nom du site : saisissez PlaneteAnimal dans la zone d'adresse et cliquez sur le bouton **Vérifier la disponibilité**. Si cette adresse est libre, cliquez sur le bouton **Créer** situé au bas de la page.

Public ou privé ?

4 Par défaut, l'espace que vous venez de créer est ouvert à tous. Si vous souhaitez le restreindre à vos amis, à vos contacts Messenger ou aux contacts de vos amis, cliquez le lien **Modifier les autorisations**. Dans la liste déroulante de la page qui s'affiche, sélectionnez maintenant la restriction à appliquer. Cliquez ensuite sur le bouton **Enregistrer** pour valider les changements.

● Gagnez de l'argent avec votre blogue

Un blogue est avant tout un site de divertissement et n'a pas pour finalité de vous faire gagner de l'argent. Cependant, certains blogues à succès assurent une certaine forme de rentabilité en ajoutant de la publicité, ce qui peut également faire fuir vos visiteurs. Si toutefois cette solution vous intéresse, vous pouvez essayer le site Google AdSense à l'adresse www.google.com/adsense.

Google AdSense

Découvrez tout le potentiel publicitaire de votre site.

Google AdSense est un moyen facile et rapide pour les éditeurs de sites Web de toutes tailles d'afficher des annonces Google pertinentes sur les pages de contenu de leur site et de gagner de l'argent. Les annonces sont en rapport avec ce que vos visiteurs recherchent sur votre site — ou correspondent aux centres d'intérêts des visiteurs que votre site attire. Vous aurez donc la possibilité à la fois de générer des revenus et d'enrichir le contenu de vos pages.

C'est aussi un moyen pour les éditeurs de sites Web de fournir à leurs visiteurs des services de recherche Google sur le Web et sur leurs sites et de percevoir une rémunération en d'annonces Google sur les pages de résultats de recherche.

● La qualité avant tout

Il est important d'actualiser votre site au moins une fois par semaine, l'idéal étant tous les jours ou tous les deux jours, afin que vos visiteurs ne s'ennuient jamais. La fréquence n'est cependant pas le paramètre le plus important. La qualité du contenu l'est davantage. Si vous rédigez des articles intéressants, détaillés et illustrés, les internautes auront toujours plaisir à venir vous visiter.

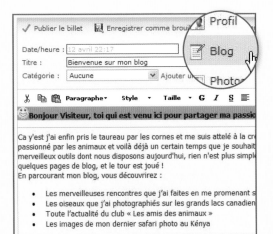

Votre premier message

5 Cliquez maintenant sur le bouton **Accéder à votre espace perso**. Cliquez sur le lien **Blog** puis sur **Ajouter**. Saisissez le titre et le contenu de votre premier billet. Il s'agit là d'un message de bienvenue qui présente rapidement le contenu de l'espace. Employez les options de mise en forme, des couleurs et un fond de page. Ajoutez des émoticônes pour renforcer l'impact du message.

Ce que le visiteur verra

6 Cliquez sur le bouton **Publier le billet** puis revenez à la page d'accueil de votre espace. Déroulez le contenu de cette page jusqu'à afficher l'encadré réservé au blogue. Vous constatez la présence du billet que vous avez saisi à l'étape précédente. C'est incontestable : des photos viendraient égayer l'ensemble. Pour cela, cliquez sur le lien **Modifier votre espace perso** puis sur **Photos**.

Recherchez des photos

7 Cliquez sur **Ajouter un album**. Saisissez son titre, Safari photo au Kenya, puis cliquez sur **Ajouter des photos**. Il se peut qu'Internet Explorer affiche un message d'alerte indiquant la nécessité d'installer un contrôle ActiveX. Si tel est le cas, suivez cette recommandation et l'Assistant qui y conduit. Recherchez et ajoutez les photos en les cochant et en cliquant sur le bouton **Télécharger maintenant**.

● Trouvez des lecteurs

Un bon blogue se doit de trouver des lecteurs, sans quoi il n'aurait guère d'intérêt. Commencez par informer vos amis et vos contacts en ligne. Incluez votre URL (l'adresse Web) dans la signature de vos messages électroniques, et parlez de votre blogue dans les forums auxquels vous participez. Envoyez votre URL à tous les annuaires de blogues, tels que blogsearch.google.ca, le moteur de recherche de Google.

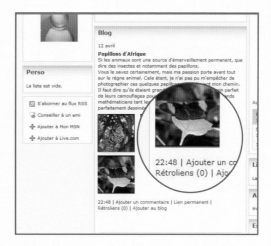

Concevez un album photo

8 Le chargement des images peut prendre un certain temps. Vous pouvez réorganiser le contenu de l'album en cliquant et en glissant les vignettes. Il vous reste maintenant à cliquer sur le bouton **Enregistrer et fermer**. Les photos s'affichent sous forme d'un diaporama chaque fois que l'on ouvre la page d'accueil de votre espace. Pour afficher l'une des photos, un clic de souris suffit.

Ajoutez des légendes

9 Pour illustrer un billet avec des photos, cliquez sur **Blog** depuis la page d'accueil. Cliquez ensuite sur **Ajouter**. Au bas de la fenêtre, sélectionnez **Ajouter des photos** et choisissez les images à insérer. Validez l'opération. Pour le moment, seuls les noms des photos apparaissent. Saisissez le texte du billet et cliquez sur **Publier l'entrée**. La page d'accueil affiche le nouveau billet.

Créez et ajoutez une liste

10 Votre blogue commence à avoir fière allure, mais nous pouvons encore l'améliorer. Vous pouvez ainsi ajouter des listes qui présentent vos films, livres, destinations de vacances préférés par exemple. Ces listes permettent aux visiteurs de cerner votre profil et vos goûts. Cliquez sur le lien **Modifier votre espace perso** puis sur **Listes** et **Ajouter une liste**. Saisissez le contenu de cette liste.

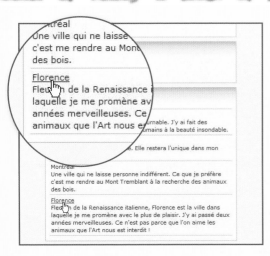

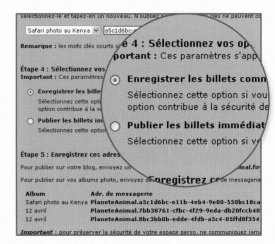

Insérez des liens

11 En ajoutant aux listes des liens associés à des sites Web, vous conférerez un caractère interactif à votre blogue. Servez-vous de Google, www.google.ca, pour trouver des sites Web, cliquez sur le bouton **Modifier** et, pour chaque entrée, ajoutez une adresse Web. Cliquez sur l'icône d'enregistrement de l'entrée. Cliquez sur **Quitter le mode Edition** pour visualiser le résultat.

La touche finale

12 Pour conférer à votre site un aspect original, cliquez sur **Modifier votre espace perso** puis sur **Personnaliser**. Cliquez sur l'onglet **Thèmes**. Cliquez sur **Modules** pour supprimer des rubriques dont vous n'avez pas besoin. N'hésitez pas à essayer différentes options, la configuration définitive ne sera retenue que lorsque vous cliquerez sur **Enregistrer**.

Mettez à jour le contenu

13 Un blogue Live Spaces peut être mis à jour par courriel. Cliquez sur le bouton **Options** puis sur **Publication par courrier électronique**. Cochez la case **Activer la publication par courrier électronique**. Saisissez l'adresse pour les mises à jour et optez pour le mode d'actualisation : **brouillon** (le contenu sera mis à jour quand vous le validerez depuis votre PC habituel) ou **immédiatement**.

Informez vos lecteurs de vos mises à jour

Pour prévenir vos lecteurs de la mise à jour de votre blogue, vous pouvez créer un fil RSS (Real Simple Syndication) qui vous épargnera l'envoi manuel de cette information. Pour activer cette fonction dans MSN Spaces, vérifiez que votre blogue est configuré pour un accès public en sélectionnant **Paramètres** puis **Autorisations**. Cliquez sur **Options**, **Espace perso** et cochez la case **Syndiquer cet espace**. Si vous souhaitez en apprendre davantage sur cette technologie, rendez-vous sur www.alerts.msn.com.

Évitez les problèmes

Ce n'est pas parce que les blogues sont des lieux de libre expression que l'on doit y écrire tout et n'importe quoi. Si vous n'approuvez pas les propos tenus sur un blogue, exprimez et justifiez votre désaccord sans jamais agresser sans fondement le créateur du blogue en question. De même, proscrivez tout plagiat et renseignez-vous sur les restrictions d'usage du service que vous employez pour publier votre journal.

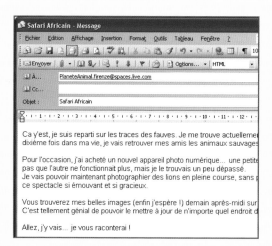

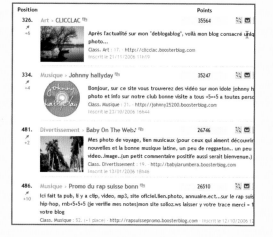

Publiez vos mises à jour

14 Vous disposez maintenant d'une adresse de messagerie dédiée à la mise à jour du blogue. Tous les messages que vous écrirez à l'adresse indiquée dans le paramétrage de cette fonction iront directement mettre à jour le contenu du blogue. Gardez pour vous cette adresse, notamment dans les cybercafés. Si elle tombait entre des mains peu scrupuleuses, votre blogue pourrait être mis en péril.

Attirez des visiteurs

15 Illustré par de belles images et des textes passionnants, votre blogue est fin prêt. Il s'agit désormais de le partager avec le plus grand nombre. Recherchez des blogues qui ont les mêmes centres d'intérêt puis créez un lien vers eux ou rédigez un billet à leur sujet. Envoyez un message à leur auteur en leur demandant d'en faire autant au sujet de votre blogue.

Améliorez votre blogue

16 C'est en parcourant le Web à la recherche de blogues élaborés que vous apprendrez à améliorer le vôtre. N'hésitez pas à employer des moteurs de recherche de type Google, http://blogsearch.google.ca, ou des annuaires comme BoosterBlog, www.boosterblog.com. Laissez-vous guider et inspirer par ce que vous voyez et ce que vous lisez sans pour autant verser dans le plagiat !

Réunissez-vous
Partagez vos idées en créant votre groupe en ligne

Internet permet de communiquer à travers des courriels ou des messages instantanés. Ce réseau offre aussi la possibilité de former votre propre groupe d'intérêt, qui deviendra un lieu de rencontre et de partage avec vos amis, votre famille mais aussi des inconnus qui partagent vos passions. Vous pourrez dès lors échanger des messages et des photos, discuter et organiser des rendez-vous. Il vous suffira d'une poignée de minutes pour créer cet espace à votre image.

IL VOUS FAUT : MSN Groups, http://groups.msn.com
VOIR AUSSI : Créer un blogue, page 272 ● Votre page d'accueil, page 256

Recrutez des visiteurs

Si votre groupe porte sur un hobby, visitez d'autres groupes ayant le même centre d'intérêt et recrutez des contacts en postant des messages et des liens vers votre page d'accueil. Utilisez l'outil de **MSN Groupes** ou les moteurs **Google Groups**, http://groups.google.ca, et **Yahoo Groups**, http://cf.groups.yahoo.com.

Connectez-vous aux Groupes MSN

1 Les groupes peuvent être construits sur n'importe quel thème. Dans ce projet, nous créons le groupe d'une famille. Les groupes MSN sont gratuits d'utilisation et vous aurez simplement besoin d'un passeport .NET pour les employer (voir page suivante). Démarrez votre navigateur et rendez-vous à l'adresse http://groups.msn.com. Cliquez sur le bouton **Connexion**.

INTERNET

Démarrez l'Assistant Passeport

La première fois que vous vous inscrivez aux groupes MSN, l'**Assistant Passport .NET** apparaît. Il permet de créer un passeport qui contiendra vos informations personnelles, de sorte que vous n'ayez pas à les saisir chaque fois que vous vous connectez. Lorsque l'Assistant apparaît, cliquez sur **Suivant**. Cochez ensuite la case **Oui, utiliser mon adresse de messagerie existante** et cliquez sur **Suivant**. Cochez maintenant la case **Oui, me connecter avec mon identifiant Windows Live ID** et cliquez sur **Suivant**. Saisissez votre adresse de messagerie ainsi que votre passeport et vérifiez que la case **Associer mon identifiant Windows Live ID à mon compte d'utilisateur Windows** est bien cochée. Cliquez sur **Suivant** puis sur **Terminer**. Revenez à la page d'accueil de MSN Groupes. Vous êtes désormais inscrit et vous n'aurez plus à saisir ces informations.

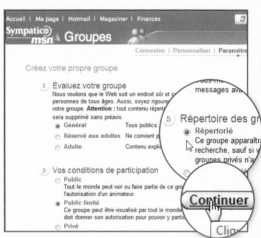

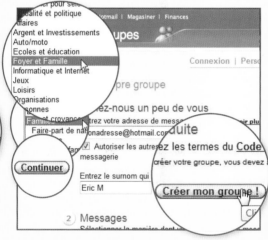

Nommez et décrivez votre groupe

2 Cliquez sur **Créer votre propre groupe** et saisissez les informations demandées. Vous devez nommer le groupe puis saisir sa description. Les mots que vous saisissez ici seront retrouvés par les internautes qui recherchent un groupe par thématique. Aussi, soyez le plus explicite possible et vous aurez toutes les chances de rassembler un grand nombre de visiteurs. Cliquez sur **Continuer**.

Choisissez les paramètres du groupe

3 Dans la section **Evaluez votre groupe**, cochez la case **Général**. Le contenu sera visible par tous les publics. Si ce groupe est réservé à vos proches, cochez la case **Public limité** dans la section **Vos conditions de participation**. Il faudra alors une autorisation pour rejoindre le groupe. Sous **Répertoire des groupes**, cochez la case **Répertorié** pour l'enregistrer dans l'annuaire MSN. Cliquez sur **Continuer**.

Configurez le groupe

4 Spécifiez une catégorie et une sous-catégorie pour le groupe et cliquez sur **Continuer**. Choisissez un nom MSN utilisé chaque fois que vous posterez un message dans le groupe. Sous la section **Code de conduite**, cochez la case **J'accepte** puis cliquez sur **Créer mon groupe**. Vous êtes responsable de l'ajout d'utilisateurs, de l'approbation des messages et du bon fonctionnement de l'ensemble.

Organisez votre groupe

Le site est scindé en plusieurs pages accessibles par les liens qui apparaissent sur le côté gauche de la page d'accueil. Tous ces liens ne vous sont pas forcément utiles. Aussi voudrez-vous peut-être en retirer. Pour changer l'ordre des pages, en supprimer ou en cacher, cliquez sur le lien **Gérer les pages** dans la rubrique **Outils de l'animateur**. Une fois que vous êtes satisfait des modifications, cliquez sur le bouton **Enregistrer les modifications**.

Envoyez un message à tous les membres du groupe

Si vous souhaitez envoyer un message à tout le groupe, cliquez sur **Nouveautés**. Puis, sous la rubrique **Outils de l'animateur**, cliquez sur **Envoyer une annonce à tous les participants**. Saisissez le sujet de l'annonce et son contenu. Cliquez sur le bouton **Envoyer message**. Tous les membres recevront votre message. Vérifiez régulièrement l'adresse électronique de vos participants et mettez-la à jour.

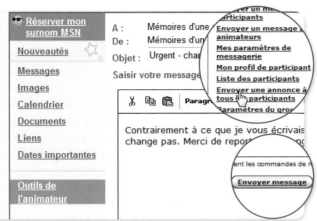

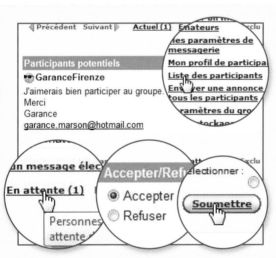

Affichez votre groupe

5 La page de votre groupe s'affiche. Relevez son adresse dans la barre d'adresses du navigateur. Indiquez aux membres de votre famille qu'ils peuvent vous rejoindre en visitant la page d'accueil. Relevez également l'adresse qui apparaît dans la section **Adresse de messagerie du groupe**. Lorsque vous expédierez un message à cette adresse, tous les membres du groupe le recevront.

Invitez des participants

6 Le plus simple pour inviter de nouveaux participants est de leur envoyer un message électronique contenant l'adresse du groupe que vous avez créé. Lorsque ces destinataires reçoivent votre courriel, ils cliquent sur le lien qui les mène à la page d'accueil du site. Il suffit alors pour eux de cliquer sur le lien **Demander à participer**. S'affiche alors une fenêtre leur permettant d'envoyer leur demande.

Approuvez les nouveaux membres

7 À l'étape 3, vous avez indiqué que les visiteurs doivent obtenir votre approbation pour devenir membres. Vous devrez donc vérifier les demandes. Sous **Outils de l'animateur**, cliquez sur **Liste des participants**. Cliquez ensuite sur **En attente** pour afficher la liste des personnes qui souhaitent vous rejoindre. Cliquez sur **Accepter** ou **Refuser** puis sur **Soumettre** afin d'actualiser la liste.

INTERNET

Utilisez le calendrier partagé

Vous disposez d'une fonction de calendrier partagé auquel tous les membres de votre groupe peuvent accéder. Le calendrier peut être affiché par jour, semaine ou mois, d'un simple clic sur l'onglet correspondant. Pour ajouter une nouvelle entrée, cliquez sur l'onglet **Nouveau** ou faites un double-clic sur le jour de l'événement à ajouter. Saisissez ensuite le sujet et l'emplacement de l'événement. Définissez son heure de début et de fin. Vous pouvez également ajouter un commentaire. S'il s'agit d'un événement récurrent, cliquez sur le lien **Périodicité** puis choisissez la fréquence. Cliquez sur le bouton **Enregistrer**. Vous pouvez également profiter d'un calendrier qui vous est propre et n'est pas partagé avec les autres membres. Cliquez pour cela sur l'onglet **Mon calendrier**.

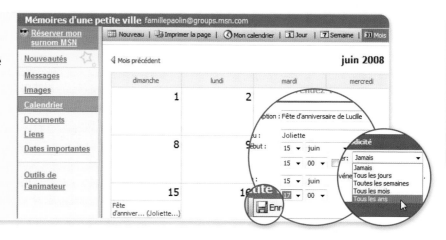

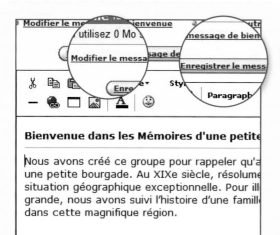

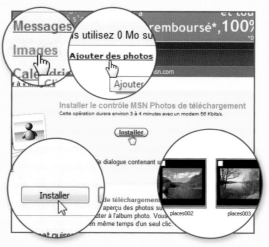

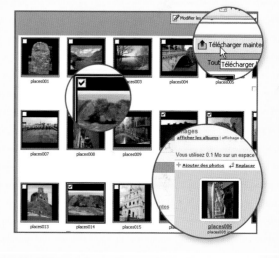

Modifiez le message d'accueil

8 Cliquez sur **Précédent** pour revenir à la page d'accueil puis sur **Modifier le message de bienvenue**. Dans la zone de texte, saisissez une introduction au groupe et mettez-la en forme à l'aide des outils. Cliquez sur le bouton **Enregistrer le message de bienvenue** une fois le travail terminé. Le nouveau message apparaît et pourra être lu par tous vos visiteurs.

Chargez les photos

9 Cliquez sur le lien **Images** afin d'afficher l'album photo. Cliquez sur **Ajouter des photos** pour insérer des photos. La première fois que vous chargerez des photos, vous serez invité à installer l'outil mis à votre disposition. Cliquez sur **Installer**. Dans la boîte qui s'affiche, cliquez de nouveau sur **Installer**. L'explorateur de photos s'ouvre et affiche les vignettes des photos présentes sur votre PC.

Choisissez vos photos

10 Parcourez le contenu de votre PC pour insérer des images dédiées à votre groupe. Cochez les cases des photos à sélectionner puis cliquez sur le bouton **Télécharger maintenant**. Quelques instants suffisent à télécharger les photos dans l'album et à les faire apparaître sous forme de vignettes. Les visiteurs pourront les afficher en grand format en cliquant simplement sur les images.

Partagez des documents

Parce que le groupe est, par essence, un espace de partage et de communication, MSN Groupes vous permet de mettre des documents à disposition des participants. Pour cela, depuis la page d'accueil, cliquez sur le lien **Documents**. Cliquez ensuite sur **Ajouter un fichier**. Apparaît alors le contenu de votre disque dur. Localisez le fichier à partager, cochez sa case de sélection et cliquez sur le bouton **Upload Now**. Le téléchargement commence. Sa durée dépend du poids du fichier concerné par l'opération. Celui-ci sera ensuite ouvert à tous.

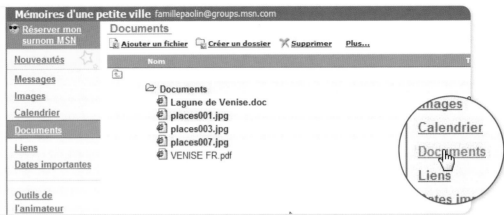

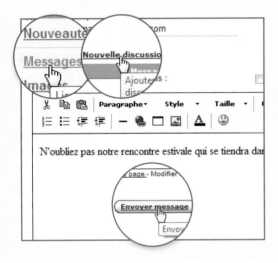

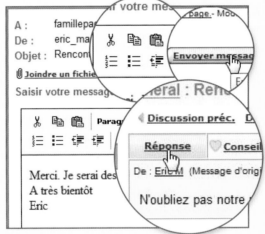

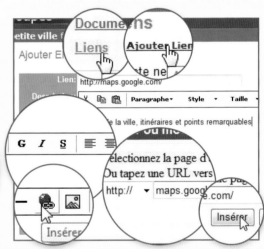

Démarrez une discussion

11 Les membres du groupe peuvent lire les messages du groupe directement depuis le Web ou par l'intermédiaire des courriels. Cliquez sur le lien **Messages** à gauche dans la page d'accueil pour ouvrir la fenêtre de discussion. Pour démarrer une nouvelle discussion, cliquez sur le bouton **Nouvelle discussion**. Saisissez l'objet de la discussion et son contenu. Cliquez sur **Envoyer le message**.

Répondez aux messages

12 Pour répondre à un message, cliquez sur le bouton **Réponse** au-dessus du message concerné. Une zone de texte s'affiche. Comme à l'étape 8, vous pouvez mettre en forme votre texte et même lui attacher un fichier ou une image. Cliquez ensuite sur le bouton **Envoyer message**. Le message original réapparaît, accompagné de votre réponse.

Ajoutez des liens vers des sites

13 Si vous connaissez des sites en rapport avec votre groupe, vous pouvez ajouter des liens qui y mènent. Cliquez sur **Liens** puis sur **Ajouter lien**. Dans la zone **Description**, saisissez un commentaire relatif au site puis, dans la barre d'outils, cliquez sur **Insérer un lien**. Entrez l'adresse puis cliquez sur le bouton **Insérer**. Cliquez enfin sur le bouton **Ajouter** pour achever l'opération.

Alternatives aux groupes MSN

MSN n'est pas le seul à proposer des services de création et de gestion de groupes. En parcourant le Web, vous constaterez que d'autres offrent sensiblement les mêmes fonctions. C'est le cas, par exemple, de Yahoo!, http://cf.groups.yahoo.com, ou de Google, http://groups.google.ca. Tous sont gratuits, tous proposent un espace de stockage plus ou moins identique et des fonctions d'administration proches de celles de MSN. Seules les interfaces changent, mais c'est un moindre mal. Lorsque l'on connaît le fonctionnement d'un système, il est alors très simple de passer à un autre.

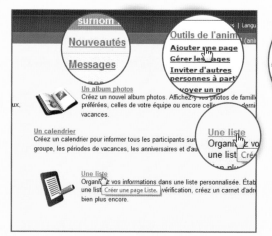

Créez une page d'actualité

14 Vous pouvez ajouter de nouvelles pages au groupe (annonces, recettes, dates importantes et membres) qui vous permettront de l'animer. Cliquez sur le lien **Nouveautés** pour revenir à la page d'accueil puis sur **Ajouter une page** sous **Outils de l'animateur** à droite de la page. Cliquez maintenant sur le lien **Une liste** parmi les options proposées dans la nouvelle page qui apparaît.

Créez la liste des dates d'anniversaire

15 Cliquez sur **Ajouter une liste des dates à retenir**. Saisissez le nom de la liste puis cliquez sur **Créer la liste**. Cliquez sur **Ajouter Date**. La fenêtre **Ajouter Elément** apparaît. Spécifiez la date d'anniversaire de la première entrée, le nom de la personne et un commentaire. Cliquez sur **Elément suivant** pour saisir une nouvelle entrée. Lorsque la liste est complète, cliquez sur le bouton **Ajouter**.

Promouvez un participant

16 Si vous souhaitez déléguer une partie de votre travail, cliquez sur **Nouveautés** afin de revenir à la page d'accueil puis sur **Liste des participants**. Pour promouvoir un participant, cliquez sur la liste **Rôle du participant** en face du participant concerné. Associez-lui le rôle d'**Animateur** ou d'**Animateur adjoint**. Cliquez sur **Enregistrer**.

Un faire-part par courriel

Créez un courriel en forme de carte de vœux animée

Les courriels ne sont pas seulement des courriers à l'aspect uniforme et triste. Outlook Express, le logiciel de messagerie délivré avec Windows, permet de recevoir et d'expédier des messages dont la mise en forme s'apparente à celle d'une page Web. Vous pouvez donc définir la couleur et la taille du texte, insérer des images et même des animations ou des événements sonores.

IL VOUS FAUT : Outlook Express ● Une photo ● Un GIF animé ● Un clip sonore

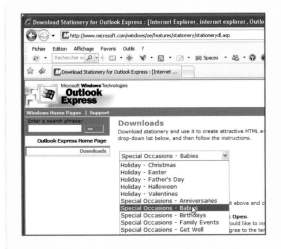

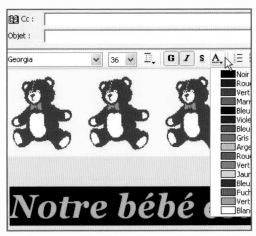

Téléchargez des modèles

1 Démarrez Outlook Express. Sélectionnez **Options** dans le menu **Outils**. Cliquez sur l'onglet **Message** puis cliquez sur le bouton **Télécharger davantage**. Internet Explorer s'ouvre. Cliquez sur le lien **Download more stationery here**. Sélectionnez **Special Occasions-Babies** dans la liste déroulante et cliquez sur **Download Now**. Enregistrez le fichier sur votre Bureau.

Créez un nouveau message

2 Faites un double-clic sur le fichier que vous avez téléchargé pour l'installer. Revenez à Outlook Express. Cliquez sur la flèche située à côté de **Créer un message** et choisissez **Sélectionner le papier à lettres**. La liste correspondante apparaît. Recherchez le dossier **Babies and Children** qui vient d'être installé et sélectionnez le thème qui vous convient. Cliquez sur **OK** pour créer le message.

Saisissez votre texte

3 Vous disposez d'un fond de page, d'un titre mis en forme et d'une zone de texte. Saisissez le texte du faire-part. Préférez les polices courantes pour être sûr que vos destinataires pourront lire le message. Ces polices considérées comme universelles sont : Arial, Comic Sans, Times New Roman, Courier New, Georgia, Trebuchet, Impact et Verdana (voir page 326).

Des ressources sur le Web

Nombre de sites Web proposent des cliparts, des animations et des sons en téléchargement gratuit. Vous pourrez les employer dans vos courriels. Saisissez «cliparts», «GIF animés» ou «clips audio» dans Google, www.google.ca. Pour télécharger une image affichée dans une page Web, faites un clic droit dessus et choisissez **Enregistrer l'image sous**. Voici des sites qui pourront vous être utiles :

www.bestanimations.com, www.clubunlimited.com, www.freeaudioclips.com **et** www.stci.qc.ca.

Comment ajouter un clip sonore dans un courriel

Vous pouvez associer au message un fond sonore qui s'active à l'ouverture de celui-ci. Tous les formats courants sont supportés par Outlook Express, y compris le WAV et le MP3 (voir page 332). Quoi qu'il en soit, préférez les fichiers peu volumineux, dont la taille n'excède pas 1 Mo par exemple. Ils seront plus rapides à télécharger tant pour vous en tant qu'expéditeur que pour les destinataires. Ouvrez le menu Format et choisissez Arrière-plan, Son. Cliquez sur Parcourir, sélectionnez un fichier son sur votre PC et cliquez sur Ouvrir. Cliquez sur OK pour appliquer le son.

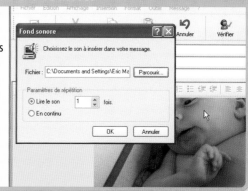

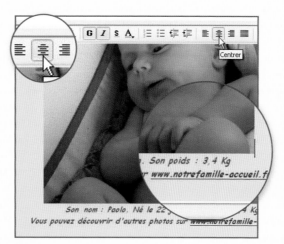

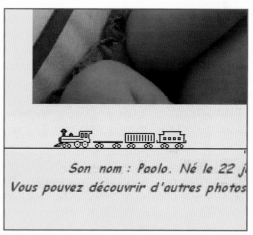

Ajoutez une image

4 Appuyez sur la touche **Entrée** pour insérer une ligne blanche puis cliquez sur le bouton **Insérer une image** dans la barre d'outils. Cliquez sur le bouton **Parcourir** et sélectionnez la photo à insérer. Cliquez sur **OK** pour l'importer. Préférez une image dont la largeur n'excède pas 500 pixels. Vous pourrez ajuster ses dimensions en déplaçant les poignées situées aux angles de l'image.

Saisissez le message

5 Centrez tous les éléments de la page en appuyant sur **Ctrl+A** puis en cliquant sur le bouton **Centrer**. Ajoutez ensuite le texte d'accompagnement, en dessous de la photo que vous venez d'insérer. Si vous saisissez l'adresse de votre site Web, Outlook Express la transformera automatiquement en lien de sorte que vos lecteurs puissent cliquer dessus pour y accéder.

Insérez une animation

6 Le format GIF animé étant très répandu, vous pouvez donc l'employer pour dynamiser quelque peu vos messages. Après avoir téléchargé le fichier, vous pouvez l'ajouter. Pour cela, placez le curseur sur une ligne vierge et séparée des autres éléments du message. Cliquez ensuite sur le bouton **Insérer une image**, comme cela vous a été montré à l'étape 4.

Bonjour le monde
Lancez vos propres balados et devenez une star sur Internet

Si, en écoutant une émission de radio, vous vous êtes déjà fait la réflexion : « Moi aussi, je pourrais le faire ! », il est temps de tenter votre chance. Enregistrez votre émission et servez-vous d'Internet pour la diffuser dans le monde entier… et gratuitement ! C'est ce que l'on appelle de la baladodiffusion (ou *podcasting* en anglais) et c'est à la portée de tous. Pour enregistrer et gérer vos enregistrements, nous utilisons un programme baptisé Audacity. Vous le téléchargerez à l'adresse http://audacity.sourceforge.net.

IL VOUS FAUT : Un microphone ● Des haut-parleurs ● Audacity sound recorder
VOIR AUSSI : Enregistrement et création musicale, page 332 ● Un karaoké sur mesure, page 228

VOIR AUSSI : Enregistrement et création musicale, page 332 ● Un karaoké sur mesure, page 228

● Standards de diffusion

Il existe plusieurs méthodes pour créer et promouvoir vos émissions. Vous pouvez employer une solution gratuite comme ce projet le suggère ou bien opter pour une solution payante qui propose davantage de fonctionnalités. Commencez par vous servir d'outils et de services gratuits, vous prendrez ensuite la décision d'investir en fonction de l'intérêt que vous portez à cette activité. Il sera alors temps pour vous de vous renseigner sur les solutions proposées aujourd'hui.

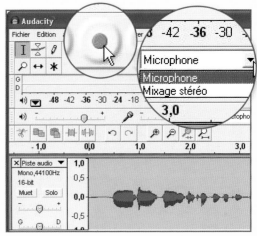

Enregistrez votre voix

1 Branchez un micro sur votre PC (voir page 230). Ouvrez le programme Audacity. Cliquez sur la flèche au-dessus de la fenêtre principale et choisissez **Microphone** ou **Mixage stéréo**. Cliquez sur le bouton rouge, celui de l'enregistrement, et commencez à parler. Au fil de votre discours, une ligne tremblotante marque le niveau d'enregistrement.

Libre expression

Il existe des lois qui interdisent de raconter tout et n'importe quoi. Inutile cependant de faire appel à un juriste, le bon sens suffit. Faites aussi attention au matériel sonore que vous employez lorsque vous complétez vos enregistrements avec de la musique. La protection intellectuelle régit l'utilisation de la musique notamment et il est vivement recommandé de prendre cela en considération.

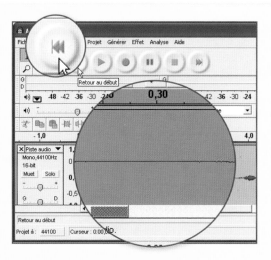

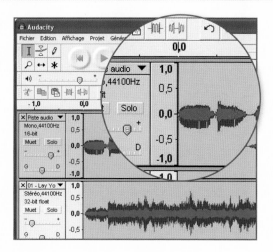

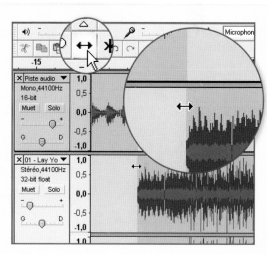

Supprimez les silences inutiles

2 Cliquez sur le bouton jaune, **Stop** puis sur la flèche violette, **Retour au début** et sur le bouton vert, **Lecture**. Vous écoutez alors votre enregistrement. Pour le réenregistrer, cliquez sur **Edition, Annuler**. Si vous constatez au début un silence trop long, sélectionnez-le à l'aide de la souris, en la glissant sur la ligne plate dans la représentation graphique. Appuyez alors sur **Ctrl+K**.

Ajoutez un clip préenregistré

3 Pour ajouter un morceau de musique dans l'enregistrement, ouvrez le menu **Projet** et choisissez **Importer Audio**. Recherchez le morceau et cliquez sur **Ouvrir**. Le logiciel ajoute une nouvelle piste son sous celle qui correspond à votre voix. Réduisez le volume de cette nouvelle piste puis cliquez sur le bouton **Lecture** pour entendre votre voix sur un fond musical. Effet garanti !

Organisez les pistes

4 Votre voix et la musique démarrent en même temps. Si vous préférez un démarrage décalé de la musique, il convient de réorganiser les éléments. Sélectionnez l'**Outil de glissement temporel**. Cliquez et glissez la piste du bas vers la droite de sorte que sa lecture ne commence qu'après celle de votre voix. Cliquez sur **Lecture** pour écouter le résultat et procédez aux ajustements nécessaires.

○ Écouter des balados

Partez à la découverte de ce que d'autres internautes ont créé, afin d'abreuver votre imagination. Servez-vous par exemple d'un programme comme iTunes pour surfer dans la multitude de balados, ou *podcasts* en anglais, que compte l'univers Internet. Cliquez sur le lien **Podcasts**. Vous devrez actualiser la liste proposée et il vous suffira de cliquer sur un balado pour accéder aux émissions.

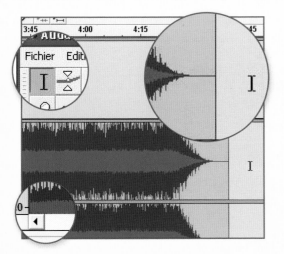

Insérez d'autres enregistrements

5 Avant d'ajouter un nouvel enregistrement vocal, vous devez commencer par indiquer au logiciel l'endroit où doit débuter ce nouvel objet. Déroulez la ligne de temps vers la droite jusqu'à ce que vous arriviez au terme de la musique que vous avez importée. Cliquez sur l'**Outil de sélection** et cliquez une fois au terme de la piste musicale.

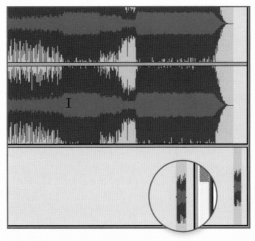

Visualisez vos enregistrements

6 Enregistrez votre voix comme vous l'avez fait à l'étape 1. Le logiciel crée une nouvelle piste qui n'est pas visible à l'écran. Pour que toutes les pistes apparaissent, ouvrez le menu **Affichage** et cliquez sur **Ajuster à la fenêtre**. Dans le même menu, choisissez **Afficher toutes les pistes**. Vous pouvez ajouter d'autres enregistrements, jusqu'à ce que vous soyez satisfait de votre émission.

Identifiez l'émission

7 Ouvrez le menu **Fichier** et choisissez **Exporter comme MP3**. Vos enregistrements seront mélangés en deux canaux stéréo. Cliquez sur **OK**. Parcourez votre disque jusqu'à trouver l'endroit où vous comptez stocker le fichier et saisissez son nom. Cliquez sur **Enregistrer** puis remplissez le formulaire qui apparaît. Ces balises, ou *tags* en anglais, vous aideront plus tard à identifier votre émission.

INTERNET

Assurez la promotion sur iTunes

Face à la popularité d'iTunes, l'enregistrement de votre balado sur cet outil présente un intérêt certain. Créez votre balado puis ouvrez iTunes. Cliquez sur le lien **Podcasts** puis sur **Répertoire des podcasts** au bas de l'écran. Déroulez le contenu de la fenêtre et, dans la zone **Pour les podcasteurs**, cliquez sur **Soumettez un podcast**. Une nouvelle fenêtre s'affiche dans laquelle vous êtes invité à saisir l'adresse (URL) de votre balado. Ainsi, vos émissions pourront être retrouvées plus facilement grâce à la popularité de ce logiciel Apple.

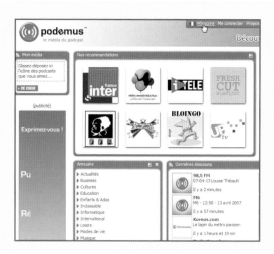

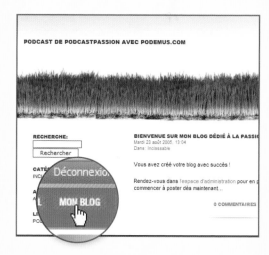

Préparez-vous à diffuser

8 Votre émission est prête, il vous faut trouver un endroit sur Internet depuis lequel vous pourrez la diffuser. Au Canada, Podcast Spot, www.podcastspot.com, propose une foule de services aux baladodiffuseurs. Dans ce projet, nous employons http://podemus.com, qui permet de diffuser vos créations. Cliquez sur **M'inscrire** situé en haut de la page d'accueil.

Paramétrez votre compte

9 Saisissez un nom d'utilisateur et votre courriel. Spécifiez un mot de passe et confirmez-le. Cochez la case **Je souhaite utiliser les services Podcast de Podemus** et cliquez sur **Podcast gratuit**. Spécifiez les informations réclamées par le formulaire et cliquez sur le bouton **Je m'inscris**. Acceptez les conditions d'utilisation. Vous recevrez un courriel contenant un lien de validation.

Définissez votre blogue

10 Podemus vous propose de créer un blogue dont la vocation sera de présenter vos émissions et de leur associer un contenu tant rédactionnel que graphique. Dans la page d'accueil du site, cliquez sur **Mon espace** puis sur le lien **Mon blog**. Cliquez sur le lien **Gérer** qui apparaît à la page suivante et composez la page d'accueil comme bon vous semble.

Annuaires de balados

Pour vous abonner à un balado non enregisté par iTunes : servez-vous de Google puis d'un annuaire de balados (www.tonpodcast.com, www.podcastfr.info) pour trouver les émissions qui traitent de vos centres d'intérêt. Copiez l'adresse du balado puis revenez à iTunes. Cliquez sur le menu **Avancé** puis sur **S'abonner au podcast**. Collez l'adresse dans la boîte qui s'affiche à l'écran et cliquez sur le bouton **OK**.

Site Web de Frequence Terre

Liste des épisodes
Résultats: 107

2007-05-06 22:05:05 - Popularité : hits
chronique-annelo-07-05-06-22-49-05-journal-du-07-mai. - audio/mpeg
chronique-annelo-07-05-06-22-49-05-journal-du-07-mai. - -

2007-05-04 23:05:09 - Popularité : hits
chronique-yanick-07-05-04-23-41-09-jde-030507. - audio/mpeg
chronique-yanick-07-05-04-23-41-09-jde-030507. - -

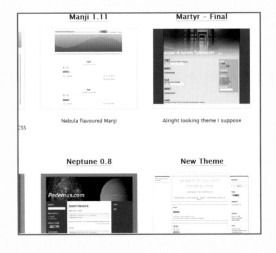

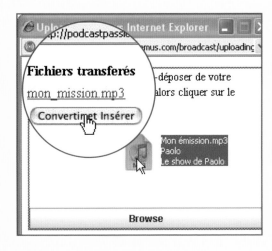

Dites-le avec style

11 Podemus propose notamment des thèmes prêts à être appliqués à votre blogue. Alors que vous êtes dans le module d'administration du blogue, cliquez sur le lien **Changer l'apparence du site**. Déroulez la nouvelle page qui s'affiche jusqu'à ce que vous trouviez le modèle que vous comptez appliquer à votre espace. Cliquez simplement sur la vignette qui le représente.

Attirez les visiteurs

12 Saisissez un message d'accueil qui définit votre univers et vos intentions avec ce blogue spécialisé. Cliquez sur le lien **Ecrire un article**, situé sur la page d'accueil de votre blogue en mode administration. Comme de coutume, vous disposez d'outils de mise en forme qui vous permettent de dynamiser vos messages et de faciliter leur lecture. N'hésitez pas à les employer.

Publiez votre émission

13 Il est temps de charger votre émission. Cliquez sur **Mon espace** dans la page d'accueil puis cliquez sur **Publier**. Cliquez sur le bouton **Transférer mon podcast audio ou vidéo**. Glissez ensuite le fichier MP3 de l'émission que vous avez enregistrée, dans la fenêtre de chargement. L'opération terminée, cliquez sur **Convertir et Insérer**. Simple et efficace !

● Effets d'Audacity

Ce projet met en œuvre les techniques basiques d'Audacity. Cependant, des fonctions plus avancées vous sont offertes, à commencer par les effets spéciaux (écho, fondus, etc.).

Si d'autres éditeurs plus perfectionnés existent sur le marché, Audacity propose tout le nécessaire pour mener à bien un projet d'enregistrement d'émission à des fins de diffusion sur Internet... Et en plus, il est gratuit !

● Les sons de l'Univers

Le programme Jet Propulsion Laboratory (JPL) de la NASA basé à Pasadena, en Californie, vous permet d'écouter des sons enregistrés dans l'espace ! Ce laboratoire a envoyé un robot sur chaque planète du système solaire à l'exception de Pluton et étudie les bruits de l'Univers enregistrés par ces machines.

Les émissions proposées par ce site sont tout bonnement incroyables puisque, confortablement installé devant votre ordinateur, vous allez écouter des bruits dont l'origine est située à plusieurs millions de kilomètres de la Terre. Rendez-vous sur www.jpl.nasa.gov/multimedia/indexPod.cfm pour découvrir à quoi ressemble une tempête sur Saturne. Sidérant !

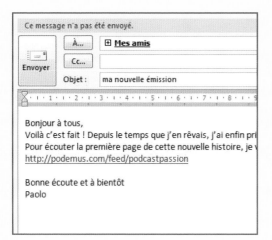

Envoyez des invitations par courriel

14 Sélectionnez et copiez l'adresse de votre blogue. Ouvrez votre logiciel de messagerie et créez un nouveau message. Vous pouvez créer une liste de diffusion qu'il vous suffira de choisir pour envoyer ce message à une liste de destinataires. Collez l'adresse de votre blogue dans le message et expédiez-le. Il suffira à vos destinataires de cliquer sur le lien pour se rendre sur votre blogue.

Chargez votre émission

15 Revenez à l'annuaire de Podemus et saisissez le nom de votre émission dans la zone de recherche en haut de l'écran. Cliquez sur **OK**. Votre émission s'inscrit dans la liste. Cliquez dessus pour vous rendre sur la page correspondante. Dans la liste des épisodes, cliquez sur le dernier que vous avez enregistré. Cliquez sur la flèche qui symbolise un bouton **Lecture**.

Écoutez l'épisode

16 Quelques instants suffisent au chargement de l'épisode. Un lecteur spécifique apparaît et la lecture démarre automatiquement. Cela dit, vous pouvez également télécharger le fichier et le lire avec le Lecteur Windows Media par exemple, sans nécessairement être en ligne. Ce principe s'applique également à vos visiteurs qui veulent écouter vos créations.

Pour le boulot
Épatez vos futurs employeurs en leur envoyant votre CV en ligne

Un CV bien rédigé et clairement mis en page est un atout irremplaçable. Si vous proposez votre CV en ligne, vos futurs employeurs pourront le consulter d'un simple clic. Vous pourrez également le déposer sur votre site Internet, l'envoyer vers des sites professionnels spécialisés ou par courriel. Ajoutez des liens vers des documents que vous avez créés ou vers des sites sur lesquels vous apparaissez. Vous obtenez ainsi un véritable outil de communication de vos compétences.

IL VOUS FAUT : Microsoft Word
VOIR AUSSI : Votre page d'accueil, page 256

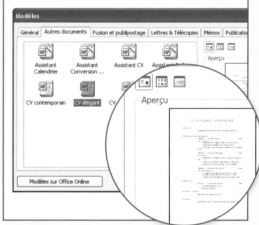

Les ingrédients d'un bon CV

Personnalisez autant que possible votre CV. Peut-être avez-vous une expérience très variée et des compétences dans des secteurs très distincts. Ne semez pas la confusion chez votre interlocuteur et envoyez-lui un CV qui corresponde à ses attentes professionnelles. Personnalisez votre CV en saisissant les coordonnées de votre interlocuteur et fournissez-lui le détail des informations qu'il attend de vous. Soyez concis et précis. Ajoutez une petite photo et vérifiez bien l'orthographe de votre document. La mise en page doit être sobre et efficace.

Rédigez votre CV dans Word

1 Commencez par créer un CV ordinaire dans Word. Vous pouvez exploiter les modèles de CV de Word. Cliquez sur **Fichier**, **Nouveau** puis, dans le volet latéral, cliquez sur **Sur mon ordinateur**. Sous l'onglet **Autres documents**, choisissez un modèle de CV.

Cherchez du travail en ligne

Il existe de nombreux prestataires de services d'aide à la recherche d'emploi. Les plus évidents restent Emploi Québec, www.emploiquebec.net, et Guichet Emploi, www.jobbank.gc.ca, qui proposent de trouver des contacts dans la région de votre choix. Les agences privées sont également très nombreuses, comme http://francais.monster.ca ou www.monemploi.com. Le droit du travail et les types de contrats peuvent aussi vous intéresser et vous trouverez de nombreuses données sur les sites d'Emploi Québec et de Guichet Emploi.

CV sur CD

Démarquez-vous en envoyant votre CV sur un CD. Vous profiterez de ce support pour y présenter des travaux que vous avez réalisés. Le plus simple consiste à y copier les fichiers que vous avez créés pour votre site Internet. N'oubliez pas de modifier le nom d'indexation de façon à personnaliser votre CD et vos documents.

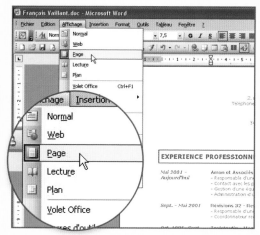

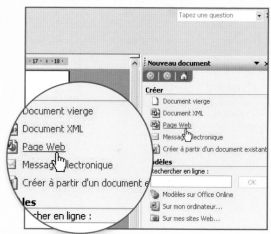

Ordonnez les informations

2 Saisissez les informations du CV. Commencez par les données personnelles. Dans les détails concernant votre parcours professionnel, placez en début de liste les informations les plus récentes. Datez vos expériences. Ajoutez les informations susceptibles d'attirer l'attention de votre interlocuteur. Ainsi, précisez si vous possédez des permis spéciaux ou des qualifications spécialisées.

Vérifiez avant d'imprimer

3 Choisissez **Page** dans le menu **Affichage** pour vérifier que votre CV s'imprimera correctement. Vérifiez également que tout est bien aligné. Soyez attentif aux informations présentées sur chaque page de votre CV et ne dépassez pas trois pages. Vos interlocuteurs n'auront pas le temps de lire de longs documents. Placez donc l'essentiel au début de votre CV.

Créez une page Web

4 Choisissez la commande **Nouveau document** dans le menu **Fichier** et choisissez **Page Web** dans le volet latéral. Vous pouvez copier directement votre CV dans la page, mais vous aurez tout intérêt à créer un CV plus percutant spécialement conçu pour le Web. Vous y ajouterez par exemple des photos et des informations placées de façon plus dynamique.

Envoyez votre CV par courriel

Il est plus rapide d'envoyer son CV par courriel. La plupart des messageries permettent de copier/coller les données directement depuis votre page Web. Ainsi, vous créez une page qui ressemble à un document issu de Microsoft Word. Vous devrez néanmoins prendre quelques précautions, car il arrive que la mise en pages du document soit différente. Le mieux reste encore d'envoyer un PDF (voir page 295).

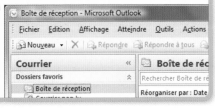

Lettre de motivation

Il est important de joindre une lettre de motivation à votre CV. Vous en profiterez pour faire ressortir les éléments de votre CV qui répondent le mieux à la description du poste concerné. N'utilisez pas un modèle de lettre standard. Conservez un ton alerte et adaptez votre discours à votre interlocuteur. Soyez enthousiaste sans tomber pour autant dans la familiarité. Le but est de démontrer votre motivation et de souligner votre personnalité.

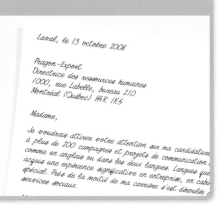

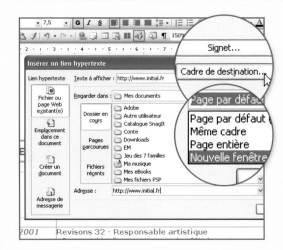

Utilisez un tableau

5 Dans le menu **Tableau**, choisissez **Insérer**, puis **Tableau**. Créez un tableau de **2** colonnes sur **10** lignes. Copiez les informations les plus importantes à partir du document Word. Collez le texte dans le tableau et mettez-le en forme. Ajoutez des lignes si nécessaire, en cliquant sur **Tableau**, **Insérer**, **Lignes en-dessous**. Supprimez-en en cliquant sur **Supprimer**, **Lignes** dans **Tableau**.

Ajoutez une image

6 Cliquez dans la première cellule. Choisissez **Image**, **A partir du fichier**, dans **Insertion**. Sélectionnez votre photo et insérez-la. Faites un clic droit sur l'image et choisissez **Format de l'image**. Sélectionnez **Encadré** et vérifiez que l'effet vous convient. Modifiez les caractéristiques de l'encadré sous **Couleurs et traits** si nécessaire. Cliquez sur **OK** puis sur **Aperçu de la page Web** dans **Fichier**.

Ajoutez des liens

7 Dans Microsoft Word, placez votre curseur à l'endroit où vous souhaitez créer un lien et effectuez un clic droit sur la page. Choisissez **Lien hypertexte**. Saisissez l'adresse Internet du site dans la zone **Adresse** et cliquez sur **Cadre de destination**. Cliquez sur la petite flèche à côté de **Page par défaut** et sélectionnez **Nouvelle fenêtre**. Double-cliquez sur **OK**.

Rédigez en ligne

De nombreux sites vous permettent d'afficher votre CV en ligne. C'est le cas de http://cv.monster.ca. Vous pourrez également le composer en ligne en remplissant les champs d'un formulaire prévu à cet effet. Les entreprises qui recrutent pourront ensuite le consulter sur ce site.

Acrobat, le magicien

De nombreux documents disponibles au téléchargement sur Internet sont des fichiers au format PDF *(Portable Document Format)*, format développé par Adobe. Sauvegardez votre CV au format PDF et vous serez ainsi certain que vos interlocuteurs le liront tel que vous l'avez créé, même s'ils ne possèdent pas le programme avec lequel vous l'avez conçu. Ils pourront l'imprimer mais pas le modifier. Vous avez besoin du logiciel Adobe Acrobat, que vous pourrez vous procurer sur www.adobe.ca. Ainsi, vous serez en mesure d'exporter des documents imprimables au format PDF.

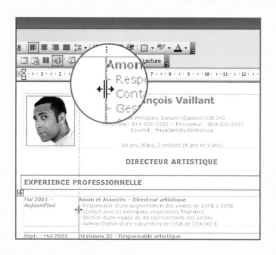

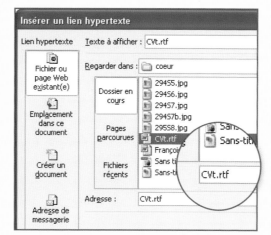

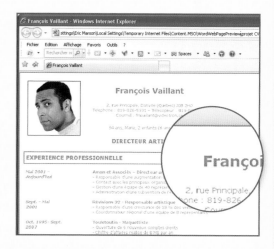

Créez plusieurs pages

8 La hauteur des cadres s'adapte automatiquement au nombre de lignes qu'ils contiennent. Pour ajuster les colonnes, cliquez sur une ligne verticale et déplacez le curseur pour agrandir la colonne de texte. Créez une page pour chaque section, comme Formation ou Centres d'intérêt. Restez concis et pensez à bien organiser les informations.

Ajoutez un CV imprimable

9 Les employeurs apprécient de conserver une trace de votre CV. Cependant, les pages Web imprimées sont souvent de mauvaise qualité. Ouvrez votre CV dans Word et sélectionnez **Enregistrer sous** dans le menu **Fichier**. Choisissez le **Type de fichier** au **Format RTF (*.rtf)**. Sauvegardez votre fichier dans le même dossier que la page Web et créez un lien vers ce dernier (comme à l'étape 7).

Organisez votre site Web

10 Créez un dossier sur votre site Web nommé CV et copiez tous les fichiers de votre CV dans ce dossier. Si votre CV n'est qu'un élément parmi d'autres sur votre site, renommez la page Web de votre CV, index.html. Ainsi, les personnes qui souhaiteront consulter votre CV n'auront qu'à saisir /cv/ à la fin de l'adresse habituelle de votre site pour le consulter.

Face à face
Faites de la vidéoconférence avec vos amis

Internet permet de rester proche de ses amis et de sa famille. Avec la vidéoconférence, vous pouvez joindre l'image à la parole et discuter avec vos contacts comme s'ils étaient en face de vous. Ajoutons que ce mode de communication est peu onéreux, puisque les logiciels sont gratuits et que vous devrez simplement disposer d'une webcam (voir page 16).

IL VOUS FAUT : Une Webcam ● Windows Live Messenger, www.windowslive.fr
VOIR AUSSI : Découverte d'Internet et de la messagerie électronique, page 14

Démarrez Windows Live Messenger

1 Pour obtenir la dernière version de Live Messenger, saisissez www.windowslive.fr/messenger/default.asp dans votre navigateur. Suivez les liens qui vous permettent de télécharger le programme puis démarrez son installation. Pendant la procédure, servez-vous de votre adresse électronique pour créer une Windows Live ID, qui constitue votre identité lorsque vous communiquerez avec d'autres utilisateurs.

Connectez-vous automatiquement

2 Démarrez Windows Live Messenger. Si vous avez déjà utilisé ce programme, votre adresse apparaîtra automatiquement dans la fenêtre. Si tel n'est pas le cas, saisissez-la. Cochez la case **Connexion automatique** de sorte que vos amis puissent communiquer avec vous dès que votre ordinateur est en fonctionnement. Saisissez votre mot de passe et cliquez sur **OK**.

Recherchez un contact

3 Pour communiquer avec une personne, vous devez commencer par ajouter son contact dans votre liste. Cliquez sur le bouton **Ajouter un contact**. Saisissez l'adresse de la personne avec qui vous souhaitez entrer en contact. Saisissez une invitation et cochez la case **Envoyer également une invitation électronique à ce contact**. Pour finir, cliquez sur le bouton **Ajouter un contact**.

Optimisez la communication

Pour améliorer la qualité de la connexion, fermez tous les programmes qui se servent d'Internet à l'exception de votre outil de vidéoconférence. Les programmes de communication instantanée détectent les paramètres de connexion et optimisent ainsi leur usage. Assurez-vous également que la pièce dans laquelle vous vous trouvez est correctement éclairée et évitez les mouvements inutiles, tels que des personnes qui passent derrière vous.

Logiciel de communication

Si Windows Live Messenger est simple d'emploi, il ne constitue pas la seule solution logicielle. Skype, www.skype.com et Yahoo! Messenger, http://fr.messenger.yahoo.com sont des alternatives intéressantes. Tous deux sont gratuits et permettent la vidéoconférence. Dans tous les cas, vous devrez disposer d'un compte (gratuit) et rien ne vous empêche d'employer les trois.

Protégez-vous

Windows XP dispose d'un « pare-feu », un programme qui évite que des intrus n'accèdent à votre PC tandis que vous êtes en ligne. Lorsque vous utilisez Windows Live Messenger, le pare-feu peut ouvrir des alertes. Cliquez sur **Oui** pour accepter. Si votre PC est relié à Internet par un réseau sans fil, le modem dispose généralement d'un pare-feu intégré. Lisez alors la documentation du modem pour apprendre à paramétrer Windows Live Messenger.

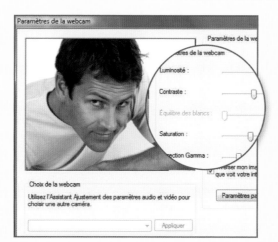

Prêt à communiquer ?

4 Faites un double-clic sur le nom d'un contact pour entamer une conversation avec lui. Si le message écrit permet de communiquer, la conversation orale est tout de même plus rapide. Cliquez donc sur le menu **Outils** et choisissez **Paramètres de la webcam**. Assurez-vous que votre webcam est bien connectée à votre PC et vérifiez ses paramètres de fonctionnement.

Installez-vous confortablement

5 Assurez-vous que l'image produite par la webcam est claire et brillante. Ajustez ces paramètres si besoin est. Cliquez sur **Fermer** une fois la caméra configurée. Installez-vous devant la webcam à bonne hauteur. Vous pouvez également vérifier les paramètres sonores en cliquant sur **Configuration audio et vidéo** dans le menu **Outils** de Windows Live Messenger.

Souriez... vous êtes filmé !

6 Cliquez sur le bouton **Webcam** dans la fenêtre de conversation et sur **Démarrer une conversation vidéo**. Une fois que le contact a accepté la conversation, vous voyez son image apparaître dans une grande vignette, tandis que la vôtre s'inscrit dans une vignette plus petite. Vous pouvez dialoguer aussi longtemps qu'il vous plaît... C'est gratuit !

L'essentiel

Un guide de référence qui fait le tour d'horizon des outils et des techniques relatifs aux logiciels de création sur PC.

Les fonctions créatives d'Excel

Votre tableur peut servir à autre chose qu'au calcul

Un tableur sert avant tout à gérer des données contenues dans un tableau. Il permet de calculer des totaux ou des statistiques et ces informations sont automatiquement mises à jour en fonction des modifications apportées. Microsoft Excel est certainement le tableur le plus connu du marché.

Vous allez travailler ici dans un environnement familier composé de barres d'outils et de menus Windows. Lorsque vous créez une nouvelle feuille de calcul, une grille vierge s'ouvre. En regardant d'un peu plus près, vous verrez que les lignes et les colonnes sont respectivement identifiées par un chiffre et une lettre. La grille est bien plus grande que ce que votre moniteur en présente (256 colonnes et plusieurs centaines de lignes). La colonne A est située le plus à gauche. À l'intersection des colonnes et des lignes se trouvent des cases : les cellules, identifiées par leurs colonne et ligne de référence.

Une fois acquises les quelques bases d'Excel, vous le considérerez comme un outil aussi pratique que Word, qui gère bien mieux les longues

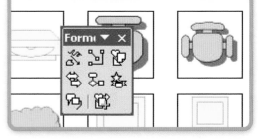
listes et les tableaux et offre nombre de fonctions de personnalisation. Bref, un logiciel pratique et si puissant que les utilisateurs les plus expérimentés n'en exploitent qu'une petite partie.

1 Les cellules sont des boîtes contenant des informations. Celle-ci est vide.

2 Les lignes sont numérotés 1, 2, 3, etc.

3 Les colonnes vont de A à Z, puis de AA, AB, AC à ZZ. Une ligne et une colonne définissent les coordonnées d'une cellule.

4 Les coordonnées de la cellule active indiquent l'endroit où sont saisies les entrées. La cellule F15 est ici active (colonne F, ligne 15).

5 Utilisez des cellules colorées pour améliorer la lisibilité de vos feuilles de calcul.

6 La barre de formule affiche le contenu de la cellule active. Ici, la cellule F15 contient la formule =C15*E15 (* signifie multiplier).

7 Les valeurs sont des nombres. Cette cellule contient le nombre 70 mis en forme en dollars.

8 Les intitulés sont des données alphabétiques ou un mélange de chiffres et de lettres. Ils font référence aux valeurs du tableau.

9 Des cellules contiennent des formules de calculs. La barre de formule (point **6**) indique la formule appliquée à la cellule active.

10 Les boutons de mise en forme standard sont rangés dans la barre d'outils Mise en forme de Microsoft Excel.

11 Vous pouvez générer n'importe quel graphique en sélectionnant des cellules et en cliquant sur l'Assistant Graphique.

Une feuille de données permet de représenter graphiquement des informations, ce qui facilite indéniablement leur compréhension. Vous pourrez ensuite intégrer un graphique dans un document Word, une présentation PowerPoint, voire dans un document mis en pages. Vous pouvez également créer des graphiques sans partir de données. Il vous suffit pour cela de cliquer sur le menu **Insertion** et de choisir **Graphique**. Vous pouvez enfin en dessiner en cliquant sur **Insertion**, **Image** puis **Organigramme hiérarchique**.

Créez des pages Web

Vous venez de créer un graphique que vous aimeriez partager avec d'autres utilisateurs. Que faire si ces derniers ne disposent pas d'Excel ? Une solution consiste à enregistrer la feuille de calcul en tant que page Web, à l'envoyer par courriel ou à la télécharger sur votre propre site. Cliquez sur le menu **Fichier**, puis sur **Enregistrer en tant que page Web**. Saisissez son nom et cochez la case **Ajouter l'interactivité** si vous souhaitez que d'autres utilisateurs puissent intervenir sur le document. Cliquez enfin sur le bouton **Enregistrer**.

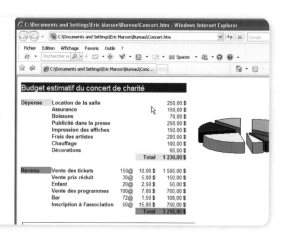

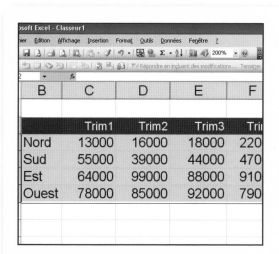

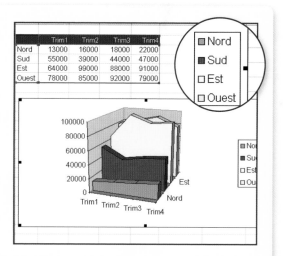

Des graphiques en un clin d'œil

1 Rien n'est plus simple que de créer des tableaux de données dans Excel. Leur lecture peut cependant être difficile. Aussi pouvez-vous les transformer en graphiques en profitant même d'effets 3D. Commencez par sélectionner les valeurs dans le tableau en y incluant les intitulés, cliquez sur **Insertion** puis sur **Graphique** pour démarrer l'**Assistant Graphique**.

Ajoutez des effets

2 Excel propose 14 styles de graphiques différents, chacun pouvant être personnalisé. Sélectionnez l'option qui vous convient le mieux parmi celles proposées et cliquez sur **Maintenir appuyé pour visionner** afin d'avoir une prévisualisation du résultat. Cliquez sur **Suivant**, vérifiez que les données prises en compte sont correctes et cliquez de nouveau sur **Suivant**.

Ajoutez la touche finale

3 Vous pouvez maintenant ajouter un titre et des légendes. Pour inclure la table des données dans le graphique, cliquez sur l'onglet **Etiquettes de données** et cochez la case **Afficher les lignes d'étiquettes**. Cliquez sur le bouton **Suivant** puis sur **Terminer**. Pour ajouter d'autres paramètres de mise en forme, faites un clic droit sur le graphique et choisissez les options d'édition.

Un diaporama en PowerPoint
Réalisez des présentations riches d'images, de sons et d'animations

Bien que la finalité première de PowerPoint soit professionnelle, vous pouvez profiter de ses fonctions pour réaliser des diaporamas multimédias incorporant des images, des sons, des animations et même des séquences vidéo. Vous vous en servirez, par exemple, pour produire un documentaire de vos vacances, un projet scolaire, un livre de contes animé ou

encore un jeu de type quiz multimédia. PowerPoint est livré avec des modèles sophistiqués dans lesquels vous n'avez plus qu'à placer textes et images pour créer un diaporama animé. Vous distribuerez ensuite vos créations en les accompagnant de la visionneuse PowerPoint, téléchargeable gratuitement à l'adresse www.microsoft.fr/downloads.

Ajoutez du son

Vous pouvez vous servir de sons pour conférer à vos créations une atmosphère spécifique. N'importe quel type de son numérique peut être ajouté à une diapositive (un arrière-plan musical ou un jingle par exemple). Vous pouvez choisir le moment de son déclenchement à l'ouverture de la diapositive, après un certain temps écoulé ou au clic de souris de l'utilisateur.

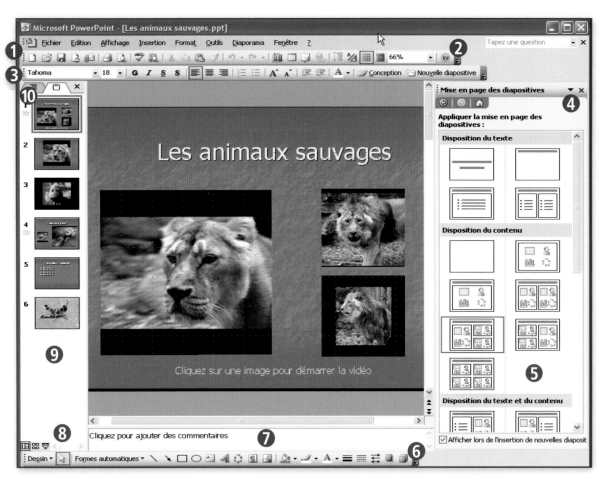

1 Menus principaux de PowerPoint.

2 Utilisez ces boutons pour ouvrir et enregistrer, imprimer une présentation et couper, copier, coller des éléments.

3 Cliquez sur ces boutons de la barre d'outils Mise en forme pour modifier l'apparence du texte.

4 Cette flèche ouvre le menu du volet des tâches, dans lequel vous trouverez de l'aide, chargerez des cliparts et choisirez des modèles prêts à l'emploi.

5 Les modèles prédéfinis sont affichés lorsque vous créez une diapositive.

6 La barre d'outils Dessin permet d'ajouter des éléments graphiques (boîtes, lignes et flèches).

7 Vous saisirez ici des notes à propos d'une diapositive spécifique.

8 Ces boutons vous permettent d'afficher la présentation telle qu'elle apparaît ici ou en plein écran sous la forme de vignettes. Le dernier bouton démarre la lecture du diaporama.

9 Voici votre diaporama en miniature. Cliquez sur l'une des vignettes pour afficher la diapositive correspondante.

10 Cliquez sur cet onglet pour afficher le déroulé du diaporama comme ici ou sous la forme d'un plan composé des titres et sous-titres de chaque diapo.

Fondus enchaînés et autres transitions

Un diaporama PowerPoint est animé d'effets de transition qui permettent de passer subtilement d'une diapositive à l'autre. Si vous employez ces transitions avec parcimonie, vous ajouterez un impact certain à vos présentations. PowerPoint contient près de 60 effets visuels différents. Cliquez sur le bouton **Transition** pour afficher la liste des transitions mises à votre disposition, choisissez la diapositive à partir de laquelle l'effet devra s'appliquer, puis sélectionnez la transition qui se prête le mieux à votre show. Vous pourrez choisir de faire démarrer la transition automatiquement ou bien au clic de souris de l'utilisateur. Vous pourrez également ajuster la vitesse de transition et indiquer la séquence musicale à jouer en même temps.

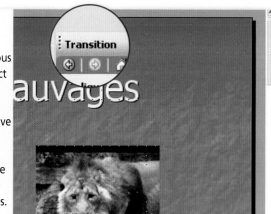

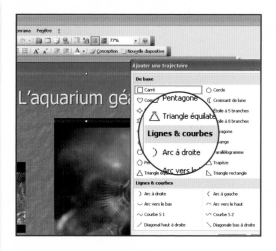

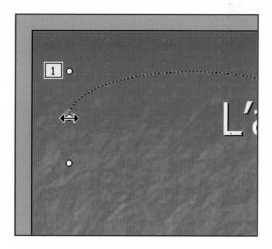

Ajoutez des effets

1 En général, le titre d'une diapo apparaît en même temps que celle-ci. Vous pouvez cependant gérer son « entrée » différemment. Faites un clic droit sur le titre concerné et choisissez **Personnaliser l'animation**. Cliquez sur le bouton **Ajouter un effet** puis **Trajectoires** et enfin **Autres trajectoires**. Vous ouvrez ainsi la bibliothèque d'animations.

Choisissez une animation

2 Déroulez la liste des animations et lorsque l'une d'elles retient votre attention, cliquez dessus et jugez de l'effet obtenu sur le titre. Si celui-ci vous satisfait, cliquez sur **OK** afin de fermer la boîte. Regardez la diapositive d'un peu plus près et vous constaterez la présence de la trajectoire représentée par une ligne. Cliquez dessus pour la sélectionner.

Ajustez la trajectoire

3 L'amplitude de la trajectoire est matérialisée par des cercles blancs, appelés poignées. Vous pouvez cliquer sur l'une d'elles et faire glisser la souris pour déformer la trajectoire et lui faire adopter un angle et une hauteur différents. Dans cet exemple, nous étirons la trajectoire vers la gauche de sorte que le titre parcourt la diapositive de la gauche vers la droite plutôt que d'apparaître en se figeant au milieu.

Comprendre les réglages

La quantité de lumière qui entre dans votre appareil lors de la prise de vue dépend de deux facteurs : l'ouverture du diaphragme et le temps d'ouverture de l'obturateur. Ces notions ont un impact direct sur l'exposition. Votre appareil procède à des réglages automatiques en fonction de l'exposition pour que votre image ne soit pas trop claire (surexposée) ou trop sombre (sous-exposée).

Plus grande est l'ouverture, plus faible est la profondeur de champ. Les objets au premier plan seront nets alors que ceux plus lointains seront flous. La plupart des appareils proposent un programme de priorité à l'ouverture, nommé A/S. Vous pourrez ainsi régler l'ouverture du diaphragme et la vitesse d'obturation sera ajustée en accord. Il existe aussi un programme de priorité à la vitesse nommé S. Vous pourrez régler la vitesse d'obturation pour figer un sujet en action ou accentuer l'impression de mouvement.

Si vous réglez manuellement la vitesse d'obturation, les photos qui en résulteront dépendront de votre intérêt pour la restitution du mouvement.

Prendre de belles photos
Voici quelques conseils pour réaliser de superbes images

Pourquoi télécharger des photos sur Internet alors que vous pouvez en prendre vous-même ? Les appareils photo numériques actuels permettent de faire de véritables miracles. Vous n'aurez qu'à choisir judicieusement votre sujet et à bien le cadrer. Il vous faudra donc un minimum de connaissances pour être efficace. Il est préférable de passer un peu plus de temps lors de la prise de vue plutôt que de perdre des heures à retoucher

Netteté absolue

Votre appareil fait automatiquement la mise au point sur l'objet situé au centre de l'image. Ainsi, si vous composez une image contenant un seul sujet décalé, l'appareil fera la mise au point sur l'arrière-plan et le sujet sera flou. Pour éviter cela, visez le sujet de près et appuyez légèrement sur le déclencheur. Un bip prévient que l'appareil a procédé à la mise au point. Maintenez le bouton enfoncé et visez votre sujet pour prendre la photo. Appuyez sur le déclencheur pour confirmer la prise de vue.

vos images. Ensuite, libre à vous de créer d'autres compositions à partir de vos prises de vue. Vous découvrirez ainsi pourquoi certaines de vos images peuvent présenter des défauts caractéristiques et surtout comment les éviter. Vous constaterez également que de simples réglages assurent sans effort un résultat optimal.

L'un des avantages incontestables de la photo numérique reste la possibilité d'effectuer autant de prises de vue que vous le souhaitez. N'hésitez donc pas à varier les paramètres de prise de vue pour une même photo, de façon à mettre toutes les chances de votre côté et à profiter pleinement des fonctions de l'appareil.

Approchez-vous grâce à la macro

Pour réaliser des photos en gros plan, sélectionnez le mode Macro sur votre appareil, souvent indiqué par une icône en forme de fleur. Vous pourrez ainsi procéder à une mise au point entre 2 et 20 cm en fonction des appareils. Le flash risque de se déclencher, mieux vaut donc le verrouiller.

Aussi net de près que de loin

Une grande profondeur de champ assure une netteté au premier plan et à l'arrière-plan. Ici, les nénuphars sont aussi nets au premier plan que les arbres du fond. Il convient de passer en mode d'ouverture prioritaire (AS) pour sélectionner une valeur de focale plus élevée.

Évitez les pièges

Les erreurs en photographie sont très fréquentes. Ainsi, assurez-vous que vous tenez votre appareil bien droit et préférez travailler avec un pied ou au moins un support fixe, comme une table ou un mur, pour vous soutenir. Vous éviterez de cette façon de nombreux flous. Vérifiez votre composition dans le viseur ou sur votre écran LCD et regardez bien aux quatre coins de la photo pour vous assurer que rien ne gêne la composition. Si la lumière est trop faible, ayez recours à des lumières artificielles ou au flash, même en extérieur.

Bien exposer son sujet

Dans certaines circonstances, il est très difficile d'obtenir une belle qualité de lumière, à proximité d'une fenêtre par exemple. Le contre-jour pose une ombre sur le sujet, l'appareil étant perturbé par la forte lumière et le contraste avec le sujet. La plupart des appareils possèdent une fonction de compensation d'exposition. Vous pouvez également régler l'exposition en appuyant légèrement sur le déclencheur tout en effectuant la mise au point sur le sujet.

Souvenez-vous que le flash est efficace à une distance de 2 à 5 mètres. Trop près, vous obtiendrez un effet « fromage blanc » et trop loin, il sera inefficace. Enfin, la photo la plus ratée sera toujours celle que vous n'avez pas prise ! Alors soyez prêt à tout instant.

Vitesse et flou

Si vous bougez l'appareil lors de la prise de vue, votre image sera floue. Mais il en va de même si votre sujet est en mouvement, comme ici les chevaux. Il s'agit alors d'un « flou artistique ». Une prise de vue avec une vitesse d'obturation rapide réduira le flou (voir « Comprendre les réglages », page 304).

Film numérique

Avec un appareil photo traditionnel, vos images sont réalisées sur un film argentique. Avec un appareil numérique, les photographies sont stockées sur des cartes à mémoire. Elles diffèrent en fonction de leur taille, de leur forme et de leur capacité de stockage. Les plus communes sont les Secure Digital (SD) alors que les photographes professionnels utilisent plutôt des Flash cards Compact. Les cartes Sony sont appelées Memory Stick. Les téléphones cellulaires utilisent également des cartes Mini-SD. Peu importe cette nomenclature, le principal est que vous sachiez reconnaître celles qui sont adaptées à votre appareil.

Toutes ces cartes sont basées sur la technologie de la mémoire flash, qui permet de conserver ce qu'elles contiennent même si l'appareil est éteint. Lorsque l'une est pleine, vous pouvez la retirer et continuer à photographier avec une autre carte, puis transférer vos photos sur votre PC.

Vous pouvez conserver vos photos sur votre carte indéfiniment, mais cela risque de vous obliger à en changer régulièrement, ce qui vous coûtera cher à la longue. Il est préférable de copier vos images sur votre PC et de les graver sur des CD ou des DVD.

Optimisez l'utilisation du zoom

La qualité du zoom est un paramètre important lors de l'achat d'un appareil. Le zoom modifie la relation entre le premier plan et l'arrière-plan. En fonction de la distance à laquelle vous réalisez votre prise de vue, vous obtiendrez des éléments plus nets grâce à l'utilisation du zoom. L'arrière-plan et les objets rapprochés gagneront également en netteté.

Les paramètres de qualité ne valent que pour les zooms optiques (voir image en haut à droite). Les zooms numériques affectent l'image. Ils en augmentent la taille et les recadrent de façon à remplir l'espace. Le résultat (voir image du milieu à droite) est beaucoup moins net et les pixels sont nettement plus visibles.

Plus près des personnes

Les portraits peuvent être en plan rapproché. Expérimentez des angles différents et rapprochez-vous progressivement, mais ne passez pas trop de temps à cadrer votre image. En hésitant, vous perdrez le naturel de la pose. Essayez surtout de capter le regard.

L'ESSENTIEL

Lorsque la nuit tombe

Les photos nocturnes nécessitent une exposition de 1 à 4 secondes, mais vous pouvez expérimenter différents modes manuels (voir « Comprendre les réglages », page 304). Utilisez toujours un pied ou adossez-vous contre un mur pour tenir la pose. Le retardateur peut aussi vous rendre service. À moins d'avoir un sujet au premier plan, verrouillez le flash.

Éclairs de lumière

Pour une prise de vue de ce type, vous devez actionner le flash afin de protéger la personne et opter pour une pose longue afin de restituer les éclats de lumière. Réglez la vitesse sur 2 secondes (voir « Comprendre les réglages », page 304) et forcez l'activation du flash.

Exagérez la profondeur de champ

Le mode Macro n'est pas réservé aux sujets de petite taille (voir page 304). Vous obtiendrez un bel effet en positionnant l'appareil très près d'un objet et en utilisant le mode Macro à la mise au point. Les objets plus lointains seront alors flous.

Les yeux rouges

Lorsque vous photographiez une personne avec le flash, le reflet de la lumière dans le fond des yeux crée un faisceau rouge. Lors de la prise de vue en faible lumière, la pupille s'agrandit et l'effet « yeux rouges » s'accroît. La plupart des appareils proposent une fonction « anti-yeux rouges », en émettant de miniflashs qui permettent à la pupille de se contracter.

Pour des vidéos de qualité

Voici des conseils basiques afin d'optimiser l'utilisation de votre caméra vidéo. Comme pour les appareils photo, mieux vaut utiliser un trépied. Vous serez plus à l'aise pour effectuer des zooms. Cela est encore plus recommandé si vous filmez une personne qui ne cesse de sortir et de revenir dans le cadre. Évitez de prendre les personnes pour des arbres et notamment de leur « couper la tête ».

Utilisez le zoom pour faire des portraits fixes, et non pour avancer ou reculer un cadrage, ce qui sera mal venu lors du visionnement. Vous pouvez cependant effectuer de petits zooms sensibles sur les sujets qui s'y prêtent. Cadrez avec attention votre image, car vous ne pourrez plus le faire au moment du montage.

Comme en photographie, évitez les zooms numériques. Essayez de rester au moins 10 secondes sur votre sujet avant d'arrêter de filmer ou de passer à un autre sujet. Vous aurez ainsi davantage de possibilités au montage.

Créateurs d'images

Apprenez à transformer vos photographies avec Photoshop Elements

Grâce à un logiciel de retouche d'images, vous transformerez à volonté toutes vos photos. Vous devez tout d'abord vous procurer une image numérique, qu'elle provienne directement de votre appareil photo ou qu'elle soit issue d'une numérisation. Conservez toujours des CD de vos photographies de façon à vous créer une bibliothèque d'images personnelles.

Sauvegardez également vos documents numérisés sur votre PC (voir page 322). Les programmes de retouche d'images permettent de traiter des photos, des illustrations et de créer des images. Les plus connus sont Corel Paint Shop Pro et Adobe Photoshop. Photoshop qui reste le logiciel le plus performant, propose une version allégée

moins coûteuse, nommée Photoshop Elements. Nous l'utilisons largement dans les projets proposés dans cet ouvrage (voir pages 12 et 13). Ce type de logiciel n'est pas comparable avec les programmes de dessin qui permettent de créer des formes géométriques, inutiles pour les projets de retouche d'images qui nous intéressent ici.

1 La plupart des logiciels de retouche disposent des mêmes types d'outils, présentés dans une barre d'outils comme celle-ci. Certains sont spécifiques au logiciel.

2 Les outils s'emploient avec la souris et affectent l'image simplement là où vous cliquez. Les menus permettent de modifier l'image entière.

3 Chaque outil propose des options pour affiner son utilisation, disponibles dans la barre d'options.

4 Un Organiseur permet de visualiser vos images sous forme de vignettes et de retrouver ainsi toutes les images contenues sur votre PC, un CD ou un DVD.

5 Utilisez les outils de sélection pour dessiner autour d'une zone de façon à la modifier sans affecter le reste de l'image.

6 Vous pouvez créer plusieurs calques transparents, y placer vos images et les superposer. Chaque image possède un calque d'arrière-plan.

7 La palette Illustrations et effets permet d'appliquer des effets sur les calques. Vous transformerez ainsi un simple cercle en bouton 3D.

8 La Corbeille des photos de Photoshop Elements affiche les images ouvertes. Vous passez facilement de l'une à l'autre d'un clic de souris.

9 Cliquez sur ces carrés pour accéder au Sélecteur de couleurs et modifier celle à appliquer.

Trouver des images en ligne

Le moteur de recherche Google propose un outil d'aide à la recherche d'images, www.images.google.ca. Saisissez le sujet qui vous intéresse et cliquez sur **Rechercher**. Vous les utiliserez dans un contexte privé et en fonction des autorisations d'exploitation. Si vous voulez étendre votre utilisation, recherchez des images libres de droits en vous référant à des sites spécialisés, tel que www.clipart.com/fr. Pour acheter des images, exploitez les ressources des banques d'images telles que www.agencestockphoto.com.

Choisissez une image et commencez par modifier ses dimensions ou son aspect général. Vous pourrez facilement la retourner ou la recadrer en en sélectionnant une partie. Les commandes de correction des couleurs permettent de modifier l'apparence générale d'une image, de l'éclaircir ou de la foncer, et même de changer ses teintes principales. Des outils spécifiques proposent des corrections simples comme celle des « yeux rouges », afin de compenser les problèmes de la prise de vue.

Des effets plus spectaculaires sont à votre disposition. Votre souris s'emploie alors comme un pinceau. Vous pouvez peindre sur l'image et y appliquer des effets et des filtres. Vous pouvez aussi facilement transformer tous les détails d'une image ou « cloner » un élément, c'est-à-dire copier une partie de l'image et réaliser des photomontages.

Les fonctions de retouche peuvent s'appliquer sur tout ou une partie de l'image (voir page 320). Vous aurez également la possibilité de placer vos images sur des calques de façon à créer des images composites (voir page 314).

Techniques de retouche d'images

Il existe de nombreux effets que vous appliquerez facilement aux images. Vous passerez ainsi vos photos dans des teintes sépia, en négatif, ou vous leur appliquerez des filtres artistiques, comme un effet de toile peinte ou un style mosaïque. N'hésitez pas à expérimenter les effets.

Dans la première image ci-dessus, la fleur a subi un effet « néon » à l'aide du **Filtre Artistique Néon**.

Photoshop Elements propose de nombreuses options de déformation. Dans le deuxième exemple ci-contre, un effet de distorsion, nommé **Sphérisation**, simule l'apparition de l'image dans une boule.

Si vous souhaitez ne modifier qu'une partie de l'image, procédez à une sélection (référez-vous aux explications des pages 320 et 321). La zone sélectionnée est signalée par un contour en pointillés. Les modifications s'appliqueront uniquement à la zone sélectionnée. Dans l'exemple ci-dessous, seule la fleur a été sélectionnée, et son aspect général a été légèrement modifié. L'arrière-plan a été traité indépendamment de façon à l'obscurcir. La fleur rehaussée ressort davantage sur l'image. Vous pouvez également utiliser une photo comme

support de création. Vous réaliserez ainsi des compositions plus abstraites. Dans le dernier exemple, une **Texture Craquelure** a été employée afin de donner l'impression d'une peinture craquelée.

Au pixel près

Les bons réflexes pour optimiser la qualité de vos images

Comme une photographie, une image numérique est constituée d'une grille de pixels. Le nombre de pixels définit la résolution de l'image. Pensez à une grande mosaïque, composée de millions de petits carrés de différentes couleurs formant une image. À une certaine distance, les petits carrés n'apparaissent plus et vous ne les remarquez pas. Vous voyez juste le contenu de l'image. C'est exactement la même chose pour une photo numérique.

Vous aurez besoin d'au moins 300 pixels sur 300 pixels par pouce pour imprimer une page. Un écran d'ordinateur propose environ 100 pixels par pouce. Ainsi, pour des résultats satisfaisants, vous pouvez imprimer l'image à environ un tiers de sa largeur, lorsqu'elle est affichée à 100 % à l'écran. En pratique, 150 pixels par pouce sont souvent suffisants pour de bons résultats.

Couleurs numériques

Votre moniteur génère des couleurs composées d'un pourcentage de rouge, de vert et de bleu (RVB) pour chaque pixel. Le nombre de

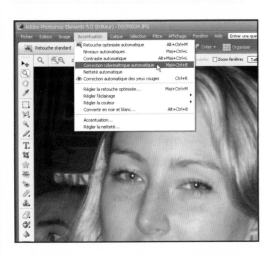

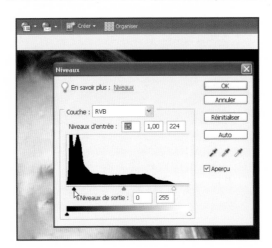

Corrigez une photographie

1 Cette photo, ouverte dans Photoshop Elements, présente des problèmes de couleurs. Le contraste et les lumières sont incorrects. Prenez une autre image comme repère et corrigez celle-ci en fonction des différences relevées. Pour tester rapidement l'effet des corrections, cliquez sur **Contraste automatique** et **Correction colorimétrique automatique** dans le menu **Accentuation**.

Ajustez les niveaux

2 Pour tester les différences de lumière et de couleurs de façon plus fine, cliquez sur **Accentuation** et choisissez **Régler l'éclairage**, puis **Niveaux**. Vous obtenez un graphique présentant l'organisation des couleurs sur votre image. Pour augmenter le contraste, déplacez le curseur noir vers la gauche et le curseur blanc vers la droite.

Réglez les couleurs

3 Le contraste est corrigé, mais les couleurs restent fades. Choisissez **Régler la couleur**, puis **Teinte/Saturation** dans le menu **Accentuation** ou appuyez sur la combinaison **Ctrl+U**. Déplacez les curseurs **Teinte**, **Saturation** et **Luminosité** en fonction des corrections à apporter. Ici, les yeux et la bouche ressortent ainsi nettement plus. Lorsque l'image vous convient, cliquez sur **OK**.

couleurs qui s'affiche est défini par la profondeur d'écran, exprimée en nombre de bits (suite de 0 et de 1). La plupart des écrans ont une profondeur d'écran de 8 bits, pour chacun de ses canaux, ce qui donne une plage comprise de 0 à 255. Ainsi, pour un rouge lumineux, vous obtenez des valeurs R = 255, V = 0 et B = 0. Les trois canaux de 8 bits proposent un total de 24 bits, nommé « couleurs vraies », parce qu'elles sont suffisantes pour recréer toutes les couleurs que l'œil humain est capable de distinguer.

Votre appareil numérique et votre numériseur enregistrent les valeurs colorimétriques pour chaque pixel. Votre PC travaille avec ces valeurs lorsque vous modifiez ces images. Un gestionnaire de couleurs est nécessaire pour vérifier si les interprétations de couleur sont cohérentes. Windows effectue cette opération automatiquement, tout comme Photoshop Elements. Pensez à employer le gestionnaire de couleurs et à sauvegarder un profil de couleurs de façon à guider vos applications.

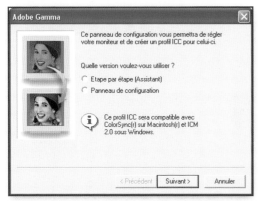

*Démarrez le programme Adobe Gamma, accessible depuis le **Panneau de configuration**. Calibrez votre écran de façon à ce qu'il restitue fidèlement les couleurs des images imprimées.*

Paramètres de taille

La résolution d'une image est définie en *dot per inch* (dpi), point par pouce. 300 dpi signifie que vous disposez de 300 points pour chaque pouce. Les appareils photo numériques fonctionnent en mégapixels, en référence au nombre total de pixels. Pour une photo 15 x 20 cm (6 par 8 pouces) avec une résolution de 300 dpi, vous avez besoin de 6 x 300 x 8 x 300 = 4 320 000 pixels, soit un peu plus de 4 mégapixels. Sauvegarder une image numérique en

Une image enregistrée en haute résolution. La même enregistrée en basse résolution.

L'option Redimensionner illustre comment le nombre de pixels d'une image divisé par la résolution équivaut à la taille d'impression.

« couleurs vraies » nécessite 24 bits multipliés par le nombre de pixels, ce qui équivaut rapidement à des quantités importantes de mégabits. Autant dire que votre carte mémoire ou votre PC auraient du mal à le supporter. Pour économiser de l'espace, il vous faut donc réduire le nombre de pixels, en réduisant la résolution de votre appareil. Mais vous pouvez également compresser vos images, en employant un format **JPEG**. Un fichier enregistré en **JPEG** simplifie l'image imperceptiblement. Conservez toujours un fichier original en haute résolution car une fois les modifications effectuées, vous ne pourrez plus revenir en arrière.

Image fortement compressée.

Papiers, encres et imprimantes
Optimisez la qualité de vos impressions

Les imprimantes à jet d'encre sont peu onéreuses et très simples d'emploi. Certaines impriment directement sur CD ou DVD.

Généralement, une fois le projet suffisamment abouti à l'écran, on l'imprime. Avec un peu d'expérience, vous tirerez le meilleur parti de Windows et obtiendrez des résultats très satisfaisants. L'offre du marché est telle qu'aujourd'hui, même avec le premier modèle d'imprimante, vous pourrez imprimer vos photos comme le ferait un professionnel.

Les imprimantes à jet d'encre sont les plus répandues. Elles supportent plusieurs formats de papier. La qualité de l'impression dépend non seulement de l'imprimante mais aussi du papier que vous choisissez. L'impression d'une photo sur papier couché brillant offre un résultat qui ne permet pas de le distinguer d'un développement professionnel tant la qualité est stupéfiante. Ce n'est bien sûr pas le cas si vous imprimez la même photo sur un papier classique.

Les fabricants d'imprimantes gagnent de l'argent, non sur le périphérique à proprement parler, mais sur les consommables qui

l'accompagnent. Si vous étudiez un peu les prix du marché, vous verrez que le prix des cartouches d'encre est proportionnellement bien plus élevé que celui de l'imprimante. Vous devrez donc réfléchir à deux fois avant d'imprimer une photo, surtout en grand format.

Paramètres d'impression

Lorsque vous imprimez sous Windows, ce que vous voyez à l'écran est normalement ce que vous obtenez sur papier. La transcription d'une image en points d'encre répond à un processus complexe, géré par le pilote de votre imprimante. Lorsque vous choisissez la commande **Imprimer** d'un programme, la boîte qui apparaît contient nécessairement un bouton **Propriétés** ou **Options** qui mène au paramétrage du pilote. Vous pourrez sélectionner le type de papier et ajuster les couleurs en fonction de la nature du document à imprimer. Vous optimiserez ainsi l'impression en toutes circonstances.

La qualité de l'impression est également limitée par la résolution de l'image originale. Le texte d'un document créé dans un traitement de texte n'est pas concerné par cette limite. Lorsque vous imprimez une photo numérique, la plus grande dimension susceptible d'être imprimée sera définie par le nombre de pixels contenus dans l'image (voir page 311). Si vous créez une nouvelle image, définissez sa largeur et sa hauteur en fonction de la dimension à laquelle vous souhaitez l'imprimer. Sa résolution ne doit pas être inférieure à 300 dpi.

Imprimez votre étiquette de CD

1 Démarrez Photoshop Elements et sélectionnez **Retoucher et corriger les photos**. Cliquez sur **Ouvrir** dans le menu **Fichier** afin de charger la photo de couverture de votre CD. Appuyez sur la touche **C** pour activer l'outil **Recadrage**. Dans la barre d'options, saisissez une **Largeur** de **12,1 cm** et une **Hauteur** de **12 cm**. Définissez la **Résolution** à **300 pixels par pouce**. Dessinez le recadrage de la photo.

● Laissez faire les experts !

Inutile d'imprimer vous-même toutes vos créations. Nombre de prestataires professionnels peuvent se substituer à vous. Il vous suffit de vous rendre dans un magasin spécialisé avec la carte à mémoire de votre appareil photo et de revenir plus tard chercher vos tirages. Vous pouvez aussi télécharger vos photos sur des sites Web spécialisés et recevoir vos tirages par courrier. Dans certains cas, vous pourrez même tirer vos photos sur tee-shirt ou sur d'autres supports originaux.

L'ESSENTIEL

● Impression sur PDF

Plutôt que de le faire sur papier, vous pouvez imprimer un document en format PDF et l'envoyer par courriel. Ce format peut être lu par n'importe quel système dès l'instant que l'on dispose d'Adobe Reader, www.adobe.ca. Pour créer un PDF, vous emploierez le pilote correspondant et le choisirez dans la boîte de dialogue **Imprimer**. Vous pourrez télécharger un pilote PDF sur www.primopdf.com et ainsi imprimer n'importe quel document dans un PDF, et ce, depuis toutes les applications Windows. Les pages apparaîtront à l'écran comme si elles étaient imprimées.

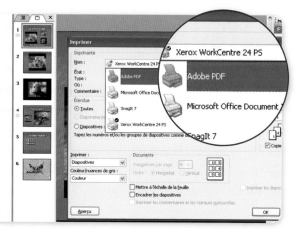

● Rechargez vos cartouches

Vous pouvez réaliser des économies substantielles en rechargeant vos cartouches d'encre plutôt qu'en en rachetant. Vous trouverez des kits de rechargement dans le commerce ou sur Internet adaptés au modèle de cartouches que vous utilisez. Mais les fabricants d'imprimantes déconseillent cette méthode qui, selon eux, dégrade la qualité d'impression et peut endommager le matériel.

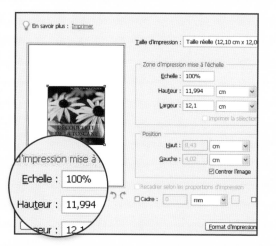

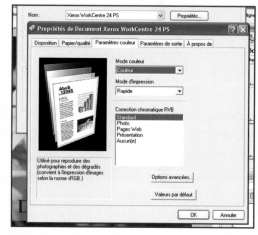

Ajoutez un titre

2 Ajustez le rectangle de sélection sur la zone de l'image à conserver. Maintenez la barre d'espacement pour la repositionner. Faites un double-clic sur la sélection pour valider le recadrage. Appuyez sur la touche T afin d'activer l'outil **Texte**. Cliquez dans l'image et saisissez le titre de votre CD. Sélectionnez ce titre et servez-vous de la barre d'options pour le mettre en forme à votre convenance.

Modifiez le texte

3 Validez les modifications ainsi apportées au texte. Si besoin, activez l'outil **Déplacement** et disposez le titre où bon vous semble. Repassez en mode **Texte**. Ajoutez d'autres informations sur la pochette. Choisissez la commande **Imprimer** dans le menu **Fichier**. La boîte montre une prévisualisation du document tel qu'il sera imprimé. Vérifiez que l'**Echelle** est bien à **100 %**.

Définissez les paramètres

4 Cliquez sur le bouton **Format d'impression** pour confirmer les dimensions de la feuille utilisée. Cliquez sur **Imprimer** puis sur **Propriétés** pour définir les paramètres d'impression du document. Pour terminer, cliquez sur le bouton **OK**. Vous pourrez ensuite imprimer la « galette » du CD. Galettes et étiquettes sont fournies dans des kits spécialement adaptés aux imprimantes à jet d'encre.

Images à calques multiples
Réalisez des compositions complexes en combinant les calques

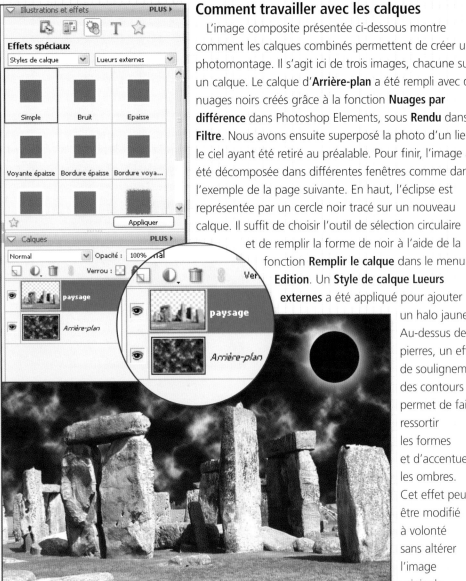

Comment travailler avec les calques

L'image composite présentée ci-dessous montre comment les calques combinés permettent de créer un photomontage. Il s'agit ici de trois images, chacune sur un calque. Le calque d'**Arrière-plan** a été rempli avec des nuages noirs créés grâce à la fonction **Nuages par différence** dans Photoshop Elements, sous **Rendu** dans **Filtre**. Nous avons ensuite superposé la photo d'un lieu, le ciel ayant été retiré au préalable. Pour finir, l'image a été décomposée dans différentes fenêtres comme dans l'exemple de la page suivante. En haut, l'éclipse est représentée par un cercle noir tracé sur un nouveau calque. Il suffit de choisir l'outil de sélection circulaire et de remplir la forme de noir à l'aide de la fonction **Remplir le calque** dans le menu **Edition**. Un **Style de calque Lueurs externes** a été appliqué pour ajouter un halo jaune. Au-dessus des pierres, un effet de soulignement des contours permet de faire ressortir les formes et d'accentuer les ombres. Cet effet peut être modifié à volonté sans altérer l'image originale.

La combinaison d'images est au centre de la création sous Photoshop Elements. Vous pouvez par exemple prendre une photo de vous et la superposer sur la photo d'un lieu exotique. Vous pouvez également assembler des éléments comme dans un montage et créer une image originale rendant l'effet de double exposition.

Pour travailler de cette manière, vous devez employer les calques. Imaginez que vous travailliez avec des calques transparents et que les images se superposent. Tous les espaces vides sont compensés par les images superposées. Les images peuvent elles aussi devenir transparentes. De plus, plusieurs calques peuvent constituer une même image. La palette des calques les classe et les organise de façon à les rendre visibles ou non. Si l'œil devant le calque est visible, votre calque l'est aussi.

En général, ce que vous voyez dans la fenêtre de travail est composé des calques visibles. C'est également ce qui sera enregistré lorsque vous sauvegarderez votre fichier en **JPEG**. Si vous enregistrez votre fichier en format **.PSD** (Adobe Photoshop Elements), tous les calques seront conservés et vous pourrez les modifier indépendamment autant de fois que nécessaire.

L'ESSENTIEL

Styles de calque

Il est possible qu'une zone transparente persiste autour d'une sélection. Utilisez alors les outils de sélection pour détourer les images proprement ou créez de nouvelles formes. Choisissez ensuite un **Style de calque** pour ajouter un effet. Une ombre permet par exemple de « poser » l'objet sur la page. Certains effets s'avèrent plus complexes, comme les effets 3D disponibles pour la création de bouton (image ci-contre).

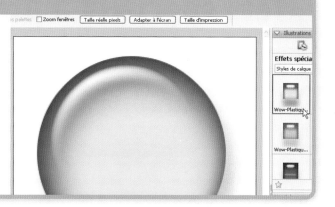

Aplatissez les calques

Les fichiers Photoshop Elements peuvent contenir plusieurs calques. Si vous sauvegardez votre fichier en format **.PSD**, vous conserverez tous les calques et pourrez donc intervenir à nouveau sur votre travail lorsque vous rouvrirez le document. Mais si vous souhaitez envoyer votre image par courriel, mieux vaut l'enregistrer dans un format standard tel que le **JPEG** (voir page 311). L'image aura la même apparence, mais vous ne pourrez plus intervenir sur les calques.

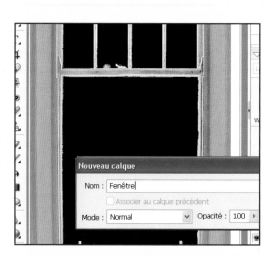

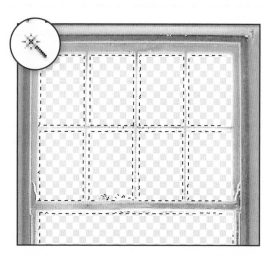

Créez un photomontage

1 Démarrez Photoshop Elements et choisissez **Retoucher et corriger les photos**. Ouvrez une image à partir du menu **Fichier**, dans notre exemple, une fenêtre, de nuit. Pour découper votre image en plusieurs sections, vous devez la placer sur un nouveau calque. Choisissez donc **Nouveau** dans le menu **Calque**, puis **Calque à partir de l'arrière-plan**. Nommez-le Fenêtre et cliquez sur **OK**.

Créez des sections transparentes

2 Appuyez sur **W** pour activer la **Baguette magique**. Dans la barre d'options, réglez la **Tolérance** sur **8** et cochez **Lissage**. Décochez **Pixels contigus**. Cliquez sur une section de la fenêtre pour sélectionner les zones noires (voir pages 320 et 321). Appuyez sur **Suppr** pour les effacer. Un quadrillage apparaît. Les zones sélectionnées sont transparentes. Appuyez sur **Ctrl+D** pour **Désélectionner**.

Assemblez les images

3 Ouvrez une autre image d'extérieur. Appuyez sur **V** pour activer l'outil **Déplacement**. Cliquez sur la photo et déplacez-la sur la fenêtre. Positionnez-la correctement. Dans le menu **Calque**, choisissez **Réorganiser, Arrière-plan**. L'image se place alors derrière les contours de la fenêtre. Si nécessaire, cliquez sur l'image pour la placer comme vous le souhaitez.

Liquéfiez vos photos

Vous pouvez déformer vos images de façon très importante, à l'aide notamment de la fonction **Fluidité,** qui se trouve dans le menu

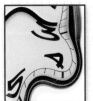

Filtre, sous **Déformation**. Vous obtenez une image qui donne l'impression d'avoir été imprimée sur un support mou. Il vous suffit de déplacer le curseur sur l'image pour accentuer l'effet. Vous déformerez ainsi facilement les visages en exagérant les expressions du sujet ou vous déformerez les objets comme le pratiquait Salvador Dalí dans ses peintures. Le résultat est saisissant.

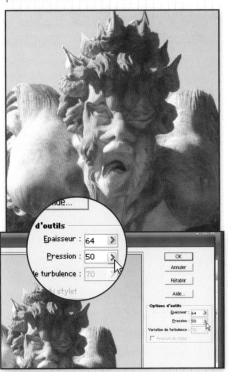

Effets spéciaux à profusion
Découvrez les formidables possibilités offertes par les filtres et les effets

Photoshop Elements propose un très grand nombre d'effets spéciaux. Ils s'appliquent selon la même méthode de correction des tons et des couleurs, qui est expliquée page 310 et 311, mais les filtres affectent l'image de façon plus conséquente.

L'une des possibilités offertes par les filtres tient notamment à la déformation d'objets. Par le réglage de tons et de couleurs, l'image se trouve modifiée sans pour autant présenter une

différence flagrante avec l'original. Seules les couleurs changent, et la composition ou les formes générales des objets restent identiques. En revanche, si vous employez des effets spéciaux, vous pouvez profondément transformer l'image. La plupart des filtres offrent des résultats spectaculaires, comme vous le découvrirez dans les différents projets présentés dans cet ouvrage. Tous les filtres de Photoshop Elements sont organisés dans le menu **Filtre**.

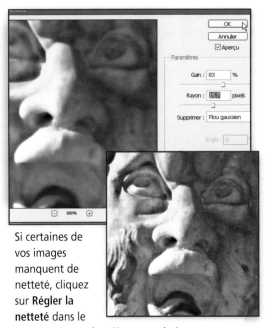

Si certaines de vos images manquent de netteté, cliquez sur **Régler la netteté** dans le menu **Accentuation**. Si vous souhaitez au contraire créer un effet de flou sur votre image, cliquez sur **Flou** dans le menu **Filtre**, et choisissez la fonction adéquate.

Certains filtres permettent de faire ressortir les détails, c'est le cas du filtre **Découpage**, sous **Artistiques**. Il divise les couleurs en surfaces découpées. Vous pouvez définir le nombre de couleurs initiales et déplacer les curseurs pour diminuer ou amplifier l'effet.

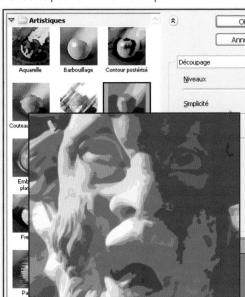

Si vous souhaitez transformer votre statue en un joli dessin réalisé aux pastels, il vous suffit de choisir **Pastels**, sous **Artistiques** dans le menu **Filtre**. Il ne vous reste plus qu'à choisir votre support, comme ici une **Toile**.

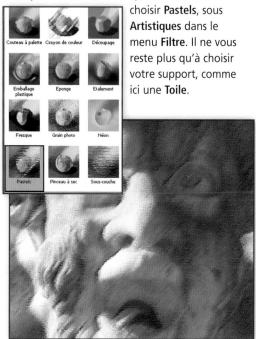

Le Filtre **Sphérisation**, accessible à partir de **Déformation** dans le menu **Filtre**, déforme la totalité de l'image de façon à la contracter ou à la dilater. Ici, nous avons volontairement contracté l'arrière-plan pour faire ressortir le grand visage concave de la statue.

La fonction **Courbe de transfert de dégradé**, sous **Réglages** dans le menu **Filtres**, permet de réaliser une mutation de couleurs. Selon une gamme que vous choisissez, Photoshop Elements modifie toutes les couleurs de la photo concernée. Le résultat peut être très surprenant, voire déconcertant.

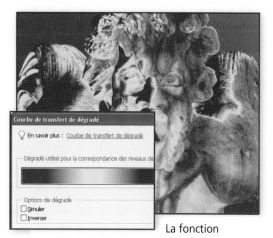

La fonction **Noir/Blanc**, disponible sous **Contours**, permet d'obtenir rapidement une image très stylisée en noir et blanc à partir de votre photo. Le résultat est très graphique.

Si les contrastes sont trop marqués, déplacez les curseurs **Noir** et **Blanc** pour trouver le juste équilibre.

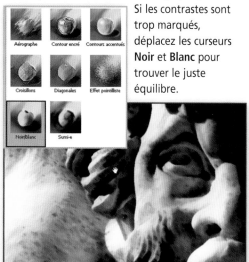

Le Filtre Eclairage

La gestion de l'**Eclairage** dans Photoshop Elements est une option fine et très intéressante. Elle permet tout d'abord

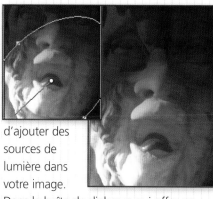

d'ajouter des sources de lumière dans votre image.

Dans la boîte de dialogue qui offre un aperçu, vous trouverez tous les **Styles d'éclairage**. Ensuite, vous pourrez modifier la taille et la direction du faisceau lumineux. Mais ce filtre est également intéressant lorsqu'il est combiné avec une **Texture** pour créer un effet 3D. La texture s'applique alors comme une nouvelle couleur. En affectant une texture à votre image, vous amplifiez certains détails et lui donnez une ambiance particulière.

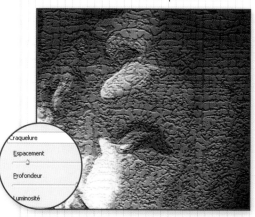

Choisissez les bonnes options

Pour activer l'outil **Pinceau**, cliquez sur son icône dans la barre d'outils ou appuyez sur **B**. Sélectionnez le

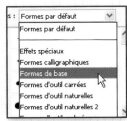

premier des quatre pinceaux proposés dans la barre d'options. Cliquez à nouveau sur **B** pour le sélectionner. À droite, cliquez sur la petite flèche

pour trouver d'autres pinceaux dans la section **Formes**.

Choisissez-en un et définissez sa taille et sa forme. Vous pouvez ajuster son **Epaisseur** grâce à l'option plus à droite. Testez le pinceau sur votre page.

Enfin, le **Mode** permet de définir la manière dont la peinture s'appliquera sur l'image. Choisissez **Normal** pour recouvrir une surface. Mais si vous passez en **Mode Superposition**, par exemple, et que vous réduisiez l'**Opacité**, vous pouvez créer des surfaces dégradées comme celles pratiquées en aquarelle.

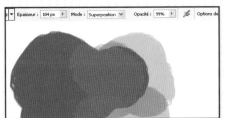

Les outils de votre palette
Explorez les outils de dessin et de peinture de Photoshop Elements

Les logiciels de retouche d'images possèdent des outils nommés « pinceaux », qui ne fonctionnent pas tous de la même façon. Certains offrent la possibilité de travailler comme si vous utilisiez une technique nécessitant l'usage d'un pinceau. D'autres options proposent des techniques aux effets tout à fait surprenants. Que vous souhaitiez créer votre illustration à partir d'une feuille blanche ou d'une image que vous transformerez, l'outil **Pinceau** est incontournable.

Pour vous familiariser avec cet outil, effectuez des essais en employant les options basiques proposées par le logiciel. Vous pouvez ensuite

prolonger votre découverte en testant de nouvelles formes et même créer votre pinceau personnalisé (voir page suivante). Lorsque vous vous sentez plus à l'aise, choisissez une couleur en cliquant sur le **Sélecteur de couleurs** en bas de la barre d'outils. Cliquez sur votre page et maintenez le bouton de la souris appuyé pour dessiner. Vous pouvez annuler vos actions à tout moment en appuyant sur **Ctrl+Z**.

Certains pinceaux sont plus complexes. Le pinceau ci-dessus est un **Crayon à la cire épais**, proposé dans les **Pinceaux à sec**, avec une **Variation de teinte** poussée de façon à ce que les couleurs varient continuellement entre les couleurs de premier et d'arrière-plan.

Parmi les différents pinceaux proposés, les **Formes calligraphiques** sont relativement simples à utiliser puisqu'elles agissent comme le montre la barre d'options. Ces pinceaux simulent l'ancienne méthode d'écriture calligraphique à la plume. Vous ferez des merveilles avec une tablette graphique.

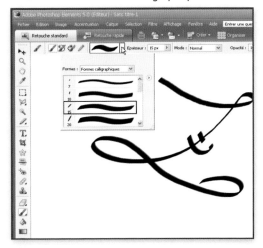

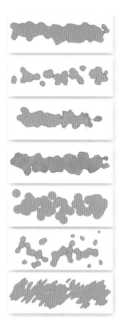

Autres options dans la barre d'options permet de personnaliser les propriétés du pinceau. Les exemples ci-contre sont le résultat d'un dessin de tracé d'une ligne horizontale réalisé avec le même pinceau. Chaque propriété a été altérée une à une : **Estomper, Variation de la teinte, Diffusion, Pas, Dureté** et **Angle**.

Palettes graphiques

Une palette graphique permet de dessiner et de peindre de la manière la plus naturelle. Il s'agit d'une tablette en plastique qui se branche sur le PC et qui propose d'utiliser un stylet à la place de la souris. Le stylet ne laisse pas de trace sur la tablette, mais agit directement à l'écran. Vous dessinez comme sur une feuille, de façon plus intuitive. Un logiciel spécifique permet de tenir compte de la pression sur le stylet, pour épaissir votre trait à volonté.

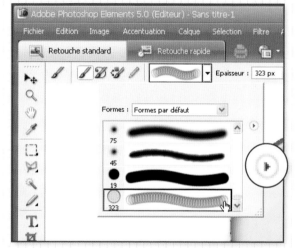

Créez un pinceau personnalisé

Vous pouvez créer un pinceau personnalisé à partir de n'importe quelle image. La méthode consiste à définir une sélection à partir d'une photo ou à dessiner une forme et à lui appliquer une texture. Veillez à **Aplatir le calque** dans le menu **Calque**. Ensuite, cliquez sur **Définir une forme** dans le menu **Edition**.

Dans notre exemple, nous sommes partis d'un dessin créé avec la palette **Illustrations et effets** (voir page 315). Après avoir aplati le calque, choisissez **Définir une forme** dans le menu **Edition**. Dans la boîte de dialogue qui s'ouvre, nommez votre pinceau. Il s'ajoute alors dans la liste des pinceaux disponibles dans la barre d'options.

Peindre avec votre pinceau

Cliquez sur votre pinceau à la fin de la liste. Cliquez ensuite sur la petite flèche et choisissez **Enregistrer la forme** dans le menu déroulant. Cliquez sur la page pour dessiner. Vous aurez certainement besoin d'**Autres options**, à droite dans la barre d'options, pour paramétrer les propriétés du pinceau. Ainsi, si l'utilisation du pinceau est trop laborieuse, modifiez la **Diffusion** et/ou le **Pas**.

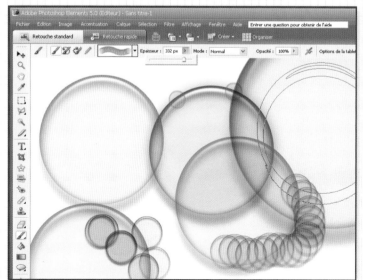

Photomontages
Transformez vos images grâce au « découpage » et au clonage

Sélectionnez des objets

Dans Photoshop Elements, comme dans la plupart des logiciels de retouche, vous trouverez des outils de sélection. Les plus simples sont les outils **Rectangle de sélection** et **Ellipse de sélection**. Il suffit de cliquer sur l'image et de dessiner la forme.

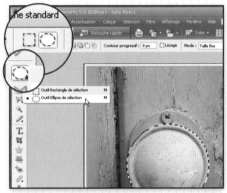

L'outil **Lasso** vous permet de dessiner plus finement autour d'un objet. L'option **Lasso polygonal** permet de tracer une série de petits segments de façon à suivre le contour de l'objet.

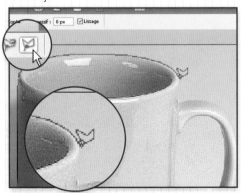

Si vous souhaitez sélectionner une zone de la même couleur, cliquez dans la zone avec l'outil **Baguette magique** pour la sélectionner entièrement. Une option de **Tolérance** agit sur le type de sélection.

Cochez l'option **Pixels contigus** pour une zone simple. Décochez cette option dès que vous travaillez avec des zones de couleurs similaires.

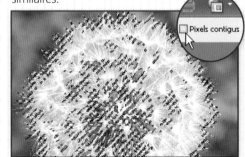

Les sélections ainsi créées s'ajouteront sur des calques séparés. Mais si vous cliquez sur la touche **Maj** lors de la sélection, la nouvelle zone sélectionnée s'ajoutera à celle déjà existante.

La retouche d'images sur votre PC fournit des possibilités illimitées de création. Vous pouvez déplacer les personnes dans une scène, effacer des objets ou créer des univers fantastiques.

Rien ne serait possible sans les outils de sélection et de clonage. Lorsque vous effectuez une sélection, une ligne scintillante apparaît, comme un découpage aux ciseaux. Vous pouvez alors copier et coller un objet dans une autre photo grâce aux options **Copier** et **Coller** du menu **Edition**. Il existe plusieurs méthodes de sélection, qui vous permettent d'ajouter ou de supprimer des éléments et de réaliser ainsi votre propre composition.

Lorsqu'une sélection est active, toutes les modifications n'affecteront que cette zone de l'image. Si vous ajustez la lumière ou que vous appliquez un effet, tout ce qui se trouve en dehors de la sélection ne sera pas affecté. Pour modifier l'image en entier, désélectionnez tout à partir du menu **Sélection**. Vous pouvez

Les zones sélectionnées sont entourées d'un contour scintillant. Ici, l'arrière-plan est sélectionné à l'aide de la **Baguette magique**. Pour ajouter des zones de couleurs différentes à cette sélection, maintenez la touche **Maj** enfoncée lors des sélections multiples.

également **Intervertir** une sélection à partir du même menu.

Pensez néanmoins au fait que tout élément supprimé de votre image créé un « trou ». L'outil de clonage prend alors tout son sens, car il vous autorise à remplir une partie de l'image avec des éléments supplémentaires, comme un morceau de ciel ou un bouton manquant sur une veste par exemple.

Une fois qu'une zone est sélectionnée, vous pouvez la modifier à volonté sans affecter le reste de l'image. Ici, l'arrière-plan a été remplacé par une autre photo à l'aide de la commande **Coller** du menu **Edition**.

Le **Tampon de duplication** copie une zone de l'image sur une autre zone. Cliquez une fois sur la zone à dupliquer et copiez-la où vous le souhaitez. Ici, la sélection principale est restée active de façon à la protéger, alors que l'arrière-plan contient maintenant des copies clonées.

Utilisez le Tampon de duplication

Imaginez un pinceau qui récupère des parties de l'image et qui les copie là où vous le souhaitez. Le point de référence, que vous avez défini en cliquant sur une zone, est ainsi copié autant de fois que vous appliquez votre pinceau. Commencez par maintenir

la touche **Alt** enfoncée pour sélectionner le point de référence. Relâchez le bouton de la souris et cliquez à l'endroit où vous souhaitez copier la zone. Si vous continuez à peindre, en cliquant et en déplaçant le curseur, la zone autour de la sélection continue d'apparaître sur l'image.

Ici le palais a été modifié en clonant la partie gauche du bâtiment afin de recouvrir la tour. Le point de référence est resté au-dessus des deux arches. Le clonage

commence au début du bâtiment à gauche et continue jusqu'à l'extrémité de l'image.

Vous pouvez employer les modes de **Fusion** associés au **Tampon de duplication**. Dans l'image ci-dessous, la fleur a été clonée en **Mode Eclaircir** pour remplacer l'arrière-plan.

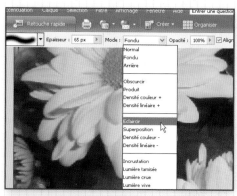

Numérisez tous azimuts
Servez-vous de votre numériseur comme outil de création

Votre appareil photo numérique vous permet de photographier tout ce que bon vous semble, à l'exception de documents déjà imprimés, telles les pages d'un livre ou celles de l'herbier de vos enfants. En outre, vous possédez certainement des albums de photos argentiques dont vous aimeriez récupérer le contenu sur votre PC. Le numériseur permet de réaliser ces tâches.

Vous pouvez acheter un numériseur (scanner) ou un périphérique multifonctions qui imprime, numérise, voire télécopie. Chaque numériseur est livré avec un programme qui s'intègre en général aux autres programmes Windows. Cela sous-entend qu'une commande dédiée à votre numériseur pourra être ajoutée à votre éditeur graphique tel que Photoshop Elements. D'autres programmes livrés avec le numériseur permettent de réaliser de la lecture optique, également appelée reconnaissance de caractères, qui

convertit un texte imprimé en un document modifiable dans un traitement de texte.

Un numériseur « à plat » fonctionne comme une photocopieuse. Vous disposez un document sur la surface vitrée et refermez le couvercle. Lorsque vous démarrez la numérisation, la « tête de lecture » balaie le document d'une extrémité à l'autre. Une image est alors constituée et envoyée au PC. Cette image peut être gérée comme n'importe quelle photo numérique.

Nombre de numériseurs autorisent la numérisation de documents « transparents » : pellicules, diapositives. Les pellicules 35 mm sont des films de petite taille, votre numériseur devra donc travailler à une résolution très élevée pour que l'image soit correctement restituée. Les numériseurs pour les films offrent invariablement de meilleurs résultats, mais ils sont plus coûteux.

Ne vous cantonnez pas à la numérisation de documents imprimés. Considérez votre numériseur comme un appareil photo numérique et vous en tirerez un plus grand profit. Vous pouvez ainsi numériser des objets en trois dimensions, comme cela est expliqué dans l'exercice présenté ici. Ne tentez pas de numériser votre visage, la lumière du rayon pouvant être nocive pour les yeux.

⬤ Entretenez votre numériseur

Tout ce qui est présent sur la surface vitrée apparaît dans le fichier numérisé, y compris les cheveux ou les poussières. Pensez donc à dépoussiérer soigneusement votre numériseur à l'aide d'un chiffon doux. Il en va de même pour les objets que vous numérisez : nettoyez-les au préalable pour éviter que des éléments gênants ne viennent perturber la qualité de votre image. Vous pourrez aussi nettoyer l'image en employant les outils appropriés de Photoshop Elements.

Numérisez des objets

1 Démarrez Photoshop Elements et choisissez **Retoucher et corriger les photos**. Ouvrez le menu **Fichier** et cliquez sur **Importation**. Choisissez votre numériseur dans la liste qui s'affiche. Le logiciel correspondant s'ouvre. Par défaut, le paramétrage automatique est activé. Disposez sur la surface vitrée du numériseur l'objet que vous souhaitez scanner.

L'ESSENTIEL

● Optez pour la meilleure résolution

300 dpi constituent la meilleure résolution pour une image à imprimer. Si vous avez l'intention d'imprimer un document numérisé à la même échelle que l'original, vous devrez donc le numériser à 300 dpi. Si vous souhaitez l'agrandir à l'impression, vous devrez opter pour une résolution plus élevée, 600 dpi, par exemple, si vous comptez l'imprimer à deux fois sa taille originelle. Cela étant, la plupart des logiciels automatisent ce calcul et vous vous contenterez de déterminer la taille du document imprimé.

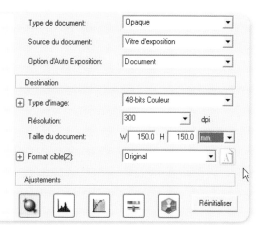

● Modes de numérisation

Le paramétrage du scanner dépend du document à numériser. Vous choisirez la numérisation en couleur d'une photo et opterez pour le niveau de gris s'il s'agit d'une coupure de journal par exemple. Utilisez le mode **Transparent** si vous numérisez une diapositive. Enfin, faites confiance au mode **Automatique** et laissez le logiciel optimiser les couleurs, la lumière ou le contraste. Il existe également un mode de détramage qui améliore la qualité de numérisation d'un document imprimé.

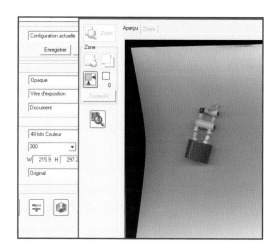

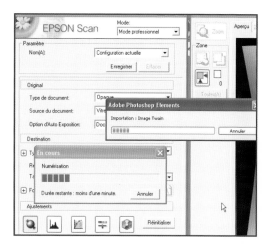

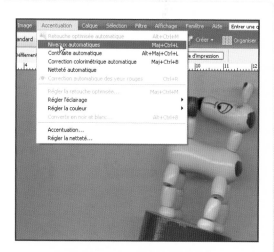

Disposez les objets

2 Posez délicatement les objets sur la vitre du numériseur. Évitez ceux en métal ou en pierre, qui risquent de rayer la vitre. Vous ne serez pas en mesure de refermer le couvercle une fois les objets disposés, mais vous pourrez ajouter un arrière-plan retenant la lumière. Dans cet exemple, nous utilisons une feuille. Cliquez sur le bouton **Aperçu** pour juger de la disposition des objets.

Ajustez les paramètres

3 Assurez-vous que les paramètres du numériseur sont en adéquation avec vos attentes. Vérifiez notamment que la numérisation s'effectuera en couleur et que la résolution est correcte. Dans la fenêtre de prévisualisation, sélectionnez la section à numériser en cliquant et en glissant le curseur de la souris. Une fois que tout est prêt, cliquez sur le bouton **Numériser**.

Modifiez et enregistrez l'image

4 L'image numérisée apparaît dans Photoshop Elements. Fermez la fenêtre du logiciel de numérisation. Corrigez l'image à l'aide des outils de Photoshop Elements. Employez notamment **Niveaux automatiques** dans le menu **Accentuation** afin de régler la luminosité et le contraste. Ouvrez le menu **Fichier** et enregistrez l'image numérisée. Optez pour le format **JPEG** et préférez la meilleure qualité.

Votre bibliothèque d'images
Organisez vos images avec le gestionnaire de Google : Picasa

Réglages rapides

Picasa propose de nombreux effets et réglages que vous appliquerez facilement à vos photographies. Ouvrez le **Centre de**

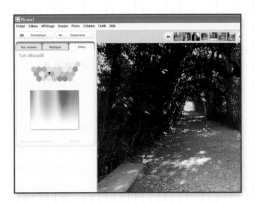

retouches dans le menu **Affichage** et sélectionnez une image. Cliquez sur l'onglet **Effets** et appliquez l'effet recherché.

Pour effectuer des modifications plus importantes, affichez une image et cliquez sur l'onglet **Réglages**. Déplacez les curseurs relatifs à la lumière et au contraste pour améliorer votre image.

Certaines images sont mal composées. Grâce à l'outil **Recadrer**, sous l'onglet **Ret.simples**, vous sélectionnerez une partie de l'image pour recentrer le sujet. La zone autour de votre sélection disparaîtra lorsque vous cliquerez sur **Appliquer**.

Vous avez également la possibilité de créer une ambiance particulière en utilisant l'option **Ton dégradé** sous l'onglet **Effets**. Ici, la forêt prend une teinte lui conférant une ambiance magique.

Grâce aux appareils numériques, les ordinateurs ont remplacé les laboratoires photographiques. Mais les images que vous importez ont souvent des noms très particuliers du type DSC01557.JPG, ce qui les rend très difficiles à retrouver.

Picasa, que vous téléchargerez sur http://picasa.google.ca, permet d'organiser toutes vos images en les triant par dates. Vous les visualisez ainsi plus rapidement. Elles sont disposées dans des dossiers dont vous pouvez faire varier le contenu. Vous les affichez dans une visionneuse et pouvez aisément les imprimer. Picasa les redimensionne automatiquement pour que vous puissiez les

Autres gestionnaires d'images

Adobe Photoshop Album, www.adobe.com/fr/products/photoshopalbum/starter.html, présente de nombreuses similitudes avec Picasa et il est également gratuit. Vous pouvez aussi opter pour Irfanview, www.irfanview.com, qui occupe moins d'espace sur le disque. L'Explorateur Windows propose quant à lui des fonctions basiques de gestion d'images, qui vous suffiront peut-être et vous éviteront d'aller chercher un autre programme puisque vous avez celui-ci sous la main.

envoyer par courriel et crée un espace Web pour les afficher. Les options avancées vous autorisent à créer des photomontages, des planches contact, des affiches et même à composer des diaporamas sur CD.

Picasa permet de renommer un groupe d'images et possède un véritable outil de recherche. Les nouvelles images sont importées automatiquement dans le Catalogue de Picasa à chaque ouverture du logiciel. Picasa n'offre pas la puissance graphique d'Adobe Photoshop, mais reste un excellent outil de retouche. Ainsi, vous recadrerez rapidement vos images, et serez également en mesure de les corriger ou de leur appliquer des effets de couleur, de type sépia, par exemple. Le bouton magique **J'ai de la chance** fera votre bonheur, puisqu'il suffit d'un simple clic pour améliorer automatiquement votre image.

Exportez à partir de Picasa

Une fois que vous avez modifié votre image, vous devez l'exporter pour la conserver telle quelle. Cliquez sur la vignette de votre image puis sur le bouton **Exporter**. Cliquez sur le bouton **Parcourir** pour choisir sa nouvelle localisation et réglez les paramètres la concernant avant de cliquer sur **OK**.

1 Cliquez dans la barre de titres pour ouvrir les menus standards de Picasa.

2 Ces boutons contrôlent quatre fonctions du programme. Importer permet de récupérer les images issues d'un appareil photo ; Diaporama affiche les photos en mode plein écran ; Chronologie propose un carrousel réalisé avec vos photos classées dans l'ordre chronologique ; CD cadeau offre un moyen de copier les photos sur CD.

3 La Recherche permet de retrouver une image en saisissant son nom, son titre ou sa légende.

4 Cliquez sur le bouton Favorites pour retrouver les photos auxquelles vous avez assigné une étoile. Si vous cliquez sur le bouton Vidéos, seules les vidéos seront affichées dans Picasa.

5 Déplacez ce curseur pour atteindre la période qui vous intéresse.

6 Double-cliquez sur une vignette pour l'ouvrir.

7 Employez le Zoom pour ajuster la taille de la photo à la zone d'affichage

8 Ces boutons permettent de transférer les photos vers un album Web, d'envoyer et d'imprimer des images, de commander des tirages en ligne, de publier vos photos dans votre blogue, de créer des montages et d'exporter vos images.

9 Le bouton Etoile permet de sélectionner vos photos favorites alors que les deux autres boutons permettent de faire pivoter les images

10 La Sélection temporaire affiche les images sélectionnées, pour les exporter par exemple.

11 Conserver permet d'ajouter des photos dans la Sélection temporaire, Effacer les supprime et Ajouter à vous fournit un lien vers un album

12 Cette liste recense les dossiers d'images du PC. La mise à jour peut être manuelle ou automatique chaque fois que vous importez des images.

Familles de polices

Les polices de caractères appartiennent à différentes familles. La police habituelle est dite en romain. Elle peut également prendre des apparences variées comme *l'italique*, plus élégant, ou le **gras**, plus épais, pour les titres par exemple. Enfin, si vous combinez les deux styles, vous obtenez une police épaisse et élégante, dite ***gras-italique***.

Une même famille fournit plusieurs variations. Une police « light » est plus fine que la police « romain » alors que la « heavy » est plus grasse. Selon les principes typographiques anciens, chaque police est définie par un corps, c'est-à-dire par une hauteur.

Les polices Windows sont définies par des séries de points, de lignes et de courbes. Elles peuvent être employées dans des tailles différentes sans altération. Le corps d'un caractère se mesure en points. Le corps d'un texte est souvent compris entre 9 et 12 points.

Times Roman
Times Italic
Times Bold

Gill Sans Light
Gill Sans Regular
Gill Sans Ultra Bold

Le Times et le Gill Sans sont couramment employées dans les journaux.

Histoire de caractère
Ou comment exploiter les polices sous Windows

Si les lettres de l'alphabet sont toujours les mêmes, leur apparence peut varier d'un document à l'autre. Un jeu complet de caractères (lettres, nombres et symboles) se nomme police. Les polices sont stockées dans des fichiers et peuvent être employées dans n'importe quel document électronique.

Les polices sont classées en fonction de leur appartenance à des familles avec ou sans « sérif ». Les « sérifs » sont des empattements placés au pied des caractères de façon à les épaissir et à les assoir sur la ligne. Les polices sans sérif en sont donc exemptes. Elles sont plus simples et allègent la lecture de textes longs et denses.

Il existe des polices plus stylisées, qui conviennent davantage à des documents moins traditionnels, à des affiches par exemple. Elles sont plus originales et s'accordent à des univers différents. Certaines sont adaptées aux enfants, d'autres trouvent leur place dans des documents festifs. Il est préférable de les utiliser avec

parcimonie. N'employez jamais plus de trois polices dans un même document.

Certaines polices proposent des séries de symboles, comme Microsoft Wingdings et Webdings, chaque touche de votre clavier correspondant à un symbole basique que vous intégrerez ainsi facilement dans vos textes.

○ Trouvez d'autres polices

Il existe des dizaines de milliers de polices de caractères. Vous trouverez aisément votre bonheur sur le Web. Rendez-vous par exemple chez Adobe, www.adobe.com/fr/type, pour acheter des polices supportées par tous les imprimeurs. Si vous ne voulez pas dépenser d'argent, rendez-vous chez Dafont, www.dafont.com/fr, la banque de polices y est considérable et bon nombre d'entre elles sont gratuites. Cherchez sur les sites anglophones, souvent plus riches.

Installez et supprimez une police

1 Toutes les applications Windows qui font appel à du texte permettent de choisir parmi un certain nombre de polices. Leur nombre et leur nature dépend des polices installées. Windows est livré avec des polices tandis que d'autres sont ajoutées à l'installation de logiciels. Ces fichiers sont stockés dans le dossier **Polices** auquel vous accèderez par le **Panneau de configuration**.

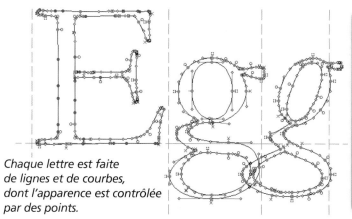

Chaque lettre est faite de lignes et de courbes, dont l'apparence est contrôlée par des points.

Concevez votre propre police

La typographie est une discipline hautement complexe. Cela ne vous empêche pas d'essayer ! FontLab, www.fontlab.com, propose des logiciels (en anglais) qui permettent de créer des polices de caractères, de la manière la plus simple qui soit. Vous pourrez aussi transformer votre signature et l'ajouter à une police. Sur www.fontifier.com, vous pourrez créer des polices manuscrites en ligne, à partir d'un exemple d'écriture préalablement numérisée.

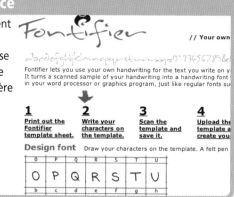

// Your own

Fontifier lets you use your own handwriting for the text you write on y... It turns a scanned sample of your handwriting into a handwriting font ... in your word processor or graphics program, just like regular fonts su...

1 Print out the Fontifier template sheet.

2 Write your characters on the template.

3 Scan the template and save it.

4 Upload the template a... create you...

Design font Draw your characters on the template. A felt pen ...

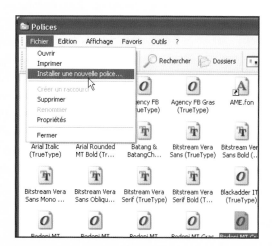

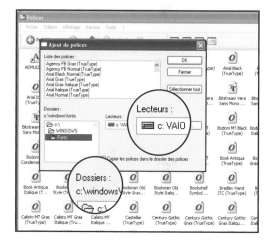

Affichez l'apparence d'une police

2 Chaque fichier est identifié par le nom de la police qu'il contient. Vous constatez que chaque membre d'une famille est enregistré dans un fichier indépendant. Faites un double-clic sur l'un des fichiers pour en afficher la prévisualisation. Une fenêtre apparaît. Elle contient un descriptif de la police et une phrase mise en forme à l'aide de cette dernière. Vous matérialisez ainsi son apparence.

Installez et désinstallez une police

3 Si vous n'avez pas l'usage de certaines polices, mieux vaut les désinstaller. Cliquez sur le fichier concerné et appuyez sur Suppr. Pour désactiver une police, déplacez son fichier du dossier Polices vers n'importe quel autre. Vous pourrez le replacer plus tard. Pour ajouter de nouvelles polices, cliquez sur **Installer une nouvelle police** dans le menu **Fichier**. La boîte correspondante apparaît.

Importez de nouvelles polices

4 Sous **Lecteurs**, choisissez le disque contenant le jeu de polices à installer. Dans **Dossiers**, repérez le dossier contenant les fichiers. La liste des polices contenues par le dossier s'affiche à l'écran. Sélectionnez celles que vous souhaitez ajouter en appuyant sur la touche **Ctrl** pour en retenir plusieurs en même temps. Vous pouvez également cliquer sur **Sélectionner tout** pour récupérer tout le dossier.

Créez des documents élaborés

Tirez profit des fonctions de mise en page de Microsoft Word

Typographie et mise en page

Une page peut contenir différentes natures de texte. Le texte principal, également appelé corps de texte, doit être facile et agréable à lire. Il doit être aéré et scindé en paragraphes. Pensez également à insérer des intertitres, placés entre certains paragraphes, qui synthétisent le contenu des paragraphes suivants. Ces titres sont généralement du même corps que le texte courant et sont simplement « graissés ». Si vos documents contiennent des images, pensez à les légender en les différenciant du texte courant à l'aide de l'italique.

Vous pouvez identifier le début de chaque nouvel article à l'aide d'un titre. Pour conserver sa lisibilité, employez plutôt une police sans sérif. Les titres peuvent être en lettres capitales et employer une couleur différente de celle du texte courant.

Vous pouvez aussi jouer sur l'interlettrage des paragraphes, cela permet d'aérer le texte et de faciliter sa lecture. Sélectionnez le texte et choisissez Polices dans le menu Format. Cliquez sur l'onglet **Espacement des caractères**, définissez l'**Espacement** sur **Condensé** et augmentez la valeur **De** pour réduire davantage l'espace entre les lettres. L'espace entre les caractères individuels s'appelle le crénage. Un exemple vous est présenté ci-dessous.

Pour jouer automatiquement sur l'interlettrage des titres, cliquez sur la case **Crénage** de la boîte **Police** et spécifiez une valeur dans la zone **Points et plus** (voir page 326) légèrement plus élevée que celle du texte courant. Vous devrez parfois intervenir manuellement sur l'interlettrage de deux lettres entre elles, selon leur taille et leur police.

Par le passé, la production d'un journal nécessitait l'emploi d'un équipement spécifique. Aujourd'hui, un PC suffit amplement à la tâche. La Publication Assistée par Ordinateur (PAO) consiste à utiliser un logiciel spécialement conçu à cette fin. Il en existe sur le marché mais tous sont coûteux et complexes. Microsoft Word peut se substituer avantageusement à ces logiciels.

La PAO relève de la combinaison de textes et d'images. Vous commencez toujours par définir les dimensions de la page, celles des marges et le nombre de colonnes. Ces valeurs s'appliqueront normalement à toutes les pages du document, rendant l'ensemble homogène et structuré. Vous pouvez également ajouter de la diversité lorsque vous en ressentez le besoin.

Vous disposerez le texte dans chaque colonne, ajouterez les titres, les images et autres éléments graphiques. Chaque objet est inséré dans un bloc qui permet son déplacement et son redimensionnement. Le bloc lui-même peut être mis en forme à l'aide d'une bordure ou d'un ombré, par exemple.

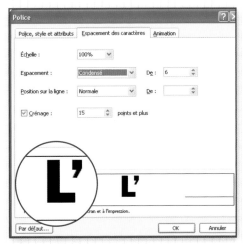

◉ Logiciels dédiés

Les programmes de PAO offrent davantage de précision. Microsoft Publisher, qui fait partie de la suite Office, offre des fonctions proches de celles des outils professionnels. Ceux-là sont cependant incontestablement plus puissants et mettent à votre disposition toutes les fonctions créatives imaginables. C'est le cas de Quark Xpress ou d'Adobe InDesign, tous deux reconnus dans le monde entier par tous les professionnels de l'édition.

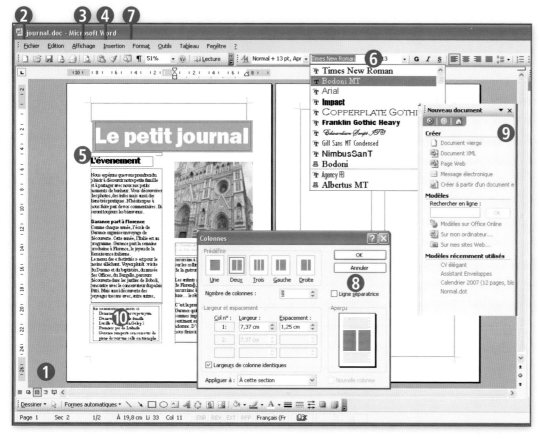

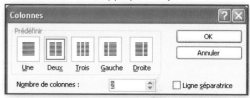

8 La boîte Colonnes, accessibles dans le menu Format, vous permet de déterminer le nombre de colonnes par page, de définir leur largeur et l'espace qui les sépare. Vous n'êtes pas obligé de définir des colonnes identiques. Vous pouvez, par exemple, créer un titre qui s'étend sur la largeur de la page, appuyer sur la touche Entrée, ouvrir la boîte Colonnes, définir un nombre de colonnes et choisir A partir de ce point dans la liste Appliquer à. Les colonnes ne s'appliqueront pas au titre.

9 Ce volet apparaît lorsque vous choisissez Nouveau dans le menu Fichier. Parcourez les options proposées par la section Modèles.

10 Pour changer l'apparence d'une boîte, faites un clic droit dessus et choisissez la commande Format dans le menu qui apparaît.

1 La fenêtre principale de Word affiche votre document. Les blocs de la mise en page sont entourés de lignes en pointillés.

2 Utilisez l'Aperçu avant impression du menu Fichier pour voir le document tel qu'il apparaîtra à l'impression, sans les lignes en pointillés.

3 Lorsque vous mettez en page un document, passez en mode d'affichage Page. Vous aurez une idée plus précise de l'aspect général du document.

4 Servez-vous des commandes du menu Insertion pour ajouter des images ou des zones de texte dans le document.

5 Pour créer un titre, saisissez-le au début du texte puis sélectionnez-le avant de choisir Zone de texte dans le menu Insertion.

6 Après avoir sélectionné le texte concerné par la mise en forme, servez-vous des fonctions vous permettant de changer la police et le corps.

7 Utilisez les commandes du menu Format pour contrôler l'aspect du texte. Choisissez par exemple Paragraphe pour intervenir sur l'espace entre les lignes. Optez pour la commande Police pour modifier la couleur ou le crénage du texte.

Tirez profit du Lecteur Media

Transformez votre PC en une machine à chanter et à danser

Le PC est une véritable machine multimédia. Il délivre une qualité sonore digne de celle du CD et lit des vidéos comme sur un téléviseur.

Pour profiter pleinement de la richesse multimédia, vous devrez employer un lecteur. Il s'agit d'un programme qui vous aide à trouver, stocker, organiser et lire de la musique et des vidéos. Dans un monde parfait, un seul lecteur devrait suffire à gérer la plupart des formats de fichiers multimédia. La diversité des standards concurrents vous invitera cependant à faire appel à différents logiciels.

Commencez par celui qui est livré avec Windows XP, le Lecteur Windows Media. Il est puissant, multifonctions et gratuit. Il permet de créer des copies numériques de vos CD et de les transférer vers votre baladeur numérique

qu'il s'agisse d'un iPod, d'un PC de poche ou d'un téléphone cellulaire. Vous pouvez aussi l'utiliser pour rechercher et acheter de la musique sur Internet. Vous pouvez créer une bibliothèque qui vous facilitera l'accès aux morceaux et qui présentera la couverture des albums, des informations sur l'artiste ou encore la date d'enregistrement des titres.

Le Lecteur Windows Media supporte différents formats de fichiers son et vidéo. Si vous ouvrez un fichier qui ne peut être lu, vous pourrez toujours télécharger un module complémentaire, un codec, qui permettra au lecteur de comprendre ce nouveau format. Dans la plupart des cas, le Lecteur Windows Media permet de télécharger et d'installer automatiquement la mise à jour dont il a besoin

pour lire des fichiers de nature inconnue. Seuls les formats propriétaires, tels que l'Apple QuickTime, font exception à la règle. Le QuickTime est très répandu dans l'univers Mac et sur les sites Web qui proposent

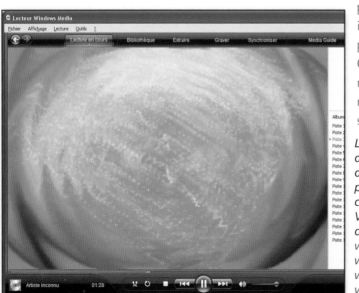

Le Lecteur Media vous permet d'associer l'image au son et d'illustrer votre musique préférée à l'aide d'animations colorées et dynamiques. Vous pouvez télécharger d'autres modèles sur le Web, www.wmplugins.com et www.microsoft.com/windows/windowsmedia/player/visualizations.aspx.

Autres lecteurs multimédia

Il existe des douzaines de lecteurs multimédia que vous pourrez télécharger sur Internet. iTunes est le plus connu de tous (www.apple.com/ca/itunes). Adapté à l'iPod, il fonctionne selon les mêmes principes que le Lecteur Windows Media. Winamp, www.winamp.com, est également très réputé. Sa qualité sonore fit ses lettres de noblesse. Citons enfin RealPlayer, www.realplayer.com, et Apple QuickTime, www.apple.ca/quicktime, qui permettent de lire de nombreux formats son et vidéo.

de télécharger ou de lire des bandes-annonces de films par exemple. C'est également le cas du format RealAudio, largement employé sur Internet pour écouter la radio ou regarder la télévision. Dans ce cas, vous serez contraint de télécharger le lecteur multimédia approprié. Là encore, ils sont gratuits et très simples d'emploi.

Téléchargez des interfaces graphiques adaptées au Lecteur Windows Media sur www.microsoft.com/windows/windowsmedia/mp10/getmore/skins.aspx.

Achetez de la musique

La manière la plus simple d'acheter de la musique sur Internet consiste à passer par le Lecteur Windows Media. Cliquez sur le bouton **Media Guide** et vous accéderez à un véritable disquaire en ligne.

compilations, leur donner un nom et y déposer les titres par simple glissé de souris.

11 Si vous connectez un baladeur numérique de type iPod, cliquez sur Synchroniser pour transférer les chansons du lecteur vers le baladeur. Cliquez sur la flèche située sous l'onglet Synchroniser pour sélectionner les titres à transférer.

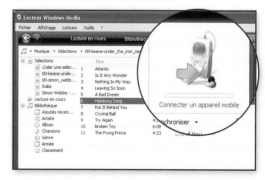

1 Le fait de cliquer sur un onglet modifie le contenu de la fenêtre principale du Lecteur Windows Media. Ici, la Bibliothèque est affichée. Sur la droite apparaît la sélection musicale en cours d'écoute, le détail de l'album ou du titre au milieu et sur la droite les rubriques qui permettent d'organiser la bibliothèque.

2 Ces boutons de contrôle permettent de lire un titre, de l'arrêter ou de changer de piste.

3 Glissez ce curseur pour régler le volume d'écoute.

4 La liste Lecture en cours affiche les pistes de la sélection musicale en cours d'écoute.

5 Cliquez ici pour vous rendre sur un site marchand référencé par le Lecteur.

6 Vous pouvez rechercher des morceaux ou des artistes de votre bibliothèque en saisissant leur nom dans cette zone.

7 Cette fenêtre centrale présente le nom des pistes, de l'artiste et de l'album.

8 Vous pouvez accéder aux stations de radio par Internet grâce à ce lien.

9 Lorsque vous cliquez sur ce bouton, le logiciel grave sur un CD vierge la sélection musicale de votre choix. Vous devrez pour cela disposer d'un graveur de CD ou de DVD.

10 Le logiciel trie automatiquement la musique en catégories, par genres ou compositeurs par exemple. Vous pouvez créer vos propres

Typologie des sons sur PC

Le son sur PC peut être scindé en deux familles : l'audio numérique et le MIDI (Musical Instrument Digital Interface). L'audio numérique est créé chaque fois que vous enregistrez votre voix ou un instrument. Le format WAV est le plus courant sur PC, bien qu'il soit le plus gourmand en espace disque : une minute d'un son de qualité CD occupe 10 Mo. Les fichiers MP3 et WMA (Windows Media Audio) font également partie de l'audio numérique, mais sont compressés pour occuper moins d'espace : quatre minutes d'une chanson MP3 occupent environ 4 Mo. Cette compression permet le stockage de musique sur des baladeurs de type iPod. Le Lecteur Windows Media permet de choisir le mode de compression lorsque vous importez des pistes d'un CD audio. La perte liée à cette compression est quasiment inaudible.

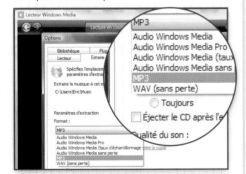

Les fichiers MIDI contiennent des instructions qui pilotent des instruments MIDI tels qu'un synthétiseur ou une carte son. Ces fichiers sont beaucoup plus petits que les précédents.

Optimisez votre PC
Transformez votre PC en un studio d'enregistrement numérique

Un PC multimédia standard se contente de jouer le contenu d'un CD ou d'un DVD. Vous pouvez aussi vous en servir pour enregistrer et jouer n'importe quel enregistrement, depuis votre voix jusqu'aux compositions les plus élaborées.

Pour les enregistrements simples (voix, piano ou guitare), un micro connecté à la sortie de la

carte son suffit. Ouvrez le Magnétophone de Windows en cliquant sur **Démarrer**, **Tous les programmes**, **Accessoires**, **Divertissement** et **Magnétophone**. Cliquez sur le bouton **Enregistrer** pour démarrer l'opération.

Un orchestre sous le capot

Votre PC peut également produire lui-même des sons reproduisant ceux de n'importe quel instrument de musique. Vous trouverez sur le Web des logiciels gratuits qui permettent de composer de la musique au format MIDI. C'est le cas, par exemple, de Piano Virtuel Midi, http://www.01net.com/telecharger/windows/loisirs/musique/fiches/36729.html. Vous pouvez

aussi acheter des programmes plus complets mais aussi plus complexes, tels que Cubase, www.steinberg.fr, qui vous permettent de mixer de vrais instruments avec des sons électroniques (générés par la carte son ou un instrument connecté). Vous pourrez intervenir et modifier les pistes comme le font les vrais studios d'enregistrement, ajouter des effets spéciaux et donner à l'ensemble un caractère professionnel.

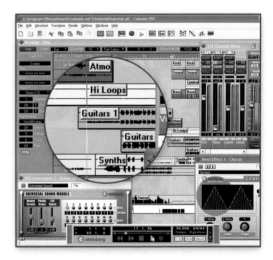

⬤ Téléchargez des sons

Visitez le site www.samplenet.co.uk sur lequel vous trouverez des centaines de sons, des percussions, des guitares, des orchestres et même des voix. Pour des sons plus amusants, rendez-vous sur www.01wave.com. Essayez aussi www.looperman.com. Enfin, promenez-vous sur http://fr.midipedia.net/fichiers_midi pour télécharger des fichiers MIDI.

À quoi sert une carte son ?

Tous les sons de l'ordinateur sont générés par sa carte son (du simple bip aux jingles de Windows, en passant par la lecture des pistes d'un CD audio). Une carte son dispose également de son propre synthétiseur capable de reproduire tous les sons d'un orchestre. Certaines cartes sont intégrées directement à la carte mère de la machine. Des systèmes plus complexes se présentent sous la forme de boîtiers externes équipés de plusieurs prises pour le branchement de nombreux périphériques : micro, table de mixage, haut-parleurs.

Quelques logiciels

Audacity est un excellent choix, d'autant qu'il est gratuit ! Téléchargez-le sur le site http:// audacity.sourceforge.net. Si vous souhaitez créer des compositions musicales à partir d'échantillons existants, enregistrés dans des conditions professionnelles, rendez-vous sur www.sonymediasoftware.com/download/freestuff.asp. Vous pourrez télécharger une copie gratuite d'ACID Xpress. Vous trouverez également des logiciels peu onéreux qui offrent davantage de puissance.

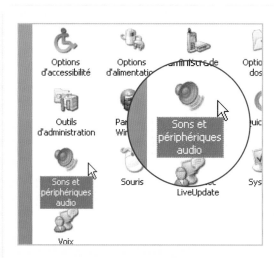

Modifiez les jingles de Windows

1 La plupart des sons de Windows peuvent être modifiés, le jingle de démarrage, par exemple. Cliquez sur le bouton **Démarrer** et choisissez **Panneau de configuration**. Si l'écran qui s'affiche ne ressemble pas à celui présenté ici, cliquez sur **Basculer vers l'affichage classique**. Sélectionnez l'icône **Sons et périphériques audio** et faites un double-clic dessus.

Affichez la liste des actions

2 Dans la boîte de dialogue qui s'ouvre, cliquez sur l'onglet **Sons**. La liste des actions Windows apparaît. Une icône en forme de haut-parleur indique les sons associés à ces actions. Déroulez la liste jusqu'à **Démarrage Windows**. **Windows XP Démarrage** est inscrit dans la liste **Sons**. Cliquez sur le bouton **Emettre un son** à gauche de cette liste pour entendre le jingle familier.

Remplacez le son d'ouverture

3 Vous pouvez choisir n'importe quel fichier WAV pour remplacer le jingle. Cliquez pour cela sur le bouton **Parcourir** et repérez le fichier sur votre disque avant de cliquer sur le bouton **OK**. Vous pouvez aussi choisir un autre son dans les modèles Windows. Cliquez sur le bouton **Emettre un son** pour l'écouter. Si le son vous convient, cliquez sur **OK**. Sinon, cliquez sur le bouton **Annuler**.

Technologies et termes utiles
Un guide de référence qui vous aidera à comprendre le jargon informatique

Le vocabulaire de l'informatique et du Net est aujourd'hui si répandu que beaucoup de termes sont passés dans le vocabulaire courant.

Ce glossaire explique les mots le plus fréquemment rencontrés dans cet ouvrage. C'est également un guide de référence des technologies informatiques. Les termes apparaissant en bleu sont expliqués dans le glossaire. Les menus, boutons et raccourcis clavier sont en caractères **gras**, tandis que les adresses Web sont en rouge.

A

ActiveX Fonction propre à certaines pages Web qui ajoute des éléments interactifs, la lecture d'une vidéo ou l'installation de fichiers sur votre PC, par exemple. Par sécurité, Internet Explorer vous demande toujours l'autorisation d'exécuter un contrôle ActiveX avant de le faire.

Actualiser (bouton) Internet Explorer est équipé d'un bouton **Actualiser** qui permet de rafraîchir le contenu d'une page.

Adresse IP Tous les ordinateurs connectés à Internet disposent d'une adresse IP (Internet Protocol) définie par quatre groupes de chiffres, séparés par un point. L'adresse IP de Google, par exemple, est 216.239.39.299.

ADSL *Asymetric Digital Subscriber Line*. Technologie de connexion à Internet en haut débit, supportée par votre ligne téléphonique. Elle permet d'être connecté à Internet tout en profitant de la ligne pour téléphoner.

Analogique Périphérique ou signal qui véhicule ou modifie continuellement une information plutôt que par pas séquentiels comme le fait le numérique. Par exemple, un vieux thermomètre utilisant un tube de mercure est un système analogique, tandis qu'un thermomètre équipé d'un écran à cristaux liquides est numérique. La comparaison fonctionne également avec les syntoniseurs radio ou les montres. Les ordinateurs fonctionnent sur un principe numérique, en convertissant des mots, de la musique et des images en chiffres, de sorte que ces données puissent être reproduites à l'infini, sans altération.

Anticrénelage (anti-aliasing) Technique qui réduit l'apparence crénelée d'un texte ou d'une image lorsque cet objet est agrandi. Windows emploie une forme d'anticrénelage appelée ClearType qui améliore la lisibilité du texte.

Antivirus Logiciel conçu pour détecter et supprimer les virus d'un PC et des courriels entrants.

Des mises à jour régulières sont indispensables pour actualiser la base de connaissances du logiciel et combattre les nouveaux virus.

Appareil photo numérique Appareil qui capture des images lorsque la lumière est dirigée sur la lentille d'un capteur électronique. Cet appareil photo enregistre la couleur de chacun des millions de pixels qui composent l'image numérique. Les images sont stockées sur de petites cartes mémoire plutôt que sur des pellicules. Vous pouvez transférer ces images sur un PC afin de les éditer, puis les supprimer de votre appareil photo, laissant ainsi de la place à de nouvelles images.

Aspect ratio Relation entre la largeur d'une image à l'écran d'un PC et sa hauteur. Un moniteur standard dispose d'un aspect ratio de 4:3, ce qui signifie que sa hauteur correspond aux trois quarts de sa largeur. Cela est vrai aussi bien pour la dimension physique que pour la résolution du moniteur (par exemple, 1024x768). Les écrans larges proposent un aspect ratio de 16:9 (la hauteur correspond à neuf seizièmes de la largeur).

Audio (fichier) Tout son pouvant être stocké et lu sur un PC. Les formats les plus populaires sont le WAV, le WMA et le MP3.

B

Baguette magique Outil d'édition graphique qui sélectionne automatiquement tous les pixels d'une gamme de couleurs spécifique. Très pratique pour réaliser des détourages rapides.

Balado (podcast) Enregistrement sonore chargé sur un site Web. Les visiteurs téléchargent ce fichier balado pour l'écouter sur leur PC ou sur un baladeur de type MP3 ou Apple iPod.

Bande passante Quantité de données que l'on peut envoyer ou recevoir par Internet dans un temps déterminé. Elle s'exprime en bits par seconde (bps). Plus cette valeur est élevée, plus la connexion est rapide.

Bit Il s'agit de la plus petite unité de mesure informatique, contraction de *binary digit*. Un bit peut prendre pour valeur uniquement 0 ou 1. Un octet est une séquence de bits : 1 octet est fait de 8 bits, 1 024 octets équivalent à un kilooctet (Ko), 1 024 Ko à un mégaoctet (Mo), et 1 024 Mo à un gigaoctet (Go).

Bitmap Image composée de petits points : pixels. Si vous l'agrandissez, vous pourrez discerner ces points, qui prendront l'apparence de blocs (voir Points par pouce). Pour produire une grande image bitmap sans perdre en qualité, vous devez vérifier que sa résolution est la plus haute possible. C'est pour cette raison, que l'on trouve fréquemment aujourd'hui des appareils photo offrant une résolution supérieure à 5 millions de pixels (5 mégapixels). Il existe de nombreux formats de fichiers bitmap. Les plus connus sont .BMP, .GIF, .JPG et .TIF.

Blogue Journal que vous stockez sur un site Web et que vous mettez régulièrement à jour. Les blogues peuvent contenir des photos et des liens vers d'autres blogues et d'autres sites. Leur mise en œuvre est généralement gratuite.

BMP Type d'image bitmap qui peut être employé par la plupart des programmes Windows. L'image d'arrière-plan du Bureau est une image de type BMP.

Boîte à outils Boîte contenant tous les outils d'édition d'un éditeur graphique, par exemple. Des boîtes similaires existent dans des programmes tels que Word ou Excel.

Boîte de dialogue Petite fenêtre qui apparaît en accord avec un programme fonctionnant sous Windows, et qui présente des messages et des informations ou affiche des options et des paramètres de configuration. Une boîte de dialogue peut être scindée en plusieurs sections lorsqu'elle comporte un grand nombre d'informations (à l'aide d'onglets, par exemple).

Boucle Petit morceau de musique numérique enregistré de manière à ce qu'il puisse être copié plusieurs fois en une seule et même séquence continue.

Brosse Outil propre à un éditeur d'images et qui vous permet de dessiner à main levée dans la couleur ou la texture choisie. Vous avez généralement le choix parmi une palette de formes, de tailles, de styles et de paramètres de brosses.

C

Calque Les éditeurs graphiques, tels que Photoshop Elements, utilisent des calques pour vous aider à organiser les images complexes. Par exemple, vous pouvez employer un calque pour l'image principale, un second pour le texte et un troisième pour un cadre ou un effet de couleur. Les calques sont comme les feuilles transparentes que l'on utilise en dessin. Chacun peut être édité indépendamment, ce qui permet de modifier une partie de l'image sans toucher aux autres.

Capture Transfert d'une vidéo à partir de votre caméra, par le biais d'un câble, vers votre PC, à l'aide d'un logiciel spécifique de type Windows Movie Maker. Vous pouvez également capturer des images fixes de l'écran du PC en appuyant sur la touche Impr écr.

Carte graphique Circuit imprimé de votre ordinateur qui contient l'électronique et les connexions nécessaires à l'affichage des images sur le moniteur.

Carte son Périphérique connecté à l'intérieur du PC qui génère les sons émanant des jeux, des conversations vocales et des morceaux de musique. Les cartes son peuvent également enregistrer des sons analogiques à partir de différentes sources et les convertir dans un format numérique supporté par le PC.

CD-ROM *Compact Disc Read-Only Memory*. C'est l'équivalent du CD audio pour les données. Le support employé est identique mais la manière dont les informations sont enregistrées est différente. Les données gravées sur un CD-ROM ne peuvent être modifiées, ajoutées ou supprimées, contrairement à celles d'un CD-R ou CD-RW.

Clip Petite section d'une vidéo ou d'un morceau de musique.

Clip art Images et photos « prêtes à l'emploi » qui peuvent être employées dans des documents ou des pages Web. Ils sont vendus sur CD-ROM ou téléchargeables depuis Internet.

CMJN Cyan, Magenta, Jaune, Noir. Il s'agit des couleurs primaires employées en impression afin de publier des magazines, des affiches et n'importe quel type de documents imprimés. La combinaison de ces couleurs dans des proportions variables permet d'obtenir une gamme de couleurs très étendue.

c:100%	c:100% m:100%	c:50% m:100%
m:100%	m:100% j:100%	m:50% j:100%
j:100%	c:100% j:100%	c:100% j:50%
n:100%	n:50%	n:25%

Codec Acronyme de Codeur/ Décodeur. La plupart des vidéos et des sons sur votre PC ou téléchargés à partir d'Internet sont compressés afin d'économiser de l'espace de stockage. Les codecs sont des programmes qui décompressent ces données pour que vous puissiez les lire sur votre PC.

Composition Façon dont les textes, les images et les autres éléments graphiques sont disposés sur une page (lettre, affiche, journal...)

Compression Procédé qui permet de réduire la taille d'un fichier en réorganisant ou en supprimant des informations considérées comme mineures. Les fichiers compressés sont plus rapides à télécharger ou à envoyer en pièces attachées.

Compression avec perte (lossy) Méthode de compression qui élimine les données n'ayant aucune importance, afin de réduire la taille du fichier (image JPEG ou fichier MP3, par exemple). La version compressée contiendra moins de détails, mais la différence sera imperceptible à l'œil ou à l'oreille.

Compression vidéo La plupart des vidéos stockées et lues sur un PC ont été compressées pour occuper moins de place sur le disque. Si vous éditez des vidéos à l'aide d'un logiciel tel que Windows Movie Maker, la version finale sera compressée avant d'être sauvegardée. Vous pouvez choisir le format de fichier et le niveau de compression en fonction de la finalité de la vidéo : lecture sur le PC, DVD ou lecture sur le Web.

Cookie (témoin de connexion ou témoin) Petit fichier texte copié sur votre PC après la visite d'un site Web. En général, il contient les préférences que vous avez définies, telles que votre nom d'utilisateur et vos centres d'intérêt. Par ce biais, le site « se souviendra de vous » à votre prochaine visite.

Correction automatique Fonction que l'on trouve dans des programmes tels que Microsoft Word et Excel, qui corrige et remplace automatiquement les fautes d'orthographe les plus courantes.

Courbe de Bézier Courbe définie par une série de points d'ancrage disposés le long d'un arc. En déplaçant ces points à l'aide de la souris, on modifie la forme de la courbe.

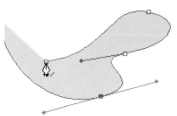

Courriel Message envoyé électroniquement sur le réseau Internet. Vous pouvez envoyer des messages à n'importe quel internaute, dès l'instant où vous connaissez son adresse électronique. Celle-ci prend toujours la forme utilisateur@domaine, où le signe @ sépare le nom de l'utilisateur de celui du compte de messagerie employé. Pour envoyer ou recevoir des courriels, vous devez utiliser un programme tel que Microsoft Outlook Express compris dans Windows. Vous pouvez aussi ouvrir un compte sur une messagerie Web de type Yahoo (www.qc.yahoo.com). Vous exploiterez alors votre navigateur Web pour communiquer.

Crénelage Effet dentelé qui apparaît en bordure d'une forme alors que celle-ci devrait être lisse. Cet effet est dû à la trop faible résolution de l'image.

D

Dessin au trait Image composée en noir et blanc uniquement, sans niveaux de gris.

Diapositive maître Diapositive PowerPoint dans laquelle vous pouvez insérer les informations et les paramètres de mise en forme que vous souhaitez voir apparaître sur toutes les diapositives de la présentation : un titre, une date, le logo d'une société, un lien vers une page Web...

Dissolution Effet visuel utilisé dans les programmes d'édition vidéo et de présentation pour passer délicatement d'une scène ou d'une diapositive à une autre, la première s'effaçant doucement pour laisser place à la seconde.

Distance focale Indication relative à l'angle de vue, ou au facteur d'agrandissement, de la lentille d'un appareil photo. Plus courte est cette distance, plus large sera l'angle de vue. En photographie numérique, la distance focale d'une lentille est mesurée par la distance entre son point moyen optique et la surface du capteur. On l'exprime en mm par analogie avec la photographie argentique. Une lentille 24 mm est considérée comme grand angle, 50 mm correspond à peu près à l'œil humain et, au-delà de 135 mm, on parle de lentille macro.

Duplication Se dit d'une méthode de clonage d'une partie d'une image à un autre endroit de l'image. Cette technique est employée pour retoucher des images, supprimer des éléments indésirables ou créer des effets spéciaux dans une photo.

DVD *Digital Versatile Disc*. Disque qui ressemble à un CD mais qui peut contenir six fois plus de données qu'un CD-ROM.

E

Économiseur d'écran Image ou animation affichée à l'écran lorsque le PC n'est pas utilisé. Certains économiseurs d'écran demandent à l'utilisateur de saisir un mot de passe afin de réactiver le PC.

Écran plat Moniteur d'ordinateur plat qui emploie la technologie LCD (affichage à cristaux liquides) plutôt qu'à tube cathodique (CRT). Les écrans plats occupent moins de place, produisent moins d'émissions et ne déforment pas l'image aux angles de l'écran comme le faisaient les écrans CRT.

Éditeur graphique Logiciel qui permet d'afficher, d'éditer et de manipuler des images, qu'il s'agisse d'illustrations, de photos ou de dessins au trait. Adobe Photoshop Elements et Microsoft Paint sont des exemples d'éditeurs graphiques.

Édition d'image Technique qui emploie un éditeur graphique tel qu'Adobe Photoshop Elements pour modifier une composition, des couleurs et d'autres caractéristiques d'une image électronique, d'un dessin ou d'une photo.

Effet de bandes Dysfonctionnement d'une imprimante lorsque apparaissent des bandes horizontales en travers des pages imprimées plutôt que des dégradés de couleurs.

Égaliseur Dispositif proposé par des logiciels audio qui permet de régler précisément le volume sur les différentes parties du spectre sonore.

Encoder Convertir un fichier numérique, généralement pour le compresser.

Enjolivure (skin) L'aspect de nombreux programmes, y compris celui du Lecteur Windows Media, peut être entièrement modifié par l'emploi de graphismes, de boutons et de menus de remplacement. Des centaines d'enjolivures sont disponibles en téléchargement sur le Web.

En-tête et pied de page Texte qui apparaît en haut et en bas de chaque page d'un document : le nom du document, son auteur, la date de sa dernière modification ou encore le numéro de la page, par exemple. Dans Microsoft Word, la première page est pourvue d'espaces permettant d'accueillir un en-tête et un pied de page. Quelles que soient les informations contenues par ces zones, elles seront reproduites automatiquement sur les autres pages.

Exporter Enregistrer un document ou un fichier (créé dans un programme) dans un format qui lui permet d'être ouvert dans une autre application sans la nécessité d'employer le logiciel originel. Si, par exemple, vous avez enregistré une photo dans Adobe Photoshop Elements et que vous souhaitez l'envoyer à un destinataire qui ne dispose pas de ce logiciel, vous devrez l'exporter en format JPEG, par exemple, susceptible d'être ouvert par n'importe quel navigateur ou éditeur graphique.

Exposition Quantité de lumière absorbée par le capteur électronique qui se trouve dans l'appareil photo numérique lorsque vous prenez une photographie.

F

Favoris Menu du navigateur Web Internet Explorer dans lequel vous stockez le nom des sites que vous visitez fréquemment.

Fichier d'adresses (mailing) Liste d'adresses stockée dans une feuille de calcul ou une base de données qui peut être fusionnée dans une lettre afin d'éviter d'avoir à saisir toutes les adresses des destinataires.

Filigrane Texte ou image qui sont imprimés en arrière-plan du contenu principal d'un document texte.

Filtre Effet visuel (mosaïque, aquarelle, impressionniste...) appliqué à une image pour l'améliorer ou la transformer. Photoshop Elements comprend des douzaines de filtres, chacun disposant d'options paramétrables.

FireWire Connecteur haut débit que l'on trouve sur de nombreux PC.

Particulièrement adapté au transfert de données entre une caméra numérique et un PC, il est également appelé connecteur IEEE 1394.

Flash Logiciel de conception multimédia utilisé pour le Web afin de créer des objets animés.

Formes automatiques Objets graphiques prédéfinis (rectangles, cercles, étoiles, etc.) que vous pouvez ajouter instantanément dans un document texte, une image ou une composition.

Forums (newsgroups) Groupes de discussion établis sur Internet et définis par une thématique spécifique. Après vous être abonné à un groupe de discussion, vous pouvez lire les messages des autres membres et employer votre messagerie électronique pour en écrire.

Fournisseur d'accès Internet (FAI) Société qui offre un accès à Internet de sorte que vous puissiez naviguer sur le Web et envoyer des courriels. Cet accès est généralement payant.

FTP Protocole de transfert de fichiers qui permet de télécharger des fichiers vers et depuis un site Web. Certains programmes FTP, tels que SmartFTP, www.smartftp.com, sont gratuits dans le cadre d'une utilisation non professionnelle.

Fusion Technique utilisée par les éditeurs d'image pour combiner ou fusionner deux images. Cette opération est obtenue par la superposition des images et par le contrôle des zones de transparence et d'autres paramètres qui vous permettront de créer l'image composite.

G

GIF Format d'image particulièrement pratique dans le cadre d'une utilisation sur le Web, d'une part parce qu'il génère des fichiers de petite taille et, d'autre part, parce qu'il supporte les arrière-plans transparents et les animations (voir GIF animé).

GIF animé Fichier contenant une séquence d'images qui, une fois réunies, génèrent une animation. Les animations GIF sont très simples à créer et généralement légères, ce qui les rend parfaitement adaptées à une utilisation sur Internet.

Glisser/Déplacer Opération qui consiste à cliquer sur un objet et à maintenir le bouton gauche de la souris enfoncé, puis à déplacer la souris pour glisser l'objet à un autre endroit de l'écran. Il convient ensuite de relâcher le bouton de la souris pour déposer l'objet.

Go Gigaoctet. Mesure de capacité de stockage équivalant à 1 024 mégaoctets (Mo).

Gravage Procédé d'écriture de données telles que des photos, des documents, de la musique ou des vidéos sur un CD ou un DVD vierge.

Graveur de CD La plupart des PC en sont équipés. Il permet de copier des données telles que la musique ou la vidéo sur des CD enregistrables.

Graveur de DVD Périphérique qui équipe nombre de PC et qui est utilisé pour le gravage de données, de musique ou de vidéos sur un DVD vierge.

Grille La plupart des programmes de conception vous permettent d'afficher une grille de travail qui facilite la disposition et la création des objets. Si, en outre, vous optez pour la fonction d'Alignement sur la grille, les objets seront comme magnétisés et positionnés au plus près des lignes de la grille.

H

Habillage Fonction automatique qui permet de disposer un texte harmonieusement autour d'une image. Microsoft Word inclut plusieurs fonctions d'habillage de texte.

Historique Les navigateurs Web tels qu'Internet Explorer se souviennent des pages que vous avez parcourues et conservent ces informations dans une liste baptisée Historique. Pour revenir sur un site récemment consulté, il vous suffit de cliquer sur son nom dans cette liste.

HTML *HyperText Markup Language*. Série de commandes et de balises permettant la mise en page électronique de documents. Toutes les pages Web sont conçues en HTML. Les logiciels de conception Web, tels que Microsoft FrontPage, vous permettent de disposer les éléments à l'écran sans qu'il soit besoin de programmer, mais, lorsque vous enregistrerez la page au format HTML, celle-ci sera convertie en un ensemble de commandes HTML.

I

Image vectorielle Image faite de courbes et de lignes plutôt que de pixels comme les images bitmaps. Les images vectorielles peuvent être agrandies sans perte de qualité.

Importation Méthode utilisée par un programme Windows afin d'ouvrir un fichier créé dans un autre programme. L'importation d'un fichier n'altère par le fichier original.

Interlettrage Lorsque vous saisissez un texte sur votre PC, les caractères qui composent les mots sont légèrement espacés. Il est parfois nécessaire d'ajuster cet espace. Les titres qui emploient des corps importants réclament souvent l'intervention de l'utilisateur.

Interlignage Distance entre les lignes de texte dans un document. En général, cette valeur est constante dans un même para-graphe mais vous pouvez la modifier ligne par ligne selon les besoins.

Internet Réseau d'ordinateurs et de réseaux interconnectés. Il est utilisé par des millions d'individus et d'organisations qui s'en servent pour héberger leurs sites Web et échanger des messages électroniques et des fichiers.

iTunes Lecteur média créé par Apple, associé aux lecteurs iPod. iTunes propose sensiblement les mêmes fonctions que le Lecteur Windows Media : des listes d'écoute (playlist), un lecteur vidéo, des effets visuels et des fonctions de gravage de CD.

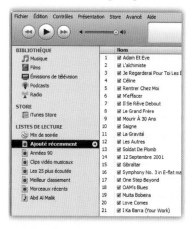

J

JPEG Également baptisé JPG. Format de fichier graphique couramment employé sur Internet. Les photos JPEG occupent peu d'espace et se téléchargent rapidement. La qualité de compression peut être définie précisément (dans la boîte de dialogue Options JPEG) au moment de l'enregistrement. Plus le fichier est compressé, plus le fichier est petit et moindre est sa qualité.

Jukebox Logiciel qui permet de copier, de compresser, de lire et d'organiser des pistes musicales. Musicmatch Jukebox est un logiciel très connu de ce type. Une fois la musique capturée et compressée, généralement en format MP3, le logiciel jukebox propose des fonctions de recherche et d'organisation des morceaux.

L

Large bande (broadband) Connexion Internet haut débit qui supplante la connexion modem analogique. Permet de transférer rapidement des quantités importantes de données en employant la ligne téléphonique, de regarder la télévision ou des vidéos et d'écouter de la musique de qualité CD sur Internet.

Lecteur Média Programme Microsoft compris dans Windows XP

qui permet de lire de la musique, de la vidéo et d'écouter la radio Internet. Vous pouvez aussi acheter de la musique en ligne, graver des CD, créer des playlists et copier ces pistes sur un baladeur MP3 ou un téléphone mobile, par exemple.

Lecture audio en transit (streaming) Plutôt que de télécharger un fichier son sur votre PC pour ensuite le lire depuis le disque dur, certains sites Web utilisent le mode streaming, dans lequel le fichier audio est stocké sur un serveur et joué en direct sur Internet.

Légende Dans les graphiques d'un tableur, les légendes expliquent ce à quoi correspondent les formes ou les couleurs représentant des séries de données.

Lettrine Lettre imposante disposée au début d'un paragraphe et qui occupe plusieurs lignes.

L vocabulaire de l'info beaucoup de termes s explique les mots le p également un guide de réfé apparaissant en bleu sont e raccourcis clavier sont en c rouge.

Lien hypertexte Texte ou image disposés dans une page Web, sur lesquels on peut cliquer pour accéder à une autre section de la

page, à une page du même site ou à la page d'un autre site. Les mots ou les phrases considérés comme des liens hypertextes sont généralement soulignés en bleu pour les distinguer des autres textes. Des liens de cette nature peuvent être créés dans d'autres types de programmes, y compris Word, Excel ou PowerPoint.

Liste d'écoute (playlist) Liste personnalisée de morceaux de musique ou de vidéos. Les listes d'écoute sont utilisées dans les programmes tels que le Lecteur Windows Media et Apple iTunes, comme sur des baladeurs de type iPod. Vous pouvez créer une liste d'écoute en sélectionnant des pistes individuellement ou en laissant le Lecteur Windows Media s'en charger automatiquement à partir de critères que vous définissez.

M

Marque de sélection Ligne en pointillés qui apparaît autour d'une sélection dans un éditeur graphique. Ce peut être un rectangle régulier ou une forme dessinée à main levée à l'aide de la baguette magique, par exemple.

Matriçage (mastering) En production musicale, opération consistant à créer la version finale d'un mixage audio, qui peut ensuite être dupliquée sur un CD vierge.

Mégapixel Un million de pixels. Unité utilisée par les appareils photo numériques pour décrire la résolution. Plus cette valeur sera élevée, meilleure sera la qualité des photos.

Mélangeur (mixer) Périphérique utilisé en musique pour ajuster et mixer des sons émanant de sources différentes et pour équilibrer les différentes pistes d'un morceau de musique. Les logiciels tels que Cubasis comprennent un mélangeur qui permet de réaliser ces opérations à l'aide de la souris, par simple déplacement des objets.

Messagerie instantanée
Conversation menée en temps réel sur Internet, entre deux ou plusieurs personnes, à l'aide d'un logiciel tel que Windows Live Messenger. Les messages de cette nature peuvent également inclure des photos, des animations et même des vidéos.

MIDI Acronyme de *Musical Instrument Digital Interface*. Les PC, les synthétiseurs et les cartes son équipés de connecteurs MIDI peuvent envoyer et recevoir des instructions qui indiquent les notes à jouer, les instruments à utiliser et les effets à appliquer. Les fichiers MIDI sont plus petits que les fichiers audio numériques de type WAV ou MP3, plus largement répandu.

Mise à jour La plupart des logiciels sont en perpétuelle évolution et vous devrez télécharger des mises à jour depuis Internet afin d'améliorer leur fonctionnement, d'ajouter de nouvelles fonctions ou de régler des dysfonctionnements. Vous pouvez télécharger des mises à jour de Windows XP.

Mise en page Dans les programmes qui permettent de créer des documents imprimés, cette commande, généralement située dans le menu Fichier, vous permet de définir les options et les paramètres réglant les caractéristiques de la page : marges, en-tête, pied de page, orientation.

Mo Abréviation de mégaoctet, qui mesure la capacité d'un périphérique de stockage. Un Mo est égal à 1 048 576 octets. La mémoire RAM est exprimée en Mo.

Modèle Dans un logiciel de traitement de texte ou de mise en page, un modèle est un fichier

prédéfini contenant des éléments de mise en forme, des graphismes, des blocs texte et image afin de vous aider à créer des documents tels que des mémos, des bulletins et des calendriers. Il vous suffit de saisir le texte dans les zones prévues à cet effet et d'importer des images. Dans un tableur, un modèle contient des formules et des étiquettes de colonnes qu'il vous suffit de personnaliser.

Modem Périphérique qui convertit des signaux électroniques numériques émanant d'un PC en signaux sonores analogiques, qui peuvent être transmis par la ligne téléphonique. Le terme modem est l'acronyme de MODulateur/ DEModulateur. Face au développement du haut débit, le terme est désormais associé au périphérique électronique qui permet de connecter le PC à Internet.

Movie Maker Programme Microsoft intégré à Windows XP, qui vous permet d'éditer des clips vidéo et d'ajouter des titres et des effets spéciaux afin d'obtenir vos propres films.

MP3 Format de stockage de fichiers musicaux qui compresse les données afin de réduire l'espace de stockage dédié. Un fichier MP3 peut également comprendre des informations relatives à l'artiste, à l'album ou aux pistes.

MPEG Méthode de compression et de stockage propre à la vidéo numérique. MPEG-2 est utilisé pour les films DVD, tandis que MPEG-4 compresse suffisamment les données pour leur permettre de transiter par le réseau Internet.

N

Navigateur Programme tel qu'Internet Explorer qui permet d'afficher des pages Web et de surfer sur Internet. On emploie aussi ce terme pour désigner des logiciels comme Picasa, qui permettent de parcourir des bibliothèques d'images stockées sur un PC.

Netiquette Règles non officielles décrivant le comportement à adopter sur Internet. Par exemple, le fait de SAISIR VOS MESSAGES EN LETTRES CAPITALES n'est pas courtois et induit que vous êtes en colère.

Niveaux Valeurs de luminosité, de contraste et de couleur dans les tonalités d'une photo. Dans Photoshop Elements, vous pouvez ajuster manuellement ces niveaux ou les optimiser automatiquement grâce à la commande **Niveaux automatiques**.

Niveaux de gris Image composée de tons sur une échelle de gris. La qualité d'une image de ce type dépend du nombre de strates de gris utilisées (tout comme celle d'une image en couleurs dépend du nombre de strates de rouge, de vert et de bleu).

Nom de domaine Nom unique utilisé pour distinguer un site Web d'un autre. Par exemple, videotron.com et microsoft.com sont des noms de domaine.

Numérique Se réfère aux données (sons, images, vidéos) stockées sous la forme de séries de nombres distincts (système binaire), plutôt que sous la forme d'un signal de forme équivalente à variation continue (analogique). Le son passe de la forme d'ondes analogiques à celle de données numériques, par la mesure de son amplitude à intervalles courts. Quant à l'image, on la stocke sous une forme numérique en la divisant sous la forme d'une grille faite de petits points, et en exprimant la couleur de chaque point par une série de nombres à trois chiffres représentant la quantité de rouge, de vert et de bleu. Une fois les données converties sous une forme

numérique (numérisées), l'ordinateur peut aisément les manipuler puisque les informations sont alors composées uniquement de 0 et de 1, seules valeurs à être comprises par un système informatique.

Numériser Convertir des images, des sons ou des vidéos analogiques (tels que des cassettes VHS), transférer ces fichiers sur un PC et les stocker en format numérique.

Numériseur (scanner) Périphérique qui convertit des photos, des dessins ou des diapositives en données susceptibles d'être gérées par un PC. Le numériseur le plus courant se présente sous la forme d'un périphérique plat équipé d'une plaque de verre, à l'instar d'une photocopieuse. Son format est généralement « lettre ». Un capteur photoélectrique mesure la lumière reflétée et enregistre l'image numérique.

O

OCR Principe de reconnaissance automatique de caractère convertissant un document numérisé

en un fichier texte, qui pourra être ouvert et édité dans un traitement de texte. La plupart des programmes OCR supportent un large spectre de polices de caractères et peuvent convertir des documents à la mise en page complexe en fichiers facilement exploitables.

OpenType Type de polices de caractères reconnu par les PC et les Mac. Ces polices supportent un agrandissement important sans déperdition de qualité. OpenType est une extension du standard Windows appelé TrueType.

P

Page d'accueil Première page qui s'ouvre lorsque vous accédez à un site Web. En général, cette page présente la liste des liens qui permettent de vous rendre à d'autres sections du site.

Palette des couleurs Même si votre PC est en mesure d'afficher des millions de couleurs, toutes les images n'en emploient pas autant. Les couleurs employées dans une image composent la palette de cette image.

Panorama Fonction proposée par les éditeurs graphiques pour réunir une série de photos distinctes afin de créer un panorama. Certains appareils photo comprennent un mode stitch, vous permettant de prendre une séquence de photos

alignées en vue de les recomposer ultérieurement sous la forme d'un panorama.

Pare-feu Logiciel ou matériel qui protège un ordinateur ou un réseau de l'attaque de pirates informatiques sur le réseau Internet notamment.

Paysage Orientation de page inversée : le document se présente dans le sens de la largeur. Voir aussi Portrait.

PDF Type de document qui peut afficher n'importe quelle mise en page telle qu'elle a été conçue, quel que soit le logiciel ou l'ordinateur qui l'a générée. Les manuels d'utilisation des logiciels emploient généralement ce format universel. Pour lire un document PDF (identifié par son extension .pdf), vous devrez disposer du programme Adobe Reader (www.adobe.ca).

Pilote Logiciel qui traduit des instructions depuis Windows sous une forme compréhensible par un périphérique tel qu'une imprimante ou une carte graphique.

Pixel Correspond à un point à l'écran ou sur un document imprimé. Le nombre de pixels d'une ligne horizontale et celui d'une ligne verticale détermine la qualité d'une image. Voir également Résolution.

Plugiciel (plug-in) Petit programme qui fonctionne en accord avec un logiciel afin de lui ajouter des fonctions supplémentaires. Photoshop Elements inclut des plugiciels qui permettent d'appliquer des effets spéciaux sur les images. Bon nombre sont déjà installés avec le logiciel, mais vous pouvez en acheter ou en télécharger d'autres.

Poignées Les poignées disposées aux coins d'une image ou d'un objet graphique servent à le redimensionner ou à le disposer. Cliquez sur une poignée et glissez-la pour changer la taille et les proportions de l'objet.

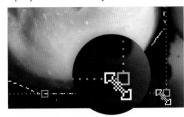

Point d'accès sans fil (hotspot) Lieu public ou privé depuis lequel vous pouvez vous connecter à Internet sans fil, en utilisant votre portable ou un Assistant personnel. Certains de ces points d'accès sont gratuits, d'autres réclament le paiement d'une somme modique.

Points par pouce (ppp) ou **dots per inch (dpi)** Nombre de points qu'une imprimante peut imprimer sur chaque pouce linéaire d'une feuille ou nombre de points utilisés pour définir un pouce linéaire d'une image numérique. Plus ce nombre est élevé, meilleure sera la qualité de l'image. Les imprimantes à jet d'encre peuvent imprimer plus de 1440 dpi tandis que les moniteurs affichent environ 92 dpi.

Police Style de caractères tel que l'Arial ou l'Helvetica. La plupart des polices de caractères peuvent être affichées et imprimées dans toutes les tailles. On peut aussi les mettre en gras ou en italique, entre autres.

Polluposteur (spammer) Personne ou organisation qui envoie des pourriels (voir ce mot).

POP3 Protocole d'envoi et de réception de messages sur Internet. L'utilisation du POP3 correspond à une sorte d'accord passé entre votre PC et le serveur chargé d'envoyer vos messages, accord qui définit la manière dont ceux-ci devront être acheminés. Microsoft Outlook Express, par exemple, est conforme à ce protocole. On dit de lui qu'il est un client de messagerie POP3.

Portrait Orientation d'un document dans laquelle le bord le plus court est horizontal, tandis que le plus long est vertical (l'opposé du mode Paysage).

Positionnement automatique Méthode employée par certains logiciels à l'instar de Word ou d'Excel, qui permet d'ajuster automatiquement des éléments à l'écran (des tableaux dans Word ou des colonnes dans Excel, par exemple), afin d'optimiser l'espace de travail disponible.

Pourriel (spam) Courriel qui arrive dans votre messagerie de manière inopinée et qui cherche en général à vous vendre quelque chose. Nombre d'entre eux promeuvent des méthodes pour gagner de l'argent sans se fatiguer, vantent les mérites de produits pharmaceutiques douteux, proposent de vous faire obtenir des diplômes et des certificats fantoches. Il s'agit bien entendu d'arnaques ! Ne répondez jamais à un pourriel, vous confirmeriez l'activité de votre adresse et seriez alors envahi de centaines de pourriels.

Prévisualisation Affiche le document tel qu'il apparaîtra lorsqu'il sera imprimé. En prévisualisant un document finalisé avant de l'imprimer, vous pourrez constater les dernières anomalies et les corriger. Cela permet de réaliser des économies d'encre et de papier.

Primitives Formes géométriques basiques comprises dans tous les éditeurs graphiques. Rectangles, polygones, ellipses et lignes sont des briques de construction de formes plus complexes.

Profondeur de champ Distance de netteté existant avant et après le sujet qui fait l'objet de la mise au point lorsque l'on prend une photo. C'est donc l'espace entre le point net le plus proche et celui qui est le plus éloigné. L'ouverture de la lentille (comme celle de l'iris de l'œil humain) gouverne la profondeur de champ. Une petite ouverture augmente la profondeur de champ. C'est pour cette raison que les photos prises en plein jour tendent à être plus nettes que celles prises la nuit.

Profondeur des couleurs Nombre des couleurs pouvant être affichées dans une image. Elle est exprimée par une valeur binaire. Une image 8-bits peut contenir jusqu'à 256 couleurs différentes, tandis qu'une image 24-bits en contiendra jusqu'à 16 millions. Une image 1-bit est en noir et blanc.

R

RAM *Random Access Memory*. Se réfère généralement à la mémoire principale de votre PC, utilisée pour stocker et gérer des données lorsque l'ordinateur est allumé. Contrairement aux données contenues par le disque dur, ces données seront perdues lorsque vous éteindrez la machine. C'est pour cette raison qu'elle est généralement qualifiée de mémoire vive.

RealAudio Format de compression audio conçu pour la lecture audio en transit (streaming) sur Internet.

RealAudio est très répandu dans les stations de radio qui émettent par le biais d'Internet. Il permet de commencer la lecture d'un flux audio ou vidéo à mesure qu'il est diffusé. Pour écouter des enregistrements sonores employant ce format, vous devrez préalablement charger le programme RealPlayer (www.real.com).

Recadrage Permet de sélectionner la partie de l'image qui vous intéresse et de vous débarrasser du reste. Dans un éditeur d'images comme Adobe Photoshop Elements, l'outil Recadrage ne conserve que la sélection retenue, tandis que dans un logiciel comme Microsoft Word le reste de l'image est simplement caché, sans être supprimé.

Remplissage Outil utilisé par les éditeurs graphiques pour peindre une surface fermée en la remplissant d'une couleur ou d'une texture. Également appelé Pot de peinture.

Remplissage automatique Permet à des tableurs comme Excel de remplir automatiquement le contenu d'une cellule. Par exemple, si vous saisissez Lundi dans la cellule d'un tableau et que vous glissez la poignée vers les six cellules adjacentes, celles-ci seront complétées automatiquement par les autres jours de la semaine.

Réseau sans fil Interconnection d'ordinateurs et de périphériques sans l'emploi de câbles : deux PC peuvent partager une connexion Internet sans fil, une imprimante, la même collection de morceaux de musique. Voir également Wi-Fi.

Résolution Nombre de pixels d'une image numérique, d'un moniteur d'ordinateur, d'un appareil photo ou d'un numériseur, exprimé par une valeur de résolution horizontale et de résolution verticale (1280 x 1024, par exemple). Plus cette résolution est élevée, plus fin sera le détail pouvant être reproduit.

Retrait de paragraphe Utilisé pour distinguer la première ligne des autres lignes du paragraphe. Chaque entrée de ce glossaire est mise en forme avec ce type d'indentation.

Rip Copie de pistes d'un CD audio sur le disque dur d'un PC en utilisant un programme tel que le Lecteur Windows Media. Vous pouvez alors lire ces pistes sur l'ordinateur ou les copier sur votre baladeur numérique.

ROM *Read Only Memory*. Tous les périphériques de stockage de données à partir desquels on peut lire des données mais pas en écrire. C'est le cas des CD-ROM ou des DVD-ROM, par exemple.

RVB Abréviation de Rouge, Vert, Bleu, qui sont les couleurs employées par un moniteur de PC. En combinant ces couleurs dans des proportions différentes (exprimées par un pourcentage ou un nombre compris entre 0 et 255), il est possible de recréer toutes les couleurs du spectre.

S

Saturation Pourcentage de concentration d'une couleur spécifique. Plus une couleur est saturée, plus elle est vive. Réduisez la saturation d'une image et vous obtiendrez des tons plus passés, plus pastels.

Saut de page Point à partir duquel une page se termine et une autre commence. Dans Microsoft Word, vous pouvez insérer manuellement des sauts de page dans un document, en appuyant sur la combinaison **Ctrl+Entrée**.

Scénario-maquette (storyboard) Document qui présente, sous la forme de dessins, les scènes principales d'un film.

Sélection Tout élément mis en surbrillance par la souris, qu'il s'agisse d'une commande d'un menu, d'un paragraphe de texte, d'une partie d'image ou d'une image tout entière.

Séquenceur Programme utilisé pour la composition et l'arrangement musical. Certains programmes sont conçus pour arranger des clips musicaux préenregistrés, d'autres comprennent des instruments MIDI tels que des synthétiseurs. Tous permettent d'obtenir des compositions de qualité CD.

Serveur Web Si vous souhaitez développer votre propre site Web, vous devrez louer un espace de stockage sur un serveur Web. Les fournisseurs de ce type de service proposent, outre l'espace, les outils d'administration qui vous permettent de gérer votre site.

Signature numérique Balise électronique attachée à un contenu, une image par exemple, qui identifie le propriétaire et les utilisateurs autorisés.

SMTP Protocole de transfert de messages employé sur Internet. Dans une messagerie électronique telle que Microsoft Outlook Express, le protocole SMTP gère les messages sortants, tandis le protocole POP3 s'occupe des messages entrants.

Styles Un traitement de texte tel que Microsoft Word inclut un grand nombre de styles prêts à l'emploi, que l'on peut appliquer à des documents afin de leur conférer une mise en page élaborée. Vous pouvez aussi créer vos propres styles, qui comprendront la définition de la police à employer, le corps de caractère et son attribut (gras, italique ou souligné), sa couleur, l'alignement du paragraphe et la position des tabulations.

Syntoniseur télé (tuner TV) Matériel qui permet de recevoir et d'afficher des émissions de télé analogique ou numérique sur votre PC. Ces syntoniseurs se présentent sous la forme d'une carte d'extension, qui est installée dans l'ordinateur ou d'une carte de type carte de crédit adaptée aux ordinateurs portables. La plupart dispose d'un logiciel qui vous permet d'enregistrer des émissions sur le disque dur.

T

Table de montage Associée à un programme d'édition vidéo, elle permet de disposer les éléments d'une vidéo sur des pistes distinctes. La première peut, par exemple, contenir les vignettes des clips vidéos, la seconde la musique de fond, la troisième les effets de transition et la dernière les titres et sous-titres.

Tablette graphique Tablette connectée au PC et pourvue d'un stylet électronique. Elle est utilisée par les graphistes, qui trouvent le stylet plus naturel et plus précis que la souris pour dessiner.

Taux de rafraîchissement Indique le nombre d'images que peut afficher votre écran en une seconde. Plus cette valeur est élevée, meilleure sera la qualité de l'image ainsi affichée.

Teinte La caractéristique principale d'une couleur qui la distingue des autres couleurs dans le spectre. Dans un éditeur graphique, elle est exprimée par une valeur comprise entre 0 et 359.

Téléphonie Internet Connu sous le nom de voix sur IP, cette technologie vous permet d'utiliser Internet pour passer des appels téléphoniques. Les deux PC communiquant doivent être équipés d'un microphone, de haut-parleurs et d'un logiciel spécifique tel que Skype, www.skype.com. En général, le logiciel comme les appels sont gratuits.

Texte automatique Blocs de texte ou d'image fréquemment utilisés (en-tête de lettre, signature ou formule de politesse, par exemple), que vous pouvez instantanément insérer dans un document en saisissant simplement un mot-clé ou en sélectionnant le bloc dans une liste.

Thème Cette fonction change l'apparence visuelle de Windows en modifiant la manière dont les éléments sont présentés : polices de caractères, arrière-plan du Bureau, sons et économiseurs d'écran.

TIF Format de fichier graphique utilisé par de nombreux programmes Windows et Macintosh. C'est un format affectionné par les graphistes professionnels mais qui génère des fichiers très volumineux. Les fichiers TIF peuvent être compressés, mais, contrairement aux fichiers JPG, ils ne perdent pas en qualité.

Titre générique Texte disposé sur un clip vidéo ou une image fixe, en général dans un logiciel d'édition vidéo ou de présentation assistée par ordinateur, tel que PowerPoint.

Transition Effet visuel utilisé dans une vidéo ou une présentation pour passer d'une scène à une autre. Les plus courantes sont le fondu, la dissolution et l'effet de rideau ou de mosaïque.

Transparence Qualité, également appelée opacité, assignée aux calques d'un éditeur graphique et qui permet de faire apparaître, par transparence, les éléments contenus par les calques en arrière-plan.

TrueType Standard de polices de caractères inventé par Microsoft et Apple qui vous permet d'afficher et d'imprimer un texte dans un corps élevé sans déperdition de qualité. Voir également OpenType.

Twain Moyen par lequel les scanners ou d'autres périphériques communiquent avec les éditeurs graphiques. Le pilote TWAIN est installé sur le PC et gère le transfert des données entre le périphérique d'acquisition et le programme.

U

URL Adresse unique d'une page Web, identifiée par un nom de domaine. Par exemple, microsoft.ca est un nom de domaine, tandis que http://office.microsoft.com/fr-ca/worldwide/default.aspx est une URL qui pointe sur la page spécifique des mises à jour d'Office sur le site de Microsoft.

USB Les connecteurs USB équipent tous les PC et permettent de connecter des périphériques courants tels qu'une imprimante, un numériseur ou un appareil photo numérique.

V

Vidéo numérique Vidéo enregistrée à l'aide d'une caméra vidéo numérique ou convertie dans un format numérique. Contrairement aux anciens systèmes de vidéo analogiques, tels que le VHS, les vidéos numériques peuvent être transférées sur un PC, copiées et éditées sans perdre en qualité.

Vignette Version miniature d'une image dans un éditeur graphique, un site Web ou l'Explorateur Windows. Les vignettes se chargent rapidement et vous permettent de décider si vous allez ouvrir ou non l'image associée.

Virus Code malicieux conçu pour se répliquer de lui-même et qui emploie généralement les courriels pour se propager. Il existe un grand nombre de variétés de virus, de ceux qui « s'amusent » à afficher des messages intempestifs à l'écran à ceux qui vont chercher à détruire les données sensibles de la machine. Certains, appelés Trojans, restent dans un état végétatif pendant plusieurs mois, avant de s'activer à une date spécifique.

W

WAV Format de fichier son numérique utilisé par Windows. Le son que vous entendez au démarrage de Windows est un fichier WAV et de nombreux programmes permettent d'en créer.

Webcam Petite caméra vidéo qui permet de diffuser de la vidéo sur Internet. On peut également

employer une webcam en vidéo-conférence, à condition d'exploiter une connexion haut débit.

Web mail Manière d'envoyer et de recevoir des courriels en se connectant à un site Web. Il s'agit d'une solution alternative à l'usage d'un logiciel de messagerie électronique tel que Microsoft Outlook Express. Solution qui présente également l'intérêt de communiquer depuis n'importe quel ordinateur connecté au réseau. Sympatico, Yahoo! Mail ou Google Mail sont des exemples de Web mail.

Wi-Fi Manière de se connecter à Internet sans fil par l'entremise d'un point d'accès Wi-Fi. Désormais, la fonction Wi-Fi est implémentée par défaut dans les PC portables et peut facilement être ajoutée à un PC de bureau en connectant un adaptateur spécifique dans un port USB de la machine.

WMA Format de fichier son créé par Microsoft pour concurrencer le format MP3. Il génère des fichiers de plus petite taille avec la même qualité sonore. Le format WMV applique le même principe aux fichiers vidéo.

Z

Zone sélectionnée Section d'une image qui a été sélectionnée ou mise en surbrillance, puis coupée pour être ensuite utilisée à un autre endroit de l'image ou dans une image différente. Adobe Photoshop Elements peut conserver ces sélections sur des calques transparents, afin de les disposer ou de les redimensionner comme bon vous semble. Ces calques sont très pratiques pour créer une image.

Zoom numérique Fonction disponible sur les appareils photo ou les caméras numériques qui simule l'effet d'un zoom optique en agrandissant le centre d'une image. L'effet est identique au redimensionnement d'une section d'une image dans un éditeur d'image.

Zoom optique Fonction d'un appareil photo qui augmente la taille de l'image à capturer en modifiant la distance focale de la lentille. Contrairement au zoom numérique, le sujet est agrandi sans déperdition de qualité.

Index

A

Accessoires 10
ACID XPress 232-237, 333
  échantillon d'enregistrement 236
  paramètres de volume
    d'enregistrement 237
  pistes silencieuses 234
Acquisition vidéo 248, 335
Acrobat 295
ActiveX 334
Actualiser (bouton) 342
Add-ons *Voir* Accessoires ou
    Périphériques 10
Adobe Acrobat 295
  Reader 313
Adobe Gamma 311
Adresse IP 339
ADSL 14, 334
Affichage
  Miniatures 56
Affiches 84-89
  impression 88
Aides à l'apprentissage 171
Album photo en ligne 266-271
Aligner ou répartir 177
Analogique 334
Animations 284
  insertion d'animations 285
  insertion d'images 285
Annuler (commande) 318
Antivirus 13, 16, 334
Appareil photo 10, 304

Appareil photo numérique
  10, 11, 336
  contrôles 304
  film numérique 306
Apple 11
  iTunes 238
Arbre généalogique 174-179
  arbre descendant 178
  rechercher 175, 176
  sites généalogiques 178
Archive LZH 73
Arrière-plan 262
Aspect ratio 334
Assistant Passeport 279
Audacity 13, 220, 236, 286, 291
Audio numérique 332
Audio Out *Voir* Sortie audio
Avery 204

B

Baguette magique 49, 70,
    315, 320, 340
Balado 286-291, 342
Balise code de temps 211
Bande dessinée 32-39
Bande passante 335
Barre d'options 318
Barre d'outils
  Dessin 92
  Mise en forme 92
Bibliothèque de photos 170,
    324-325
Biseaux 63, 73
Bit 335
Bitmap 335
Blogs *Voir* Blogues
Blogues 272-277, 335
  hébergement 273

BMP 335
Boîte (réalisation de) 126-131
Boîte à cadeau 126-131
Boîte de dialogue 7
Bordures 97, 102, 166, 187
  de photos 115
Boucle (musique) 340
Boule à neige 108
Bouton
  Actualiser 342
  du menu animé 250
Bulletin 138-145

C

Cadre cible 271
Cadre de page 257
  bordures 260
  propriétés de cadre 257, 260
Cadre de sélection 54, 182
Cadre d'images 155
Calendriers 132-137
  en ligne 136
Calque de réglage 88
Calques 314-315, 340
  dupliquer 123
  fusionner 123, 315
  palette 49, 169
  sélection automatique 169
  styles 39, 51, 73, 89, 111, 123,
    156, 163, 167, 182, 264, 314-315
Caméra vidéo 209
Caractère de signature 188
Caractères accentués 165
Caractères spéciaux 140
Carte
  insérer 110
Cartes (jeu de) 154-159
Cartes de vacances 62-67

Cartes de visite 90
Cartes de vœux 104-111
Cartes géographiques 63, 66
Cartes historiques 64
Cartes mémoire 306
Cartes pour apprendre 168-173
Cartes Secure Digital (SD) 306
Cartes son 332, 333
  enregistrement 332-333
  entrées et sorties 8
Cartouches
  recharger 312-313
Casse-tête 68, 73
  CD de compilation 238-241
CD-ROM 335
  couverture de CD 221, 241, 312
  lecteur 8
CD Vidéo (VCD) 251
Cellules (tableur) 300
Certificat 102
Chargement
  de fichiers 270
  de programmes 13
Clipart 15, 99, 245
CMJN 336
Codec 336
Collage spécial 91, 93
Coller dans la sélection 321
Colonnes (Excel) 300
  largeur 147
Colonnes (Word) 139
Coloriser 124, 147
Compact Flash 306
Compilation musicale 238
  téléchargement 241
Composition musicale 232
Compression 311, 336
Compression vidéo 345

Compte utilisateur Windows 279
Configuration audio et vidéo 297
Connecteurs (Formes
    automatiques) 178
Connexion sans fil 14
Contour progressif 41, 42,
    53, 185, 317
Contrôle de l'enregistrement 216
    niveaux 217
Contrôle du volume 216
Cookies 336
Copyright 62, 170, 219
Correcteur de tons
    directs 21, 22, 27, 41, 44
Correction colorimétrique
    automatique 310, 334
    options 140
Couleur 310-311
    intervertir 170, 318
    livre coloré 186
    organisation 311
    palette 336
    profondeur 336
    remplacement 23, 43, 45, 322
    sélecteur 318
Courbe de transfert
    de dégradé 184, 317
Courbes de Bézier 335
Courriels 16, 337
    ajouter des sons 285
    animés 284
    illustrés 284-285
Création de texture 202
Création musicale 232-237
    boucles 232
    enregistrement 332-333
    logiciel 234, 333
Crénage 328, 340

CRT (*cathode ray tube*) 9
CV
    en ligne 292-295
    par courriel 294
    sur CD-ROM 293

D

Découpage 316
Définir une forme (pinceau) 319
Déformation 45, 157-158, 316
    des visages 163-165
Dégradé 89
Dégrouper 91
Demi-tons 39, 338
Désaturer 43
Dessins à l'échelle 151
Dessins d'enfants 105
Diaporama 222, 302
    interactif 242-247
Diplômes (création de) 98-103
Disque dur 9
Distance focale 338
Dots per inch (dpi) 311, 337
Droits de reproduction musicale 239
DVD vidéo 215

E

Éclaircir (images) 40, 80
Écrans de veille 343
Éditeur de caractères 188
Éditeur de mots-clés
    avancés 228, 231
Éditeur d'images 308-309
    ajustements 317
    compression 22
    détourage 320
    effets 316
    logiciel 12

Édition vidéo 13, 208-215
    acquisition 210
    effets 212
    effets de transition 211
    logiciel 209
    organisation des clips 210
    qualité 209
    séquences de transition 211
    taille de fichier 215
    titres 212-214
    vidéo (téléphone mobile) 213
Effet
    angle 87
    artistique 80
    d'arrière-plan 117
    dissoudre 337
    lumières 55, 167, 317
    Pop Art 81, 126, 184
Effets miroir 161
Effets spéciaux (images) 316-317
Égaliser (musique) 337
Ellipse de sélection 53, 81, 110, 320
E-mails *Voir* Courriels
Encadré coloré 145
Encoder 337
Enregistrement
    de fichiers 13, 125
    d'une vidéo 214-215
    PDF (Photoshop Elements) 109
    vocal 286
Enregistrer sous (commande) 179
    Page Web 257, 265, 301
En-tête et pied de page
    90, 143, 339
Enveloppes 107
Équilibrer une image 75
Ergonomie 9
Espace Web 266, 268

Estompage 96, 137
Étiquettes 300
    personnalisées (pour
    enveloppes) 199
Eudcedit 191
Excel 300-301
    exporter 337
    taille des cellules 149
Exposition 304, 305, 337
Extracteur magique 50

F

FAI (fournisseur d'accès
    Internet) 14, 339
Faire-part 284
Favoris 337
Fichiers (voir Format de)
Filigrane 96, 337, 345
Filmer 307
Filtre 74-81, 314, 316-317, 337
    Ajout de bruit 54
    Aquarelle 76
    Bruit 28
    Craie 81
    Cristallisation 69, 70
    Découpage 39, 316
    Esquisse 81, 317
    Luminosité/Contraste 81
    Nuages par différence 314
    Offset 123
    Pastels 80
    Photocopie 38, 186, 317
    Pointillisme 77
    Relief 101
    Rendu 42
    Sphérisation 265, 317
FireWire 209, 338
Flash (photographie) 307

Flou 38, 185
Flou Gaussien 185
Fonction de recherche (Office) 247
Fond transparent 126
Format de fichier 22
  AAC 240
  DOC 13
  TIF 344
  En tant que page Web 267
  fichiers son numérique 240
  GIF 264, 338
  GIF animations 264-265
  JPEG (JPG) 13, 311, 340
  Photoshop (PSD) 13, 89, 314
  RTF 13
  son 334
  TXT 13
  WAV 332, 345
  XLS (Excel) 13
  Zip 37
Format JPEG
  Options/Qualité 89, 260, 340
Formes
  transformation 130, 201
Formes automatiques 90,
    149, 175, 300, 334
Formes personnalisées (Elements) 37,
    157, 169, 201, 264
Formes prédéfinies 90
Formule (Excel) 300
Fournisseur d'accès
    Internet (FAI) 14, 339
FTP 263, 269, 338
Fusionner les calques 123, 315

G

Gestion d'images 324-325
Gestionnaires de photos 308, 324

GIF animé 264-265, 285, 334
  couleur d'arrière-plan 264
Gigaoctet (Go) 9, 338
Glisser/déposer 337
Go (gigaoctet) 9, 338
Google
  recherche d'images 309
Google Earth 66
Graphiques (Excel) 300-301
Graphismes vectoriels 86, 345
Gravage de DVD 215, 253
Graver un CD 221, 241, 335
Graveur de CD 335
Grille 146, 150
Grouper 91, 93
Groupes 278-283
  abonner (s') 278
  ajout de pages 283
  album photo 281
  annonces 280
  calendrier 281
  démarrer une discussion 282
  envoyer des invitations 280
  liens Web 282
  listes 283
  message d'accueil 281
  messagerie instantanée 282
  outils de gestion 280
  répondre à un message 282
  rôle du participant 283
Guide de l'utilisateur (logiciel)
    12-13
Guillemets 140

H

Habillage 123, 338
  de texte 95, 143
Halo de lumière 111

Haut débit 14, 335
  par câble 14
Hébergement de site 289
Hotmail 296
Hotspot *Voir* Point d'accès sans fil
HTML 339
Hub *Voir* Multiplicateur de ports USB

I

Image
  couper et coller 52-55
  équilibrer une image 75
  insérer 176, 261
  inverser image (paramètres
    d'impression) 205
  obscurcir 80
  organisation 113, 324-325
  orientation 96, 117
Images satellite 66
Importer une vidéo
    (Movie Maker) 213
Impression 124, 148, 173,
    312-313
  à l'échelle 151
  cartes 158
  enveloppes 198
  inversée 205
  mise en page 98, 329
  pages multiples 105
  photos multiples 173, 187
  prévisualisation 329
  professionnelle 105, 159
  sur plusieurs pages 67, 88
  sur toile 79
  transfert 200, 201, 205
Imprimantes 10, 312
  jet d'encre 10, 312
  laser 10

paramètres 107, 312
  pilote 312
Indentation 338
Interfaces 330, 343
Interlettrage 328
Interlignage 94
Invitation à un mariage 94
iPod 330
Itinéraire 65
iTunes 238, 288, 330, 339
  Music Store 289

J

J'ai de la chance (Picasa) 266,
    325
Jeu de cartes 154-159
Jeu des 7 familles 154-159
Jukebox 340

K

Karaoké 228-231
Kisekae Set System (KiSS) 68, 69

L

Lasso 28, 145, 320-321, 336
Lasso Polygonal 30, 39,
    48, 49, 70, 183, 320
Lecteur de DVD 8
Lecteur Windows Media 330
  Audio (WMA) 240, 332, 345
  boutons de contrôle 331
  liste en écoute 331
  Vidéo (WMV) 226, 345
Légendes et sous-titres 231
Lentilles d'agrandissement
    10, 306, 341
Liens hypertextes 244-247, 262-263,
    271, 294

INDEX

Lignes (Excel) 300
    hauteur des lignes 147
Liquéfier 45, 156-157, 163, 316
Lissé 86, 334
Liste d'écoute 342
Liste en cours d'écoute 221
Livre de contes 180-187
Logiciel 13, 16
Logiciel espion 16
Lumière crue 54, 125, 185
Lumière tamisée 111
Luminosité 79

M

Macintosh (Mac) 11
Magnétophone 13
Maquillage (Elements) 40-45
Maquillage numérique 40
Marges 96
Marque de sélection 339
Masque (création de) 160-161
Matériel (achat) 10-11
Mégahertz (MHz) 9
Mégaoctet (Mo) 9
Mégapixel 311, 341
Mélanger les sources (Elements) 109
Mémoire Flash 306
Menu (invitation) 162-167
    créer une bannière 167
    créer une invitation 166
    créer des masques 160
Menu de dîner 165
Menu de DVD 248-253
    effets et transitions 252-253
    logiciel 248
    marqueurs 249, 251
    modèles 249
    musique de fond 252

prévisualisation 253
    titres 249
    video d'arrière-plan 252
Messagerie instantanée 339
Messagerie Web 17, 345
Metafile 91
Mettre à l'échelle (impression) 124
MHz (mégahertz) 9
Microsoft
    clipart 99
    Excel 300
    Office 12
    Office Online 177
    Outlook 194
    Photo Récit 222
    Publisher 139
    Word 328
MIDI (*Musical Instrument Digital Interface*) 332, 341
Mise à jour 276
Mise au point 304
Mise en page 328, 342
    de diapositive 243
Mo (mégaoctet) 9
Mode
    Bitmap 190
    Chronologie 210, 344
    Incrustation 203
    Superposition 314, 318
Modèles 15, 93, 104, 132, 177, 195, 221, 344
    d'album en ligne 267
    de document 96
Modem 341
    modem/routeur 14
    modem RTC 14
Moniteur 10
Motifs et textures (Excel/Word) 151

Movie Maker 13, 209-215, 341
MP3 240, 332, 341
MPEG 341
Multiplicateur de ports USB 11
Musical Instrument Digital Interface (MIDI) 332, 341
Musique
    compilation musicale 238
    composition musicale 232
    égaliser 337
    téléchargement 241

N

NASA (photos de la) 53
Nature morte 76
Navigateur 15
Nettoyage audio 220
Nettoyer des vinyles 218
Niveaux automatiques 48, 310, 323
Niveaux de gris 338
Niveaux de zoom 24
Nom de domaine 337
Norton AntiVirus 13
Norton Internet Security 13
Numérisation 46, 115, 322
    cassettes 216-221
    collection de CD 240
    vieux films 215
Numériseur 322-323, 343
    à plat 322
    couleur 11
    modes 323
    paramètres 189, 323

O

OCR 322, 341
Office Online 132

Ombres
    dans Excel 175
    dans Photoshop Elements 156
    dans Word 118, 123
    internes 156
    portées 51, 66, 89, 182
Opacité 31, 55, 89, 185, 314, 318
Options 198
    des calques 54, 185, 203, 314, 335
    Rééchantillonnage 57
Ordre (superposition d'objets) 179
Outil
    Couleur de remplissage 94, 337
    création Ikea 152
    de dessin 318-319
    Duplication 22, 23, 25, 29, 30, 31, 78, 320-321, 335
    Éponge 43
    Fluidité 158
    Glissement temporel 287
    Pinceau 77, 318, 335
    Point de fuite 59
    Point de référence 321
    Pot de peinture 168, 170
    Recadrage 121, 163, 336
    Rectangle 147
    Rectangle de sélection 65, 320
    Redressement 48
    Sélection 308, 343, 320
    Texte 36, 85
    Texte horizontal 66
Outlook Express 16, 284-285, 342

P

PagePlus 139
Panorama 56-61
    Photomerge 57
PAO 13, 139, 328-329

Papier 94, 110, 122
Papier d'emballage 120-125
Paramètres de tolérance 49, 320
Pare-feu 13, 16, 297, 338
Passport 16, 278, 296
PC
  installation 8-9
PC de poche 11, 226
PC portable 9
PDF 295, 313, 342
Périphériques 10
Perspective 59, 60, 201, 202
Photo Récit 222-227
  animation personnalisée 226
  commentaires vocaux 227
  création musicale 227
  effets spéciaux 224
  enregistrer le projet 227
  légendes 226
  musique de fond 227
  narration 226
  titres 225
Photographie 304-307
  créations de photos 106, 111
  de nuit 307
  en macro 307
  supprimer des objets 26-31
Photo-montage 122, 315,
    320-321
Photos 116
  colorées 124
  en mouvement 307
  jaunies 20
  Picasa 116
  portrait 306
  restaurer 20-25
  retoucher de vieilles photos 121
  sur le Web 15

Photoshop Elements 308, 318
  galerie photos en ligne 270
Picasa 113, 114, 266-267, 324-325
  importer et exporter 325
Pied de page 143
Pilote 337
Pinceau
  à sec 318
  Calligraphique 318
  Impressionniste 77, 78
  personnalisé 319
Pixel 310, 342
Plan de cuisine 146-153
Plastification 165
Podcast *Voir* Balado
Point d'accès sans fil 339
Point de référence 321
Points par pouce (ppi) 311, 337
Police de caractères Roman 326
Polices 37, 326-327
  créer un caractère 188-193, 327
  crénage 328
  installer 327
  logiciel de création 193
  OpenType 341
  personnaliser 188
  pour le Web 258
  serif 326
  signature 190
  TrueType 37
POP3 335, 342
Port
  IEEE 1394 (FireWire) 209
  parallèle 8
Portable Document Format (PDF)
    295, 313, 342
Portrait
  de famille 46-51

photographie 306
Pot de peinture 168-170
Pourriel 343
PowerPoint 12, 242-247,
    302-303
  animations 303
  chemins de déplacement 303
  clipart 245
  clips vidéo 244
  création d'un CD 247
  diapo maître 245
  effets sonores 245
  effets visuels 246
  page de navigation 245
  powerpoint 243
  transitions 303
Présentations 12, 242-247, 302-303
  interactive 242
Primitives 342
Priorité à l'ouverture 304
Prise
  DVI 8
  réseau 8
  téléphonique 217
Profondeur de champ 336
Programme
  installation 12
Protection intellectuelle
    (musique) 220
Protocole de transfert de fichiers (FTP)
    263, 269, 338
Publication assistée par ordinateur
    13, 139, 328-329
Publipostage 194-199
Puzzle *Voir* Casse-tête

Q

QuickTime 330

R

Radio Internet 14, 331
RAM (*Random Access Memory*)
    9, 35, 342
RealAudio et RealPlayer 342
Recharger des cartouches 312-313
Recherche (Office) 247
Recherche d'images dans Google
    309
Reconnaissance optique
    de caractère 322, 341
Règles (Word) 142
Reliures et finitions 118, 137, 187
Remplacement de couleur
    23, 43, 45, 322
Remplissage automatique 334
Réseau sans fil 14, 345
Résolution 10, 28, 310-311,
    323, 343
Restaurer des photos 20-25
Retoucher de vieilles photos 121
Retouches simples 117, 266, 324
Rip 343
Rotation 56, 87
  des calques 53, 87, 130, 161
RTF (*Rich Text Format*) 295
RVB (rouge, vert et bleu) 310, 343

S

Sans fil
  clavier et souris 10
  réseau 345
Sans serif 326
Saturation 343
Scanners *Voir* Numériseur
Scénario-maquette 34, 210 343
Sélecteur de couleurs 318

Sélecteur magique 50
Sélection (marque de) 332
Sélection automatique du calque 169
Sépia 76
Séquenceur (musique) 343
Services d'impression 105, 312
Seuil 190, 316
Simplifier les calques 202
Site Web
  construire un site Web 256
  page d'accueil 256-263
  page index 258
SmartFTP 263, 269
SMTP 343
Solarisation 81, 184
Sons Windows 333
Sortie audio 217
Spam Voir Pourriel
Spyware Voir Logiciel espion
Storyboard Voir Scénario-maquette
Styles dans Word 144, 344
  ajouter au modèle 261
Styles de paragraphes 144
Styles de texte et mise en forme
  261
Styles d'habillage 143, 195
Styles et effets 125, 167
Supprimer des objets d'une photo
  26-31
Supprimer des programmes 12
Symboles 165
Symétrie 161
Synchroniser (Media Player) 331

T

Table des caractères 192
Tableaux 96, 259
  colonnes 259

lignes 259
  propriétés 97
Tablettes graphiques 319
Tableur 12, 300
  cellules 147
Teinte/Saturation 44, 55, 69, 88,
  124-125, 147, 310, 339
Télécharger de la musique
  gratuitement 238
Téléphone portable 11, 226
  vidéos 213
Téléphonie par Internet 339
Tempo 236
Texte automatique 334
Texture
  création 202
  naturelle 121
Traitement de texte 12
Transférer une vidéo 210
Transfert de fichiers (FTP) 263,
  269, 338
Transfert cylindrique 60
Transfert FTP 263, 269, 338
Transformation de formes 130, 201
Transitions 223, 344
  de diapositive 246
Transparence 315
T-shirt 200-205
Tube cathodique (CRT) 9
TWAIN 344
Typographie 85, 328

U

Unicode 191
URL (Uniform Resource Locator)
  15, 345
USB (Universal Serial Bus) 8, 10,
  11, 345

V

Variantes de couleurs 81
Vidéo 11
  musicale 239
  numérique 336
Vidéoconférence 296-297
Vignette 81, 344
Virus 345
  Norton AntiVirus 13
  Norton Internet Security 13
Visualisations 229, 231, 330, 345
Vitesse d'ouverture (photo) 305
VOIP (voix sur IP) 339
Voix off 214
Volet des tâches 7

W

Web
  adresse 269
  animation 264-265
  conception 256-263
  favoris 262
  liens 262, 271
  navigateur 14, 335
  prévisualisation 116
Webcam 16, 297, 345
  paramètres 297
Weblogues (blogues) 272
Webmail Voir Messagerie Web
Webspace Voir Espace Web
Wi-Fi Voir Réseau sans fil
Windows Live ID 16, 278, 296
Windows Live Messenger 296
  groupes 278
  Hotmail 16
  logiciel de communication 282
  Passport 16, 278, 296

Spaces 272, 273
Windows Mobile 11
Wingdings 189, 326
WMA 240, 332, 345
WMF (Windows Metafile) 91
WMV 226, 345
Word 12
  arrière-plan 102
  barres d'outils 101
  clipart 94
  ombres 117
  paramètres d'impression 107
  textures 103
  WordArt 92, 93, 258, 259
Wow Chrome 125
Wow Plastic 111, 167, 264

Y

Yahoo! 16, 17
  courriel 17
  Messenger 297

Z

Zone de texte 95, 99
Zoom 306
Zoom numérique 337

Remerciements

Sélection du Reader's Digest (Canada) SRI remercie les sites Internet suivants, pour nous avoir donné l'autorisation de reproduire des captures d'écran de leurs pages d'accueil et d'autres pages Web.

iTunes
MonEmploi.com
Monster.ca
Napster.ca
Sympatico.msn.ca
Yahoo! Québec – reproduit avec la permission de Yahoo! Inc.
® 2008 par Yahoo! Inc. Yahoo! et le logo Yahoo!
sont des marques déposées de Yahoo! Inc.